L'ART MODERNE

ORDER NO: P	56892
DATE:	27/4/07
SUPPLIER:	MKT Print

t.p.s:	255 x 220mm up
Extent:	416pp
	4/4 text + integrated illustrations throughout
Paper:	115gsm Biomatt
Binding:	26 x 16pps
cloth:	
endpapers:	140gsm WF 1/1 PYellowU
PLC:	4/0 (black, P Yellow C, P032C x2) 135gsm one-sided gloss art paper, gloss film lam. 1 side only

L'ART MODERNE

de l'impressionnisme au post-modernisme

sous la direction de David Britt

Traduction et adaptation française :
Giovanna Minelli (chapitres 1 à 6)
Valérie Morlot (chapitre 7, liste des illustrations)
Béatrix Blavier (chapitre 8, chronologie, bibliographie sélective)

Conception graphique de la couverture : Shalom Schotten

L'édition originale de cet ouvrage a paru en Grande-Bretagne
sous le titre *Modern Art. Impressionism to Post-Modernism.*

Cet ouvrage composé par S.C.C.M. à Paris
a été reproduit et achevé d'imprimer en juillet 2007
par l'imprimerie Mladinska Knjiga pour
les Éditions Thames & Hudson.

Dépôt légal : 4e trimestre 2007
ISBN 978-2-87811-297-9
Imprimé en Slovénie

Sommaire

Henri Matisse 26

Chronologie

IMPRESSIONNISME

1863 Le Salon des refusés inclut des œuvres de Manet, Cézanne, Jongkind, Whistler, Pissarro. Mort de Delacroix.
1864 Monet, Renoir, Cézanne, Sisley et Bazille travaillent en groupe à Chailly.
1865 Manet expose son *Olympia,* qui est l'objet de violentes critiques.
1867 L'Exposition universelle de Paris comporte des sections consacrées aux œuvres de Manet et Courbet. Zola consacre un article à Manet.
1869 Manet expose *Le Déjeuner sur l'herbe* au Salon.
1870 Guerre franco-prussienne. Bazille est tué. Monet et Pissarro se rendent en Angleterre.
1872 Durand-Ruel expose des œuvres impressionnistes à Londres.
1873 Second Salon des refusés.
1874 15 avril-15 mai. Première exposition impressionniste chez Nadar, 35, boulevard des Capucines, regroupant trente participants.
1875 Un groupe d'impressionnistes organise une vente aux enchères à l'hôtel Drouot ; prix moyen 144 francs.
1876 Seconde exposition impressionniste, 11, rue Le Peletier, regroupant dix-huit participants ; ceux-ci commencent à se réunir au Café de la Nouvelle-Athènes.
1878 Exposition universelle de Paris ; Duret publie « Les Impressionnistes ».
1879 Quatrième exposition impressionniste, 28, avenue de l'Opéra, réunissant quinze participants. Manet expose à New York *L'Exécution de Maximilien.*
1880 Cinquième exposition impressionniste, 10, rue des Pyramides, avec dix-huit participants.
1881 Sixième exposition impressionniste, 35, boulevard des Capucines, avec treize participants.
1882 Durand-Ruel organise la septième exposition impressionniste, et montre une sélection d'œuvres à Londres, Berlin, et Rotterdam. Importante exposition d'estampes japonaises à la galerie Georges Petit.
1883 Mort de Manet.
1884 Huitième et dernière exposition impressionniste au 1, rue Lafitte, avec dix-sept participants. Zola publie « L'Œuvre », fondée sur ses relations avec Cézanne. Van Gogh arrive à Paris. Durand-Ruel organise une exposition des impressionnistes à New York.
1889 Monet et Rodin exposent à la galerie Georges Petit.
1890 Mort de Van Gogh.
1891 Mort de Seurat.
1892 Rétrospective Pissarro chez Durand-Ruel.

SYMBOLISME ET ART NOUVEAU

1848-50 Angleterre : formation de la confrérie préraphaélite. Rossetti peint *Ecce Ancilla Domini.*
1874 France : première exposition impressionniste.
1876 France : Moreau expose *Salomé.*
1879 France : les premières lithographies de Redon sont publiées.
1881 France : Puvis de Chavannes expose *Le Pauvre Pêcheur.*
1883 Angleterre : formation de la *Arts and Crafts Society* qui expose pour la première fois.
1884 France : Huysmans publie « A rebours ».
1886 France : premier séjour breton de Gauguin.
1888 France : Gauguin peint *La Vision après le sermon.* Formation du groupe des nabis.
1889 France : Gallé expose ses vases à l'Exposition universelle de Paris. Gauguin y découvre les pavillons des Colonies. Norvège : Munch peint *Le Cri.*
1891 France : Gauguin part pour Tahiti.
1892 France : création du Salon de la Rose + Croix.
1893 États-Unis : Tiffany commence à dessiner ses vases. Pays-Bas : Toorop peint *Les Trois Fiancées.*
1894 Angleterre : Beardsley illustre *The Yellow Book.*
1895 Allemagne : première publication de « Pan ».
1896 Allemagne : première publication de « Die Jugend ».
1897 Autriche : naissance de la Sécession viennoise. France : dernière exposition du Salon de la Rose + Croix.
1898 France : mort de Moreau et de Puvis.
1903 Iles Marquises : mort de Gauguin.
1904 Écosse : Mackintosh conçoit le *Yellow Tea Room.*
1916 France : mort de Redon.

FAUVISME ET EXPRESSIONNISME

1888 Bruxelles : Ensor expose *L'Entrée du Christ à Bruxelles.*
1891 Munich : Kandinsky arrive de Russie.
1892 Berlin : les œuvres de Munch font scandale lors d'une exposition de groupe.
1899 Paris : Matisse rencontre Derain et d'autres artistes à l'Académie Carrière.
1902 Berlin : naissance de la Sécession.
1903 Munich : importante exposition d'artistes belges et français postimpressionnistes.
1904 Paris : première exposition individuelle de Matisse.
1905 Paris : première exposition du groupe des fauves au salon d'automne. Dresde : fondation de Die Brücke et première exposition du nouveau groupe ; première exposition Van Gogh.
1906 Paris : les fauves exposent en tant que groupe au Salon des indépendants.
1907 Paris : Matisse ouvre un atelier. Rétrospective Cézanne. Berlin : Wilhelm Worringer publie « Abstraction and Empathy ».
1908 Paris : le groupe des fauves se désagrège.
1909 Berlin : Fondation de la Neue Künstlervereinigung. Munich : fondation d'un groupe comparable.
1911 Dresde : le dernier membre du groupe Die Brücke rejoint Berlin. Munich : fondation du groupe Der Blaue Reiter et publication de l'Almanach du même nom. Berlin : le mot « expressionniste » figure dans le catalogue de la 21e exposition de la Sécession berlinoise.
1912 Berlin : première exposition « Expressionniste » à

la Sturm Galerie. Der Blaue Reiter présente sa dernière exposition. Munich : fin de la Neue Künstlervereinigung.
1913 Munich : dissolution virtuelle de Der Blaue Reiter.

CUBISME, FUTURISME ET CONSTRUCTIVISME

1904 Picasso s'installe au Bateau Lavoir et rencontre Salmon.
1905 Picasso rencontre Apollinaire. Exposition des Fauves au Salon d'automne.
1905/06 Picasso rencontre Gertrude et Leo Stein. Matisse expose *La Joie de vivre,* acheté par Leo Stein.
1906/07 Durant l'hiver, Picasso commence *Les Demoiselles d'Avignon.*
1907 Braque vend les six toiles fauves qu'il expose au Salon des indépendants. Kahnweiler signe un contrat le liant pour toute sa production. Apollinaire emmène Braque dans l'atelier de Picasso. En réponse aux *Demoiselles,* Braque commence un grand *Nu.*
1908 Novembre, Braque expose de nouveaux paysages chez Kahnweiler, et Louis Vauxcelles parle de ses « cubes ».
1909 Le 20 février, fondation et publication du Premier manifeste futuriste, par F. T. Marinetti, en français sur la première page du « Figaro ». Picasso passe l'été à Horta del Ebro, en Catalogne ; Braque passe l'été à La Roche-Guyon. De retour à Paris, ils constatent tous deux que leur travail est très similaire.
1910 Des artistes influencés par Picasso et Braque exposent des œuvres cubistes au Salon d'automne. Le 11 février, « Manifeste des peintres futuristes » ; le 11 avril, « Manifeste technique de la peinture futuriste ». Des soirées futuristes se tiennent en Italie.
1911 Les salles cubistes au Salon des indépendants et au Salon d'automne démontrent l'influence majeure du cubisme. Picasso et Braque n'y exposent pas. Juan Gris peint sa première œuvre cubiste. Les futuristes Boccioni et Carrà visitent Paris, et Severini les présente aux peintres cubistes, y compris Picasso. Arrivée de Mondrian à Paris.
1912 Gleizes et Metzinger publient « Du cubisme ».
1913 Apollinaire publie « Les Peintres cubistes ». *Nu descendant un escalier,* de Marcel Duchamp. À Moscou, Larionov et Gontcharova publient un manifeste rayonniste et futuriste. Tatlin se rend à Berlin et Paris, où il cherche à devenir l'élève de Picasso.
1914 Marinetti donne des conférences à Moscou et Petrograd. Mondrian retourne à Amsterdam.
1915 Malevitch et Tatlin exposent à Petrograd.
1916 Mort de Boccioni.
1917/18 Russie : après le chaos révolutionnaire initial, les arts sont organisés en un département des Beaux-Arts (IZO). En 1918, Malevitch expose ses *Carré blanc sur fond blanc* et Rodchenko ses toiles *Noir sur noir.* Kandinsky est nommé membre du collège artistique de l'IZO. Mort d'Apollinaire, le 9 novembre.
1919 L'IZO demande à Tatlin de dessiner le *Monument à la Troisième Internationale.* Rodtchenko est nommé codirecteur de la Faculté d'art industriel de Moscou. Malevitch usurpe le poste de Chagall à la tête de l'École d'art de Vitebsk.
1919 Gropius est nommé directeur du Bauhaus, à Weimar (le Bauhans sera transféré à Dessau en 1925).
1920 Kandinsky présente son programme pour un Institut de culture artistique à l'IZO, à Moscou, mais celui-ci est rejeté par les constructivistes. Gabo et Pevsner : manifeste réaliste.
1921 Kandinsky quitte la Russie pour le Bauhaus. « 5 × 5 = 25 », exposition d'œuvres constructivistes par Rodtchenko, Vesnin, Exter, Popova et Stepanova. L'IZO est dissous.

DADA ET SURRÉALISME

1913 Duchamp renonce à peindre et produit ses premiers « ready-made ».
1915 Picabia et Duchamp arrivent à New York, Picabia exécute une série de dessins mécanomorphiques ; Duchamp commence son *Grand Verre* et rencontre Man Ray.
1916 Le Cabaret Voltaire ouvre à Zurich le 5 février, et en avril les participants adoptent le nom de « Dada ».
1917 Parution des premiers numéros de *Dada* à Zurich. Picabia publie à Barcelone les numéros 1 à 4 de la revue *391.* Duchamp envoie son *Urinoir* à l'exposition des Indépendants à New York ; Man Ray et Duchamp publient « The Blind Man » et « Rongwrong ». Première à Paris de *Les Mamelles de Tirésias,* pièce « surréaliste » d'Apollinaire. À Zurich, Galerie Dada.
1918 Breton, Éluard, Soupault, Aragon découvrent *Dada.* « Le Manifeste dada, 1918 » de Tzara est publié dans le numéro 3 de *Dada.* Fondation d'un club dada à Berlin ; Hausmann et les autres commencent à utiliser le procédé du photomontage.
1919 « Littérature », édité par Breton, Aragon, Soupault paraît à Paris avec des extraits de Lautréamont et l'intégrale des « Champs magnétiques ». Jacques Vaché se suicide. Ernst et Baargeld fondent à Cologne « la conspiration Dada sur le Rhin ». Schwitters exécute ses premières œuvres Merz.
1920 Tzara arrive à Paris. Tournée dada à travers l'Allemagne de Huelsenbeck, Hausmann et Baader. Parution à Berlin de l'« Almanach Dada ». Foire dada. Exposition dada à Cologne.
1921 Publication de « New York Dada », édité par Duchamp et Man Ray. Exposition Ernst à Paris. Dada présente « Le procès de Barrès » et perd le soutien de Picabia.
1923 Duchamp abandonne le *Grand Verre.* Masson produit ses premiers dessins automatiques. Miró peint *Le Champ labouré.*
1924 Breton publie le premier Manifeste du surréalisme.
1925 Exposition intitulée « La peinture surréaliste » à la Galerie Pierre.
1926 La Galerie Surréaliste ouvre avec une exposition consacrée à Man Ray. Arp s'installe à Paris. Publication d'« Histoire naturelle », frottages de Max Ernst.
1927 Masson réalise ses premières peintures avec sable.
1928 Breton publie « Nadja » et « Le Surréalisme et la peinture ». Dali réalise « Un chien andalou », avec Buñuel.
1929 Breton publie le Second manifeste du surréalisme, exclut les dissidents et appelle à l'action politique.
1930 Buñuel et Dali réalisent « L'Âge d'or ».
1932 Breton publie « Les Vases communicants ». Exposition de groupe des surréalistes à la Galerie Julien Levy à New York.
1933 Victor Brauner rejoint le groupe surréaliste.
1934 Dali se rend en voyage aux États-Unis. Dominguez rejoint le groupe des surréalistes.
1936 Exposition « Fantastic Art, Dada, Surrealism » au musée d'Art moderne de New York. Première exposition à Paris d'objets surréalistes. Grande exposition à Londres. Dali exclu pour son soutien au fascisme.
1937 Breton ouvre à Paris la Galerie Gradiva. Matta rejoint les surréalistes.
1938 Breton rencontre Trotsky ; ils écrivent ensemble le manifeste « Pour un art révolutionnaire indépendant ». Éluard et Ernst rompent avec le surréalisme. Wilfredo Lam et Hans Bellmer rejoignent le mouvement.
1940 De nombreux surréalistes, notamment Breton, Masson, Lam et Ernst se retrouvent à Marseille avant de s'embarquer pour New York.
1942 Exposition « First Papers of Surrealism » à New York.
1944 Breton rencontre Arshile Gorky.
1947 « Exposition Internationale du surréalisme » à la Galerie Maeght : dernière manifestation importante du mouvement.
1966 La mort de Breton met définitivement fin au mouvement.

EXPRESSIONNISME ABSTRAIT

1933 Washington : pendant la crise économique, le programme « Public Works of Art Project » fournit des emplois aux artistes américains. New York : Mark Rothko a sa première exposition individuelle.
1934 New York : Hans Hofmann ouvre sa première école d'art.
1935 Washington : le Federal Art Project étend les principes du PWAP. New York : Adolph Gottlieb et Rothko participent à la fondation de « The Ten », groupe désireux de combiner « conscience sociale et héritage expressionniste abstrait ».
1936 Wols arrive à Paris.
1937 New York : Josef Albers fonde le groupe « American Abstract Artists ».
1940 La France est envahie. Les principaux surréalistes et d'autres artistes émigrent à New York, notamment Dali, Léger, Masson, Matta, Mondrian, Tanguy et Zadkine.
1941 New York : Gottlieb commence ses séries de *Pictographs.* Breton, Chagall, Ernst et Lipchitz arrivent à leur tour.
1941/42 New York : Gottlieb, Motherwell, Pollock et Rothko s'essayent à l'automatisme.
1942 Paris : Dubuffet recommence à peindre à plein temps après un long arrêt. Fautrier peint sa série des *Otages.* New York : De Kooning découvre également l'automatisme.
1943 New York : Gorky atteint la maturité avec sa série des *Jardins de Sochi.* San Francisco : Clyfford Still recommence à peindre après l'intermède de la guerre et sa première exposition personnelle.
1944 New York : Baziotes expose à la Galerie « Art of this Century » ; Hofmann invente une technique picturale utilisant le système du « drip » (coulures). Paris : Dubuffet a sa première exposition personnelle.
1946 New York : Hofmann commence ses abstractions dites « push and pull ». Paris : Hartung prend la nationalité française.
1947 New York : Pollock commence ses peintures à base de « drip ». De Kooning peint des abstractions noir et blanc en utilisant des pigments industriels. Still expose ses premières abstractions « color field ». À peu près à

la même époque, Rothko parvient à la maturité et généralise son système de grands rectangles colorés flottant dans l'espace. Paris : Georges Mathieu présente « L'Imaginaire », une exposition dédiée à l'abstraction lyrique.
1948 New York : suicide de Gorky. Newman entame sa période « color field ». Baziotes, Motherwell, Barnett Newman et Rothko sont parmi les fondateurs du groupe « The Subject of the Artist » qui conduira au Club des artistes tenants de l'expressionnisme abstrait. Paris : le groupe Cobra est formé.
1949 New York : Motherwell entame sa série des *Elégies à la République espagnole.*
1950 États-Unis : à peu près à cette époque, Franz Kline, James Brooks, Philip Guston et Bradley Walker Tomlin abandonnent la figuration pour une manière proche de l'expressionnisme abstrait. De Kooning débute sa série des *Femmes.* Paris : Pollock y a sa première exposition personnelle en Europe.
1951 New York : Frankenthaler est confrontée à l'œuvre de Pollock. Gottlieb abandonne ses *Pictographs* pour des *Paysages imaginaires.*
1952 États-Unis : Morris Louis découvre les « drip paintings » de Pollock et apprend d'Helen Frankenthaler la technique de l'imprégnation.
1953 New York : Pollock abandonne sa technique des coulures. Espagne : Antoni Tapiès commence ses peintures « matière ».
1955 New York : De Kooning revient à l'abstraction.
1956 États-Unis : Pollock meurt dans un accident de voiture. Paris : Dubuffet adopte un nouveau style de collage.
1957 New York : Gottlieb commence sa série des *Bursts.*
1960 New York : De Kooning revient à la série des *Femmes.*
1962 New York : Kline meurt.
1970 New York : Rothko se suicide ; Newman meurt.

POP ART

1947 Londres : E. Paolozzi commence à faire des collages utilisant des illustrations provenant de magazines ou de publicités.
1949 Londres : Francis Bacon commence à utiliser des photographies comme source d'inspiration.
1952 Londres : constitution du Groupe des Indépendants (IG) à l'Institute of Contemporary Art.
1953 Londres : exposition « Paralell of Art and Life » organisée par Paolozzi, Nigel Henderson (un photographe), et Alisen et Peter Smithson.
1954/55 Londres : rassemblement du Groupe IG par Alloway et McHale pour discuter plus spécialement de culture populaire.
1955 New York : Robert Rauschenberg fait sa première « combine painting » (peinture-assemblage), Jasper Johns réalise son premier *Flag* (drapeau) et ses premières *Targets* (cibles). Londres : l'exposition d'œuvres de Richard Hamilton à la Galerie Hanover donne lieu à des discussions à l'IG sur l'usage, en peinture, de l'imagerie populaire. Richard Hamilton organise l'exposition « Man, Machine and Motion ».
1956 Londres : exposition « This is tomorrow » à la Whitechapel Gallery. Les participants incluent Hamilton, Paolozzi et les membres de l'IG. Émergence des principaux thèmes pop : Marilyn Monroe, les affiches de cinéma et les emballages publicitaires.
1957 Londres : à l'exposition « Young contemporaries », Richard Smith montre son tableau *Blue Yonder* combinant de grandes abstractions avec des références figuratives populaires.
1958 Londres : Hamilton commence à travailler sur *$he.* Paris : Yves Klein fait ses premières *Anthropométries* et Christo ses premiers emballages.
1959 New York : exposition « The Street » de Claes Oldenburg, à la Galerie Judson. Londres : David Hockney, Derek Boshier, Peter Phillips, R. B. Kitaj étudient au Royal College of Art. Paris : Arman produit ses premiers emballages.
1960 New York : Andy Warhol réalise *Dick Tracy,* première œuvre utilisant des éléments de bandes dessinées. Tom Wesselmann expose le premier de ses *Great American Nudes* à la Galerie Tannager. James Rosenquist développe son propre style pop. Londres : Allen Jones et Patrick Gaulfied sont au Royal College of Art. Paris : César réalise ses premières *Compressions.* Milan : le critique Pierre Restany publie le premier manifeste du nouveau réalisme.
1961 New York : Roy Lichtenstein, de façon indépendante, peint ses premières toiles faisant intervenir des héros de bandes dessinées (Mickey, Donald) et des éléments empruntés à la publicité. Claes Oldenburg ouvre sa « boutique » *(The shop)* East 2nd Street. Californie : le pop art commence à se développer sur la côte Ouest. Londres : le groupe du Royal College se fait remarquer à l'exposition « Young Contemporaries » ; des œuvres de Kitaj, Blake et Hockney sont couronnées à l'exposition John Moores Liverpool. Paris : le second manifeste du nouveau réalisme est publié.
1962 États-Unis : Andy Warhol peint ses Marilyn et ses boîtes de soupe Campbell, et expose pour la première fois à la Jeans Gallery de Los Angeles. Ed Rusha réalise son premier album de photographies, *Twenty-six Gasoline Stations.* En septembre/novembre, l'art pop est pleinement reconnu aux États-Unis grâce aux interviews de Lichtenstein, Warhol, Wesselmann, Rosenquist et les autres, réalisées par G. R. Swenson et publiées dans « Art News », et grâce à deux expositions « The New Painting of Common Objects » au musée de Pasadena, et « New Realists » à la Galerie Sidney Janis à New York. Londres : diffusion du film « Pop goes the Easel » à la BBC, avec Boshier, Pillips, Blake et Pauline Boty. Le pop art est désormais un mouvement fermement établi et pleinement reconnu. Europe : le nouveau réalisme se développe selon un axe franco-italien.
1963 Düsseldorf : les artistes allemands Gerd Richter et Conrad Lueg organisent une « Démonstration de réalisme capitaliste ».

PLURALISME DEPUIS 1960

1960 Formation du Groupe de recherche d'art visuel.
1961 Joseph Beuys débute son enseignement à l'Académie des Beaux-Arts de Düsseldorf. Clement Greenberg publie « Art et Culture ».
1962 Exposition « Geometric Abstraction in America », au Whitney Museum de New York.
1963 Exposition « Toward a New Abstraction », au Jewish Museum de New York.
1964 Expositions : « Post-Painterly Abstraction », au Los Angeles County Museum of Art, et « Nouvelles Tendances », au musée des Arts décoratifs à Paris.
1965 Exposition « The Responsive Eye », au musée d'Art moderne de New York. Publication de « Minimal Art », par Richard Wollheim dans *Arts Magazine,* et de « A B C Art », par Barbara Rose dans *Art in America.*
1966 Expositions : « Primary Structures », au Jewish Museum de New York, et « Systematic Abstraction » au musée Guggenheim.
1967 Expositions : « Light-Motion-Space », au Walker Art Center de Minneapolis ; « Arte Povera », à la galerie La Bertesca à Gênes ; et « Sculptures of the Sixties » au Los Angeles County Museum of Art.
1968 Expositions : « Minimal Art », au Gemeentemuseum de La Haye ; « Earthworks », à la Galerie Dwan de New York ; « Realism Now », au musée du Collège Vassar, à Poughkeepie ; « L'art du réel — USA 1948 — », Grand Palais, Paris 1968.
1969 Expositions : « Anti-Illusion : Procedures/Materials » au Whitney Museum de New York ; « When Attitudes become Form » au Kunsthalle de Berne, au musée Lange à Krefeld et à l'Institute of Contemporary Art à Londres ; « Ecologic Art » à la Galerie John Gibson de New York ; « Conceptual Art » au Städtisches Museum de Leverkusen ; « New York Painting and Sculpture : 1945-1970 » au Metropolitan Museum de New York. Parution de « Art after Philosophy » par Joseph Kosuth dans *Studio International,* et publication du premier numéro de *Art-Language.*
1970 Expositions : « Conceptual Art and Conceptual Aspects » au New York Cultural Center ; « Conceptual Art, arte povera, land art » à la Galleria Civicà d'Arte Moderna de Turin ; « Information », au musée d'Art moderne de New York.
1971 Exposition « Art and Technology », au Los Angeles County Museum.
1972 Expositions : « The New Art » à la Galerie Hayward de Londres ; « Sharp-Focus Realism », à la Galerie Sidney Janis de New York.
1973 Exposition « Photo-Realism » à la Serpentine Gallery de Londres.
1975 Exposition « Body works », au musée d'Art contemporain de Chicago.
1976 Exposition « The Human Clay » (sélection établie par R. B. Kitaj), à la Galerie Hayward de Londres.
1977 Ouverture du Centre Georges Pompidou, à Paris.
1980 Expositions : « Heftige Malerei », à la Haus am Waldsee de Berlin ; « Aperto 1980 », à la Biennale de Venise, « 7 junge Künstler aus Italien », au Kunsthalle de Berne ; « Nuova imagine » à la Triennale de Milan.
1981 Expositions : « A New Spirit in Painting », à l'Académie Royale des Beaux-Arts de Londres ; « Westkunst » au Musée de la Ville de Cologne ; « Objects and Sculpture », à Arnolfini, Bristol et à l'Institut d'art contemporain (ICA) de Londres.
1982 Expositions : « Avanguardia-Transavanguardia » à Rome ; « Transavanguardia », à la Galleria Civica de Modène ; « Zeitgeist », à la Martin-Gropius-Bau de Berlin ; « Englische Plastik Heute », au Kunstmuseum de Lucerne.
1983 Exposition « The New Art », à la Tate Gallery de Londres.
1984 Expositions : « An International Survey of Recent Painting and Sculpture », au musée d'Art moderne de New York ; « The Hard-Won Image », à la Tate Gallery de Londres.
1985 Exposition « Kunst in der Bundesrepublik Deutschland 1945-1985 », à la Nationalgalerie de Berlin.
1987 Expositions : « New York Art Now », Collection Saatchi à Londres ; « Berlinart 1961-1987 », au musée d'Art moderne de New York.

L'impressionnisme

Parce qu'il a radicalement transformé les critères visuels établis pendant la Renaissance, l'impressionnisme est l'événement le plus important dans l'art européen depuis cette époque. Presque tous les développements ultérieurs dans le domaine de la peinture et de la sculpture découlent de ce mouvement : ses principes de base ont d'ailleurs influencé bien d'autres formes artistiques. Il a remplacé une approche conceptuelle, fondée sur la nature de la chose vue, par une approche perceptive, fondée sur l'expérience visuelle concrète. Il a remplacé une réalité supposée stable par une réalité fugitive. En niant l'existence d'un canon d'expression unique, qui permette de décrire les états d'esprit et les sentiments ou de créer des compositions d'objets, il a donné la priorité à l'attitude subjective de l'artiste, en insistant sur la spontanéité et le caractère immédiat de la vision et de la réaction. Par la formulation d'une doctrine du « réalisme », qui pouvait s'appliquer au sujet autant qu'à la technique, il a mis de côté tous les éléments anecdotiques, historiques ou romantiques, pour se concentrer sur la vie et les phénomènes de son époque.

Les peintres impressionnistes abandonnèrent leurs ateliers pour se consacrer à la peinture de plein air qui leur permettait d'entrer en contact plus directement avec le sujet qu'ils avaient choisi. En peignant de cette façon – et parfois même en atelier, lorsque la nécessité de rendre l'impression du sujet était également dominante –, ils développèrent une technique dictée par l'usage et en partie par la nécessité d'atteindre la perception. Ils éliminèrent les ombres noires et les contours, qui n'existent pas dans la nature ; les ombres étaient peintes dans une couleur complémentaire de celle de l'objet. Ils utilisèrent une palette arc-en-ciel et expérimentèrent différentes techniques pour casser la couleur.

L'impressionnisme fut l'un des premiers mouvements artistiques établi sur la conscience qu'un groupe d'artistes avait de lui-même. Ses adhérents organisèrent de nombreuses expositions et entreprirent, de temps en temps, des actions communes, mais leurs personnalités et leur art étaient très différents. Il serait donc dangereux d'exagérer leurs exploits en les considérant uniquement comme des révolutionnaires idéalistes en révolte contre l'ordre artistique établi. Qu'ils aient pu parfois paraître comme tels n'est pas fondamental dans ce qu'ils ont accompli et n'a pas grand-chose à voir avec leur qualité d'innovateurs de l'art moderne.

L'impressionnisme est né dans un certain contexte social et culturel, qui a énormément influé sur la formulation de ses principes et sur la définition de son idéologie. La plupart de ses adhérents avaient grandi à

Auguste Renoir
Le Bal au Moulin de la Galette, 1876
(détail)

l'ombre de la Révolution et de Napoléon ; ils avaient personnellement vécu les événements de 1848, le coup d'État, le second Empire, la guerre Franco-Prussienne et la Commune ; ils étaient morts sous la Troisième République. Leur vie s'était déroulée dans un contexte très agité auquel ils avaient nécessairement participé. Ils étaient, pour la plupart, engagés à gauche, avec des positions plus ou moins nuancées (Pissarro était sans doute le plus politisé, mais il était plutôt anarchiste qu'autre chose). Dans tous les cas, qu'ils l'aient voulu ou non, les critères de l'époque dans laquelle ils vivaient les assimilaient forcément à la gauche : être révolutionnaire dans le domaine de l'art voulait dire l'être aussi dans tout autre domaine et les termes péjoratifs utilisés par leurs adversaires pour décrire leur travail montraient que le jugement porté sur eux était aussi bien moral que politique.

Les ennemis de l'académie étaient inévitablement les ennemis de l'ordre établi et, bien qu'aucun d'entre eux n'ait professé les sentiments belliqueux d'un Courbet, ils n'en étaient pas moins suspects. Au milieu du siècle dernier, une alliance implicite s'était établie entre la bohème et la gauche, alliance qui d'ailleurs subsiste encore à la fin du XXe siècle, comme l'ont prouvé les événements de 1968. Ceux qui sont incapables de comprendre un nouveau style artistique voient en lui non seulement une menace pour la société, mais aussi pour eux-mêmes.

Il n'y avait pas grand-chose de subversif dans la vie privée des impressionnistes : dans l'ensemble, ils étaient des exemples de rectitude familiale. Il serait, par ailleurs, entièrement faux de les considérer comme des paresseux soumis aux caprices de la créativité ou aux fluctuations de l'inspiration. Leur production était abondante, parfois même trop abondante. Ils se levaient tôt le matin et partaient, le chevalet sur l'épaule, à travers la campagne, le long de la Seine ou dans les rues de Paris, à la recherche d'endroits adaptés, de paysages possibles, de scènes appropriées. Ou bien, ils travaillaient dans leur atelier jusqu'à la tombée du jour.

Ils étaient sensibles à la réaction du public et faisaient tout leur possible pour l'influencer favorablement. Ils étaient, à peu d'exceptions près, très soucieux d'obtenir du succès, de la façon la plus traditionnelle, la plus conventionnelle.

Ils avaient grandi dans le Paris de Balzac et atteint la maturité dans le Paris de Zola. Ils avaient vu la ville se transformer, depuis la restructuration conçue par Haussmann, d'un enchevêtrement archaïque de palais et de taupinières insalubres, en une ville resplendissante, traversée de larges boulevards et ponctuée de demeures luxueuses et de parcs verdoyants. Ces nouveaux éléments devinrent leurs motifs favoris et furent immortalisés par leurs tableaux. Car, malgré tous les maux qu'on lui attribue généralement, le XIXe siècle connut, durant sa seconde moitié, une amélioration considérable des conditions de vie, surtout dans la capitale française. La vie était, pour un grand nombre de personnes, plus facile qu'elle ne l'avait jamais été. Les relations sociales étaient plus détendues ; les cafés, par exemple, qui avaient joué un rôle dans la vie culturelle parisienne, prirent alors une importance capitale. Ils constituaient un lieu de rencontre précieux pour les gens qui partageaient les mêmes idées, des lieux où l'on pouvait établir des contacts fructueux et intéressants, où l'on pouvait exposer des théories et élaborer des programmes. Les cafés eurent une importance fondamentale dans la création des mouvements artistiques, et il ne faut pas oublier que ces mouvements constituaient un phénomène relativement nouveau dans le domaine de l'art, propre au XIXe siècle. L'histoire de l'art français de la plus grande partie du XIXe siècle pourrait être l'histoire des cafés : la brasserie Adler où Courbet présidait des réunions ; le café de Fleurus, avec ses panneaux décorés par Corot et par d'autres peintres ; le café Taranne, fréquenté par Fantin-Latour et par Flaubert ; la Nouvelle Athènes, où l'on pouvait rencontrer souvent Manet, Degas, Forain et Lamy ; le café Guerbois, qui peut être considéré, plus que tout autre endroit, comme le berceau de l'impressionnisme.

Ces changements dans le paysage de la vie française en général et parisienne en particulier, étaient étroitement liés aux mutations sociales. La révolution industrielle et l'explosion de la propriété immobilière privée à Paris (due à la politique de Napoléon III) avaient favorisé la richesse d'une classe de parvenus. Cette nouvelle classe, étrangère à l'ancienne tradition du mécénat, fut en grande partie responsable de la naissance et du développement rapide de la figure du marchand d'art. Jusque-là, le commerce de l'art qui, pour des raisons historiques, s'était développé en Hollande plus que partout ailleurs, avait gardé son caractère plus ou moins improvisé. Cependant, autour de 1860, une race nouvelle fit son apparition dans toutes les capitales européennes. Installés dans des locaux prestigieux, capables et désireux de guider et de conseiller les artistes autant que les clients, agissant à la fois comme agents, comme comptables et comme chargés de relations publiques, les marchands fournissaient un service tout à fait nouveau et important. Ils permirent aux artistes de ne plus dépendre exclusivement du Salon officiel annuel, leur ouvrant ainsi de nouveaux débouchés. Sans eux, l'avant-garde n'aurait jamais existé. Cette réelle influence se révéla particulièrement marquante dans le cas de l'impressionnisme qui dut une partie de son succès à la perspicacité, au bon sens et à la loyauté de Paul Durand-Ruel et d'Ambroise Vollard, les deux principaux marchands liés à ce mouvement.

Auguste Renoir
Ambroise Vollard, 1902

Le marché de l'art connut alors, en effet, un développement sans précédent, d'une part en raison d'une plus grande circulation de l'argent et, d'autre part, parce que l'éducation s'améliorait ; l'application de la machine à vapeur au domaine de l'imprimerie donna lieu à une prolifération de livres bon marché, de magazines et de journaux. L'invention de la lithographie, la production de chromolithographies peu chères, les progrès techniques dans la réalisation des clichés (qui menèrent, finalement, aux procédés photomécaniques), toutes ces transformations contribuèrent à une sophistication de la culture visuelle et à une meilleure connaissance non seulement de l'art du passé mais aussi de l'art contemporain. La conséquence logique de cette nouvelle situation fut la multiplication des écrits sur l'art. L'historien d'art et le critique devinrent des figures de plus en plus significatives. Le critique, bien entendu, avait un rôle de première importance dans le contexte de l'art contemporain. Le public demandait à être guidé. On préférait les critiques malveillantes à l'indifférence. Il semble, toutefois, de plus en plus évident que l'hostilité à l'égard des impressionnistes n'a pas été aussi largement partagée qu'on a pu le croire. Le soutien apporté au mouvement par Zola, bien que fondé parfois sur des hypothèses erronées, a été extrêmement important.

Il ne faut pas oublier, par ailleurs, que la valeur historique du mouvement impressionniste tenait en partie à sa capacité de réfléchir les profonds changements intervenus dans la culture européenne de l'époque. Les théories sur la couleur du chimiste Eugène Chevreul (1786-1889) avaient été publiées avant le début de l'impressionnisme, même si elles n'ont vraiment été appliquées par les peintres impressionnistes, semble-t-il, qu'à partir des années 1880, en même temps que les découvertes de Helmholtz et Rood. Le point essentiel, en tout cas, est que les savants et les artistes partageaient la même théorie : les couleurs n'étaient plus, comme Léonard et Alberti l'avaient cru, des réalités immuables ; on comprit qu'elles dépendaient de la perception individuelle et faisaient partie de l'univers de la lumière comme de l'une des dimensions élémentaires de la nature. S'éloignant ainsi de la tradition qui dominait, tant dans le domaine artistique que dans celui des sciences, cette nouvelle espèce d'artistes et de savants refusait de croire encore en l'existence d'une réalité permanente, indépendante et immuable, gouvernée par la perspective ou par la physique newtonienne.

Ces artistes, ces savants, allaient, sans le savoir, dans le sens d'une définition de la nature de la matière, qui fut, cinquante ans plus tard, la découverte d'Einstein. Dans ce contexte, leur intérêt pour le concept de temps paraît extrêmement significatif, en particulier dans le cas de Monet, qui tenta de mettre en relation la lumière, le temps et l'espace dans des ensembles d'images, conçues en série, qui représentaient des cathédrales et des étangs couverts de nymphéas. L'avènement de la machine, avec ses cadences inflexibles et la pression qu'elle exerçait sur ses usagers, avait alimenté une inquiétude obsessionnelle à l'égard du temps, bien illustrée par la prolifération d'horloges dans les espaces publics à partir de 1840, par l'apparition de l'histoire comme discipline dominante, et par la naissance de systèmes comme le darwinisme ou le marxisme, qui traitaient essentiellement de phénomènes temporels.

Outre le temps et la lumière, les impressionnistes s'intéressèrent également à la vitesse comme combinaison du temps et de l'espace. Avant la construction des premiers chemins de fer, dans les années 1830-1840, personne n'avait jamais voyagé à une vitesse supérieure à vingt-cinq kilomètres à l'heure. Le fait de voir des objets et des paysages d'un train lancé à quatre-vingts ou cent kilomètres à l'heure vint encore accentuer le caractère subjectif de l'expérience visuelle, en donnant une ligne de continuité aux données fugitives, en brouillant les contours nets auxquels l'art perspectiviste postérieur à la Renaissance avait habitué l'œil de l'artiste, et en révélant une vision plus ample, moins limitée, du paysage. Une plus grande facilité d'accès aux moyens de transport constitua elle-même un facteur de changement significatif. Les impressionnistes découvrirent le sud de la France comme source d'inspiration ; ils voyagèrent plus que tout autre groupe d'artistes ne l'avait fait auparavant ; leur travail se nourrit d'une bien plus grande variété de paysages.

Ils furent également influencés par d'autres innovations technologiques de l'époque. Grâce aux progrès dans le domaine de la chimie, la gamme de pigments dont disposaient les artistes s'élargit et leur qualité s'améliora sensiblement (les pigments chimiques sont plus purs et plus stables que les pigments organiques) ; le papier et les autres matériaux étaient moins chers et, en général, de meilleure qualité. Mais plus importante que tout fut l'influence de l'appareil photographique. Son impact sur l'art en général, et sur l'impressionnisme en particulier, fut énorme.

En premier lieu, l'appareil photographique n'était pas encore déprécié pour son caractère « mécanique ». En 1859, le Salon comprenait une section photographique et, en 1862, après une longue bataille juridique, les tribunaux reconnurent la photographie comme une forme d'art, au grand désespoir d'Ingres. La réaction de celui-ci était d'ailleurs compréhensible : l'appareil photographique allait retirer aux artistes l'exercice d'une fonction documentaire qui leur était dévolue depuis toujours. Le résultat – dont les impressionnistes n'étaient qu'à moitié conscients – fut de révéler la peinture à elle-même en la libérant de la référence au critère obligé de la réalité extérieure. L'art avait conquis une autonomie qui lui avait constamment échappé dans le passé.

Les impressionnistes se rendaient compte, toutefois, comme d'ailleurs beaucoup de leurs contemporains plus académiques, que la photographie avait apporté une contribution importante au bagage technique des peintres. Elle leur avait permis d'observer certaines formes de manière plus stable et plus continue, d'analyser la nature des structures et du mouvement comme ils n'avaient jamais eu la possibilité de le faire auparavant. La photographie et le nouvel art étaient des alliés naturels : la première exposition impressionniste eut lieu dans des locaux qui venaient juste d'être libérés par Félix Nadar, photographe, caricaturiste, écrivain et aéronaute. C'est en France qu'Eadward Muybridge réalisa la plus grande partie de son travail d'analyse photographique du mouvement, en collaboration avec le peintre Meissonnier. Ce travail fut largement connu et discuté dans les cercles artistiques. Degas lui-même, photographe passionné, après avoir vu les photographies instantanées de Muybridge publiées dans « La Nature » en 1878, se mit à suivre de près ce travail ; il fut non seulement influencé d'une manière très générale, mais il se mit à exécuter des dessins et des sculptures à partir des planches de « Animal Locomotion », de Muybridge.

Dans son œuvre sur Degas, Manet, Morisot, Paul Valéry résuma les principales conséquences sur la perception de l'application de ce nouvel « œil technique ».

Valéry reprend largement les objectifs et les préoccupations des impressionnistes. Mieux encore, la vision photographique réalisait l'idéal de spontanéité qui s'était répandu chez les peintres. Elle pouvait figer les gestes, immobiliser un mouvement dans la rue ou fixer à jamais la pirouette d'un danseur. Elle pouvait transmettre une sorte de vérité : elle était réelle et les impressionnistes étaient avant tout des réalistes, non seulement par leur choix de sujets tirés de la vie de tous les jours et de tout le monde, mais aussi par leur parti pris de sincérité visuelle, par leur refus de déguiser les choses qu'ils voyaient et leur décision de les peindre non comme ils *pensaient* qu'elles étaient mais comme elles étaient en réalité. Zola, dans son « Salon » de 1868, appela Monet, Bazille et Renoir des *actualistes* :

« ... peintres qui aiment leur temps du fond de leur esprit et de leur cœur d'artiste... Ils interprètent leur époque en hommes qui la sentent vivre en eux, qui en sont possédés et qui sont heureux d'en être possédés... Leurs œuvres sont vivantes parce qu'ils les ont prises dans la vie et qu'ils les ont peintes avec tout l'amour qu'ils éprouvent pour les sujets modernes... »

La vision photographique apporta un énorme encouragement dans cette direction. Elle influença les impressionnistes dans leur attitude mais aussi dans leur style. Sans arrêt, ils essayèrent d'imiter dans la composition de leurs tableaux le caractère irrévocable, arbitraire, non sélectif et en partie fortuit de la photographie. Le principe académique selon lequel le sujet doit être cohérent, complet et représenté à partir d'un point de vue qui convienne à la composition a complètement disparu. L'unité est maintenant dans le tableau même et dans les éléments qui le composent. Les figures peuvent être tronquées, les poses étranges ou disgracieuses, les mouvements interrompus. Le hasard fait maintenant partie du tableau : il peut être contrôlé et manipulé mais il garde dans tous les cas une fonction dominante.

Il serait évidemment absurde de considérer l'impressionnisme simplement comme le produit de facteurs sociaux, scientifiques et historiques concomitants. Il avait ses racines dans l'évolution stylistique de l'art. Nous sommes toujours tentés de dramatiser l'histoire : bien que l'impressionnisme ait été le noyau central du renouveau et d'une certaine révolution en art, il nous semble aujourd'hui avoir été bien plus étroitement lié à l'art de son temps qu'une critique simpliste n'a voulu l'admettre. Les préraphaélites, par exemple, bien qu'ils aient adopté une technique différente, étaient également concernés par un réalisme visuel et social ; le culte de la « sincérité », formulé par Ruskin, était très répandu ; la touche nerveuse et légère du peintre académique Meissonnier ne se différenciait guère de la facture de la plupart des tableaux impressionnistes de la fin des années 1860. A cette même époque, les tableaux de Millet s'animèrent d'une lumière jusque-là inhabituelle.

Tout en rejetant l'art officiel, les impressionnistes avaient une dette envers certains de leurs prédécesseurs immédiats. Le maître de Manet, Thomas Couture, même s'il peignait des scènes de la décadence romaine, suggéra que les artistes à venir pourraient prendre comme thèmes les ouvriers, les échafaudages ou les chemins de fer. Par ailleurs, toute une école de peintres, que l'on pourrait définir comme potentiellement d'avant-garde, contribua de manière significative au développement de la technique et de l'idéologie impressionnistes. Delacroix, avec sa ferveur romantique et sa liberté à l'égard de la couleur, était nécessairement une idole. Il en était de même de Courbet, qui avait un jour affirmé que « le réalisme est la démocratie dans l'art », et qui avait beaucoup influencé Pissarro et Cézanne, tant par son style de vie que par son travail.

La vraie réussite de l'impressionnisme est d'avoir donné forme et cohérence à des tendances restées très longtemps latentes dans l'art européen. Turner et Constable s'étaient posé les mêmes problèmes au sujet de la lumière, de la couleur et de la manière d'aborder une interprétation « réaliste » du paysage. Tous les peintres de l'école de Barbizon avaient pratiqué la peinture de « plein air » dès les années 1840, même s'ils préféraient en général terminer leurs tableaux en atelier. Narcisse Virgile Diaz (1807-1876) avait été l'un des plus farouches opposants de la « ligne noire » en peinture : ses études sur les effets de la lumière du soleil filtrant à travers les sombres feuillages d'une forêt, rendus dans une pâte épaisse, contenaient en germe des éléments évidents de l'impressionnisme. C'est lui qui, rencontrant Renoir qui peignait en forêt de Fontainebleau, s'exclama : « Mais pourquoi diable peignez-vous si noir ? » Le commentaire eut un effet immédiat sur la palette du jeune peintre, à qui Diaz permit par ailleurs d'acheter du matériel de peinture et de le mettre sur son compte. Théodore Rousseau (1812-1867), qu'animait l'idéal « de toujours garder en tête la vierge impression de la nature », s'attacha à rendre les effets atmosphériques au point d'annoncer Monet de très près. Le sens de la poésie, le désir intense de reproduire scrupuleusement ce qu'il voyait, la tonalité légère et argentée de Corot (1796-1875), on retrouve tout cela chez lui. De même, les marines nordiques d'Eugène Boudin (1824-1898), lumineuses, pleines d'une vivacité franche et directe, étaient faites d'une manière crémeuse et chatoyante qui, bien qu'il ne fût pas officiellement membre du groupe, rendait presque logique la participation du peintre à la première exposition des impressionnistes.

D'autres artistes avaient à l'étranger pressenti l'impressionnisme, ou suivaient des démarches qui en étaient proches. Parmi eux, les Allemands Adalbert Stifter (1805-1868), poète qui découvrit presque par hasard les valeurs de franchise visuelle et de spontanéité qui caractérisent le mouvement, et Adolf Menzel (1815-1905), dont on n'apprécia la maîtrise de la lumière qu'après sa mort. Le Néerlandais Johan Jongkind (1819-1891), Parisien d'adoption, s'il ne pratiquait pas une peinture de *plein air*, était obsédé par la volonté de représenter non son idée de la chose, mais la façon qu'elle avait de lui apparaître sous certaines conditions atmosphériques.

Au milieu du XIXe siècle, les peintres avaient acquis une connaissance de l'art du passé jusque-là techniquement impossible. Avant les années 1840, il n'y avait que très peu de musées et de galeries d'art. Or ils se multiplièrent d'une façon extraordinaire à partir de cette date. Sisley, Monet et Pissarro eurent accès aux travaux de Turner, de Constable et d'autres, à la National Gallery de Londres, qui n'avait derrière elle que quelques décennies. Chaque grande ville se dotait d'institutions culturelles, et de plus en plus souvent des œuvres de collectionneurs particuliers trouvaient le chemin des collections publiques, où elles étaient examinées et analysées par des critiques aussi avertis que le peintre Eugène Fromentin. C'est dans ce cadre nouveau que les impressionnistes purent connaître, et qu'ils s'y opposèrent, les vieux maîtres de la peinture, depuis les artistes de la première Renaissance jusqu'aux paysagistes hollandais, tel Ruysdael, qui donnaient une base à leur exploration visuelle tout en élargissant leurs vues. Le Louvre avait ouvert ses portes au public pendant un temps, et Napoléon en avait considérablement enrichi les collections. Le règne de Louis-Philippe se révéla à cet égard aussi capital : préoccupé par les relations avec l'Espagne, il fit acquérir au Louvre un grand nombre de tableaux d'artistes assez peu connus jusque-là, tels que Velasquez, Ribera et Zurbaran, lesquels devaient exercer une influence décisive sur les peintres des années 1870. En 1851, Napoléon III fit rouvrir le musée, rénové et augmenté du cycle de Rubens sur Marie de Médicis. Contrairement à l'image qu'on lui a accolée, l'administration des Beaux-Arts du second Empire s'est avérée beaucoup plus éclairée et progressiste que tout ce qui s'est fait en Europe à la même époque. On autorisa à faire des copies au Louvre, le palais du Luxembourg se consacra à l'art contemporain, et, par ailleurs, c'est à l'initiative de l'Empereur lui-même que le Salon des refusés de 1863 doit d'avoir existé.

De l'extérieur de l'Europe vint une autre série d'influences. L'art japonais commençait de pénétrer la place parisienne dès 1856, et six ans plus tard Mme Soye, qui avait vécu au Japon, ouvrait rue de Rivoli un magasin à l'enseigne de « La Porte chinoise ». La simplicité des couleurs et le traitement sommaire des ombres et des lumières que montraient les estampes de Hokusai, parmi d'autres, intéressèrent des artistes aussi divers que Whistler, Rousseau, Degas et, plus tard, Van Gogh et Gauguin.

Édouard Manet (1832-1883) lui aussi fut influencé par l'Orient. En effet, si l'histoire a insisté sur son rôle d'innovateur et de père de l'impressionnisme, personne ne s'est intéressé autant que lui à l'art du passé comme à celui de son temps. Sa toile la plus célèbre, *Le Déjeuner sur l'herbe*, souleva, lors de sa participation au Salon des refusés, une tempête d'injures et de controverses, ce dont d'ailleurs il ne se désolait pas forcément ; or elle trouvait son origine à la fois chez Giorgione et dans une gravure d'époque d'un tableau de Raphaël. *Olympia*, qui déclencha également d'abondantes controverses, se référait clairement à Titien, tandis que la plupart de ses compositions lui venaient de ses contemporains, en particulier Monet et Berthe Morisot. Les thèmes qui lui étaient si chers : fripiers, serveuses de bar, comédiens, foules au concert, il les trouvait dans les magazines illustrés et les gravures populaires de son époque. Il visitait infatigablement les musées des Pays-Bas, d'Autriche, d'Allemagne et d'Italie, aussi bien que ceux de France et d'Espagne. Ses premières toiles à avoir eu un petit succès populaire utilisaient, telle *Lola de Valence*, la thématique hispanisante à la mode que Bizet développait dans « Carmen », et s'inspiraient de Velasquez et Goya.

Presque malgré lui, Manet était devenu pour les jeunes artistes du café Guerbois et de l'atelier Gleyre un symbole de révolte, un Robespierre de l'art. C'était sa thématique, autant que sa technique libre et inventive, qui attirait. *La Musique aux Tuileries*, tableau contemporain du *Déjeuner*, reposait sur l'observation directe d'un événement ordinaire de la vie citadine, même si Manet l'a peuplé de portraits d'amis à lui et qu'il a dû en tirer l'idée d'une gravure de concert militaire publiée dans « L'Illustration ».

Vers la fin des années 1860, Manet se mettait à peindre en plein air. Il commença à *explorer* méthodiquement la lumière et la couleur, qu'il avait jusque-là seulement exploitées. Il ne devait cependant jamais se départir des violents contrastes d'ombre et de lumière, du travail sensuel de la brosse, du sentiment dramatique et de l'aplatissement des volumes qu'il tenait des Espagnols, et qu'on remarque si clairement dans l'*Eva Gonzalès* de la National Gallery de Londres. Il conserva son idée de la discipline

En haut, à gauche :
Édouard Manet
Le Déjeuner sur l'herbe, 1863

En haut, à droite :
Édouard Manet
L'Olympia, 1863

En bas :
Édouard Manet
La Musique aux Tuileries, 1862

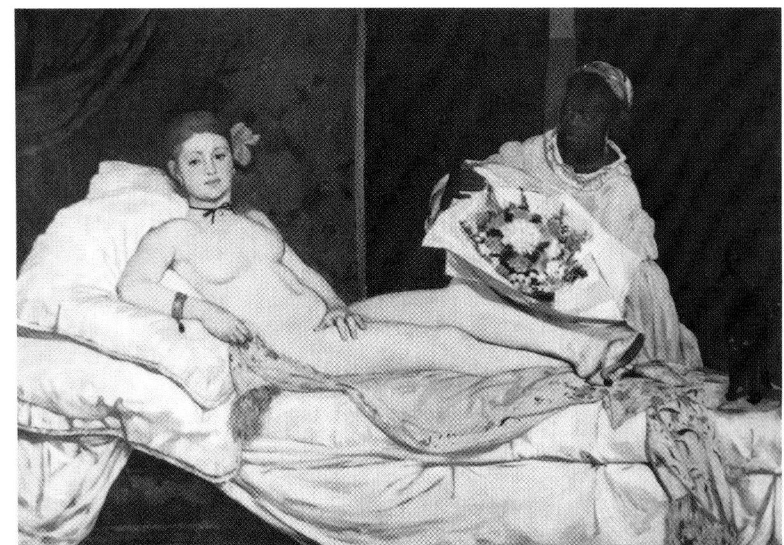

artistique, malgré la liberté qu'acquit sa technique à partir du moment où, sans toutefois participer à leurs manifestations, il se rapprocha de ses admirateurs (notamment Monet et Renoir). Ce contact se révéla fructueux entre 1874 et 1876 surtout, période durant laquelle il travailla avec eux à Argenteuil et où il peignit, entre autres thèmes similaires, *En bateau*, actuellement conservé au Metropolitan Museum de New York. Ici, la limpidité de la couleur, la liberté de la facture et le sens de la luminosité spatiale s'harmonisent avec un travail de la ligne qui demeure très contrôlé et une savante organisation des éléments. Comme dans *La Serveuse de bocks* de 1878, si le traitement est instinctif, la composition en est intellectuelle. On peut dire la même chose du *Bar des Folies-Bergère*, peint un an avant sa mort, à une date où il souffrait déjà de l'ataxie motrice qui l'emporta. La complexité du sujet, sa composition, le sens de l'espace et des volumes, l'ingénuité des effets perspectifs, tout cela rappelle *La Musique aux Tuileries*, mais avec une plus grande richesse, une maîtrise de la vision qui faisait défaut dans le premier travail.

La vibration de la couleur, la nature de la lumière, la faculté de saisir sur le moment des silhouettes anonymes, entre réalité et incertitudes, Manet y réfléchit constamment, y apportant des réponses techniques

Édouard Manet
La Serveuse de bocks, v. 1878-1879

Édouard Manet
Portrait d'Éva Gonzalès, 1870

Édouard Manet
En bateau, 1874

Édouard Manet
Un Bar aux Folies-Bergère, 1882

souvent totalement personnelles. Les espaces clairs dominaient dans ses tableaux, brossés avec une matière fluide, grasse ; avant que la peinture ne fût sèche, il travaillait alors les noirs et les demi-tons. La technique n'est pas sans parenté avec la fresque des primitifs italiens, et produit les mêmes effets de fraîcheur. C'était le plus révolutionnaire des traditionalistes, le plus traditionnel des révolutionnaires.

Très proche de Berthe Morisot (1841-1895), il eut avec elle une relation plus complexe que ce qu'on en avance d'habitude. L'arrière-arrière-petite-fille de Fragonard appartenait à une riche famille de banquiers, et sa mère animait un de ces salons typiques du second Empire. Elle commença à étudier la peinture vers l'âge de quinze ans sous la houlette de Joseph-Benoît Guichard, puis de Corot, qui fréquentait le salon de sa mère. Elle travailla avec lui jusqu'en 1868, date de sa rencontre avec Manet, qui avait été vivement impressionné par une *Vue de Paris des hauteurs du Trocadéro* qu'elle avait envoyée au Salon de 1867. Manet n'en appréciait pas seulement la fraîcheur et la délicatesse, les tons discrets qui rappelaient Whistler, il poussa l'enthousiasme jusqu'à en reprendre le thème et des éléments de composition dans la vue de l'Exposition universelle de Paris qu'il peignit la même année. Il était inévitable qu'une artiste de la sensibilité de Morisot subît l'influence de Manet, et elle travailla dans son atelier durant des années, comme élève et comme modèle, avant d'épouser finalement son frère Eugène.

Berthe Morisot apparaît dans le tableau de Manet *Le Balcon,* peint en 1869, qui est aussi son portrait le plus célèbre : sa présence sombre et intense, presque préaraphaélite, côtoie dans un contraste piquant le charme espiègle de la violoniste Jenny Claus.

A la première exposition impressionniste de 1874, Morisot montre *Le Berceau*, dont la composition, dramatique, fondée sur un contrepoint puissant, souligne la délicatesse et le lyrisme du sujet, même si le traitement de l'élément central, le bébé, n'est pas convaincant. En le comparant au portrait de sa mère et de sa jeune sœur Edna, qu'elle avait peint quatre

ans plus tôt, on voit combien elle a progressé dans le sens d'une plus grande légèreté, d'une suggestion plus affinée des tons, d'une plus savoureuse délicatesse de touche. Plus qu'aucun autre élève de Corot, elle a su conserver l'iridescence argentée du maître. C'est cette qualité et la distribution presque sans retenue, incontrôlée, de la facture, qui font la personnalité de son style, et qui expliquent comment elle devait marquer Manet, en exorcisant la sombre inhibition chromatique qui caractérise son travail au début des années 1870. La porte du placard, le tablier de la bonne, le plancher et le verre de *Dans la salle à manger*, de 1884, montrent une liberté de touche presque gestuelle, une qualité visuelle presque abstraite, qui font émerger les formes et les contours comme à travers une brume.

Claude Monet (1840-1926) ne ressemblait en rien à Manet. Moins détaché, moins méfiant, il était, par nature et par nécessité financière, en raison aussi d'un professionnalisme que Manet eût sans doute considéré comme inconvenant, porté à une exploration radicale de la substance et de la nature de son art. Provincial du Havre, doué de talents précoces, Monet devait à terme, plus qu'aucun autre de ses camarades, devenir un *courtisan* de la peinture et couvrir par ses sujets une surprenante variété de thèmes et des domaines étonnamment vastes. Boudin et Jongkind exercèrent très tôt une influence sur lui, et quoiqu'il se réclamât de Courbet, il ne l'imitait pas. Il rencontra Bazille, Renoir et Sisley dans

Berthe Morisot
Le Berceau, 1873

Berthe Morisot
Dans la salle à manger, 1886

l'atelier de Charles Gleyre, avant d'en passer par l'étape presque obligatoire de Fontainebleau. Bien qu'il eût déjà à cette époque produit plus de trois cents tableaux et que le Salon l'eût accepté, écrasé de difficultés financières et psychologiques, il tenta de se suicider à l'âge de vingt-six ans.

Toutefois son art ne prend sa vraie tournure qu'avec son séjour à Londres en 1870. Bien qu'il ait proclamé son dégoût pour le « romantisme exubérant » de Turner et affirmé par la suite que celui-ci ne l'avait aucunement influencé, son utilisation de la perspective aérienne, son traitement de vastes étendues de paysages et de marines, et même son intérêt pour les effets fugaces, informes, du brouillard, de la vapeur et des nuages, trouvent d'évidence leur origine chez les paysagistes anglais. La lumière si particulière de Londres, qui avait tellement intrigué Whistler, la brume sur la Tamise où semblaient flotter les ponts et les immeubles, les vertes étendues des parcs, les changements atmosphériques continuels, étaient autant d'éléments qui devaient retenir l'attention de Monet.

Pissarro l'explique très clairement trente ans plus tard dans une lettre à Wynford Dewhuurst : « Monet et moi-même nous sommes enthousiasmés pour les paysages de Londres. Monet travaillait sur les parcs, tandis que moi, qui vivais à Lower Norwood, banlieue charmante de l'époque, j'étudiais les effets du brouillard, de la neige et du printemps. Nous travaillions d'après nature, et plus tard à Londres, Monet peignit de superbes études de brume. Nous visitions également les musées. Les aquarelles et les huiles de Turner et Constable, les tableaux du Old Crome, nous influencèrent certainement. Nous admirions Gainsborough, Reynolds, Lawrence, etc., mais surtout nous étions frappés par les paysagistes,

Page de gauche :
Édouard Manet
Berthe Morisot au chapeau noir, 1872

Page de droite :
Claude Monet
La Plage de Trouville, 1870

qui paraissaient davantage partager nos préoccupations pour le plein air, la lumière et les effets fugitifs. Watts et Rossetti, parmi les modernes, nous intéressaient vivement. Nous eûmes l'idée d'envoyer nos études à la Royal Academy. Naturellement, nous fûmes rejetés. »

Une visite en Hollande, où s'ancrait en partie la tradition anglaise elle-même, confirma Monet dans son intérêt pour la lumière et la fugacité, encouragé qu'il avait été par l'achat de *La plage de Trouville* par Durand-Ruel. Un séjour fructueux à Argenteuil le rapprocha davantage de Manet et de Renoir, en renforçant son intuition que l'impressionnisme convenait exactement à sa démarche créatrice. Lors de l'exposition de 1874, dont il fut l'un des principaux initiateurs, il montra cinq tableaux, dont *Automne sur la Seine, Argenteuil* et *Le Pont d'Argenteuil*, ainsi que sept esquisses au pastel. Il s'associa au mouvement jusqu'à la cinquième exposition, à laquelle il refusa de participer. En 1876, il commençait une

Claude Monet
Femmes au jardin, 1866-1867

Claude Monet
Les Coquelicots, 1873, (détail)

série sur la gare Saint-Lazare ; par le thème, le traitement lumineux des effets d'atmosphère et de vapeur, et l'ébauche légère mais unificatrice des structures, elle est peut-être la production la plus typique de l'impressionnisme.

Travailleur constant et régulier, Monet n'attendait pas l'inspiration. Au contraire, éprouvant des difficultés à chaque nouveau commencement, il appuyait sa créativité sur le principe de la série – en quoi il apporte sa contribution la plus novatrice au langage de l'art contemporain. Indépendamment des utilisations techniques d'un système qui se révélera si fertile à la postérité, il démontra qu'une gamme tout entière de peintures aussi « réelles » les unes que les autres pouvait être tirée du même sujet, en réfléchissant sur les variations de la lumière et des moments de la journée. D'abord presque contingentes, comme dans la série de la Gare Saint-Lazare et les vues du Pont de Westminster, les variations deviennent

Claude Monet
Automne sur la Seine. Argenteuil, 1873, (détail)

Claude Monet
Le Pont d'Argenteuil, 1874, (détail)

plus concertées dans les séries des Peupliers et des Cathédrales de Rouen, trouvant leur apogée dans *Les Nymphéas*, qui représentent la tentative artistique la plus admirable de peindre le passage du temps.

Contrairement à Manet, il s'intéressait peu aux anciens maîtres, davantage influencé par ses contemporains. Avec *Femmes au jardin* (1866-67), et plus encore dans ses travaux ultérieurs, il mit au point une manière de décrire la forme qui consistait à accumuler les coups de pinceau afin que ce fût le spectateur lui-même qui procédât à la structuration et à l'accomplissement de l'effet suggéré. C'était là encore une démarche d'une nouveauté décisive : la participation du spectateur, qui devait construire la signification du tableau de la même façon qu'il « lisait » un paysage. Les peintres du XXe siècle ne pourront créer de nouvelles structures visuelles que parce que Monet a détruit la convention arbitraire d'une immuabilité de la forme.

D'Alfred Sisley, Manet dira que ses contributions à la septième exposition du groupe, en 1882, étaient les plus convaincantes, et il serait

Claude Monet
Les Peupliers, 1891

Claude Monet
Les Nymphéas : coucher de soleil, 1914-1918, (détail)

Claude Monet
La Gare Saint-Lazare, 1877

difficile de trouver un peintre plus représentatif du mouvement dans son ensemble. Né à Paris en 1839 de riches parents anglais, Sisley (mort en 1899) mena une carrière socialement et économiquement en exacte opposition à celle de ses camarades. C'est son père qui l'encouragea à peindre, et ses débuts aisés à l'atelier de Gleyre furent ceux d'un jeune dandy. Lors du départ de Bazille, Monet et Renoir, il les suivit dans leur exploration de la forêt de Fontainebleau et s'intéressa comme eux au chatoiement de la lumière sur les frondaisons et à l'analyse des ombres, peignant avec la même ferveur les clairières qui avaient captivé Daubigny et Corot.

Il avait trouvé son paysage de prédilection ; de courts séjours en Bretagne et en Angleterre (*Molesey Weir, Hampton Court*) furent ses seules infidélités à l'Ile-de-France. Contrairement à Renoir, il ne s'intéresse guère qu'au paysage, et contrairement à Monet, il n'observe pas les transformations apportées par le passage du temps. Les figures (comme dans le magique *Matin de brume*) sont sommaires. Il s'était imposé lui-même ces limitations, et à la suite de son manque de succès il en renforça la rigueur. Bien qu'il eût réussi à envoyer un tableau au salon de 1886, il fut ensuite constamment refusé. Sa situation fut aggravée par la ruine de son père lors de la guerre franco-prussienne de 1866, et la pauvreté ne cessera de le tourmenter. Il poussera, dès lors, sa qualité première, la modestie, jusqu'au vice. Il ne se départira jamais de sa conception volontairement étroite de la beauté formelle, et ses meilleures toiles possèdent une clarté, une luminosité et une honnêteté esthétique infiniment séduisantes. Personne ne pouvait faire mieux, dans l'équilibre qu'il atteint entre la forme et la lumière qui l'irradie, où aucune ne dissout l'autre. La transition entre l'eau, les arbres, le bâtiment et le ciel pommelé de nuages, qu'on observe dans *L'Inondation à Port-Marly,* est caractéris-

Alfred Sisley
Moseley Weir, Hampton Court, v. 1874

tique de sa constante maîtrise des tons et de sa manière de transmettre le sentiment d'une atmosphère presque palpable. Plus remarquable par la délicatesse de sa perception que par le dynamisme de son imagination, Sisley pèche souvent par la platitude de la composition, comme en témoigne *Le Canal Saint-Martin*, où le poids des péniches groupées à l'intersection des verticales et des horizontales est mécaniquement compensé par les deux mâts qui accentuent la séparation des maisons. Mais le traitement des surfaces, le mouvement de l'eau, l'éclat des toits au loin, la texture du mur du canal, tout cela est exquisément rendu. Sisley travaille dans un esprit proche de Corot, et le pire qu'on puisse en dire est que ses refus picturaux ont servi de justification ultérieure aux médiocrités de talents bien inférieurs au sien.

Sur le travail d'un autre membre du quatuor Gleyre pèse le mystère d'une mort prématurée. Frédéric Bazille (1841-1870) était monté à Paris

Alfred Sisley
L'Inondation à Port-Marly, 1876

Alfred Sisley
Le Canal Saint-Martin, Paris, 1870

Alfred Sisley
Matin de brume, 1874

Frédéric Bazille
Réunion de famille, 1876

pour étudier à parts égales la médecine et l'art, mais c'est à l'art qu'il se consacra entièrement, s'immergeant complètement dans les recherches balbutiantes de l'impressionnisme. Avec Monet et les autres, il peignit à Chailly, en forêt de Fontainebleau, et passa également quelque temps sur la côte normande comme de nombreux autres jeunes peintres. Une lettre à ses parents nous renseigne sur l'esprit du temps : « Dès notre arrivée à Honfleur nous avons cherché des paysages intéressants. Nous les avons trouvés sans peine tant la région est paradisiaque. Il serait impossible de trouver ailleurs des pâturages plus riches et des arbres plus beaux. La mer, ou plutôt l'estuaire de la Seine, fournit un horizon merveilleux aux masses verdoyantes. Nous demeurons à Honfleur chez un boulanger, mais nous déjeunons dans une ferme sur les falaises qui dominent la ville, et c'est là que nous peignons. Je me lève chaque matin à cinq heures et peins jusqu'à environ huit heures du soir. Mais ne vous attendez pas à ce que je rapporte du bon travail. Je fais des progrès, c'est tout ce que je veux. J'espère être satisfait de moi-même après trois ou quatre ans passés à peindre. Bientôt je devrai retourner à Paris et me remettre à ma médecine, que j'ai en horreur. »

Assurément il progresse, malgré une certaine hésitation qu'on remarque chez presque tous les peintres que leur situation financière ne rend pas dépendants du fruit de leur travail, et une incapacité à se défaire des conventions académiques. On observe cette minutie maladroite du dessin dans ses premiers travaux, telle *Réunion de famille,* qu'il peint sur la terrasse des Bazille à Montpellier. Mais d'autres qualités apparaissent dans cette œuvre émouvante : clarté de la vision, conception simple et forte, fraîcheur et luminosité des couleurs, spontanéité, toutes caractéristiques de la jeunesse. Trois ans après avoir achevé ce tableau, et peu après que son célèbre portrait de groupe (où il figure peint par Manet) eut été refusé par le Salon, il tombait au champ d'honneur, à Beaune-la-Rolande.

Bazille avait été d'un grand soutien pour ses amis, non seulement par une admiration qu'il poussait parfois jusqu'à l'idolâtrie, mais aussi par l'argent qu'il fournissait. En 1869 Monet traversait des difficultés financières plus grandes encore que d'habitude, et Bazille lui acheta, par exemple, son *Femmes au jardin* pour la somme manifestement philanthropique de 2 500 francs. Sous ces deux aspects il fut remplacé au sein du groupe par Gustave Caillebotte (1848-1894), un ingénieur spécialisé dans la construction de bateaux, qui avait rencontré Monet alors qu'ils étaient voisins à Argenteuil. Simple, intelligent, célibataire au grand cœur, Caillebotte peignait déjà en amateur, mais le travail de ses nouveaux amis fut pour lui une révélation, et vers 1876 il participait à leurs expositions. Ses talents étaient modestes mais réels, et si ses portraits dénotent l'influence de Degas, ses vues de Paris et des villages d'Ile-de-France possèdent une personnalité certaine, plus visible encore dans ses travaux sur la vie et les activités de la classe ouvrière (*Les Raboteurs de parquet*).

Mais Caillebotte était surtout un ami, aidant autant qu'il le pouvait Monet, Renoir, Sisley et bien d'autres, donnant des conseils, organisant, se chargeant de tout pour trois des expositions du groupe. A l'âge de vingt-sept ans, il fit de Renoir son exécuteur testamentaire, précisant qu'on devait prélever suffisamment d'argent sur sa fortune « pour assurer dans les meilleures conditions possibles une exposition des peintres appelés *Les intransigeants* ou *Les impressionnistes* ». Ce ne fut pas nécessaire, puisque vers 1894, les impressionnistes étaient déjà fort reconnus. Pourtant, bien qu'il léguât à l'État sa collection de soixante-cinq tableaux impressionnistes, il fallut attendre trois ans pour que les autorités en acceptassent trente-huit, qui entrèrent au Louvre en 1928 seulement. Caillebotte montrait de même sa générosité en achetant les travaux que ses amis avaient le plus de mal à vendre, et qu'on considère désormais souvent comme les plus importants.

Camille Jacob Pissarro (1830-1903) fut à lui seul un mouvement tout entier, et bien qu'il ne fût aucunement son membre le plus important, c'est à lui que le groupe des impressionnistes doit le plus. Théoricien capable et cohérent, explorateur stylistique constant, pédagogue-né (son élève Mary Cassatt disait qu'il aurait pu apprendre aux pierres à dessiner correctement), il conseillait en ami ses camarades ; même Cézanne confessa un jour : « Il était comme un père pour moi. On pouvait le consulter à propos de tout, c'était une espèce de Dieu le Père. » Il digérait les découvertes des autres, qu'il exprimait dans un style clair et agréable, rarement dramatique, et Gauguin devait reconnaître : « Il fut un de mes maîtres, je ne pourrai jamais le nier. » Dans les moments où la cohésion du groupe était menacée, Pissarro en maintenait l'unité. Il fut de toutes les expositions, et il acceptait avec patience la condescendance, et parfois le mépris, que lui réservaient certains de ses contemporains.

Né aux îles Vierges, où son père, d'ascendance judéo-portugaise, réussissait dans les affaires, il vint à Paris en 1855, déterminé à peindre. Il admirait Delacroix, prit des leçons auprès de Corot, qui devait exercer une influence décisive sur ses premiers travaux, et suivit des cours à l'Académie suisse, établissement ouvert par un ancien modèle, où les élèves pouvaient dessiner et peindre d'après nature, sans enseignement formel. Son travail, qui combinait la vigueur de la composition de Courbet et la luminosité limpide de Corot, fit alors une forte impression sur le jeune Monet. Les deux décennies suivantes devaient unir leurs carrières

Camille Pissarro
Autoportrait, 1873

Camille Pissarro
Portrait de Félix, 1883

intimement et c'est conjointement qu'ils s'engagèrent sur la voie de l'impressionnisme. Au début de la guerre de 1870, ils partirent pour l'Angleterre, où Pissarro devait faire de fréquents séjours. Londres et ses environs leur parurent riches de sujets à traiter, et fait plus important encore, ils y rencontrèrent Durand-Ruel, qui allait devenir « l'ange gardien de l'impressionnisme ». Pissarro se plaignit plusieurs années plus tard auprès de Monet : « Londres m'a toujours plu, et pourtant je n'ai jamais réussi à faire apprécier mes tableaux de la ville », mais on ne comprend pas pourquoi. La petite toile *Lower Norwood, Londres, effet de neige*, de 1870, contient le meilleur de Pissarro. La couleur et les formes s'y harmonisent parfaitement, et la pénétration vers les rues hautes du village s'opère par une parfaite intégration à l'ensemble de la composition, sans le hiatus qu'on aurait pu craindre. Il réussit même un effet d'atmosphère plombée sans insistance ostentatoire.

A son retour à Paris, Pissarro découvrit que la plus grande partie des 1 500 toiles entreposées dans son atelier de Louveciennes, ce qui donne d'ailleurs une idée de sa productivité, avait été détruite ; il nous en reste un témoin intéressant à travers cette petite vue de quartier qu'il a peut-être peinte peu avant son départ. Malgré la modestie de sa situation économique, ou peut-être à cause d'elle, et malgré une vue défaillante, il peignait avec une énergie prodigieuse, déchiré entre les exigences des

Camille Pissarro
Place de la République, Rouen, 1886

Camille Pissarro
Place du Théâtre-Français, effet de soleil, 1898

masses et celles de la lumière, proche parfois du sentiment de Monet, ou tendant parfois vers les préoccupations plastiques de Cézanne, et ce faisant les influençant tous deux. Vers les années 1880, il faisait de plus en plus attention aux problèmes de structure que l'impressionnisme semblait avoir délaissés. Séduit par les théories sur la lumière et la couleur de Rood, Helmholtz et Chevreul, dont on discutait beaucoup dans les ateliers, il subit l'influence de la peinture « scientifique » de Seurat, qui croyait naïvement avoir trouvé une méthode de représentation de la vérité optique. Pendant cinq ans Pissarro produisit des peintures pointillistes, en accord avec la technique divisionniste des points de couleurs pures, mais à long terme il trouva qu'elle était trop rigide et il revenait vers 1890 à son style précédent.

En 1892, une exposition de ses œuvres chez Durand-Ruel rencontra un vif succès ; il avait enfin trouvé sa vraie personnalité. Il partageait son temps entre Paris et Éragny, localité qu'on retrouve dans plus d'un paysage de sa période pointilliste. De la capitale il faisait surtout des vues d'espaces citadins, telle la *Place du Théâtre Français, effet de soleil,* et utilisait habituellement une perspective aérienne. Il y montre une capacité remarquable à maîtriser un thèmes complexe, à mettre en relation les personnages avec leur environnement, à conserver un sentiment de mouvement, sans rien perdre de la vivacité technique des paysages de sa jeunesse. En contrepoint, les paysages, les intérieurs, et les portraits expriment sa veine intimiste. Dans les années 1880, il peint de tendres portraits de son fils Félix, et il place un autre de ses fils sur les genoux de *La Petite Bonne de campagne.* Un catalogue raisonné de son œuvre, mené à bien en 1939 par son fils Lucien, présente une liste de 1644 tableaux, et si l'on ajoute ceux que la guerre de 1870 avait détruits, on peut se faire une idée de la productivité de Pissarro.

Camille Pissarro
La Petite Bonne de campagne, 1882

Camille Pissarro
Paysanne déchargeant une brouette, 1880

Sans doute aujourd'hui le plus célèbre des impressionnistes, bien qu'en réalité il fût loin d'être le plus engagé, Pierre Auguste Renoir (1841-1919) répandait constamment dans son œuvre cet hédonisme visuel, ce naturel, cette jouissance dans la spontanéité qu'on associe presque obligatoirement au mouvement. Dénué d'impératifs dogmatiques, se présentant lui-même comme un instinctif, il a attribué un jour à son organe génital la source de ses pouvoirs créateurs. Il faut mettre en parallèle cette bravade, si du moins on ne peut l'expliquer, avec la mélancolie et l'anxiété apparentes que suggèrent les photographies qu'on a de lui.

Fils d'un tailleur, Renoir fit ses premiers pas artistiques comme peintre de fleurs sur porcelaine, et il est difficile de ne pas accréditer la thèse selon laquelle cela détermina son développement ultérieur. Durant toute sa carrière son travail possède une qualité décorative qui le rapproche des artistes du XVIIIe siècle qui, comme Boucher, se consacraient presque entièrement à la production d'objets de luxe.

Pendant qu'il travaillait dans l'atelier de Gleyre, Renoir entra en contact avec Monet, Bazille et Sisley. Vers la fin des années 1860, il en était venu à une peinture encore largement influencée par Courbet et Manet, mais cependant fondée sur une sémantique très personnelle. C'étaient souvent des scènes de rue ou des intérieurs, tel le très complexe *Le Couple Sisley*. Les qualités créatrices de la lumière retenaient déjà son attention, ainsi que la massivité des formes ou les ambiguïtés de la couleur. Mais il faudra attendre le séjour de Bougival avec Monet, entre 1867 et 1869, pour qu'il s'y attaque avec liberté et dynamisme. Ses tableaux de La Grenouillère, populaire installation balnéaire des berges de Seine, tiennent lieu d'exercices sur la représentation de la lumière, des réflexions et des mouvements de l'eau, exprimés dans des touches posées rapidement, avec liberté.

Renoir était obsédé par la figure humaine, et il tâchait de lui appliquer l'analyse chromatique de la transfiguration lumineuse qui convenait beaucoup plus aisément au paysage. Sa réussite en ce domaine est sa plus grande contribution à l'impressionnisme, et on la devine déjà dans un travail tel que *L'Odalisque*, exposé au Salon de 1870. Les nécessités financières l'obligeaient à une activité constante, bien qu'après avoir loué

Auguste Renoir
La Loge, 1874

en 1872 un studio à Montparnasse, où il produisit une quantité de scènes parisiennes et de vues de l'Ile-de-France, il eût été pris en charge par Durand-Ruel. L'exposition impressionniste de 1874 lui devait beaucoup, puisqu'il présentait sept toiles, dont *La Loge*, une de ses plus brillantes sublimations de la présence humaine, et *La Danse à Bougival*.

Cette exposition le propulsa et, pendant les années qui suivirent, il produisit quelques-uns de ses chefs-d'œuvre, où le sentiment personnel des jeux de la lumière s'appuyait sur une remarquable maîtrise de la composition et mettait en avant les qualités plastiques de la figure humaine. Il s'intéressa surtout aux plaisirs de la vie citadine, à la vie du peuple, en les baignant de cette joie parisienne dont les générations suivantes devaient nostalgiquement, et peut-être à tort, faire l'essence de la « Belle Epoque ». Typique de cette période est le *Le Bal au Moulin de la Galette*, qu'on put voir à la troisième exposition impressionniste de 1877. Les lanternes

Auguste Renoir
Le Bal au Moulin de la Galette, 1876 (détail)

Auguste Renoir
La Danse à la campagne, gravure, 1890

japonaises embrasées, les distances opalescentes, et un sentiment de vivacité paraissent illuminer la toile de l'intérieur. Mais plus encore que la facture, pleine de la ferveur d'un Watteau, on peut admirer l'unité d'une composition vaste et complexe à l'extrême, où se fondent, grâce à la lumière autant qu'à la structure, l'infinité de poses et de directions des personnages qu'on y voit par dizaines, parmi lesquels il portraitura nombre de ses amis (Frank-Lamy, Lhôte, Cordey et Rivière).

Pendant tout ce temps, son tempérament le poussait toutefois dans une direction différente. Professionnel avant tout, Renoir n'était pas insensible à une reconnaissance officielle, et ce n'est sans doute pas étranger au changement qu'on constate vers la fin des années 1870. Il s'éloigna du groupe en tant que tel, et ne participa plus qu'une fois à une de ses expositions, sur la requête de Durand-Ruel. Il est significatif que son *Portrait de* Mme *Charpentier et de ses filles* ait remporté un vif succès au Salon de 1879. « Renoir a eu un gros succès au Salon. Je crois qu'il est maintenant lancé, et c'est une bonne chose, car la pauvreté est dure », notait Pissarro avec son habituelle générosité. La simplicité de la composition triangulaire des trois personnages principaux, équilibrée par la table et la chaise dans un coin, et par le chien assoupi dans l'autre, traduit une spontanéité plus ordonnée que dans ses travaux antérieurs, et ces nouvelles règles d'austérité sont soulignées par une certaine rigueur chromatique. En 1881, Renoir visite l'Algérie et l'année suivante l'Italie. La lumière est toujours l'élément unificateur de ses tableaux, mais il préfére désormais un dessin dans la tradition d'Ingres, une composition plus statique et géométrique des formes, une facture moins spontanée, une palette plus froide. Pourtant, il traite ses sujets avec fraîcheur et une

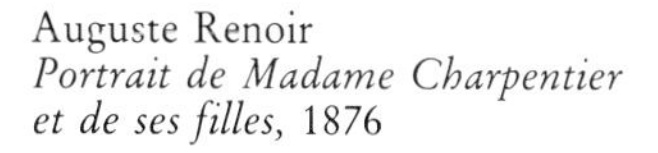

Auguste Renoir
Portrait de Madame Charpentier et de ses filles, 1876

vie extraordinaires, comme en témoigne la scène de rue intitulée *Les Parapluies*. On la dirait attrapée au vol, chargée de tremblements délicieux, et les éléments d'invention concertée, comme la tonalité bleue et les lignes parallèles qui en gouvernent la composition, ne nuisent en rien à sa vivacité documentaire. C'est encore plus remarquable quand on sait qu'une analyse détaillée de la toile a prouvé que sa réalisation s'était étendue sur une période considérable, et qu'elle avait subi de nombreuses retouches. Dans les deux petites filles et dans la femme qui les suit, apparaissent nettement des traits stylistiques du premier Renoir, qui détonnent très légèrement avec l'ensemble du tableau. Les parties désormais tendues sur les bords du cadre montrent que la composition était à l'origine plus grande, et contiennent les éléments d'une jupe violette de petite fille, une main gantée et l'ébauche d'un visage. Le tableau semble marquer un retrait du sensuel vers le cérébral, en termes de peinture renaissante des valeurs vénitiennes vers les valeurs florentines. Mais Renoir produit bientôt *Les Grands Baigneuses,* dernière tentative dans la manière de la Renaissance, tempérée toutefois par la sensibilité de perception à l'œuvre dans les recherches impressionnantes.

Connaissant un succès croissant et de plus en plus heureux dans sa vie de famille, de plus en plus détendu, Renoir peut désormais peindre pour le plaisir. Il s'était jusque-là consacré surtout à des sujets populaires, et vers la fin des années 1880 il s'attachait de plus en plus souvent à des thèmes intimistes. Portraits de sa femme et de ses enfants, compositions florales, bonheurs domestiques, des plaisirs du lit à ceux de la table et d'un bon feu : la saveur hédoniste d'une vie épanouie, qu'on retrouve notamment dans la série des portraits de sa servante Gabrielle, à elle seule tout un versant de l'iconographie de Renoir.

Sa facture devient de plus en plus lâche, des pans entiers de ses toiles se dissolvant dans des tourbillons irisés, d'où émergent les formes modelées par de hautes lumières blanches, des gris argentés et des rouges cuivrés. Bien qu'il réservât à ses sculptures l'essentiel de ses réflexions sur les volumes, celles-ci ne sont jamais absentes de ses peintures, où elles servent de point de référence visuel. Ses travaux tardifs, tel *Alexandre Thurneyssen en jeune pâtre*, sont embrasés d'une coloration presque écrasante, comme en feu. Sans doute les terribles rhumatismes articulaires dont il a souffert à la fin de sa vie y affaiblissent-ils son contrôle du pinceau, de même que l'altération de sa vue a certainement gâté sa sensibilité chromatique. Peut-être aussi est-ce dû à ses séjours plus fréquents dans le sud de la France, aux paysages inondés de soleil. Quoi qu'il en soit et aussi évanescents que puissent paraître certains de ces travaux, leur liberté, leur « rudesse », ont permis à certains d'y trouver les antécédents de l'expressionnisme abstrait des années 1940 et 1950.

Dire de Degas et de Cézanne qu'ils furent des impressionnistes dissidents laisserait supposer que le mouvement reposait sur un dogme esthétique rigide, ce qui n'est pas le cas. Manet, à son corps défendant, en fut le chef, et cependant durant toute sa carrière, il sera stylistiquement plus proche de Degas que de ceux qui ont appliqué les principes impressionnistes jusqu'au maniérisme le plus avéré. Cézanne, qui passe dans les manuels d'histoire de l'art pour avoir finalement détruit l'impressionnisme, participera à deux expositions du groupe ; Degas, que ses contemporains tenaient pour « meilleur » peintre qu'eux, exposera sept fois avec les impressionnistes. Ils étaient assurément à part, et leur adhésion commune au mouvement relève des accidents de l'histoire.

Hilaire Germain Edgar Degas (1834-1917) était par tempérament, éducation et choix personnel, un dandy baudelairien, dans sa vie comme dans son art. A travers toute sa carrière, il fera preuve dans ses peintures, ses dessins et ses sculptures, d'une pureté et d'un détachement presque masochistes. Il est le spectateur distant des exercices de *Jeunes Spartiates* (National Gallery, Londres), et décrit avec le même œil impartial, en 1876, l'ennui et la désillusion d'un couple tristement penché sur de l'absinthe (musée d'Orsay). Les sujets en sont très différents bien sûr, le premier rappelant David, le second annonçant Toulouse-Lautrec. Les styles en sont également dissemblables : le premier montre le dessin clair

Auguste Renoir
Les Parapluies, v. 1884

Auguste Renoir
Alexandre Thurneyssen en jeune pâtre, 1911

Auguste Renoir
Gabrielle à la rose, 1911

et précis d'un tableau florentin, le second est traité avec la spontanéité d'un peintre qui a tâté, fût-ce sans s'y être immergé complètement, de l'impressionnisme. Mais les deux sont froids à nos yeux.

A l'égal de Berthe Morisot, Degas appartenait à une famille de banquiers. Il étudia aux Beaux-Arts avant de faire très tôt l'expérience de l'Italie, où il copia méticuleusement Léonard, Pontormo et d'autres encore. Il y acquit la maîtrise du dessin classique qu'on admire chez lui, et qui est la source de ses splendeurs comme de ses faiblesses. Il n'hésitera pas à montrer une des réussites de cette époque probatoire, les *Jeunes Spartiates s'exerçant à la lutte* (Degas l'avait intitulée plus audacieusement *Petites Filles spartiates provoquant des garçons*), lors de la cinquième exposition impressionniste de 1880 – ce qui traduit bien sa position à propos de l'art. Alors qu'il copiait au Louvre un Velasquez, il rencontra Manet et s'en fit un ami, un allié artistique. Au cours de son bref voyage aux États-Unis, l'année suivante, Degas peignit *Le Bureau des cotons* (musée des Beaux-Arts de Pau), qui révèle le point où il en était arrivé de son contact avec l'impressionnisme. On y retrouvait les qualités que le mouvement avait presque élevées au rang de doctrine : sens de l'actualité ; réalisme social du sujet ; instantanéité dans la façon dont les personnages paraissaient saisis au vol (Degas devait du reste s'intéresser à la photographie plus qu'aucun autre membre du groupe) ; exactitude du dessin ; composition ingénieuse et recherchée sous une disposition apparemment fortuite des figures. Sa technique demeure traditionnelle pour l'essentiel, proche du premier Manet ; mais on ne pouvait s'y tromper, il ne s'agissait aucunement d'une peinture académique.

L'angle y est inhabituel et souligne le motif de la haie diagonale de personnages qui disparaissent dans le coin opposé de la pièce. Degas recherchait toujours la difficulté, et on en voit un exemple encore plus convaincant dans *Chevaux de course,* peint entre 1869 et 1872. L'angle sous lequel sont saisis les chevaux, la course et les tribunes présente un tel brio technique qu'on songe aux maîtres de la Renaissance, Uccello et Mantegna, qui s'étaient confrontés à des problèmes de perspective complexe. On remarque dans cette œuvre un procédé qu'il affectionne également, qui consiste à repousser sur les bords du tableau des pans

Edgar Degas
L'Absinthe, 1876

Edgar Degas
Le Bureau des cotons, 1873

entiers de la composition, de sorte qu'ils sont parfois tronqués comme une photographie. Il s'agit ce faisant d'engager l'imagination du spectateur à les poursuivre dans son propre repère spatial. Degas consacrait le contingent, conférant au moment de l'observation une valeur d'éternité jamais atteinte jusque-là en art. Par ailleurs il a été le plus grand portraitiste de la sphère impressionniste, alors que Renoir cédait à un maniérisme des visages où tout le monde se ressemblait. Le portrait demande une grande attention à la structure, si l'on veut qu'il ne soit pas un simple prétexte à des préoccupations picturales externes, à l'égal des pommes de Cézanne et des guitares cubistes. Or Degas était une caméra vivante, qui notait précisément les choses, pour se les rappeler parfois avec insouciance, parfois avec tendresse, comme dans la *Tête de jeune femme* de 1867, ou encore avec une grande pénétration psychologique.

Peu d'artistes ont eu un sens plus aiguisé de la structure que Degas. La spontanéité de ses œuvres est illusoire, aussi satisfaisante soit-elle. La logique de leur composition est totale, et le traitement de la réalité y est toujours subordonné à la volonté de tout représenter. C'est là son point de rupture le plus décisif avec l'impressionnisme, celui d'un classique peignant dans un cadre romantique. Il envoya dix tableaux à la première exposition impressionniste, parmi lesquels *Le Foyer de la danse à l'Opéra de la rue Le Peletier*, et participa à toutes celles qui suivirent. Il était venu à l'impressionnisme en indépendant, dans la tradition de l'ingrisme et d'une perfection de la ligne qu'il avait développée dans ses carnets d'esquisses. Mais le nouveau mouvement avait considérablement influé sur sa technique, en lui faisant comprendre l'utilité de la lumière dans la création des volumes et la suggestion d'une dimension vibrante plus profonde que celle de la perspective traditionnelle. Sa peinture sera

Edgar Degas
Chevaux de course, 1869-1872

toujours fine, n'atteignant jamais la matière épaisse de Monet ou de Pissarro ; ses formes ne se dissoudront jamais dans la lumière, mais elles s'y modèleront.

A part le portrait, la thématique de Degas est d'un grand intérêt. Les premiers thèmes qu'il développe sont classiques, mais leur succèdent des séries sur les courses, le ballet, l'opéra, le théâtre, plaisirs de la société policée qui s'opposent aux loisirs plus plébéiens que Renoir avait choisi de décrire. Vers 1880, à un moment où il utilisait de plus en plus le pastel, parce qu'il lui permettait de traduire cette spontanéité et cette vibration qu'il aimait tant, Degas se tourna vers des scènes d'intimité féminine, avec une cruelle véracité d'observation, se régalant des attitudes les moins gracieuses en apparence et des moments les plus insignifiants. Mais, contrairement aux peintures de boudoirs du siècle précédent, elles ne

Edgar Degas
Tête de jeune femme, 1867

Page de droite, en haut à gauche :
Edgar Degas
La Famille Bellelli, v. 1860-1862

Page de droite, en bas à gauche :
Edgar Degas
Le Foyer de la danse à l'Opéra de la rue Le Peletier, 1872

A droite :
Edgar Degas
Le Foyer de la danse à l'Opéra de la rue Le Peletier, 1872, (détail)

contenaient aucune obscénité, et présageaient de l'intérêt de la fin du XIXe siècle pour ce thème. Elles s'inspiraient en partie de la fascination romantique pour le sordide, que Baudelaire avait le premier exprimée, mais surtout elles résumaient une bonne part de l'idéologie impressionniste. Sincères, véristes, ces scènes n'avaient pas de précédents en peinture et autorisaient une approche totalement neuve. Une œuvre comme *Femme se peignant* ouvre la voie d'une authenticité pleine de fraîcheur.

Issue elle aussi du monde de la finance, Mary Cassatt (1845-1926) était née à Pittsburgh d'une famille d'ascendance française. Après avoir suivi un enseignement à Philadelphie, elle vint en Europe à l'âge de vingt et un ans, et s'imposa l'étude des grands maîtres du dessin, Corrège et Ingres notamment, à l'égal de Degas. C'est peut-être ce qui impressionna si

Edgar Degas
La Répétition de chant, v. 1877

Edgar Degas
Admiration, v. 1880

vivement celui-ci dans une des toiles qu'elle présentait au Salon de 1874, et ils devaient à partir de ce moment connaître une grande intimité. Bien qu'elle n'ait jamais officiellement été son élève, son travail doit beaucoup à Degas, comme celui de Berthe Morisot doit à Manet. Mais Mary Cassatt avait une forte personnalité, mettant en scène la vie domestique avec une sensibilité et un charme irrésistibles. C'est dans la gravure qu'elle s'exprima le mieux. Elle réussissait particulièrement dans la taille douce, où se manifeste nettement l'influence qu'a exercée sur elle l'art japonais. De plus grande importance est son rôle dans l'importation aux États-Unis de l'impressionnisme, où elle suscita un marché nouveau et fervent, mais aussi influença des peintres tels que Theodore Robinson, Ernest Lawson et Arthur Clifton Goodwin.

Tout comme Degas, Paul Cézanne réagit à l'impressionnisme en s'y opposant, et leurs réactions sont d'une certaine manière complémentaires. Alors que l'un se tournait vers un structuralisme de la ligne, augmentée et sublimée par le jeu de la lumière et de l'ombre, l'autre introduisait la lumière dans une puissante interaction avec les masses chromatiques. Ils étaient tous les deux intéressés par les nouvelles conceptions de l'espace

Edgar Degas
Femme se peignant, v. 1887-1890

qui allaient à terme révolutionner l'art européen, mais Cézanne est allé bien plus loin dans ce sens que Degas, en réfléchissant à une perspective multidirectionnelle qui ouvrait la voie à une synthèse de l'expression visuelle entièrement nouvelle.

Cézanne (1839-1906), né et mort à Aix-en-Provence, était lui aussi issu de la banque, et eut Zola pour camarade de classe. Il convainquit sa famille de monter à Paris en 1861 et fréquenta un temps l'Académie suisse. Mais rien de ce qu'il voyait chez ses contemporains, rien de ce qu'il faisait lui-même, ne le satisfaisait, et cela le mettait de méchante humeur. Il s'investissait passionnément dans une étrange peinture, violente et érotique, aux tons bruns, qui devait beaucoup à Delacroix même si elle faisait explicitement référence à Courbet. Il oscillait entre des rêves adolescents (comme dans *Une Moderne Olympia* de 1870, qu'on peut prendre soit pour un commentaire sarcastique de Manet, soit pour un fantasme érotique), et des tentatives timorées d'observation directe. Ce n'est pas qu'il fût isolé, il fréquentait au contraire le café Guerbois quand il venait à Paris. Il proposa constamment des œuvres au Salon, mais en vain, et fut au nombre des refusés ; dès lors, s'il puise des idées dans l'impressionnisme, c'est moins par adhésion convaincue que par un sentiment de révolte à l'égard du système.

A l'âge de trente-trois ans, cependant, sa stabilisation sentimentale avec Marie-Hortense Fiquet, jeune modèle qui devait lui donner un fils la même année, et l'apaisement émotionnel qu'il en conçut, marque un net

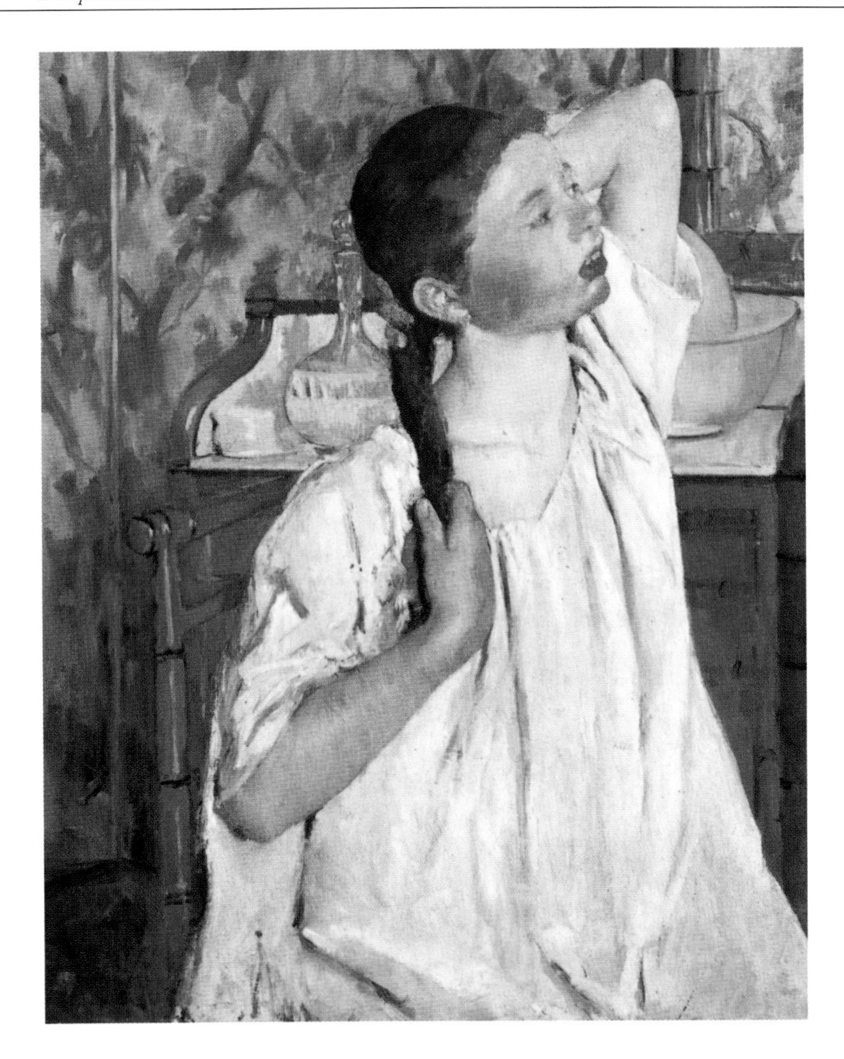

Mary Cassatt
Femme se coiffant, 1886

tournant. Son installation pour deux ans à Auvers-sur-Oise, où il travailla avec Pissarro, eut des conséquences plus immédiates. C'était exactement le genre d'expérience dont il avait besoin. Au lieu des pièces et des morceaux théoriques qu'il avait pêchés çà et là dans les cafés parisiens, il assistait à la pratique d'un artiste qui non seulement était au courant des recherches impressionnistes, mais encore les avait digérées en une formule aisément transmissible. L'effet fut immédiat, Cézanne commença à observer d'après nature, en utilisant la fusion optique des tons sur laquelle reposait la plus grande partie des découvertes impressionnistes. Sa palette s'éclaircit, et même si son travail ne devait jamais atteindre la qualité documentaire fréquente chez Pissarro, Monet, Renoir et Degas, il s'était définitivement émancipé de la violence de ses débuts.

Pendant quatre ans il eut des relations étroites avec les impressionnistes, et participa aux expositions de 1874 et 1877. Sur les cimaises de la première furent accrochés trois tableaux, dont *L'Homme au chapeau de paille*, où il réalise son ambition de produire une forme à la solidité presque palpable, grâce à la simplicité de la composition, et en faisant de la couleur un élément de force et non un simple glaçage lumineux de la forme. Alors que chez les autres impressionnistes les formes paraissent flotter vers le spectateur à travers une brume de lumière, Cézanne, dès ce moment, fait surgir la lumière de l'intérieur de la forme elle-même, et quand il disait : « la lumière dévore la forme, elle mange la couleur », c'était presque une plainte. En un sens, ses infériorités techniques, qu'il devait combattre sans cesse, donnaient à sa vision des choses une innocence que Degas, par exemple, n'atteignait qu'après un long travail. Ainsi Cézanne représentait toujours sa *réaction* à ce qu'il voyait, en une manière de réalisme psychologique.

Mais une inquiétude le tenaillait : le désir souvent répété de synthétiser la méthode de la Renaissance avec la vérité impressionniste, de « refaire Poussin d'après nature » et de « faire de l'impressionnisme quelque chose d'aussi solide et durable que les vieux maîtres ». Il voulait organiser en une structure solide les éléments visuels que seules les techniques impressionnistes pouvaient rendre avec bonheur. A ce sujet on a écrit bien des inepties, et le commentaire de Clement Greenberg est des plus éclairants : « Les impressionnistes avaient, en vertu de la cohérence de leur naturalisme, laissé la nature régir la conception d'ensemble du tableau, jusque dans ses parties constituantes, et refusaient en théorie d'interférer consciemment avec leurs impressions visuelles. Pourtant, leurs toiles ne manquent aucunement de structure. Pour autant qu'elles étaient réussies, elles montraient une unité aussi satisfaisante que n'importe quelle œuvre d'art réussie. (Roger Fry et d'autres ont accordé à la réussite des objectifs que Cézanne poursuivait une croyance excessive, qui fonde en grande partie le légendaire manque de structure des œuvres impressionnistes. Mais si la structure que les impressionnistes mettaient en œuvre s'obtenait par la modulation des surfaces colorées et des valeurs, en revanche ce mode de *composition* n'est pas en nature inférieur ou moins *structural* que l'autre.) Aussi intéressé fût-il par la nature en tant que motif, dans toute son immédiateté, Cézanne sentait néanmoins que ce motif ne pouvait à lui seul organiser l'unité du tableau : ce qu'il recherchait devait être plus affirmé, plus tangible dans ses articulations et en conséquence, supposait-il, plus "permanent". Il fallait d'ailleurs le *lire* dans la nature. »

Les transformations qui allaient affecter son art dans les vingt années qui suivirent et devaient relier le monde des impressionnistes à celui de Braque, Léger et Ozenfant, étaient motivées par son désir passionné de créer une nouvelle syntaxe classique avec le vocabulaire de l'impressionnisme. Parfois des facteurs extérieurs intervenaient, notamment dans ses paysages. Quittant les petits villages charmants de Pontoise pour les énormes espaces du Sud, où la lumière envahit tout, où les distances sont grandes à l'œil, où les champs en damier entrecoupent les montagnes, il entamait une réflexion sur les mécanismes de la composition d'une façon plus radicale qu'aucun de ses contemporains. Il suivit deux démarches différentes, qui coïncident exactement avec celles que le cubisme allait développer dans les deux premières décennies du XXe siècle. Dans des toiles telles que *Marronniers au Jas de Bouffan* (1883) ou *La Montagne Sainte-Victoire* de la même année, il met en œuvre un processus synthétique : des cubes, grands et petits, de formes et de couleurs différentes s'amoncellent pour créer la totalité de l'image. Dans d'autres, où l'intérêt pour la montagne Sainte-Victoire est encore une fois central, l'approche analytique l'emporte : les formes sont extraites de ce qui est vu, les volumes se dissocient à certains endroits, autour desquels se forme une nouvelle structure. Toute la toile est en mouvement, les touches en mosaïque de la peinture virevoltent entre leur dépôt à la surface du tableau et l'image qu'elles créent. Le sentiment de l'espace y est émotif plus que descriptif, en sorte que, à la distance fort grande où est parfois peinte la montagne Sainte- Victoire, le spectateur peut sentir, s'il ne les voit vraiment, les zones qui entrent en jeu les unes avec les autres.

L'organisation des volumes autour d'un point central est également manifeste dans ses portraits, comme dans celui de Chocquet de 1877, où chaque partie du modèle est divisée en unités de couleurs qui concourent à créer la totalité de l'image. Plus tard, notamment dans la série des Joueurs de cartes, il paraît donner à sa passion de la volumétrie des proportions euclidiennes : chaque partie de chaque personnage est exprimée en termes

Paul Cézanne
Portrait de Victor Choquet, 1875-1877

Paul Cézanne
L'Homme au chapeau de paille (Portrait de Boyer), 1870-1871

de cylindres ou de cubes, sans que le procédé soit cependant poussé jusqu'à ses extrémités logiques. Les plis des vêtements, les pipes, les fonds gardent une truculence à la Courbet qui contredit la rigueur du modelé. « Quand on peint, on ne peut ce faisant s'empêcher de dessiner », dit-il un jour à Émile Bernard, et il est difficile de ne pas songer que toute sa démarche créatrice le portait vers la nature morte, dans ce monde qui manifestait naturellement la solidité et la présence qui le fascinaient tant. Ses peintures sont des objets autonomes, et les éléments qui les composent ne sont valables que parce qu'ils s'y trouvent ; les pommes et les oranges sont le tableau, le tableau est les pommes et les oranges.

C'est Cézanne qui a fait de l'impressionnisme une façon de voir et une technique qui dépassent de loin le XIXe, ce qui a conduit à une adulation parfois délirante, d'autant plus que son art a lui-même ironiquement ouvert la porte à un académisme mou assez étranger à ses idées.

Monet résuma clairement l'aventure de l'impressionnisme dans les années 1880, disant que ce qui avait été jadis une église était désormais une école. L'école en question se répandit rapidement, devenant, dans chaque pays qu'elle atteignait, dans un premier temps une suspecte forme d'art révolutionnaire, puis au bout de quelques dizaines d'années le langage exsangue de l'art officiel. Dans tous les cas, ce sont les premiers membres qui sont dignes d'intérêt. En Allemagne, Max Liebermann (1847-1935) et Max Slevogt (1868-1932) ; dans l'actuelle Yougoslavie, Ivan Grohar (1867-1911) et Matej Sterner (1870-1949) sont caractéristiques d'une génération qui adapta les techniques et les attitudes impressionnistes à un style national. Des groupes se formèrent, à Amsterdam par exemple, pour

Paul Cézanne
Marronniers au Jas de Bouffan, 1885-1887

Paul Cézanne
La Montagne Sainte-Victoire, vue de Bibémus, 1898-1900

Paul Cézanne
Montagnes en Provence, 1886-1890

Paul Cézanne
Les Baigneurs au repos, 1898

propager le nouvel évangile. Les liens avec l'Angleterre avaient toujours été étroits, à travers l'influence de Whistler, qui avait entretenu des relations marginales avec le mouvement, les écrits de George Moore, et surtout l'enseignement qu'Alphonse Legros, ami de Manet et très au fait de tout ce qui préoccupait le mouvement, dispensa de 1865 à 1892 à l'actuel Royal College, puis au Slade. Le Slade engendra d'ailleurs le New English Art Club, dont les animateurs, Steer, Tonks, Orpen, McEvoy et John, ont puisé dans l'impressionnisme l'attitude libératrice qui transparaît dans certains de leurs tableaux.

Paul Cézanne
Les Joueurs de cartes, 1890-1905

Paul Cézanne
L'Estaque, 1885

Paul Cézanne
Le Vase bleu, 1885-1887

Tandis que l'impressionnisme s'ouvrait à la littérature et à la musique, il suscita bientôt en peinture une réflexion sur ses données doctrinales. La « Société des artistes indépendantes » voyait le jour en 1894 à Paris afin, d'après ses fondateurs, de rénover l'impressionnisme et de le rendre plus rigoureux. Ils en appelaient à une scientificité optique qui traduirait les effets de lumière par une multitude de petits points de couleur pure de façon à laisser à l'œil du spectateur le soin de pratiquer la fusion des tons.

Le grand nom du pointillisme, Georges Seurat (1859-1891), porte ainsi toute son attention à la trame des couleurs, que l'impressionnisme « orthodoxe » lui paraissait oblitérer, et à la fin de sa courte carrière il tentera d'exprimer par de nouveaux modes l'émotion et les sensations. Cependant ses sujets résolument impressionnistes (paysages, loisirs populaires), et le traitement lyrique de ses peintures rayonnantes paraissent très éloignés de l'austérité idéologique qu'il revendiquait.

En France, les idées de Seurat trouvent des émules chez Paul Signac (1863-1935), Henri-Edmond Cross (1856-1910), Maximilien Luce (1858-1941). En Belgique, à l'instigation de Théo Van Rysselberghe (1862-1926) et Henri Van de Velde (1863-1957), se crée dans la mouvance pointilliste la « Société des Vingt ». L'Italie accueille chaleureusement le pointillisme, alors que l'impressionnisme n'y avait connu qu'un très faible retentissement ; elle l'imprègne de naturalisme et de littérature, et les œuvres de Giovanni Segantini (1859-1899) et de Gaetano Previati (1852-1920) transmettront leur technique chatoyante aux futuristes.

Toutefois l'art contemporain ne provient pas seulement des réflexions néo-impressionnistes, qui se poursuivent encore dans l'œuvre de certains peintres ; il procède aussi par voie directe de l'impressionnisme lui-même. L'expression libre des émotions, la gestualité, la prise de conscience des valeurs affectives de la couleur, ces découvertes essentielles de l'impressionnisme, traversant l'œuvre de Van Gogh, ouvrent la voie aux fauvistes et aux expressionnistes abstraits.

Paul Signac
La Passerelle de Debilly, v. 1926

Seurat.

Page de gauche, en haut :
Georges Seurat
Une Baignade, Asnières, 1883-1884

Page de gauche, en bas à gauche :
Georges Seurat
Garçon assis, 1883-1888

Page de gauche, en bas à droite :
Georges Seurat
Le Pont de Courbevoie, 1886-1887, (détail)

Ci-dessous :
Vincent Van Gogh
Le Jardin du Docteur Gachet, 1890

Symbolisme et art nouveau

« On éprouve une certaine fascination à observer une transformation dans le goût artistique, ou en tout cas un renouveau artistique, qui se manifeste sous ses propres yeux. Des qualités insoupçonnées sont découvertes dans les tableaux jusque-là méprisés ou ignorés ; des critères commerciaux sont imposés par les marchands ; un intérêt considéré jusqu'alors comme une affectation passe bientôt pour une simple originalité pleine de panache ; des articles savants paraissent, parce qu'il n'y a plus rien de neuf à dire sur les valeurs établies ; des suppléments en couleurs répandent la bonne nouvelle parmi un public plus large. D'une combinaison de ces facteurs avec d'autres, un goût nouveau apparaît. » (Francis Haskell, in *« New York Review of Books »*, juillet 1969.)

Ces remarques concernant la peinture académique française s'appliquent encore mieux aux thèmes du présent livre. Il y a vingt ans, un ouvrage destiné au grand public des amateurs d'art aurait comporté des chapitres consacrés au cubisme, au surréalisme ou à l'impressionnisme, mais jamais au symbolisme ou à l'art nouveau. Ce dernier passait pour le dernier spasme suresthétisant de la vulgarité victorienne, tandis que le symbolisme n'était même pas assez connu pour qu'on l'oubliât. Bien des choses ont changé depuis.

Parce que les historiens veulent tout naturellement laisser un nom en redécouvrant une période et que les marchands tâchent de vendre le plus possible, tout renouveau conduit à une surévaluation de l'art considéré. C'est vrai dans le cas du symbolisme, qui, de style oublié ou ridicule, a été rapidement promu au rang de « voie alternative de l'art moderne ».

Cette attitude ne présente guère d'intérêt. L'art n'est pas une activité soumise à la concurrence, et les questions d'exaltation ou de relégation n'ont qu'un lointain rapport avec le plaisir esthétique. Dans l'opinion de certains auteurs, des artistes sont meilleurs que d'autres parce qu'ils ont avec plus de constance produit des œuvres à la profondeur émotive complexe, mais un style n'est pas nécessairement meilleur qu'un autre. Il est naturel qu'une réaction se soit fait jour contre l'approche quelque peu clinicienne des cubistes et des autres artistes géométrisants, et il est bon de tourner les projecteurs de l'histoire sur des domaines jusque-là obscurs, pour autant qu'on garde un certain sens de jugement.

Les renouveaux artistiques sont significatifs des préoccupations contemporaines. L'expressionnisme abstrait des années 1950 a conduit à une réévaluation de Monet, et on fit même de Turner un « proto-expression-

Odilon Redon
Orphée, v. 1913-1916

niste abstrait » ! On peut se demander si la renaissance de l'art nouveau du milieu des années 1960 aurait eu lieu sans le pop art, qui réhabilitait l'exubérance dans la couleur et la ligne décorative et puisait plus souvent dans les objets manufacturés du passé que dans le « grand art ». Nous verrons que l'art nouveau s'est attaché aux arts appliqués bien plus qu'à l'art pur. L'art minimal, à la fin des années 1960, a sans doute joué un rôle dans le regain d'intérêt qu'a connu le néoclassicisme de David ; et la réaction au minimalisme, qu'on appelle souvent art *funky*, est de toute évidence à mettre en relation avec le renouveau du symbolisme : les deux travaillent sur une esthétique de volontaire vulgarité.

Enfin on peut considérer que la drogue n'a pas été sans influencer ces renaissances. Les dix dernières années ont vu une énorme augmentation de la consommation de drogues, particulièrement les drogues hallucinogènes, tels le haschisch et le LSD, tout spécialement parmi la jeunesse. Les propriétés de ces drogues ont affecté l'art populaire d'aujourd'hui, les bandes dessinées, les posters de rock et les magazines underground. Des graphistes, qui cherchaient un style offrant des équivalents visuels à ce qu'ils ressentaient sous l'effet des drogues, le trouvèrent dans l'art nouveau et plus tard dans certains aspects du symbolisme. L'articulation de ces styles à un mouvement mondial sans aucun lien avec l'art conduisit à en répandre l'imagerie plus largement que pour les précédents renouveaux artistiques. Le style art nouveau devint, pour un temps, la référence obligée parmi la jeunesse du monde occidental.

Du fait aussi de la rapidité de ce renouveau, le symbolisme et l'art nouveau, sont encore prétextes à querelles. Contre les prétentions de leurs tenants, plus d'un spécialiste écarte quelques peintres présentés dans ce livre pour cause d'absurdité artistique. Mais il est temps de décrire leur travail et les conditions qui l'ont vu se développer.

Bien que le symbolisme et l'art nouveau soient directement liés, ils n'en sont pas moins différents. Fort peu de leurs apologistes sont d'accord pour classer les artistes sous l'une ou l'autre appellation. Une école de pensée soutient que seuls les artistes français des années 1880 et 1890 peuvent être appelés « symbolistes », et une autre exclut sans appel le mouvement anglais *Arts and Crafts* (Arts et Métiers) de l'art nouveau. Des noms génériques donnés à des mouvements tels que le symbolisme, le cubisme et les autres ne sont bien souvent qu'un moyen pratique d'établir des distinctions. Dans les deux dernières décennies du XIXe siècle et dans la première du XXe circulaient en Europe et en Amérique des idées et des styles visuels communs, unis dans leur opposition aux grands courants de l'époque : académisme et impressionnisme. Pour comprendre le symbolisme et l'art nouveau, il nous faut d'abord faire un retour en arrière, pour voir comment ces deux influences les ont affectés. Deux peintres sont à l'origine des deux courants : Ingres et Delacroix.

Nous voyons chez Ingres la première émergence d'un érotisme publiquement admis, qui allait trouver son apothéose dans un certain symbolisme. Les peintures étaient « idéales » et satisfaisaient à l'exigence qui voulait que le grand art transportât les aspirations humaines à de nobles hauteurs ; leurs sujets n'avaient cependant rien de la noble vie des Romains, comme chez David, mais représentaient le plus souvent des femmes nues. Les compositions étaient habituellement exotiques, souvent d'un exotisme moyen-oriental, qui les faisait paraître lointaines, donc respectables, mais la technique réaliste tendait à rendre les beautés à la peau douce et aux yeux clairs qui les peuplaient aisément acceptables par l'imagination. Le public nouveau, la bourgeoisie montante, avait trouvé, en reconnaissant Ingres, le moyen parfait de cumuler tous les avantages et de puiser des satisfactions érotiques dans l'art le plus respectable.

Delacroix, à l'inverse, se moquait de la façon dont l'esprit était supposé concevoir la réalité. C'était l'œil qui l'intéressait. Avec Delacroix nous sommes en présence pour la première fois de l'idée que l'œil peut avoir une activité indépendante de l'esprit et que l'art peut débusquer le fonctionnement réel de la vue. Il a été le premier peintre à considérer les incidences de la lumière en tant que parties constitutives des objets qu'elles dessinent. Au lieu de mélanger ses couleurs sur la palette, il mettait sur la toile les couleurs pures, laissant à l'œil le soin d'en faire la synthèse. Ce fut lui aussi qui utilisa de nouvelles couleurs pour indiquer les ombres : pour l'ombre d'un objet rouge, il y introduisait du vert, et ainsi de suite. Comparée à celle de peintres ultérieurs comme Seurat, son approche était en bonne partie instinctive, mais il établissait les termes de la réflexion sur l'action réelle de la lumière et de la couleur.

De ces deux sources naquirent deux façons de concevoir la peinture, de plus en plus opposées à mesure que le siècle avançait. Vers 1850 leurs divergences étaient avérées. Le style qui se réclamait d'Ingres, devenu l'art « officiel » de l'époque, se montrait ouvertement dans les Salons, tandis que la ligne des épigones de Delacroix avançait plus secrètement.

Que ces deux courants aient pu subir des destins publics aussi divers, nous avons au XXe siècle quelque mal à le croire. Il nous apparaît évident aujourd'hui que l'art académique du XIXe siècle ne présente que peu d'intérêt, voire aucun, et que c'était l'impressionnisme, dérivant de Courbet après Delacroix, qui représentait la voie naturelle de développement de l'art. Il paraît extravagant que des tableaux de Monet ou Renoir aient pu être accueillis avec la plus extrême hostilité, alors même que nous en goûtons le charme et la délicatesse. Mais l'accueil fut incontestablement hostile, et il nous faut comprendre pourquoi.

L'art académique fonde ses jugements sur les idéaux du passé. C'est une position statique qui tient au fait que le sommet de la perfection artistique a déjà été atteint, et qu'ainsi l'art des temps nouveaux se juge à sa fidélité à des principes établis une fois pour toutes. Il faut se référer non au monde réel, mais à l'histoire et à la culture, qui semblent être à l'abri des trivialités du quotidien. Les impressionnistes passaient pour s'attaquer au statut de l'art, en niant cette référence à la culture du passé.

Il est cependant ironiquement vérifié que c'est toujours au moment où l'art se proclame au-dessus du siècle qu'il tombe sous son emprise. Un homme pouvait exploiter ses ouvriers afin de faire fortune et de dépenser celle-ci dans des « œuvres d'art », qui ne faisaient aucune allusion à sa réalité de patron ou à celle des travailleurs. La combinaison de la respectabilité culturelle et des prix élevés faisait du salon une citadelle. Les impressionnistes prenaient, quant à eux, pour critères non pas ceux de la culture mais ceux de sa grande rivale, la science. C'étaient les peintres de la nouvelle ère technologique : Monet peint la vapeur des locomotives, Degas se sert de l'appareil photographique, Renoir décrit les loisirs de la classe moyenne montante. Mais la dernière chose que les bénéficiaires de ce nouveau matérialisme pouvaient admettre, c'était bien qu'on leur rappelât tout cela. Ils réclamaient de la culture.

Ce n'était pas seulement la thématique des impressionnistes qui les leur rendait inacceptables, c'étaient aussi leurs méthodes. Ils utilisaient leurs yeux comme des caméras et transcrivaient tel quel ce qu'ils ressentaient. Cette neutralité dans le travail conduisit à une découverte que la science n'allait pas mettre en lumière avant le début de ce siècle, et que les canons artistiques ne pouvaient admettre. La lumière, et par suite tout le reste, était un phénomène continu ; il était établi qu'elle pénétrait toutes choses également et de façon continue. En outre, comme Monet en fit l'expérience en face de la cathédrale de Reims, elle n'était pas statique. La forme elle-même changeait quand la lumière changeait.

Pour prendre en compte ces observations, il fallait un nouveau type de peinture. Si l'œil montre que les formes ne sont pas séparées dans la réalité l'une de l'autre, la technique du suave réalisme que pratiquait l'académisme était nulle et non avenue. Dès lors on observe tout au long de la seconde moitié du siècle une atomisation de la touche du pinceau, qui devient plus petite et plus régulière, jusqu'à aboutir aux points de couleurs pures que composent les peintures de Georges Seurat.

Pour Seurat la science était tout. Les impressionnistes pouvaient bien se reposer sur leur œil, pour Seurat c'était trop hasardeux. Hélas, l'œil ne peut voir la structure atomique du monde, il est donc nécessaire de formuler une théorie. Ainsi Seurat au moment de sa plus grande neutralité scientifique faisait-il prendre racine à l'art dans le royaume des idées. Ce n'est que grâce à son extrême sensibilité qu'il a pu avancer sur l'étroit chemin qui séparait ce qu'il observait et ce qu'il soupçonnait qu'il observait. Avec sa mort prématurée, le courant artistique né de Delacroix et continué par les impressionnistes se retrouva dans une grave impasse.

Le problème pour les artistes symbolistes qui, comme Gauguin, prennent leur envol sur la piste balisée par l'impressionnisme, était de trouver de nouveaux thèmes sans oublier les leçons qu'ils avaient apprises. Les impressionnistes avaient montré qu'une observation précise de la nature conduisait à ce qu'on appelle désormais la « théorie du champ », selon l'idée que toutes les choses font également partie du champ d'observation et y pèsent du même poids. Bien plus, l'observateur lui-même fait partie du champ. Les impressionnistes n'ont pas été amenés à ces conclusions parce qu'ils étaient imprégnés de l'idée d'un observateur impartial ; toutefois elle se déduisait de leur travail. Les années 1880 à 1910 allaient mettre en scène les premiers essais en ce sens.

Conscients du fait que poursuivre dans la voie de l'observation neutre de la nature ne pourrait que les mener au scientisme de Seurat, les peintres symbolistes se tournèrent dans la seule direction possible pour eux : l'intérieur. Le problème était de décrire le monde du subconscient, sans sombrer dans la traduction académique des mythes. La réponse, comme nous le verrons, fut de conserver au monde extérieur sa valeur de sujet, mais en le traitant de façon qu'il ne reflétât pas ce que voyait impartialement l'œil mais ce que ressentait l'observateur. Si l'on admet que l'observateur et l'observé font partie du même tout, alors il est possible de décrire l'un à travers l'autre. Les sentiments de l'artiste peuvent être montrés par un travail sur la réalité observée.

Cette idée difficile à saisir représentait un énorme pas dans une direction nouvelle. Même dans le travail de peintres de l'hallucination, tel Goya, nous sentons que ce qu'on nous montre était pour l'artiste aussi réel que la vie de tous les jours, qu'il ne s'agit pas d'une tentative de décrire des sentiments intérieurs en reproduisant le monde extérieur. Il n'est guère étonnant que peu, si ce n'est aucun, des épigones de Gauguin aient été capables de comprendre cela, et que son influence ait été essentiellement stylistique.

La Vision après le sermon de Gauguin est tout entière préoccupée du problème du paysage symbolique et de la relation entre l'observateur et l'observé. Un groupe de femmes bretonnes vient d'entendre un sermon sur la lutte de Jacob avec l'Ange, et après l'office elles font apparemment l'expérience d'une vision collective. Le problème pour Gauguin était de rendre sensible la nature de cette vision. Il pouvait difficilement la montrer dans un style naturaliste, parce que les visions ne sont pas un phénomène naturel ; une technique impressionniste ne pouvait donc faire l'affaire. De même, une technique académique n'aurait pu rendre la violence des émotions.

La solution de Gauguin, étant donné la confusion des esprits de cette époque quant au problème de montrer le monde intérieur, paraît incroyablement précise et complète. Au lieu de peindre un vrai paysage, il peint un paysage émotif. Les figures de Jacob et de l'Ange prennent place sur une étendue de terre rouge d'une extrême ambiguïté spatiale.

Paul Gauguin
La Vision après le sermon, 1888
(La Lutte de Jacob avec l'ange)

La luminosité de la couleur ne produit pas seulement de puissantes associations émotionnelles, elle propulse aussi de telle sorte les figures en avant, écrasant leur dimension, qu'il devient impossible de les localiser exactement. L'arbre qui traverse le toile renforce encore cet effet en donnant l'impression qu'il croît hors de la surface du tableau, dans l'espace qui est devant lui. Le regroupement des femmes à la base du tableau a pour effet de chasser l'observateur de l'action, pour qu'il soit bien clair que c'est leur vision qui est représentée et que ce sont leurs pensées qui gouvernent le paysage émotionnel. Si on les examine attentivement, on se rendra compte que très peu de ces femmes regardent en direction des lutteurs. La plupart sont même montrées les yeux fermés, concentrant leur attention sur un point qui se trouve à distance de l'apparition, sur la gauche. Ceci confirme que ces figures font partie de leur esprit plus qu'elles ne sont vraiment vues. Tout le tableau présente ainsi une unité qui interdit la séparation entre sujet et objet, observateur et observé.

Gauguin fut le premier artiste à essayer de vivre en accord avec son art. Les impressionnistes étaient de parfaits bourgeois qui ne cherchaient ni le scandale ni à vivre différemment de la moyenne ; les peintres académiques étaient brillamment intégrés à la haute société. Gauguin quant à lui, après en être venu à considérer qu'il pouvait peindre sa vie, se rendit compte que cela le conduisait inexorablement à vivre sa peinture. Dès lors, et à l'époque son entreprise parut curieusement délibérée, il tâcha de se créer un personnage, Gauguin le peintre, le martyr, l'iconoclaste, le sauvage de l'avant-garde : un rôle qu'il adorait.

Il convient sous cet aspect de ne pas séparer l'art et la vie, afin de mettre en lumière les liens nets qui rattachent Gauguin à d'autres symbolistes. Des peintres nourris à la tradition académique eurent aussi à résoudre un dilemme, encore qu'un peu moins complexe que celui qu'affrontèrent les élèves de l'impressionnisme. Le style académique avait épuisé vers 1870 la maigre énergie qu'il eut jamais, et la thématique classique paraissait ne plus devoir offrir de surprises. Des peintres qui ne voulaient pas se confronter au monde des impressionnistes et à la réalité des faits, mais qui n'avaient pas le courage visionnaire de Gauguin, étaient forcés de pousser plus loin la recherche d'images qui pussent contenir encore quelque force et quelque mystère. Ils y étaient aidés par l'intérêt croissant pour l'occulte, illustré par les spéculations exotiques d'Eliphas Levi, et pour le système de pensée oriental, mis à la mode par une nouvelle venue de la société, Mme Blavatsky. Ce furent naturellement, comme l'on pouvait s'y attendre, les aspects les plus rudimentaires et les plus spectaculaires qui retinrent les artistes. Cet intérêt coïncidait avec un engouement pour les drogues, à la façon de Baudelaire et de Gautier qui en avaient fait l'expérience quelques années auparavant.

C'était un moyen aisé d'échapper à la trivialité du monde technologique. Gauguin, qui puisait son inspiration en lui-même, n'avait besoin que de « devenir lui-même » pour remplir son rôle. Les occultistes, incapables de comprendre son attitude et de trouver une société toute faite pour y vivre selon leur occultisme, devaient en inventer une de toutes pièces. Le résultat fut le Salon de la Rose + Croix, présidé par un des personnages les plus grotesques de l'histoire de l'art, l'inénarrable sâr Péladan.

Aujourd'hui Péladan ne nous étonnerait pas trop, gourou d'une secte d'initiés barbus et fleuris publiant d'incompréhensibles magazines underground. Mais dans le Paris des années 1880, pas encore remis des assauts de Wagner et guettant tout ce qui pourrait briser l'étouffante monotonie du quotidien, il fut accueilli par quelques-uns comme un sauveur. On lisait ses ouvrages avec avidité, même son roman érotique d'une obscurité pourtant presque totale, « Le Vice suprême » ; de jeunes peintres et de jeunes écrivains le suivaient en grand nombre. Il représentait exactement ce dont ils avaient besoin, un homme au système complet qui leur épargnait la fatigue de devoir en créer un eux-mêmes. Il suffisait de porter de longues robes de cérémonie, de participer à des rites énigmatiques, et de peindre les tableaux les plus hermétiques et sensationnels possible.

Il reste que le Salon de la Rose + Croix n'était pas d'un complet ridicule, malgré la personne de son guide. L'idée artistique qui l'animait attira des peintres de talent, Gauguin compris, et sur le plan littéraire Stéphane Mallarmé, Paul Verlaine et J.-K. Huysmans. L'idée était que la fonction de l'art n'est pas de définir l'évident mais d'évoquer l'indéfinissable. L'art devait s'attaquer aux idées plutôt qu'à la vie de tous les jours, et ce, avec des idées qui plongeraient dans une imagination vivace et non dans les rêves moribonds de l'académisme. Un tel sentiment devait se révéler l'élan le plus puissant et le plus original de l'art de cette époque, sans compter qu'il a conditionné en grande partie la « difficulté » de l'art du XXe siècle.

Les méthodes de Gauguin étaient nettement trop personnelles et celles de Péladan trop excentriques pour attirer un grand public ; aussi on en arriva vite à ce qu'un style plus largement répandu surgît et permît au public des amateurs d'art de s'investir sans changer leur mode de vie. Il s'ensuit que le nouveau style ne devait pas toucher à la peinture ou à la sculpture, mais aux arts appliqués, en sorte que le public pût en agréger l'idée au sein de son propre style de vie. La relation qu'entretient un homme avec un tableau qu'il possède est essentiellement statique et requiert temps et patience. Combien plus satisfaisante donc est l'*utilisation* de l'œuvre d'art, que ce soit sous la fomme de tissus imprimés, de livres, de porcelaines ou de verres. Et parce que nombre de symbolistes étaient intéressés moins par la réalisation d'un tableau que par la transformation du style de vie, il était logique que l'étape suivante concernât l'application de l'art à la vie. En ce sens l'art nouveau était à la fois la conséquence naturelle du symbolisme, dont il poursuivait la réflexion sur le style, et une réaction contre lui, faisant passer l'intensité du privé au public.

Gauguin et le symbolisme

Ceux qui ont écrit sur le symbolisme, intimidés par la perspective de devoir donner une forme à un mouvement aussi polymorphe, ont été enclins aux métaphores. Philippe Jullian, principal apologiste du mouvement, en a parlé comme d'une promenade à travers une immense forêt, où chaque clairière et chaque sentier représenteraient un aspect particulier du mouvement, ou, de façon plus convaincante, comme la visite d'un musée où les pièces donneraient les unes sur les autres. Je pense plutôt à une immense gare, quelque peu exotique. Les lignes y convergent de tous les points du paysage artistique ; certaines s'y arrêtent, tandis que d'autres la traversent en direction des stations suivantes, tels l'expressionnisme, l'abstraction et le surréalisme. Les deux stations du symbolisme et de l'art nouveau sont séparées, mais si proches qu'on peut les assimiler. Chaque quai est subtilement différent du précédent. Le quai Gauguin est baigné de soleil, mais guère fréquenté ; le quai Rose + Croix est plongé dans l'ombre, les sièges du train qui s'y trouve sont tendus de velours rouge, le buffet sert des infusions alchimiques, et le prix du billet est à votre bon goût. Quelques passagers descendent de ce train pour monter dans celui qui attend au quai académique, où tout le monde porte chapeau haut-de-forme et Légion d'honneur, bien que le train n'ait pas l'air de devoir aller loin. Entre eux, le train préraphaélite nous arrive d'Angleterre, tirant une voiture *Arts and Crafts*, avec, accroché en queue, l'art nouveau. A l'extrême limite nord de la station, Munch attend mélancoliquement Strindberg, qui est en retard.

Quelle que soit la métaphore qu'on emploie, l'important est qu'elle donne l'idée de courants nombreux et différents, qui, s'ils ne se rejoignent pas, avancent du moins parallèlement sur un bout de chemin. Seulement, de cette façon, on s'évitera d'avoir à rassembler les diverses facettes du symbolisme ou d'y repérer une voie principale.

On peut commencer à évoquer les artistes du mouvement et leurs relations les uns avec les autres à peu près n'importe où ; mais le travail de Gauguin est un aussi bon point de départ que n'importe quel autre, même s'il vient après d'autres travaux ici présentés. Il fut sans conteste l'esprit le plus fin et le plus solide qu'influença l'idée symboliste.

En 1883, Gauguin avait abandonné son emploi dans une banque, afin de se consacrer entièrement à son art, ce qui le conduisit finalement à divorcer deux ans plus tard. Il avait été jusqu'alors un peintre du dimanche, utilisant le style impressionniste auquel l'avait initié son ami Camille Pissarro. Une fois sa décision prise, il se dévoua totalement à l'art, et en vint vite à estimer que l'impressionnisme pouvait difficilement traduire la vigueur de son inspiration. Ce ne fut pas avant 1888, après un séjour en Martinique qui lui avait donné le goût de l'exubérance dans la couleur, qu'il trouva la solution à son problème. Conscient que la peinture du quotidien était une entreprise trop sage pour un homme qui aspirait aussi violemment à de vraies expériences, et se refusant à entrer dans le monde agonisant du mythe classique tel que le pratiquait l'Académie, Gauguin tourna délibérément le dos à la « civilisation » et se mit en route pour trouver la région de France la plus primitive. Que les artistes s'intéressent au primitif est de nos jours un tel lieu commun qu'on en oublie à quel point c'était novateur à l'époque. Les préraphaélites s'étaient tournés vers le passé parce qu'ils le trouvaient plus beau que le présent. Gauguin était moins attaché à la beauté qu'à la force. Il lui fallait une culture où l'émotion prime sur l'intellect, et il la trouva en Bretagne, une région qui avait gardé quelque chose de l'étrangeté celtique.

Gauguin se réfugia temporairement à Pont-Aven, sur la côte bretonne. Il emmena avec lui le jeune peintre Émile Bernard, qui lui avait conseillé de regarder de ce côté. A eux deux ils élaborèrent une nouvelle manière de peindre qu'ils appelèrent synthétisme. Quelques années plus tard, après

Émile Bernard
Bretonnes sur un mur, 1892

Paul Gauguin
Autoportrait dit « Les Misérables », 1888

que les peintres se furent brouillés (Gauguin ne fut jamais capable de garder un ami plus de deux ou trois ans), Bernard insista sur le fait que c'était lui qui avait inventé le style nouveau et que Gauguin n'avait fait que le copier. Mais peu importe qui a produit la première peinture ; il n'est pas douteux que c'est Gauguin qui en fournit les bases théoriques. Comparées à *La Vision après le sermon*, les peintures de la période bretonne de Bernard paraissent décoratives et sommaires. Il avait saisi les éléments visuels essentiels du nouveau style, mais ses implications esthétiques et philosophiques le dépassaient. Quoi qu'il en soit, Gauguin tira grand profit de la présence de son ami. Il adorait les discussions, toujours disposé à entendre de nouvelles idées. C'est ce besoin de confronter ses théories à celles d'autres peintres qui le conduisit à rejoindre Vincent Van Gogh. Que Gauguin, presque seul, ait compris la valeur du travail de Van Gogh, prouve l'acuité de son œil.

Les deux hommes s'écrivaient régulièrement, Gauguin exposant avec plaisir sa théorie, d'abondance, et Van Gogh tâchant avec plus de difficulté d'expliquer ses méthodes plus personnelles. Il était conscient que la personnalité plus puissante de Gauguin pouvait l'influencer, et plus d'une fois il se laissa aller à peindre suivant l'imagination plutôt que selon la vie. Ce fut son point de plus grande proximité avec le symbolisme, mais il ne tarda pas à le rejeter. Bien que le travail de Van Gogh utilisât le paysage de la « réalité » afin de rendre les émotions du peintre, il lui manquait l'autre élément essentiel du symbolisme : l'existence d'une idée indépendante. Les tableaux de Van Gogh sont des descriptions directes, ceux de Gauguin se réfèrent symboliquement à autre chose.

On s'en rend compte dans l'autoportrait que Gauguin envoya à Van Gogh, qui porte l'inscription "Les Misérables". L'attitude de Gauguin face à la peinture et à lui-même comme peintre apparaît dans une lettre envoyée à Bernard, où il commente ce travail : « Je crois que c'est une de mes tentatives les plus achevées, si abstraite qu'elle en devient complètement incompréhensible... D'abord la tête d'un bandit, un Jean Valjean, personnifiant un peintre impressionniste peu recommandable, comme écrasé à jamais par le fardeau du monde. Le dessin en est d'ailleurs particulier, devenant une pure abstraction. Les yeux, la bouche, le nez sont comme les fleurs d'un tapis persan, traduisant donc l'aspect symbolique. La couleur est très loin de la nature, imagine un assemblage confus de poteries toutes tordues par le fourneau ! Tous les rouges et les violets zébrés de flammes, comme une fournaise brûlant sauvagement, rayonnant des yeux, où siègent les luttes spirituelles du peintre. Le tout sur un fond de jaune naïvement parsemé de petits bouquets. La chambre d'une jeune fille pure. L'impressionniste est une vraie jeune fille, pas encore souillée par le répugnant baiser de l'Académie des beaux-arts. »

Bien qu'il s'opposât à l'impressionnisme, Gauguin se disait impressionniste car il n'y avait pas encore de mot pour décrire son style. Aucun impressionniste n'aurait accepté une vision aussi romantique et aliénée de la position du peintre. Par ailleurs la description nous éclaire sur l'utilisation des symboles par Gauguin. Les couleurs et les emblèmes visuels sont employés pour leurs valeurs d'association plus que comme des références directes. Rares sont ceux qui aujourd'hui associeraient un fond de papier peint à la « chambre d'une jeune fille pure », mais nous pouvons voir ce que cela a d'innocent. Cependant les symboles utilisés par Gauguin avaient une subtilité psychologique qui le place au-dessus de la plupart des autres adeptes du symbolisme.

Un homme à la personnalité si forte devait avoir un grand effet sur les peintres qui le fréquentèrent : Bernard, Maurice Denis, Paul Sérusier et Charles Filiger, qui tous connurent une période « bretonne ». Denis et Bernard, attirés par le mode de vie simple des Bretons, travaillèrent à simplifier leur propres toiles. Ils firent leur l'usage de Gauguin des aplats de couleur, et parfois ils semblèrent s'aventurer plus loin dans le domaine de l'abstraction décorative que leur maître. Mais aucun des deux peintres ne s'attacha à incorporer la philosophie du travail de Gauguin. Où celui-ci parvenait brillamment à capter quelque chose du sentiment de religiosité fruste de cette région de la France, eux ne faisaient que montrer les motifs colorés de la vie en Bretagne.

Filiger, en revanche, fut plus heureux dans ses portraits de paysans. Profondément croyant lui-même, poursuivi de remords à cause de son homosexualité, ce fut pour lui plus facile que pour ses amis. Mais là où ceux-ci manquaient de la pénétration psychologique de Gauguin, Filiger manquait pour sa part de son audace picturale. Plutôt que d'inventer de nouveaux moyens de peindre, il préféra mettre à neuf de vieux habits. Il se rapproche par là des préraphaélites, dans son retour à des canons d'inspiration prérenaissants, dans son cas Giotto et l'École de Sienne.

Le disciple le plus direct de Gauguin fut Paul Sérusier, théoricien et écrivain aussi bien que peintre. La carrière de Sérusier prouve à quel point il était influençable, absorbant les idées comme du papier buvard. Ses écrits sont ainsi plus intéressants que ses tableaux, si l'on en excepte un, des plus curieux. *Le Talisman* est peint sur une boîte à cigares et brille d'un riche chromatisme. Il fut réalisé dans d'étranges conditions, Gauguin se tenant à ses côtés et lui dictant ce qu'il devait faire. « De quelle couleur est cet arbre ? demandait Gauguin. — Jaune, répondait Sérusier. — Alors fais-le jaune. » Et Sérusier appliquait un jaune directement sorti du tube. Il emporta avec lui le résultat de ces travaux pratiques à Paris et le montra à tous ses amis, ne sachant si c'était une œuvre de lui ou de Gauguin. Il ne fait pas de doute que c'est bien Sérusier qui l'a peint, mais comme il ne produisit plus rien qui en approchât la qualité, c'est assurément à Gauguin qu'il faut en attribuer le mérite.

Le départ de Gauguin plongea ses disciples dans le désarroi. Certains demeurèrent en Bretagne, d'autres retournèrent à Paris pour s'abriter sous d'autres chapiteaux, principalement le mouvement nabi. C'était un groupe aux vues théoriques très élevées (*nabi* signifie prêtre en hébreu) mais extrêmement lâche, d'artistes tels que Maurice Denis, Sérusier, Pierre Bonnard, Édouard Vuillard et Paul Ranson, qui, comme on pouvait l'attendre d'un corps esthétiquement aussi divers, ne formula pas un style unique. Les intérieurs bourgeois soigneusement décrits de Vuillard ont peu de chose à voir avec des œuvres comme l'*Avril* de Maurice Denis.

Maurice Denis
Danse bretonne, 1891

Charles Filiger
Le Vacher breton

Paul Sérusier
Le Talisman, 1888

Avril est un travail intéressant en ce qu'il montre comment un peintre comme Denis, dont les préoccupations thématiques étaient celles du commun des symbolistes, mais qui avait trop appris de Gauguin pour utiliser leurs méthodes, s'est dirigé dans une voie qui annonçait l'art nouveau. La part la plus forte du tableau tient à une organisation en arabesques variées, qui traversent la toile pour aller du chemin à la végétation du premier plan. Denis a tenté de neutraliser cette fluidité en peignant une sèche barrière dans la moitié supérieure du tableau, mais l'effet en est maladroit. Le contenu émotionnel de l'œuvre n'est guère plus que l'évocation d'une humeur. A la génération suivante apparurent des illustrateurs et des créateurs tels qu'Eugène Grasset, qui tout en gardant la ligne décorative du symbolisme en rejetèrent le contenu.

Avant que nous n'abandonnions la Bretagne pour la décadence plus civilisée de Paris, il convient de s'attarder sur un travail curieux, à savoir

Notre-Dame de Penmarc'h, par Lévy-Dhurmer. La localisation pseudo-naïve des personnages ainsi que le degré de réalisme dérangeant des visages, en font une œuvre qui aurait pu être peinte à n'importe quel moment pendant les cent dernières années, et en même temps elle ne ressemble à rien d'autre. Qu'un peintre mineur puisse produire une toile pleine d'une vision aussi saisissante de fraîcheur permet de comprendre la nature du symbolisme. Comme son successeur, le surréalisme, il créait le terreau culturel qui permettait à de semblables fleurs de s'épanouir. On ne peut pas en dire autant des approches artistiques plus systématiques. Lévy-Dhurmer était capable de tâter de plusieurs styles au sein du symbolisme, apportant à chacun d'eux son professionnalisme éclectique. Ses panneaux décoratifs couverts d'oiseaux des marais montrent une conception de la peinture fort différente de celle des toiles bretonnes, les chatoyants voiles de couleurs y rappelant Whistler ou même le dernier Monet. Si Wagner est le principal inspirateur du symbolisme, ce travail renvoie davantage aux paysages chromatiques de Scriabine.

Gauguin poursuivait quant à lui sa quête personnelle du primitif jusqu'à son terme logique. En 1891, juste au moment où ses trouvailles stylistiques commençaient à être digérées et utilisées à plus grande échelle, il quitta la France pour les mers du Sud. Il avait compris le problème majeur du symbolisme, à savoir qu'il était impossible de produire un peinture faite

Maurice Denis
Avril, 1884

Lucien Lévy-Dhurmer
Notre-Dame de Penmarc'h, 1896

Eugène Grasset
Le Printemps, vitrail, 1884

de mystère et d'un sens originel, quand on était empêtré dans les traditions picturales de la France du XIXe siècle, ou bien encore, ainsi que l'écrirait plus tard un poète, qu'« il est impossible d'embraser une allumette sur un mur qui s'effondre ». Malgré le temps passé en Bretagne, il se sentait toujours écrasé par la civilisation.

Quand il atteignit enfin Tahiti, Gauguin se rendit compte que la civilisation coloniale occidentale avait déjà détruit la plus grande part de la culture insulaire, et qu'il ne trouverait pas la vie facile qu'il avait escomptée. C'est grâce au personnage qu'il avait assumé qu'il put aller de l'avant, pour peindre le paradis qu'il avait espéré et qui, il s'en rendait compte, n'existait que dans son imagination.

Sa méthode demeurait essentiellement la même qu'en Bretagne. La toile *Manao Tupapau* est typique de la période. Le titre signifie : « Pensant à l'esprit des Morts », et montre un spectre apparaissant à une jeune fille. Dans un commentaire, Gauguin précise clairement que l'apparition est un fait d'imagination de la jeune fille et non un événement littéral.

Il continue : « Elle repose sur un lit drapé d'un paréo bleu et d'une étoffe d'un jaune de chrome. Le fond d'un violet tirant sur le rouge est parsemé de fleurs comme des étincelles électriques, et un personnage plutôt étrange se tient derrière le lit. Comme le paréo joue un rôle très important dans la vie de la femme indigène, je l'utilise comme drap de dessous. L'étoffe devait être jaune, à la fois parce que cette couleur surprend le spectateur et qu'il donne l'impression d'une scène éclairée à la lampe, ce qui rend superflue l'image d'une lampe. Le fond doit paraître légèrement effrayant, raison pour laquelle la couleur la plus indiquée est le violet. Ainsi la partie musicale du tableau est complète. »

L'emploi du mot « musical » par Gauguin est intéressant. Des poètes tels que Verlaine et Mallarmé ont poussé la littérature dans la direction de la musique, parce que la libérer de l'usage normal des mots pouvait seul en faire un équivalent symbolique de leurs états d'âme. La plupart des peintres symbolistes, nous l'avons vu, ne se sont pas attachés à semblable libération du langage visuel. Gauguin, en revanche, comprit qu'en libérant la couleur et la forme de leur rôle descriptif il pourrait obtenir un résultat très proche des vers symbolistes. Au lieu d'être des tableaux faits *avec* des symboles, les tableaux *étaient* des symboles.

Le séjour de Gauguin à Tahiti alla de mal en pis. Il vivait dans la misère et, vers le milieu des années 1890, contracta la syphilis. Ses querelles avec les autres Français de l'île l'avaient complètement isolé, si bien qu'il gagna un île encore plus primitive, Papeete ; la situation n'y était guère meilleure.

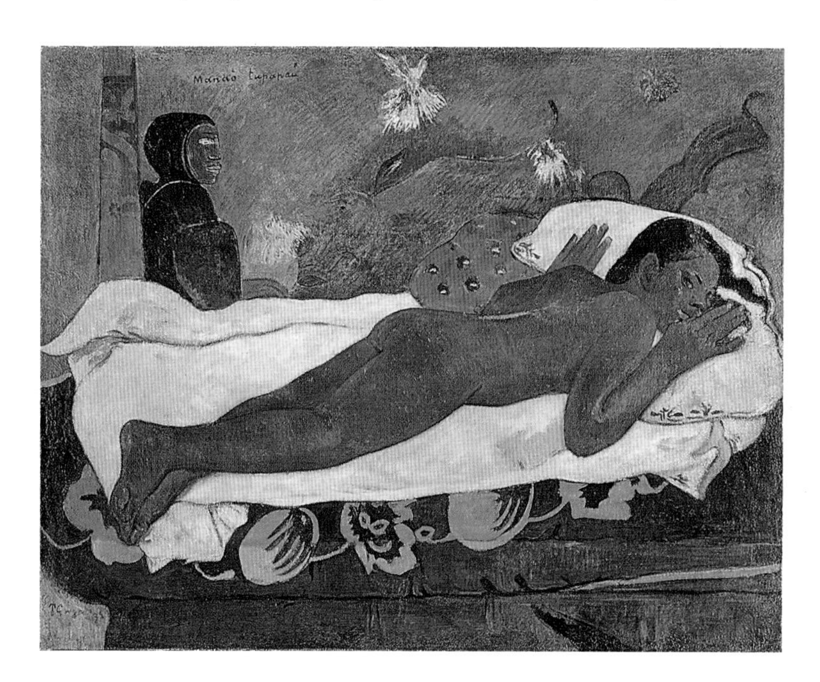

Paul Gauguin
Manao Tupapau
(L'Esprit des morts veille), 1892

Il envisagea même de revenir en France, mais ses amis l'informèrent que les rares ventes de ses tableaux étaient dues à leur thématique exotique et qu'un retour en France risquait de compromettre ce maigre marché. En 1897 il essaya de se suicider, mais il y échoua.

Juste avant d'attenter à sa vie, il peignit sa plus grande œuvre, qu'il voyait comme un testament. *D'où venons-nous ? Que sommes-nous ? Où allons-nous ?* fait figure de pièce maîtresse du symbolisme, si l'on considère le mouvement au sens large. Sa structure porte à la lire de droite à gauche, depuis les deux femmes du coin inférieur droit, en passant par l'homme qui cueille des fruits (de l'Arbre de la Connaissance), jusqu'à l'idole représentant la quête de l'inconnu sur l'homme. Tous les âges de la vie y figurent, du bébé au vieillard. Le symbolisme de l'œuvre n'est pas déclaré, Gauguin ayant depuis longtemps compris qu'à rendre un symbole trop manifeste on l'affaiblissait ; aussi peut-on la prendre à plusieurs niveaux. C'est une œuvre pessimiste — elle ne répond pas aux questions qu'elle pose — et optimiste par la richesse de son jeu chromatique et formel. On peut dire que Gauguin démontre ici un point que Wittgenstein ne devait rencontrer que quarante ans plus tard ; c'est-à-dire que la question *est* la réponse, que la façon dont la peinture est réalisée est la solution au problème qu'elle pose.

Gauguin fut presque le seul de son époque à marier avec autant de réussite contenu et forme. En cela il est atypique du symbolisme, puisque de nos jours nous tenons le désaccord entre ces deux éléments pour la principale caractéristique de ce style. Pourtant, bien que Gauguin soit isolé par son génie, il avait beaucoup en commun avec de nombreux autres peintres du mouvement. Nous avons vu quelle influence il exerça sur les peintres rassemblés autour de lui en Bretagne, mais il est aussi certain que certains peintres ont eu une influence sur lui. Le principal en est Puvis de Chavannes. Puvis est assurément, des peintres symbolistes, celui qui plaît le moins au goût d'aujourd'hui. La grisaille uniforme de ses compositions, l'absence délibérée d'énergie et les interminables drapés classiques des vierges, tout cela fait que nous saisissons difficilement la vénération que lui ont témoignée de nombreux peintres de son temps. Des artistes aussi divers que Gauguin, Seurat et Aristide Maillol lui ont rendu hommage, et les nabis en firent leur père spirituel. Mais c'est dans la neutralité de son travail, qui nous le rend si étranger, que repose la célébrité de Puvis. Nous sommes habitués désormais, en ces temps d'art minimal, à une esthétique de la neutralité, et la peinture de l'*Hard Edge* a illustré l'intérêt de traiter avec une égale intensité toutes les parties de la toile. Dans les années 1870, quand Puvis atteignit sa maturité stylistique, une telle esthétique était révolutionnaire. La peinture académique s'attachait habituellement à mettre en lumière un moment frappant, et usait volontiers d'un éclairage dramatique. Les impressionnistes avaient été conduits à une « suresthétique » où toutes les parties du tableau pesaient d'un égal poids, mais leurs découvertes étaient difficilement transportables hors du format du chevalet : elles étaient trop liées à la liberté pour le peintre de pouvoir installer sa toile devant son sujet. Puvis n'avait pas pour but d'imiter la nature ; il tâchait de produire des compositions décoratives de grande échelle. La solution qu'il avait trouvée consistait

Paul Gauguin
D'où venous-nous ? Que sommes-nous ?
Où allons-nous ? 1897

en de vastes surfaces de couleur égale essentiellement plates. Cela lui permettait de créer une atmosphère plutôt que de mettre en scène un moment précis. Aussi la plupart des peintures de Puvis montrent-elles des personnages au repos ou en faible mouvement. Sainte Geneviève, sujet d'une grande composition décorative au Panthéon, apparaît sur un balcon, dominant la ville de Paris dont elle est la patronne. Où d'autres auraient illustré une anecdote de la vie de la sainte, Puvis montre l'aspect général de ses relations avec Paris. On pourrait appeler cela une peinture figurative abstraite. De temps à autre Puvis s'attaque à une scène chargée de plus d'émotion, comme *Le Pauvre Pêcheur*, qu'admirait énormément Seurat, lequel en adopta la tonalité dans de nombreux travaux. Elle ne fait aucune concession au principe de plaisir : la tonalité est uniformément grise, et nous ne pouvons nous raccrocher à aucune histoire. Pourtant la peinture est dérangeante. J.-K. Huysmans, qui souvent a défendu le symbolisme, écrivait : « Elle est sèche, âpre, et comme toujours d'une dureté faussement naïve. Je hausse les épaules en voyant cette toile, ennuyé par ce simulacre de grandeur biblique obtenu en sacrifiant la couleur et la ligne. Mais malgré la répugnance qui monte en moi chaque fois que je me tiens devant elle, je ne peux m'empêcher d'être attiré vers elle quand j'en suis éloigné. »

On peut partager l'embarras de Huysmans. Il y a une gaucherie dans cette peinture qui la rend étrangement affectée. Les lignes tombantes de la berge et du mât produisent le curieux effet que l'espace tout entier semble être instable et menaçant. Aucun événement ne s'y déroule, et pourtant la jeune fille du fond est en mouvement. Au total, c'est une des œuvres les plus dérangeantes d'un mouvement qui voulait déranger, mais l'effet est obtenu sans recours au fatras symboliste.

Comme ses tableaux, l'influence de Puvis a été plus générale que particulière. On la décèle chez Seurat, lequel se trouve hors de notre propos ; chez Gauguin, qui lui a emprunté l'emploi d'une couleur en aplat, bien qu'avec une palette plus audacieuse ; chez Maurice Denis, dont le vêtement blanc des jeunes filles de son *Avril* structure la composition, suivant un procédé appris chez Puvis. Le peintre suisse Ferdinand Hodler, connu pour des compositions avec personnages et pour des paysages de montagne, lui doit son utilisation en aplat de la couleur dans de grands ensembles décoratifs. Les Alpes ont souvent donné lieu à des tableaux au traitement dramatique, où de fins rayons de soleil mettaient la montagne en lumière. Hodler en revanche use d'une technique plus neutre, tendant à donner un poids égal à toutes les parties de la toile. Le résultat est léger et aérien, mais n'a pas de centre. Le sujet du tableau ne réside ainsi pas dans les effets de lumière mais dans les montagnes elles-mêmes, nimbées qu'elles sont d'une certaine spiritualité par la neutralité du traitement.

Moreau et Redon

A l'opposé de Puvis, l'autre grande figure tutélaire du symbolisme, Gustave Moreau, travaille une couleur riche et vibrante. Sa carrière commence dans les cercles du Salon, où il était connu pour des toiles comme *Œdipe et le Sphinx*, qui combinait un ingrisme des personnages à une tonalité peu éloignée de Puvis. Comme Puvis, Moreau désirait

Pierre Puvis de Chavannes
Sainte Geneviève veillant sur Paris, 1886

Pierre Puvis de Chavannes
Le Pauvre Pêcheur, 1881

rompre avec l'aspect anecdotique de l'académisme, et tendait à montrer les personnages au moment de la confrontation, et non de l'action. Son *Hercule et l'Hydre de Lerne* présente le héros faisant face au monstre à travers une mer de cadavres, avant le combat. Le résultat est d'une immobile tension qu'on trouve rarement dans la peinture académique. Mais le dessin préparatoire prouve que l'intérêt de Moreau était ailleurs. La peinture est prête à se briser, et il est difficile de dire où s'achève tel élément et où commence tel autre.

En 1870, alors que sa carrière paraissait promise au succès, Moreau cessa de participer aux expositions publiques. Son ouverture d'esprit en faisait le meilleur professeur de Paris, et il eut pour élèves des peintres aussi divers qu'Henri Matisse, Albert Marquet et Georges Rouault, qui tous l'exceptent de leur mépris pour l'enseignement du temps.

Pendant la période où il se tint à l'écart du Salon, il produisit essentiellement des aquarelles et des esquisses à l'huile. Comme Gauguin, il comprenait l'urgence d'un nouveau langage visuel, et sous plusieurs aspects ses solutions sont encore plus surprenantes que celles de Gauguin et font toujours l'objet de controverses. Au lieu d'employer la couleur en aplats systématiques dans ses compositions, il commença à enquêter sur la surface peinte elle-même. Grand admirateur de Baudelaire et Mallarmé, il aspirait à trouver une méthode picturale proche de leur métaphore riche et évocatrice. Son style se fit lâche, le pigment étalé en pâte créait parfois des accidents de couleur. On peut avancer sans beaucoup d'audace que Moreau a découvert les principes de l'expressionnisme abstrait, et qu'à la fin de sa vie il peignait ce qu'il appelait des *études de couleur* qui ne déparent pas les meilleurs travaux de Willem De Kooning et de Franz Kline, encore qu'à moindre échelle.

Quand il revint au public, la transformation était énorme. Où la peinture était auparavant douce et impeccable dans ses détails, la surface était désormais épaisse, avec des empâtements de couleur qui montraient la trace visible d'un pinceau. Les tableaux firent sensation, mais curieusement on ne les dénigra pas comme ceux des impressionnistes, pourtant souvent plus maîtrisés. Le public reconnaissait encore de l'art dans la thématique de Moreau : *Jacob et l'Ange, Le Roi David,* et cette *Salomé* qui revient si souvent. Salomé était devenue, pour Moreau comme pour des écrivains tels que Mallarmé et Huysmans, le symbole central de l'époque. Innocente et mauvaise à la fois, exotique et sensuelle, attrayante mais dangereuse, elle personnifiait l'image symboliste de la femme la poésie romantique avait transformée en cliché. Moreau y revint sans cesse, la montrant qui danse devant Hérode presque nue dans un temple obscur.

En 1886 Huysmans se servit des toiles de Moreau pour planter le décor de son roman, « A Rebours ». Son héros, un esthète ennuyeux nommé Des Esseintes, s'entoure « d'œuvres d'art évocatrices qui pussent le transporter dans des mondes inconnus de lui, désigner le chemin de nouvelles possibilités et ébranler son système nerveux au moyen de fantaisies érudites, de cauchemars compliqués, et de doucereuses et sinistres visions ». La primauté dans sa collection de Moreau, Redon et Rodolphe Bresdin revient à la *Salomé* de Moreau. Huysmans consacre de longs paragraphes à la décrire, dont on goûtera un exemple dans le passage qui suit :

« La face recueillie, solennelle, presque auguste, elle commence la lubrique danse qui doit réveiller les sens assoupis d'Hérode ; ses seins ondulent et, au frottement de ses colliers qui tourbillonnent, leurs bouts se dressent ; sur la moiteur de sa peau les diamants, attachés, scintillent ; ses bracelets, ses ceintures, ses bagues, crachent des étincelles ; sur sa robe triomphale, couturée de perles, ramagée d'argent, lamée d'or, la cuirasse des orfèvreries dont chaque maille est une pierre, entre en combustion, croise des serpenteaux de feu, grouille sur la chair mate, sur la peau rose thé, ainsi que des insectes splendides aux élytres éblouissants, marbrés de carmin, ponctués de jaune aurore, diaprés de bleu d'acier, tigrés de vert paon. »

Ce passage et la manière dont Huysmans introduit ces peintures dans son ouvrage prouvent assez l'idée principalement littéraire que se faisaient de l'art les cercles symbolistes. Bien que Huysmans ait perçu la richesse du tableau, il la charge trop de ses propres théories et de ses préjugés personnels pour être un critique pertinent ; de même sa découverte de cauchemars érotiques dans *Salomé* me paraît ridicule. Les toiles de Moreau, quoiqu'elles aient pu s'attacher à débusquer les implications subconscientes du mythe, ce qui est rien moins que probable, sont pleines de charme et d'innocence. Ses personnages évoquent plus volontiers des figures de roman médiéval que des chimères du royaume des songes, et l'usage d'une couleur excessive en arabesques qui se surajoutent les unes aux autres indique un monde positif et plein d'énergie plutôt que la fin négative et décadente de la culture que décrit Huysmans.

Le travail de Moreau demeure paradoxal, et au total, comparé à l'œuvre d'artistes tels que Gauguin, insatisfaisant. Les figures de jeunes filles nubiles dont il était friand ne s'intègrent jamais complètement à un fond presque abstrait. C'est comme s'il avait découvert l'outil de l'abstraction, mais qu'il n'eût pas su quoi en faire. Son tempérament de peintre le rapprochait des impressionnistes, mais ses aspirations culturelles le poussaient vers le Salon et l'étang, à cette époque déjà tari, du mythe. Dans ses meilleurs moments, telles les variations sur *Salomé*, les deux versants de son art coïncidaient pour produire des œuvres d'une beauté saisissante. Son art est ainsi une pierre de touche précieuse ; il nous fait comprendre comment des peintres comme Gauguin ont élaboré une synthèse nouvelle qui va plus loin que la sienne, mais aussi combien Moreau, lui, est parvenu à une solution beaucoup plus satisfaisante que bien des peintres du Salon de la Rose + Croix.

L'autre grand symboliste était Odilon Redon. Comme Moreau, il était solitaire et il demeura toujours indépendant. Sa vision était trop personnelle pour avoir aucune influence sensible.

Redon était l'un de ces hommes qui font les bonnes rencontres au bon moment. Alors qu'il venait de se consacrer définitivement à l'art, il rencontra un botaniste, Armand Clavaud, dont la spécialité était le travail au microscope, et Rodolphe Bresdin, précurseur important du symbolisme, qui devaient l'influencer profondément. Bresdin était un maître de la gravure et de la lithographie ; toute son œuvre est en noir et blanc, et cela éclaire l'influence qu'il a pu avoir sur son cadet au point que Redon ne toucha pas à la couleur durant les vingt premières années de sa carrière. La démarche de Bresdin combinait des vues fantastiques et une grande méticulosité dans le détail, et, doublée de l'étrangeté encore plus grande de ce qu'il vit dans le microscope de Clavaud, fut l'influence décisive qui lança Redon dans sa voie d'artiste de l'imaginaire.

L'œuvre de Redon se divise en deux parties : travaux de jeunesse en noir et blanc, dessins ou lithographies, et travail tardif en couleurs. Pendant longtemps on l'a connu surtout pour son œuvre tardive, mais dernièrement on a eu tendance à lui préférer la première. Les tableaux en couleurs sont souvent d'une extrême beauté, où l'on retrouve le traitement lâche des figures chères à Moreau. La *Pandore* de Redon montre le même libre emploi d'une peinture empâtée et d'une couleur riche appliquée à un

Gustave Moreau
Hercule et l'Hydre de Lerne, v. 1870

Gustave Moreau
Salomé tatouée, (détail), 1876

Gustave Moreau
La Voix du soir

dessin très soigneux des personnages, encore que les nus soient ici plus classiquement traités que les figures médiévales de Moreau. Les fleurs sont un thème caractéristique du dernier Redon, soulignant son intérêt permanent pour le monde naturel. La facture en est charmante et aérienne, mais manque de la vivacité de son œuvre antérieure.

La toile de Redon la plus intéressante est peut-être le *Portrait de Gauguin*, de 1904, qu'il pensa comme un mémorial. C'est un portrait idéalisé, au cadre somptueux de formes florales reposant sur un fond plus abstrait. Redon était un admirateur de Gauguin de longue date et correspondait fréquemment avec lui. Il explique ce qui le poussa à choisir cette formule particulière pour le portrait dans ses commentaires sur l'œuvre de Gauguin. « Plus que tout j'aime ces céramiques somptueuses, royales ; c'est là qu'il crée de vraies formes nouvelles. Je les compare toujours à des fleurs découvertes dans un lieu inconnu, dont chacune semble appartenir à une espèce différente, laissant aux artistes qui viennent après le soin de classer ces fleurs sous leurs différentes familles. » On peut dès lors comprendre le portrait comme celui de Gauguin le céramiste, et ses couleurs embrasées peuvent renvoyer aux vernis des poteries.

Mais c'est dans ses œuvres antérieures en noir et blanc que se révèle le génie spécifique de Redon. Il semble avoir pu entrer en contact immédiat

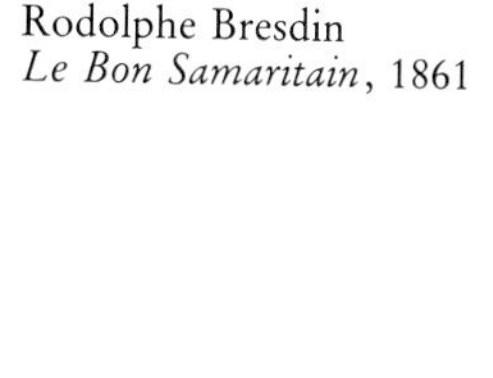

Rodolphe Bresdin
Le Bon Samaritain, 1861

avec son subconscient, et ses images n'ont aucun des caractères de lisibilité évidente, de perversité délibérée et parfois forcée, d'une grande partie de l'art symboliste. Fleurs avec un visage, araignées au rictus méchant, squelettes qui sont aussi des arbres ; ses thèmes viennent du monde des rêves, et sa technique incomparable lui permet de les coucher directement sur le papier. Pourtant, rien d'incontrôlé dans son travail, l'effet est préconçu et délibéré. Souvent le titre est un petit poème parallèle à l'impact visuel : *L'Œil, comme un ballon bizarre, se dirige vers l'infini ; Le Souffle du vent qui supporte les créatures humaines habite aussi les sphères ;* ou *L'Aile impuissante n'éleva point la bête en ces noirs espaces.*

Emblématique de son travail en noir et blanc, *La Fleur du marécage, une tête triste et humaine*, offre, comme souvent chez lui, un fond d'un noir impénétrable. La tête qui pend de la plante paraît créer sa propre lumière et éclaire seulement un petit espace. Aucune explication à l'image, aucun sens littéral derrière l'hermétisme du titre. Mallarmé, qui l'admirait beaucoup, écrivit à Redon : « Cette tête de songe, cette fleur de marécage, révèle avec une clarté qu'elle seule connaît et dont personne ne saura rien, tous les mensonges tragiques de la vie ordinaire. J'aime aussi votre légende qui, bien que créée avec peu de mots, montre avec certitude combien vous avez pénétré le cœur de votre sujet. »

Huysmans incluait le travail de Redon dans le même passage que celui de Moreau. Significativement, alors que Moreau donnait lieu au plus grandiose des morceaux de bravoure, il estimait que l'œuvre de Redon ne se prêtait pas vraiment à une description verbale. Elle est trop retenue et purement visuelle, et comme telle peu représentative de l'art symboliste.

Les peintres de la Rose + Croix

Gauguin, Moreau et Redon sont des artistes originaux et de grande qualité, et, comme tous les grands artistes, poursuivaient leurs visions même si cela devait les conduire à l'isolement. Le gros des œuvres symbolistes n'était pas aussi clairement bon ou original, et tendait à appliquer des recettes. Dans le premier cas, on sent que la solution visuelle est inséparable des questionnements esthétiques ; pour la plupart des œuvres symbolistes on sent que l'idée vint d'abord et que la vision a suivi.

Le groupe symboliste le plus célèbre, le salon de la Rose + Croix, avait pris pour bible les œuvres d'Edgar Allan Poe. Poe disait de la poésie : « Son seul arbitre est le goût. Avec l'intellect ou avec la conscience, elle n'entretient que des rapports obliques. Sauf cas particulier, elle n'a rien à voir avec le devoir ou avec la vérité. » Quand Poe se réfère au goût, il ne le fait pas en termes de bon ou mauvais goût, mais dans le sens qu'une œuvre d'art devrait être jugée suivant ses qualités esthétiques (en incluant son pouvoir de stimuler l'imagination) plus que selon son contenu moral. Les symbolistes français étaient très attirés par la thématique personnelle de Poe, faite de châteaux hantés et de héros nécrophiles, et, comme Poe, ils montrèrent souvent une femme belle mais corrompue.

A Poe venaient s'ajouter Wagner et sa technique des passages construits sur des septièmes augmentées jusqu'à mettre les nerfs à fleur de peau,

Odilon Redon
Portrait de Gauguin, 1904

Odilon Redon
La Fleur du marécage, une tête humaine et triste, 1885

Baudelaire, Mallarmé et Verlaine, qui avaient commencé à explorer ce domaine en poésie.

En peinture ils s'appuyaient largement sur les styles académiques, bien que des artistes tels qu'Arnold Böcklin aient pu influencer leurs choix thématiques. Les allégories de Böcklin sur la vie et la mort étaient très populaires, et il fut un temps où il était à la mode d'avoir chez soi une gravure de son *Île des Morts*. Ses couleurs sourdes et la qualité classique de ses figures manquaient un peu de saveur pour les peintres de la Rose + Croix, qui aspiraient à des philtres plus puissants, mais il est évident que Böcklin prépara efficacement la voie.

Les préraphaélites anglais aussi ont eu une influence. Nous les retrouverons plus loin ; il suffit pour l'heure de mettre en lumière la similitude des extases religieuses peintes par Rossetti et l'introspection presque orgasmique de plus d'un personnage de la peinture symboliste française.

Des deux côtés de la Manche, les artistes tendaient à trouver des méthodes pour montrer des idées plutôt que des anecdotes précises.

Arnold Böcklin
L'Île des morts, 1880

Représentatif des éléments extrêmes de la Rose + Croix, le travail de Jean Delville fait appel fréquemment à une violente composante satanique. Sa technique de dessin sensationnelle sert une imagination ignorant les barrières qu'un artiste s'impose souvent à lui-même. Son travail est souvent d'un érotisme affirmé que le plus libéré des peintres d'aujourd'hui hésiterait à aborder. Un dessin, *L'Idole de la perversité*, montre une figure presque nue depuis la ceinture ; sa poitrine est idéalisée et présente une tension et une plénitude qu'on n'observe pas dans la réalité, tandis que ses lèvres sont incroyablement pleines. On retrouve un équivalent moderne de ce fantasme chez le peintre de « pin-ups » Vargas.

Les Trésors de Satan, grand tableau à l'huile, illustre encore l'habileté de Delville à obtenir un effet visuel. La précision du dessin s'associe à un rouge si intense qu'il crée une vibration qui traverse le centre de la toile ; c'est comme regarder dans des flammes et y entrevoir des personnages qui s'y tordent. L'arabesque des ailes de Satan, si c'est bien de cela qu'il s'agit, est d'un effet aussi insaisissable que la qualité du rouge, et entraîne l'œil dans un tourbillon inquiétant. On ne peut regarder le tableau sans en être d'une certaine façon affecté.

Ceux qui ont écrit sur l'art du XIXe siècle s'opposent farouchement sur la qualité d'un travail tel que celui-ci. Si on réfléchit à ce qui a fait le cœur même de la progression de l'art durant ces cent dernières années, ce type de symbolisme n'a évidemment que de maigres rapports avec les critères que nous employons normalement pour juger l'art. On ne peut dire : c'est mauvais, ainsi qu'on le peut, par exemple, pour la dernière période de Derain comparée à ses débuts, tout simplement parce que les intentions du symbolisme ressemblent fort peu au courant principal de l'art moderne. Delville n'avait pas pour but de s'interroger sur la nature exacte de l'art ; il voulait produire une violente réaction de la part du spectateur. Nos réactions sont naturellement très différentes de celles du public des années 1890, parce que nous apportons désormais devant les toiles une attention et une jouissance de la discordance, entre l'intention et l'effet, qui nous rendent encore plus malaisée la décision à prendre.

De nombreux tableaux du symbolisme français nous frappent par leur absurdité ou leur incongruité. *La Sirène* de Point et *Le Désespoir de la chimère* de Séon associent une approche sophistiquée de la couleur et du travail de la brosse à une figure peinte ridicule. En soi, la toile de Séon est habilement composée : la verticale puissante d'un escarpement donne une instabilité curieuse au tout, tandis que les couleurs froides créent un paysage émotionnel intense. Malheureusement Séon n'a pas su pareillement résoudre les problèmes que soulevait la figure de la chimère. Les poètes qui, abondamment, se référaient à la chimère, pouvaient charger la poésie inquiétante du mot lui-même d'évoquer le monstre. Le peintre doit montrer ce que le poète n'a qu'à décrire, et ce désir de suivre les poètes sur un terrain essentiellement littéraire fut la perte de plus d'un chef-d'œuvre du symbolisme. La chimère de Séon semble être sortie d'une conversation de café littéraire, et paraît davantage se plaindre du sandwich qu'on lui a servi que chanter la complainte universelle du désespoir.

Jean Delville
L'Idole de la perversité, 1891

Jean Delville
Les Trésors de Satan, 1895

Mais le symbolisme avait une ambition : la recherche de l'image renversante, de la métaphore absolue qui pût éclairer la condition humaine. *Le Lac-eau dormante*, par Léon Frédéric, obtient un effet presque surnaturel. A première vue le tableau paraît purement sentimental alors qu'il est inquiétant. Les enfants endormis sont observés avec une grande précision, et les cygnes paraissent vraiment flotter avec eux. L'absence de centre d'intérêt donne à la toile une valeur spécifique et générale à la fois.

Le mouvement, jusque dans ses manifestations aussi publiques que la Rose + Croix, devait faire preuve d'une inébranlable confiance en soi. Le doute et les hésitations qu'on trouve si souvent derrière l'œuvre des plus grands artistes n'ont pas de place dans un assaut aussi concerté du conformisme au nom de la vérité cachée. C'était une composante essentielle de l'esthétique de ce symbolisme-là qu'elle ne montrât rien des recherches personnelles qui apparaissent chez Gauguin ou même Moreau. Cela généra des œuvres qu'on pourrait dire *synthétiques*, au sens où Miss Monde est une femme plus *synthétique* que réelle. Le résultat devait taire les tâtonnements et les difficultés ; le tableau devait paraître avoir été fait sans effort, comme s'il était arrivé tel quel.

C'est chez les peintres plus versés dans le religieux qu'on voit le mieux ce trait. Le satanisme et la perversité donnaient à des peintres comme Delville matière à frissons, mais les aspects plus douceâtres du catholicisme offraient des images au poids émotionnel équivalent, avec cet avantage qu'il assurait, en termes de ventes, une sentimentalité respectable. Carlos Schwabe fut celui qui dans la mouvance de la Rose + Croix en fit sa spécialité. Dans ses toiles, d'une méticulosité soignée dans le détail, l'on repère souvent l'influence des préraphaélites, à travers son inspiration aux sources de la première Renaissance. Son traitement du détail est bien meilleur que l'ensemble de ses compositions, comme on peut le voir dans *La Vierge des lys*, où les lys sont magnifiquement observés mais organisés en un appareillage qui tient plus de l'ascenseur céleste que d'autre chose. La platitude de l'image la détruit complètement, et on peut en dire autant de *La Mort et le fossoyeur*. Il s'en faut de peu que la toile ne décolle ; l'emploi de branches de saule pendant verticalement traduit habilement l'atmosphère de la peinture, la couleur de l'ange est finement trouvée, et la courbe de ses ailes enlaçant le vieil homme, une idée étrangement touchante. Seulement il a fallu que Schwabe montre la réaction du fossoyeur, homme réel soudain confronté à une situation irréelle, et le tableau s'effondre. La réaction est trop grossière, trop grand-guignolesque pour convaincre, en sorte que c'est aujourd'hui un plaisir d'une autre nature qui l'emporte, le plaisir, *champ* de la discordance entre l'intention et la réalisation. Tel est le destin de plus d'une œuvre symboliste.

Alexandre Séon
Le Désespoir de la chimère, 1890

Le symbolisme européen

Jusqu'à quel point peut-on appeler symbolistes des peintres comme le Belge James Ensor et le Norvégien Edvard Munch, on en débat toujours, mais leur œuvre s'inscrit dans le mouvement qui a donné naissance au symbolisme et use des mêmes équivalents visuels aux rêves et des mêmes distorsions. Ensor, dont le travail de la brosse est d'une violence entièrement originale, n'aurait sans doute pas pu traduire ses visions de façon si convaincante si Gauguin et Redon ne l'avaient précédé.

La vision du monde d'Ensor était parfois psychotique. Il combinait une palette riche et presque douce de couleurs, utilisées en pâte, avec des images d'aliénation où tous les visages se transformaient en masques et où toutes les routes menaient à l'enfer. Son tableau *Les Masques singuliers* montre l'artiste écrasé par un océan de faces ricanantes, où seuls ses yeux ne sont pas vides. Quand il peignait selon son imagination, il choisissait des thèmes comme *La Chute des anges rebelles*, et montrait le feu de l'enfer palpable et presque liquide.

On pourrait mentionner des artistes qu'on ne range habituellement pas au nombre des symbolistes, parce que leur contribution principale concerne d'autres domaines. Puisque l'état d'esprit général du mouvement

Armand Point
La Sirène, 1897

Léon Frédéric
Le Lac - eau dormante, 1897-1898

affectait les artistes, les musiciens et les écrivains, nombre de peintres et de sculpteurs en furent influencés. Auguste Rodin, par exemple, doit certainement quelque chose au symbolisme dans son œuvre la plus érotique. La façon dont les figures se détachent du « fond » de pierre, jusqu'au moment où elles sont précisément définies, n'est pas sans affinité avec la présence de celles de Moreau ou de Delville. La douce perfection de la peau de ses nus s'oppose totalement à une description « réaliste», et les longues lignes courbes de leurs corps rappellent Verlaine ou Debussy. On peut aussi se demander si l'Italien Medardo Rosso n'est pas un symboliste. Ses sculptures sont faites d'une cire qui donne l'impression d'être fondue sous nos yeux. Le chemin qui a conduit Rosso à sa technique est sans doute analogue au processus de désintégration de la surface peinte

Carlos Schwabe
La Vierge des lys, 1899

Carlos Schwabe
La Mort et le fossoyeur, 1895-1900

chez Moreau, et ouvre pareillement sur un monde au flux continu.

En Italie le style symboliste était adouci et utilisé à des fins décoratives. Le travail de Segantini était moins systématiquement théâtral que celui des symbolistes français ; il offre aussi les femmes alanguies, mais ne nous enjoint pas de croire en elles ou de les prendre spécialement au sérieux. L'emploi insistant d'une ligne fluide annonce davantage l'art nouveau et n'est pas sans parenté d'esprit avec l'œuvre du Suisse Augusto Giacometti. Ils utilisent tous deux des figures de femme drapée dans un sens essentiellement décoratif. En revanche, les toiles de Giacometti présentent les vastes aplats de couleurs caractéristiques de l'art nouveau, alors que Segantini continue à modeler ses formes spatialement.

Le symbolisme, comme on l'a remarqué si souvent, était un phénomène essentiellement continental. L'exotisme ne parut jamais aux Anglais être une façon possible de vivre. Quand les idées symbolistes traversèrent la Manche, elles avaient perdu leurs excès et gagné en raffinement. Même quand le mouvement *Æsthetic* fut à son apogée dans les deux dernières décennies du siècle, ce que l'Angleterre pouvait opposer de mieux aux éclats décadents du salon de la Rose + Croix, c'était Oscar Wilde et son lys blanc. Si l'on considère le sort que réservèrent à Wilde ses compatriotes, on s'étonne moins que les artistes anglais aient contenu leurs élans les moins orthodoxes. Certains pensent d'ailleurs qu'on ne saurait appliquer le qualificatif de symboliste à aucun peintre anglais, malgré certaines affinités d'idées de part et d'autre de la Manche. On peut à tout le moins observer que c'est en France que ces idées ont été développées dans leurs dernières conséquences, bien qu'elles aient vu le jour en Angleterre. La meilleure preuve en est la Fraternité préraphaélite, groupe d'artistes dont les vues ne sont pas sans rapports avec les dernières positions du salon de la Rose + Croix. Les deux groupements ambitionnaient de trouver une alternative à l'académisme et au naturalisme, et faisaient tous deux des

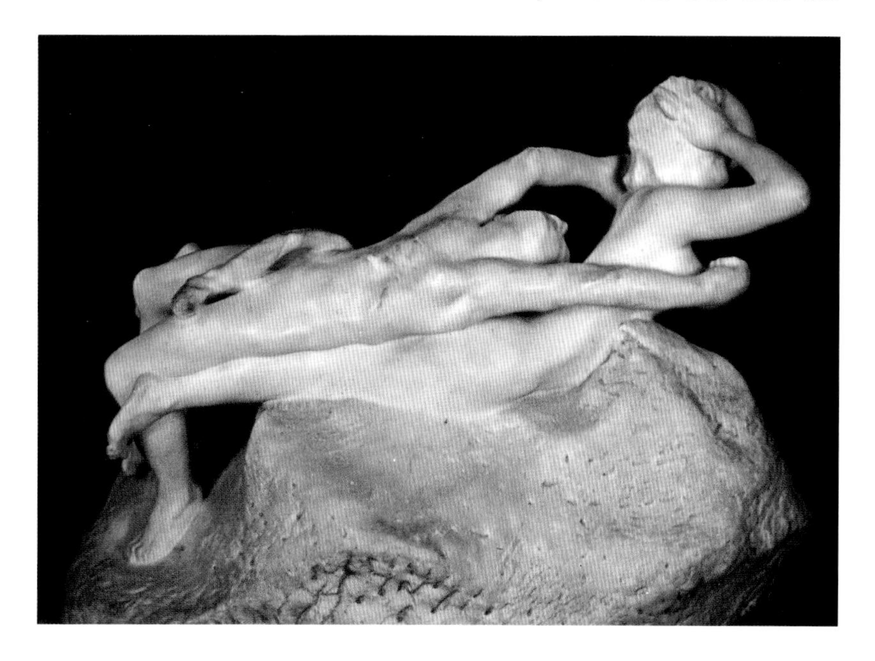

Auguste Rodin
Fugit Amor, 1885-1887

Medardo Rosso
Enfant riant, 1890

mythes, des légendes et des thèmes religieux matière à sujets. De même ils tendaient à exprimer par leurs sujets un état d'esprit plutôt qu'à raconter un événement ; il est à cet égard plus délicat de faire des comparaisons, car les groupes manquaient d'une vraie cohésion interne.

On peut diviser les préraphaélites en trois tendances. La première, en termes chronologiques, était composée originairement de chefs de la Fraternité préraphaélite de 1848, Dante Gabriele Rossetti, John Everett Millais, William Holman Hunt et (comme membre non officiel) Ford Madox Brown. Son objectif était de nettoyer l'art des complications picturales qui l'avaient alourdi depuis le XVe siècle et de revenir à une pureté de vision fondée sur les styles des débuts de la Renaissance. En parallèle, un groupe plus jeune, centré autour de William Morris, comprenait Edward Burne-Jones et le céramiste William de Morgan. Morris partageait l'aversion de Rossetti pour l'art postrenaissant, mais parce que son tempérament le conduisait à des solutions sociales aussi bien qu'esthétiques, il se consacra surtout à la décoration et aux arts appliqués, où il voyait un aspect déterminant de la civilisation. En ce domaine son influence fut considérable.

Le troisième groupe était un regroupement plutôt qu'une école séparée, et se composait originellement de Rossetti et de Burne-Jones. Rossetti avait rejeté le style méticuleux du préraphaélisme proprement dit au profit d'une peinture plus lumineuse et plus visionnaire qui n'est pas, de temps

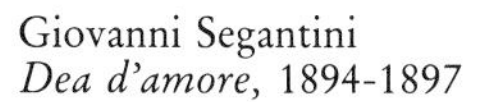
Giovanni Segantini
Dea d'amore, 1894-1897

à autre, sans faire écho au symbolisme français. La peinture de l'Annonciation, *Ecce Ancilla Domini,* en est une preuve. Mais là où un peintre comme Schwabe s'attache à illustrer une idée générale, Rossetti s'intéresse à la psychologie de ce moment précis, en sorte que nous sommes impliqués comme nous ne pouvons l'être avec aucune des productions de la Rose + Croix.

Rossetti était un mystique, et sa peinture reflétait le monde intérieur dont il faisait l'expérience et qu'il tentait de transcrire. Comme Redon et Ensor, il projette des expériences entièrement personnelles que l'on ne saurait séparer de la méthode qu'il emploie pour les mettre en forme.

Pourtant son travail manque de vitalité, comme s'il avait peur de se confronter avec la vraie nature de son inspiration ; cela produit parfois une tension réprimée, de nature presque sexuelle. Les personnages de ses tableaux paraissent mal à l'aise dans leur corps, comme si la dualité entre l'esprit et la chair les tiraillait. Les peintres français devaient, vingt ans plus tard, s'embarrasser de moins de scrupules, mais par ailleurs leurs œuvres atteindront rarement à la force psychologique des meilleurs travaux de Rossetti. Les Anglais n'ont jamais été très doués pour rendre dans leur art les aspects physiques de la vie, ce qui explique peut-être la délicate gaucherie qu'on trouve si fréquemment chez Rossetti.

Burne-Jones, en revanche, et cela bien qu'il fût aussi un visionnaire, était d'un caractère plus terrien, et devait travailler dur pour que sa peinture atteigne le niveau de son imagination. C'était aussi un artisan — ce dont Rossetti ne se vanta jamais — qui prenait un grand plaisir à s'attaquer à des genres tels que le vitrail, la poterie et l'illustration de livres. Ce professionnalisme, associé à une vaste connaissance de l'histoire de l'art, lui rendait compliqué le choix d'une voie propre.

Comme les symbolistes français, Burne-Jones se tourna vers les mythes, mais contrairement à eux, il n'avait pas d'intérêt pour les exotiques divinités orientales ou pour les chimères les plus ténébreuses de la mythologie classique. Sa thématique mit longtemps à prendre forme, mais elle fut étonnante : le sommeil. Ses deux chefs-d'œuvre, sa série de *The Briar Rose* sur la Belle au bois dormant, et *The Sleep of King Arthur in Avalon*, montrent des protagonistes endormis, et nombre de personnages de ses autres tableaux ressemblent à des somnambules. Ces figures endormies sont fréquemment entourées d'une nature excessive et d'objets richement ornés. Le dégoût du monde n'existe pas chez Burne-Jones, où le sentiment relève plutôt de l'immanence — le sentiment que quelque chose va arriver, plutôt qu'il n'est arrivé. Le don d'observation qu'il a hérité des fondateurs de la Fraternité, qui conduit à une description tridimensionnelle des objets et des végétaux, confirme cette idée d'un commencement, et s'oppose complètement à l'impression de dissolution et de décadence qui envahit le symbolisme français. Les peintres français semblent se considérer comme la fin de l'art, la dernière et trépidante rhapsodie avant que la civilisation sauvage ne le submerge, et leurs œuvres sont souvent pleines d'un sentiment de fin du monde. Burne-Jones n'a aucunement cette sensation de ruine ; peut-être l'aurait-il considérée comme extravagante.

Dante Gabriel Rossetti
Ecce Ancilla Domini,
1850

L'art nouveau

Les Anglais n'ont jamais approuvé les excès, surtout quand ils vont dans un sens lugubre ; il était donc peut-être inévitable que l'art nouveau, qui s'était élevé en réaction contre les éléments les plus pompeux du symbolisme, prît son origine en Angleterre dans le mouvement *Arts and Crafts*. Ce dernier était essentiellement l'œuvre de William Morris, qui, ainsi que les autres préraphaélites, avait une passion pour l'art médiéval.

Toutefois, contrairement à eux, il ne se contentait pas de peindre des tableaux ; ses engagements sociaux devaient l'amener à envisager la recréation dans le présent des aspects les plus positifs de la société médiévale. Dans cette conception, le rôle de l'artiste était central. Pour Morris, l'artiste était non pas un individu retranché de la société, mais quelqu'un qui en émergeait naturellement. Il estimait que dès que l'art perdait ses bases décoratives et fonctionnelles et s'affranchissait des autres disciplines, il perdait son but central, qui était d'enrichir la société entière, et devenait un simple jouet aux mains des mécènes fortunés.

Aussi Morris s'appliqua-t-il à ressusciter l'idée d'art appliqué. Il se spécialisa lui-même dans la conception de tissus et de papiers peints, mais il était également un point de mire pour nombre d'autres artisans et artistes. Il connaissait l'œuvre de A.H. Mackmurdo et de son disciple C.A. Voysey, qui allait dans le même sens que la sienne, bien qu'à proprement parler il n'ait influencé aucun de ces deux artistes.

L'apport essentiel de ce groupe d'artistes était de repenser fondamentalement le concept de *motif*. Avant Morris, les dessins de tissus visaient un effet de trompe-l'œil à trois dimensions. On dessinait de gros bouquets de roses cent-feuilles avec des effets de perspective et de relief, ce qui non seulement donnait une impression de surcharge, mais surtout tendait à nier le carctère essentiellement plan d'un sol ou d'un mur. L'apport de Morris fut d'aplanir le dessin en abandonnant toute tentative de

Edward Burne-Jones
La Belle au Bois dormant, 1870-1890

représentation réaliste de fleurs ou d'oiseaux. L'intérêt se détourna du sujet au profit de la richesse de la couleur et de la ligne.

Pour son inspiration, Morris faisait appel à n'importe quelle période de l'histoire de l'art qui lui semblait utile, des tapisseries médiévales aux tentures de l'époque de Jacques Ier, en passant par les motifs orientaux.

Edward Burne-Jones
The Golden Stairs, 1880

Edward Burne-Jones
L'Enchantement de Merlin, 1874

Cette méthode éclectique fut adoptée par les artistes de son entourage : ainsi William De Morgan, le céramiste du groupe, étudia-t-il la poterie islamique et mauresque et redécouvrit-il les procédés de mordorure.

A partir de 1880 un nombre croissant de connaisseurs avait commencé d'acheter les productions du mouvement *Arts and Crafts*. Les maisons à la mode étaient ornées de papiers peints et de tentures dessinés par Morris, et l'on achetait des poteries de De Morgan et des tableaux de Burne-Jones pour parfaire l'ensemble. On se mit même à produire des styles vestimentaires préraphaélites, en poursuivant cet idéal de « vie esthétique ». Comme l'art était *appliqué*, il fallait s'en servir pour qu'il remplît sa fonction, ce qui permit à des gens qui n'étaient pas des artistes de faire leur entrée dans le mouvement.

Cette manière de voir l'art comme faisant partie intégrante de la vie quotidienne autorisa les artistes à travailler un grand nombre de médiums. Tandis qu'auparavant un artiste était quelqu'un qui peignait des tableaux ou qui faisait des sculptures, il pouvait dorénavant se permettre de dessiner des papiers peints, de faire de la poterie ou d'illustrer des livres. C'est ainsi que des talents tels que celui d'Audrey Beardsley purent déployer toute leur envergure. Beardsley était un graphiste qui était au sommet de son art dans des œuvres de faible dimension. Sa manière de conjuguer de grands aplats avec un dessin fouillé se mariait admirablement bien aux procédés d'imprimerie, ce qui donnait à ses œuvres la plus large diffusion grâce aux livres et aux revues. Ses sujets sont comparables à ceux des symbolistes français, préoccupés par les zones troubles de l'histoire et des mythes, mais le regard qu'il porte sur ces sujets morbides est satirique et cruel. Tandis que les peintres français semblaient prendre leurs sujets très au sérieux, Beardsley prenait toujours soin d'indiquer que son attitude n'était qu'une pose, ce qui lui permettait d'intégrer son œuvre aux attitudes de son époque, et d'éviter la distance vis-à-vis du temps qu'impliquaient les œuvres du salon de la Rose + Croix. Félicien Rops fut peut-être le seul artiste sur le continent à donner cette saveur amère au symbolisme.

Mais tant le mouvement *Arts and Crafts*, autour de Morris, que le mouvement *Æsthetic*, autour de Beardsley, se rattachaient au passé comme source d'inspiration. Il fallait une nouvelle idée, une idée qui ne se rattacherait à aucun éclectisme. Et lorsque l'idée naquit, ce fut dans ce pays en apparence peu propice : l'Écosse.

Charles Rennie Mackintosh était originaire de Glasgow et c'est là qu'il exécuta la majeure partie de son œuvre. Comme on pourrait s'y attendre, les Anglais choisirent d'ignorer ses œuvres. C'est aux Autrichiens qu'il revint d'assimiler ses idées et de les disséminer dans toute l'Europe. C'est de son œuvre d'architecte qu'il tire son principal titre de gloire, mais ses idées et ses méthodes ont laissé une empreinte sur l'ensemble des arts. Mackintosh introduisit l'idée que la forme devrait être conditionnée par la fonction, au lieu d'être un pur ornement arbitraire. C'est ainsi qu'il concevait des bâtiments en allant de l'intérieur vers l'extérieur, ce qui permettait à la forme de s'épanouir naturellement selon la fonction, et lorsqu'il avait besoin d'un style particulier pour les détails et l'ornementation, il faisait appel au plus naturel qui soit : le style organique.

L'utilisation de structures organiques n'était certes pas une nouveauté

William de Morgan,
Amphore à deux anses
aux coloris persans, 1888-1897

En haut à gauche :
Arthur Mackmurdo
Tissu peint, 1884

En haut à droite :
Charles Voysey
Tulipe et oiseau, papier peint, 1896

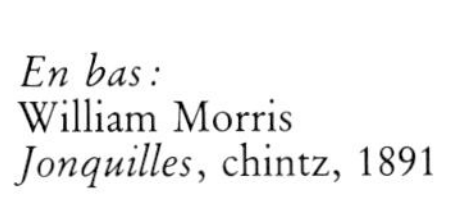

En bas :
William Morris
Jonquilles, chintz, 1891

Aubrey Beardsley
Isolde, v. 1895

en art. Une grande partie de l'art dit « primitif » reprend des schémas inspirés de la croissance organique, et l'on pourrait même voir l'art gothique sous ce jour, dans une certaine mesure. Depuis la Renaissance, toutefois, l'art ne se concevait plus guère qu'en termes de sujet et de style de figuration, et ce n'est qu'à l'extrême fin du XIXe siècle que les artistes firent de nouveau appel aux processus naturels de croissance organique.

Ils trouvèrent ainsi une méthode de travail résolvant le problème du « style » qui avait tant tourmenté les symbolistes. Au lieu de trouver d'abord une idée et de chercher ensuite un style qui convînt pour l'exprimer, artistes et créateurs pouvaient appliquer le style organique littéralement à n'importe quoi. C'était là une idée révolutionnaire, que l'on nomma justement art nouveau.

Les portes vitrées du salon de thé Willow à Glasgow sont un bon exemple du style de Mackintosh. Elles ouvrent sur une salle entièrement conçue par l'artiste, ce qui donne son unité à l'ensemble de l'ouvrage.

Les portes rappellent l'art celtique, qui s'inspirait également de formes végétales, et sont abstraites, tout comme l'art celtique. Au lieu de représenter quelque chose par une image, elles existent en tant que pure couleur, dessin et ligne, et la beauté finale suffit à créer l'impression voulue. On y retrouve certains motifs typiques du style de Mackintosh : la rose stylisée et les longues tiges de métal. Les clients qui pénétraient par ces portes dans le « salon de luxe » sentaient qu'ils franchissaient le seuil d'une expérience esthétique.

La facilité décorative de l'œuvre de Mackintosh dut apparaître comme une bouffée d'air frais après l'exotisme déprimant des symbolistes, et bientôt le style s'étendit à Vienne où il influença le groupe de la Sécession, puis à la Hollande où s'élaborait déjà un style art nouveau. A Vienne, la façon dont Mackintoh utilisait les motifs abstraits devait influencer le peintre Gustav Klimt, qui mariait des personnages de facture relativement classique avec des zones entières de motifs quasi abstraits. Dans *Le Baiser*, c'est la tunique de l'homme qui est le véritable sujet du tableau, et l'élément psychologique est presque absent, tandis que dans *Danaé* la disposition torturée du nu fait lire le tableau comme un motif plan. Le visage de la jeune fille porte toujours cette expression d'introspection érotique qu'aimaient tant les symbolistes, mais elle est secondaire par rapport à l'impact des motifs. Le tableau se lit plutôt comme une surface plane

Charles Rennie Mackintosh,
porte du « Salon de luxe »
du salon de thé Willow, Glasgow 1904

percée de deux trous peu profonds, comme si l'on avait un espace à deux dimensions juxtaposé à un espace à trois dimensions.

Klimt se voyait lui-même avant tout comme un peintre mural. Cette bidimensionnalité de l'art nouveau convenait plus aux objets purement décoratifs qu'aux tableaux proprement dits, dont il existe peu d'exemplaires : le style s'est principalement incarné dans des objets décoratifs ou fonctionnels.

En Hollande, néanmoins, les peintres se consacrèrent aux problèmes que posait la peinture art nouveau. Les artistes hollandais développèrent un style propre, indépendamment des écoles française et autrichienne, et influencèrent peut-être même Mackintosh. Ils mariaient les sujets du symbolisme, dans le registre liturgique ou mystique, avec les arabesques planes de l'art nouveau. L'influence de Java, qui faisait encore partie de l'Empire hollandais à l'époque, venait cimenter le tout. On retrouve ainsi l'influence des marionnettes à tiges dans l'œuvre de Jan Toorop.

Toorop avait grandi à Java, et l'exotisme, marginal dans le cas du symbolisme français, faisait partie intégrante de son passé. Son chef-d'œuvre, *Les Trois Fiancées*, est un tableau dérangeant du fait de son exotisme même ; bien que le sujet s'inscrive dans la grande tradition occidentale, ce n'est pas le cas du style du tableau ni de la philosophie qui y est sous-jacente.

Le tableau représente trois aspects de la femme au moment de la cérémonie du mariage. A droite se trouve l'épouse courtisane, à gauche l'épouse du Christ, et au milieu l'épouse « humaine ». Mais il ne faudrait pas se contenter de voir dans les deux épouses latérales des incarnations du bien et du mal, ce qui serait l'interprétation européenne classique de

Gustav Klimt
Le Baiser, 1909

Gustav Klimt
Danaé, 1907-1908

ce genre de dichotomie ; si l'on inverse les perspectives et que l'on regarde le tableau de l'intérieur, on peut lire le personnage qui se trouve à la gauche de l'épouse humaine comme une allégorie de la voie gauche de l'hindouisme tantrique, et celui de droite comme une allégorie de la voie droite. On associait couramment la voie gauche avec la déesse Kali, que l'on montre généralement avec un collier de crânes, comme le personnage du tableau de Toorop : elle représente non pas le mal, mais l'activité qui prend sa source dans l'érotisme et la conscience du lien qui rattache la procréation à la mort. Quant à la voie droite, c'est la voie de la méditation et de la transcendance du corps. La pensée tantrique ne privilégie aucune de ces deux voies au détriment de l'autre. Toorop essaie plutôt de mettre en évidence ce qui les différencie, tant dans la facture des personnages que dans l'arrière-plan. Les motifs qui surmontent le personnage de Kali sont vigoureux et hardis ; ceux qui surmontent l'épouse du Christ sont fluides et déliés. Le personnage central représente un équilibre entre ces deux pôles de l'expérience, mais parce qu'il n'est justement qu'un compromis de ces deux pôles, il est voilé.

On retrouve une imagerie analogue dans les tableaux d'un autre célèbre peintre hollandais de la même époque, Johan Thorn Prikker. Son tableau *La Fiancée* témoigne d'une utilisation comparable du dessin linéaire plan, mais il est d'un facture moins hiératique et pseudo-naïve. Thorn Prikker a été influencé par l'école de Pont-Aven. Les formes ont chez lui plus de corps que chez Toorop, ce qui aboutit à un style quasi abstrait dont la cohérence réside dans les courbes vigoureuses. Le caractère chrétien de l'imagerie est plus avéré que chez Toorop, et l'on n'y retrouve pas les

John Thorn Prikker
La Fiancée, 1892-1893

Jan Toorop
Les Trois Fiancées, 1893

catégorisations philosophiques qui apparaissent dans *Les Trois Fiancées*.

Mais l'art nouveau atteint son summum de pureté et de réussite dans la reproduction graphique parce que les aplats de couleur sont à la base même du procédé lithographique. Et comme les affiches sont fonctionnelles par nature, les artistes de l'art nouveau se mirent à dessiner des affiches.

C'est cet aspect-là plus que tout autre qui fait de l'art nouveau le premier mouvement artistique du XXe siècle plutôt que le dernier du XIXe. L'une des problèmatiques majeures de l'art moderne est la disparition progressive de l'idée qu'il y ait une séparation entre l'art et la vie. L'art d'aujourd'hui se trouve dans la rue tout autant que dans les galeries, et la publicité en a été la première preuve. Toorop n'eut aucun mal à dessiner une affiche publicitaire pour une huile de salade, dans la mesure où on lui donna entière liberté. Il put donner libre cours à de subtiles combinaisons de couleurs dans un style de dessin linéaire, ce qui donne une œuvre d'art belle en elle-même qui vaut aussi comme outil publicitaire sophistiqué.

Si les sources de Toorop étaient d'origine javanaise, les affichistes en mal d'inspiration se tournèrent plutôt vers le Japon. Les estampes japonaises étaient devenues fort à la mode dans la seconde moitié du XIXe siècle, au point d'influencer la plupart des artistes de l'époque. A travers l'œuvre d'Hokusai et d'Hiroshige, les artistes européens apprirent à organiser une surface plane, à pervertir la perspective là où c'était

Jan Toorop
Delftsche Slaolie,
affiche pour une huile alimentaire, avant 1897

Henri de Toulouse-Lautrec
Le Divan Japonais, affiche, 1893

nécessaire, et à contrebalancer les aplats de couleur par le dessin linéaire. Cette influence se retrouve chez Toulouse-Lautrec, dont l'affiche *Le Divan japonais* montre des effets de perspective tout à fait curieux.

L'affiche devint rapidement le moyen privilégié de l'art nouveau dans tous les pays occidentaux, et un style propre vit le jour dans chaque pays. On remarque dans les affiches françaises des restes d'influence symboliste ; les personnages des affiches d'Alphonse Mucha retrouvent l'image typiquement française de la femme tentatrice. Et c'est peut-être à cause de la longue histoire de la peinture en France que les artistes eurent un mal particulier à s'adapter aux techniques proprement lithographiques. Ni Mucha ni Georges de Feure ne tirèrent de la bidimensionnalité de la lithographie un aussi grand parti que ne le firent leurs équivalents autrichiens ou hollandais ; ils tendent encore à concevoir leur œuvre dans les trois dimensions, ce qui donne à leur œuvre graphique un aspect plus compliqué qu'aux œuvres contemporaines du même style. Les Hollandais, sous la houlette de Henry Van de Velde, se spécialisèrent dans un dessin linéaire quasi abstrait, avec une attention toute particulière portée au lettrage. Leur grande réussite est en jeu sur les couleurs qui, par leur juxtaposition, produisent une vibration subtile. De là, l'influence de ce type de dessin s'étendit à l'Allemagne, où on le remarque dans la ravissante illustration qu'effectua Bernard Pankok pour le catalogue de l'Exposition

Alphonse Mucha
Gismonda, affiche, 1894

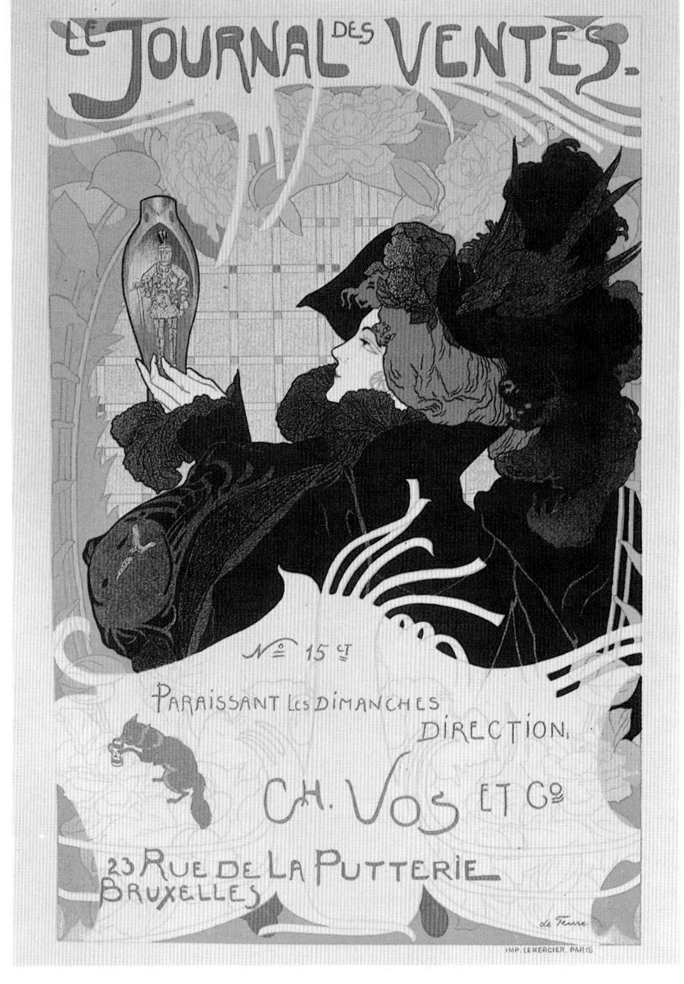

George de Feure,
affiche pour le « Journal des ventes »,
1897

universelle de 1900. Couleur et forme se sont émancipées de toute fonction figurative, l'artiste ne visant plus qu'une pure beauté abstraite.

En Allemagne, le style fut nommé *Jugendstil*, d'après le magazine *Die Jugend* (La Jeunesse), et se divisait entre ceux qui, comme Pankok, subissaient l'influence du style abstrait délicat des Hollandais, et ceux qui penchaient pour le style plus robuste de la Sécession de Vienne. Le *Pan* de Sattler est typique de ce second style, par son imagerie vigoureuse et son utilisation de grands aplats vivement colorés.

En Angleterre, les Beggarstaff Brothers (William Nicholson et James Pryde) produisirent un style qui laissait vierges de tout encrage des parties entières de l'affiche, méthode qu'ils avaient apprise chez Toulouse-Lautrec et chez Bonnard, et ce style parvint même aux États-Unis grâce à William Bradley qui l'adapta au goût de son pays.

L'art nouveau n'a pas donné d'école de sculpture à proprement parler ; mais en appliquant les idées de l'art nouveau à des objets, les créateurs purent conserver le concept central de fonction tout en explorant les possibilités du domaine sculptural. L'art d'Émile Gallé se confina à la production de vases, en verre polychrome pour la plupart, qui définissent l'essence de la sculpture art nouveau. Il inspira toute une école de créateurs et de verriers nancéens, dont l'œuvre est souvent indifférenciable de celle

Henry van de Velde
Tropon, affiche, 1898

Bernhard Pankok,
page de garde du catalogue de l'Allemagne pour l'Exposition Universelle de Paris, 1900

Page de droite :
Ludwig von Zumbusch,
couverture de « Jugend », n° 40, 1897

Josef Sattler,
page de titre pour « Pan », 1895

Beggarstaff Brothers
(William Nicholson and James Pryde),
Girl on a Sofa, affiche, 1895

William Bradley
The Chap Book, 1894

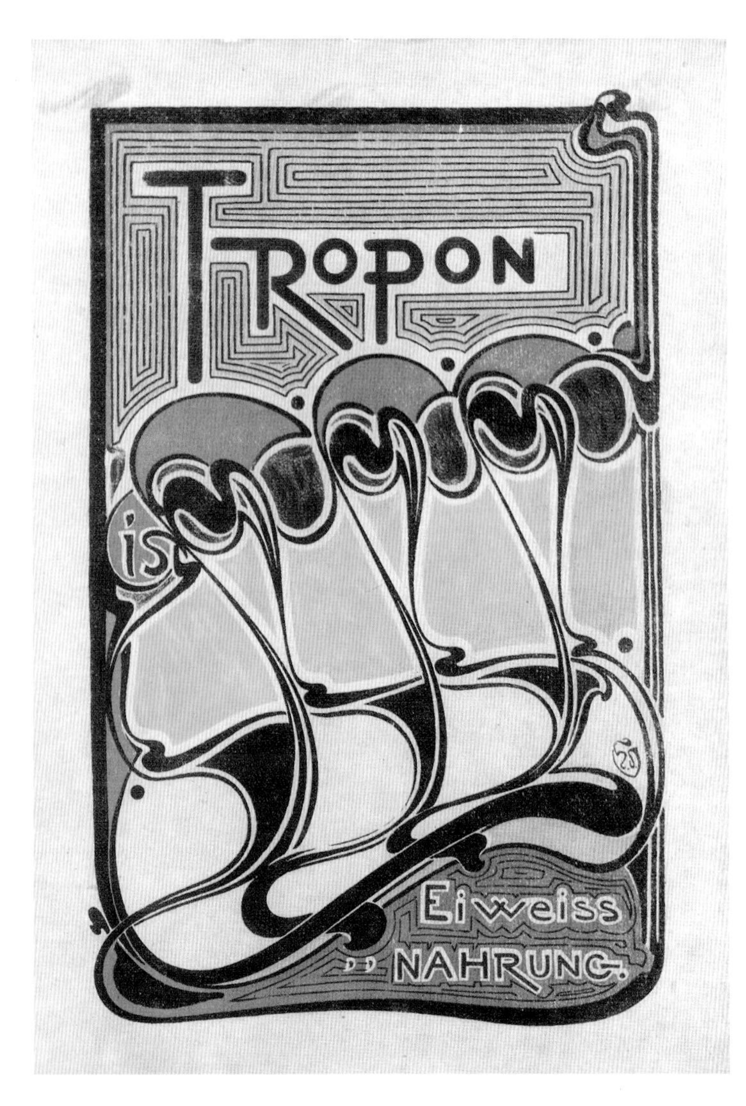

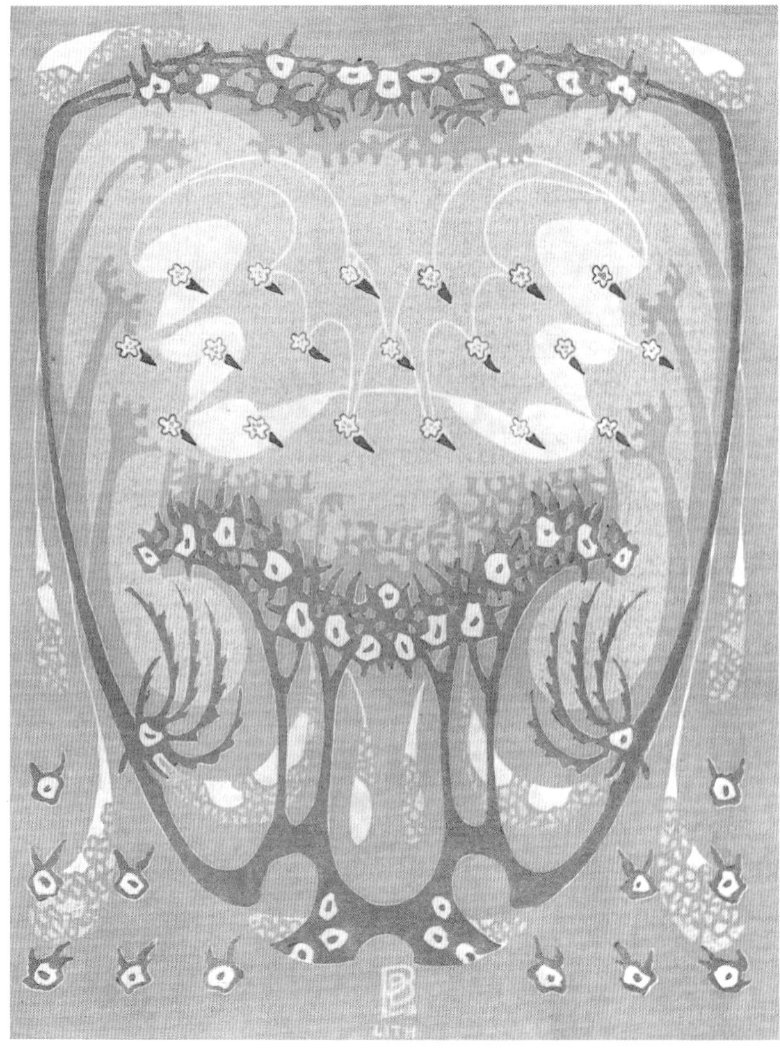

PAN · 1895-96 ·
Pan

Brothers Beggarstaff
Plakat

THE CHAP BOOK
THANKS GIVING NO.

de Gallé lui-même. Le vase-tulipe illustre parfaitement le style nancéen : les caractéristiques formelles sont limitées au strict minimum, ce qui met d'autant plus en valeur l'iridescence opaline de la surface. On retrouve l'influence de la céramique japonaise dans le parti pris créateur de laisser libre cours à l'accident, ce qui allie des effets de glacis somptueux avec des formes simples.

On ne saurait en dire autant de l'autre maître verrier de l'époque, Louis Comfort Tiffany. Tandis que Gallé créait pour un public choisi de connaisseurs français, les clients de Tiffany étaient de riches Américains qui venaient dans sa boutique chercher de quoi décorer leurs appartements en ville. Son œuvre est en conséquence plus tape-à-l'œil, et les effets d'iridescence utilisés avec moins de discrétion. Si Tiffany n'atteignit jamais à la pureté de l'école de Nancy, son œuvre n'en conserve pas moins, dans ses meilleurs moments, une espèce de beauté un peu écrasante.

C'est dans la joaillerie, autre terrain privilégié de l'art nouveau, que s'est illustré l'un des maîtres du style : Lalique, qui travaillait essentiellement l'argent, les perles baroques et les pierres semi-précieuses. La régularité de pierres telles que le diamant ou le rubis ne l'intéressait pas,

René Wiener,
reliure d'un portefeuille
pour les livraisons de *L'Estampe Originale,* (détail), 1894

Daum, d'après Buissière,
vase en verre, v. 1900

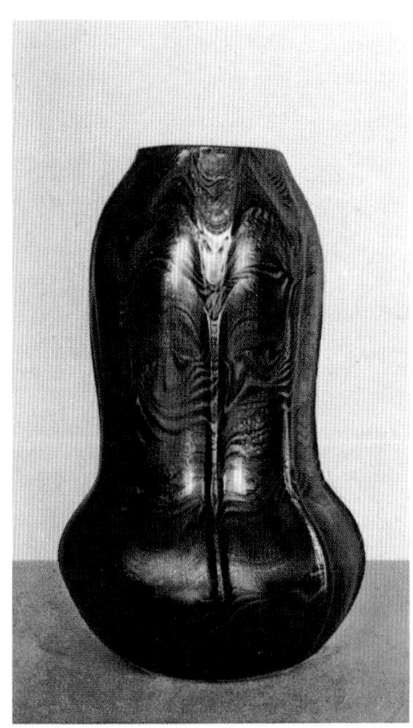

Louis Comfort Tiffany,
vase en verre, v. 1900

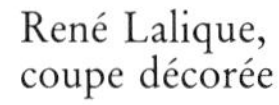

René Lalique,
coupe décorée

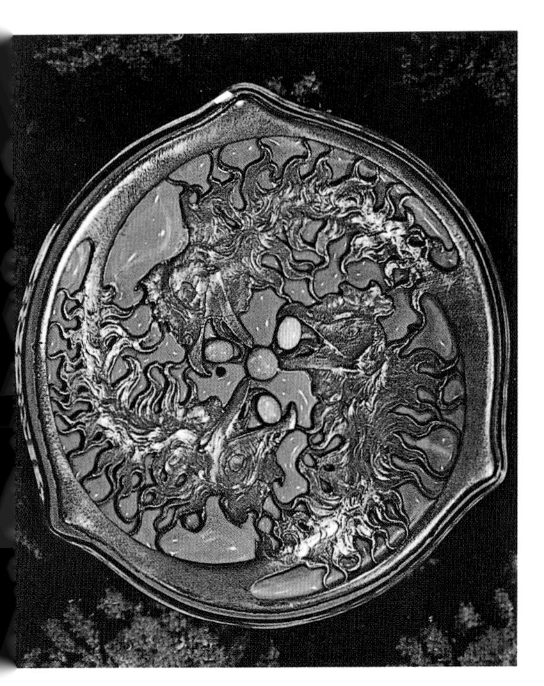

et c'est plutôt avec des pierres de lune et autres opales qu'il créa des pièces d'une grande délicatesse, représentant des animaux et des plantes stylisés.

Contrairement à beaucoup de mouvements artistiques qui font figure de secrets bien gardés, l'art nouveau se fit un public rapidement. Il était de bon ton, dans les milieux à la mode, d'avoir ses Gallé, comme il avait été à la mode en Angleterre d'avoir ses Morris. Et comme toute mode, le style était sujet aux changements : ainsi, lorsque débarquèrent les ballets russes menés par Diaghilev, le caractère linéaire de l'art nouveau fut mis au service de l'exotisme oriental. Et parce qu'il était intimement ancré dans une société et une époque données, l'art nouveau disparut avec l'ancien monde auquel mit fin la guerre de 1914.

Après un long sommeil de cinquante ans, le symbolisme et l'art nouveau sont de retour parmi nous. Les vases de Gallé atteignent des prix encore plus élevés qu'en 1900, et l'on voit des papiers peints de Morris partout. Les tableaux symbolistes les plus ridicules battent tous les records dans les salles de vente, et l'on trouvera sans doute bien d'autres « petits maîtres » pour subvenir aux besoins du marché. Quant à l'attitude à tenir vis-à-vis de ces chemins de traverse de l'art, c'est à chacun d'en décider par lui-même, mais il est indubitable que sans la percée hardie qu'effectua le symbolisme dans la citadelle du mystère, ni l'élégance délibérément décorative de l'art nouveau, l'histoire de l'art serait certes plus sage, mais bien moins fascinante.

Le fauvisme et l'expressionnisme.

Dans son sens le plus large, l'expressionnisme s'applique à des œuvres d'art où le sentiment prend le pas sur l'intellect. L'artiste n'y décrit pas des situations mais des émotions. Afin d'accroître l'effet sur le spectateur, il peut choisir un sujet qui en lui-même évoque des sentiments puissants, de dégoût notamment : mort, angoisse, torture, souffrance. Stylistiquement, l'expressionnisme pictural recourt à un emploi hyperbolique de la couleur, aux dépens de la ligne, parce que les effets colorés se prêtent moins facilement à des explications rationnelles que les effets linéaires.

Cette dialectique entre la raison et le sentiment se retrouve, à divers degrés, à toutes les périodes et dans beaucoup de cultures. Ainsi, les fresques byzantines du XIIIe siècle de l'église de San Zan Degolà, à Venise, *La Déploration du Christ* de Giotto dans la chapelle de l'Arène de Padoue, les autoportraits de Rembrandt, les gravures de Goya, ou le *Dante et Virgile aux Enfers* de Delacroix, sont tous empreints de cet esprit.

Dans un sens plus spécifique, l'expressionnisme désigne le travail d'un grand nombre de peintres, aux styles et aux appartenances très divers, qui à la fin du XIXe firent de cette tendance une doctrine précise. Ce faisant, ils ont transformé la nature de l'art et ouvert les voies de la révolution qui l'a secoué pendant les trois quarts de siècle suivants. L'expressionnisme se fondait sur un emploi extatique de la couleur, une distorsion de la forme, et une distanciation par rapport à la réalité objective et à la perspective renaissante, réduites au strict minimum ou absolument délaissées. Surtout, il soulignait la valeur absolue de la vision personnelle, allant plus loin encore que l'impressionnisme dans son exaltation.

La révolte contre le rationalisme et le développement parallèle des sensibilités se sont annoncés dès les débuts du romantisme. Par la suite, des éléments divers les ont nourris. Le mysticisme révolutionnaire de Kierkegaard, l'existentialisme de Heidegger, les préoccupations sociales inquiètes d'Ibsen et de Strindberg, l'angoisse fébrile de Swinburne et de Whitman, les mythes dionysiaques de Nietzsche, tout cela créa un climat de violence intellectuelle qui contaminait les jeunes gens.

Les découvertes de Darwin diminuèrent l'importance de l'homme, soulignant ses liens avec les autres créatures, plus instinctives. Les théories de Marx en faisaient le jouet de l'histoire plutôt que son maître. Les recherches de Freud, dont l'impact fut particulièrement grand dans les pays où fleurit l'expressionnisme, suggéraient que nos actions ne sont pas motivées par les processus de pensée consciente sur lesquels nous nous reposons. Bergson mit en relief la nature et l'esprit humain.

Edvard Munch
Puberté, 1895

Le type romantique de l'artiste, créateur tourmenté par une sensibilité exacerbée, s'est imposé vers 1870, et il n'est pas indifférent que des artistes tels que Van Gogh, Munch, Ensor, Kirchner, Beckmann et Grosz aient souffert de troubles psychiatriques. L'état d'esprit de l'époque et les événements n'étaient pas faits pour les aider. La plupart des expressionnistes étaient jeunes au moment de la Grande Guerre, et ils connurent aussi les horreurs du nazisme.

Il y avait aussi des antécédents immédiats à la quête expressionniste de sensations. Dans les années 1880 et 1890, les décadents et les symbolistes avaient vu dans le sexe, les drogues, la religion, le mysticisme et l'alcool des voies d'exploration créatrice, et avaient ainsi établi l'artiste dans son image d'archétype du rebelle à la société et aux conventions. Les expressionnistes devaient aller plus loin dans cette direction que les socialistes du mouvement *Arts and Crafts*, tels William Morris et Walter Crane ; et le même individualisme qui les incita à rejeter les conventions de l'art officiel les conduisit à se pencher sur la souffrance humaine et la misère, qui trouvaient une expression dans l'anarchisme et le communisme.

Dans l'un des livres les plus célèbres de la fin de siècle, « Là-bas », J.-K. Huysmans décrit ainsi la *Crucifixion* de Karlsruhe, de Grünewald : « Démanchés, presque arrachés des épaules, les bras du Christ paraissaient garrottés dans toute leur longueur par les courroies enroulées des muscles. [...] les chairs gonflaient, salpêtrées et bleuies, persillées de morsures de puces [...] L'heure des sanies était venue ; la plaie fluviale du flanc ruisselait plus épaisse, inondant la hanche d'un sang pareil au jus foncé des mûres. Ces pieds spongieux et caillés étaient horribles ; la chair bourgeonnait, remontait sur la tête du clou et leurs doigts crispés contredisaient le geste implorant des mains, maudissaient, griffaient presque, avec la corne bleue de leurs ongles, l'ocre du sol [...] »

Cette prose expressionniste, remplie d'horreur, très personnelle, décrit l'œuvre d'un artiste redécouvert à cette époque, qui était lui-même l'un des prédécesseurs les plus importants de l'expressionnisme. Le mouvement fut en effet abondamment nourri par le travail d'historiens d'art tels que Friedländer, dont l'étude exhaustive de Grünewald parut en 1907, de Mayer, dont la monographie sur Greco fut publiée en 1911, et d'autres qui écrivirent sur Hogarth, Bosch, Goya et Bruegel, qui tous sont aux sources de l'expressionnisme.

Ce sentiment général était confirmé par la découverte conjointe de l'irrationnel, de l'art primitif et de l'art populaire qui ne devaient rien aux traditions cultivées, et de la caricature, qui déformait la réalité objective dans le but d'exprimer un message ou une sensation.

Le fauvisme.

L'expressionnisme tel que je l'ai décrit a toujours passé pour un phénomène germanique et nordique. Mais il ne faut pas oublier cependant que son apparition dans la peinture moderne est le résultat de la libération de la couleur et de la forme qui s'incarna en France, l'éphémère mais fertile mouvement connu sous le nom de fauvisme.

Lorsqu'en 1906 les artistes qui s'étaient réunis autour de Matisse exposèrent au Salon des Indépendants, il n'est guère étonnant qu'à l'aune des valeurs conventionnelles le critique Louis Vauxcelles les ait qualifiés de bêtes *fauves*. En tant que groupe cohérent, l'existence du mouvement fut très brève, à peine un an, et la plupart de ses membres rejoignirent d'autres courants. Ceux qui demeurèrent fidèles à l'inspiration originelle succombèrent souvent au maniérisme. Mais le fauvisme donna naissance à l'école de Paris, et partage, avec l'expressionnisme proprement dit, l'invention de l'art du XXe siècle.

Stimulée par l'atmosphère de Paris, où les musées et les galeries, les écoles d'art, les ateliers, et l'étroite communauté d'artistes qui se rencontraient continuellement dans le réseau des cafés, favorisait l'effervescence sociale et culturelle, la peinture française du XIXe siècle évolua avec une rapidité étonnante. Le contraste type entre Delacroix et Ingres persista sous divers aspects, dans une controverse qui dura plus d'un siècle entre le romantisme et le classicisme, le dur et le doux, l'émotif et l'intellectuel.

Les impressionnistes firent en 1870 la contribution la plus spectaculaire à ce qu'on pourrait appeler la *Révolution perceptuelle*, en créant un nouveau mode d'humanisme visuel qui exaltait la primauté de la sensibilité individuelle. L'impressionnisme ne présenta, assez logiquement, jamais d'homogénéité. Des tensions entre la raison et le sentiment, entre la ligne et la couleur, l'analyse et la synthèse, y étaient constamment à l'œuvre, exprimées non seulement par les différences, par exemple, entre Sisley et Pissarro, mais aussi par les différentes phases dans le travail d'un seul et même artiste, tels Manet et Renoir.

Le pointillisme, ou divisionnisme, de Seurat et Signac imposa à l'inverse une exploration architecturale des formes qui conduisit à Cézanne et au cubisme. Mais la tendance était à la sensibilité, aux émotions, avec Baudelaire pour figure tutélaire, et ce, en France comme partout en Europe. Il existait, sous la surface des conventions, une vie *underground*, aussi prégnante que de nos jours. On s'y adonnait aux drogues, avec la bénédiction culturelle de Poe, Coleridge et Baudelaire. L'alcoolisme faisait rage à Montmartre et à Montparnasse autant que dans les campagnes les plus désolées. On goûtait les vices secrets et les expériences étranges, l'anarchisme était une passion répandue. Un peintre fauviste important, Maurice de Vlaminck, écrivit : « La peinture était un abcès où s'accumulait, pour le cracher, tout le mal en soi. Sans un don pour la peinture je serais arrivé au pire. Ce que je n'aurais pu exprimer dans un contexte social qu'en jetant une bombe, qui m'aurait conduit à l'échafaud, j'ai essayé de l'exprimer dans mon art, en utilisant des couleurs pures sorties du tube. J'ai donc pu employer mes instincts destructeurs dans le but de recréer un monde sensible, vivant et libre. »

Cette angoisse, telle qu'elle est apparue dans le contexte culturel français, toucha un grand nombre d'artistes. La musique de Debussy et de Fauré palpitait d'excitations nouvelles, et le mythe de Salomé, tel qu'il est traduit dans les vers dramatiques d'Oscar Wilde, attira non seulement Aubrey Beardsley, mais aussi Gustave Moreau, trop souvent présenté comme un peintre de salon traditionnel. « La nature en elle-même n'a guère d'importance : elle n'est qu'un prétexte à l'expression artistique. L'art est en quête incessante de l'expression des sentiments intérieurs par les seuls moyens plastiques. » Tels étaient les fondements de l'enseignement de Moreau, et son élève Henri Matisse les trouva « profondément troublants » ; ils devaient former le credo inavoué du fauvisme.

Certains antécédents étaient plus apparents. Vincent Van Gogh n'a jamais rien prétendu d'autre que traduire le monde des sentiments intérieurs. « Je ne sais si je peux peindre le facteur *tel que je le ressens* », écrivit-il un jour à son frère Théo. La ferveur de ses couleurs, la violence émotive de ses formes devaient avoir un impact que ne fit qu'accroître la rétrospective de la galerie Bernheim-Jeune, en 1901, où Matisse fut présenté à Vlaminck par Derain.

En 1889 Paul Gauguin, durant son séjour de Pont-Aven, évoluait vers un style qui combinait la spontanéité, le mysticisme et un mépris complet pour la « fidélité à la nature », par l'emploi de couleurs non descriptives, telles qu'on en voit dans le *Christ jaune*. La motivation peut bien avoir été littéraire et symboliste : « Je trouve tout poétique, et c'est dans les sombres recoins de mon cœur, qui parfois sont mystérieux, que je perçois la poésie », écrivit-il à Van Gogh. Les origines stylistiques en résidaient dans l'art japonais et l'art primitif, mais l'effet final était l'excitation émotionnelle des « sombres recoins du cœur », qui impliquait, avec le passage du temps, une indépendance totale de l'artiste par rapport à tout ce qui n'était pas sa sensibilité (cf. *Contes barbares*, 1902).

La révolution technique qui s'annonçait était expressionniste au sens le plus pur du terme ; elle n'était liée intrinsèquement avec aucune thématique particulière, et n'avait trait qu'à l'usage direct de la couleur et de la forme : ne pas suggérer, mais exprimer. L'essence de ce qui deviendrait le fauvisme résidait dans un emploi de la couleur sans contraintes d'aucune sorte, dans le but de définir la forme et d'exprimer le sentiment.

Dans *Le Nu dans l'atelier* de 1898 par Matisse, la pureté, la violence de la couleur traduisent une audace que Matisse ne devait cependant jamais abandonner. A la même époque à Barcelone, le jeune Picasso, âgé de dix-neuf ans, peignait des toiles telles que *La Fenêtre*, où est à l'œuvre la même tendance à la dissolution et à la cristallisation des formes dans une couleur évocatrice. Dans le cas de Picasso toutefois, moins pure, moins aventureuse, la couleur empruntait à Manet plus qu'elle n'explorait de nouvelles dimensions chromatiques.

Les contacts personnels furent néanmoins l'étincelle qui fit prendre l'incendie fauviste. Les recherches de groupe de l'atelier de Moreau furent étendues en 1899 à l'Académie Carrière, où Matisse rencontra deux peintres originaires de Chatou, André Derain et l'autodidacte Maurice de Vlaminck.

Vlaminck, au tempérament explosif, naturellement doué pour la peinture, était un être débordant de vitalité physique ; anarchiste et champion cycliste, il dit un jour aimer Van Gogh plus que son propre père, et gardait manifestement des traces de son origine flamande. Dévoré par une passion pour la vérité crue, il crucifiait ses modèles avec quelque chose qui ressemblait à du plaisir, pratiquant une verve proche de Chardin.

Vincent van Gogh
Autoportrait à l'oreille coupée, 1889

Paul Gauguin
Le Christ jaune, 1889

Matisse devait construire sa carrière sur ses expériences et ses découvertes de cette époque, durant laquelle il produisit quelques-unes de ses œuvres les plus spectaculaires. L'évolution continue de la couleur et son émancipation des conventions perceptives le conduisaient à réfléchir toujours davantage à ce qu'il appelait le *mécanisme pictural*, où l'on trouvait beaucoup de références à la doctrine pointilliste de Seurat. Abandonnant le réalisme, il aborda la réalité par une voie tangente ; et même dans un tableau tel que *Le Luxe I*, il ne conserva pas seulement la profondeur spatiale, mais il arrangea ses personnages en une composition qui n'eût guère choqué un peintre de la Renaissance. Simplifiés, stylisés, ils ne sont cependant pas déformés dans un but expressif et communiquent les résonances suggérées par le titre.

Pablo Picasso
La Fenêtre, 1900

Maurice de Vlaminck
Sur le zinc, 1900

Henri Matisse
Nu dans l'atelier, 1898

Parmi les compagnons de Matisse au cours de ce début de siècle, le plus proche de lui était Albert Marquet. D'un style proche du formalisme hardi de Vuillard et des autres membres de nabis de 1890, Marquet évolua vers un style qui, bien qu'expressif dans la forme et dans la technique, évitait la pureté et le brillant des couleurs de Vlaminck et de Matisse, et demeurait plus près de ses origines traditionnellement figuratives. Dans *Matisse peignant un nu*, par exemple, les couleurs paraissent plus être un trait secondaire qu'une partie intégrante de la composition dans son ensemble.

La figure y est définie par une ligne, et n'est pas modelée par des zones de couleur. Marquet revenait à une approche de la peinture qui tenait de Manet, et son talent de dessinateur était étonnant au point que Matisse l'appela un jour l'« Hokusai français ».

André Derain apporta au fauvisme une vigueur et un panache équivalents de ceux de Vlaminck ; lui aussi appliquait la couleur sortie du tube, en lignes brisées de touches impétueuses. Mais même dans ses œuvres de jeune homme, il fut plus lucide, plus réfléchi, plus gracieux. Son emploi de la couleur s'enracinait autant dans le pointillisme que dans Van Gogh, et ses formes étaient influencées par un grand nombre d'antécédents : les images d'Épinal, qui avaient déjà si fort séduit Courbet

Henri Matisse
Madame Matisse.
Portrait à la raie verte, 1905

Henri Matisse
Luxe I, 1907

Albert Marquet
Matisse peignant un nu
dans l'atelier d'Henri Manguin,
1904-1905

et Gauguin, l'art byzantin, et les plans simplifiés de la sculpture africaine. En 1905, l'année où il visita Londres et peignit des scènes sur la Tamise, il produisit des vues de la Seine où le pointillisme de Seurat se marie à la touche hachée de Van Gogh, dans un ensemble à la lucidité organisée et à la cohérence émotionnelle remarquable.

Face à un modèle en chair et en os, Derain s'attache malgré tout à plus d'immédiateté ; avec *La Danseuse* il s'approcha de très près de la véhémence qui forme le nœud du fauvisme. La multiplicité des couleurs et des tons, le travail tourbillonnant de la brosse, l'exagération du visage et des yeux, la main gauche pendant lourdement dans une légère déformation, l'emploi partiel d'une ligne de contour soulignant les parties de la figure qui jouent un rôle central dans la composition, tout cela crée un esprit d'aventure, qu'il devait renier par la suite.

« Comment puis-je, avec ce que j'ai ici, arriver à rendre non pas ce que je vois, mais ce qui est, ce qui a une existence pour moi, *ma réalité*, puis m'attacher à dessiner, à prendre dans la nature ce qui répond à mes

André Derain
Le Bord de Seine au Pecq, 1905, (détail)

André Derain
La Danseuse, 1906

Raoul Dufy
Les Affiches à Trouville, 1906

Othon Friesz
Le Dimanche à Honfleur, 1907

attentes ? Je dessinais le contour de chaque objet avec du noir mêlé de blanc, laissant chaque fois un espace vide au milieu du papier, que je remplissais d'un ton particulier et très soutenu. De quoi disposais-je ? De bleu, de vert, d'ocre, peu de couleurs. Mais le résultat me surprit. J'avais découvert ce que je cherchais en réalité. » La description que fit quelques années plus tard Raoul Dufy de sa conversion au fauvisme rend assez bien compte du sentiment de ses contemporains, et qu'on remarque immédiatement dans son travail d'alors. Il possède une vitalité que son œuvre ultérieure, pour être plus gracieuse et sophistiquée, devait totalement perdre. Dans *Les Affiches à Trouville*, le mouvement, la simplification hardie des formes, des zones de couleurs crues communiquent à merveille l'impression de passer ses vacances au bord de la mer, à respirer un air vivifiant.

Né au Havre, Othon Friesz eut les mêmes maîtres que Dufy, et les thèmes de marines le fascinaient également. Son *Dimanche à Honfleur*, peint un an après *Les Affiches à Trouville* de Dufy, met en relief leur différence. La composition est plus statique, la couleur moins audacieuse, les lignes plus lourdes, plus prégnantes. Le désir de traduire une émotion lyrique y est plus perceptible, et partant moins efficace.

La libération que représentait le fauvisme est particulièrement notable dans le cas de Braque, natif du Havre lui aussi ; c'est d'ailleurs Friesz qui devait lui faire connaître le travail des fauves. De 1904 à 1907, il produisit des œuvres qui, pour être hautement colorées et d'une ligne exubérante, n'en possèdent pas moins une composition méditée, une facture veloutée, et une exécution plus déterminée que celle de la plupart de ses collègues. Il s'intéressait déjà manifestement au problème de la construction, à travers une composition plane, qui anticipait les inventions du cubisme. Des artistes tels que Robert Delaunay, qui ne furent jamais fauves, gardèrent toujours, dans leur appartenance ultérieure au cubisme, au futurisme ou aux mouvements qui suivirent, l'empreinte du fauvisme dans leurs recherches.

Ceci était encore plus vrai des artistes qui pratiquèrent un fauvisme inconscient, dont l'exemple type est Georges Rouault. Élève de Moreau, Rouault, un moment vaguement lié au groupe de Matisse, ne partagea pourtant jamais réellement son impulsion, bien qu'il fût lui aussi préoccupé par l'expression des angoisses par la couleur, dans le but de traduire un point de vue personnel et non réaliste.

Les deux fondements de sa démarche créatrice furent l'apprentissage précoce de l'artisanat du vitrail, et la liaison avec deux figures marquantes du renouveau catholique de la fin du siècle : J.-K. Huysmans, converti qui mêlait à la ferveur de sa foi les langueurs récentes de la décadence, et

Georges Rouault
À Tabarin, 1905

Georges Rouault
Versailles : le jet d'eau, 1905

Léon Bloy, représentant de la nouvelle école d'écrivains, qui joignait un intérêt radical pour la justice sociale à une passion presque excessive pour les valeurs traditionnelles indissolublement liées à ses yeux au christianisme. Rouault élabora sur ces prémisses un style qui varia peu au cours de sa carrière. Il élabora une iconographie qui traitait de sujets religieux par l'entremise de clowns et de putains, qui traduisait les grandeurs et les misères de la condition humaine dans une ironie teintée de pessimisme. De son goût pour la beauté translucide du vitrail et de ses talents de dessinateur, il tira un style empreint de simplicité byzantine, de couleurs lumineuses. Mais malgré ce maniérisme personnel, Rouault ne laissait au fond pas d'être un fauve. Le sens de la passion stylistique, la sauvagerie

Kees van Dongen
Le Boniment, 1904-1905

de la couleur, le besoin de la violence, deviennent d'ailleurs plus apparents lorsque le sujet n'est pas ouvertement expressionniste, comme dans *Versailles : le jet d'eau*.

Le fauvisme de Rouault peut être évalué par comparaison avec le travail joyeux, extraverti de Kees Van Dongen, bohème instinctif, qui avait aussi un penchant pour les clowns et le demi-monde, et dont les œuvres les plus réussies font montre d'un panache qui séduit plus qu'il ne convainc. Sa force momentanée et sa faiblesse finale proviennent de ses prédispositions pour la peinture. Membre des fauves, il devait rejoindre plus tard le groupe allemand de la *Brücke*.

Un épisode nordique

L'identification presque automatique du génie de l'expressionnisme avec les cultures nordiques, qui se trouvent loin des influences méditerranéennes et du catholicisme, reçoit la plus vive confirmation en la personne d'Edvard Munch, dont les tableaux sont devenus les archétypes du mouvement. Norvégien, il fut nourri aux mêmes traditions qui produisirent l'œuvre teintée de culpabilité d'Ibsen et Strindberg. Son enfance fut sombre : sa mère mourut alors qu'il n'avait que cinq ans, et l'une de ses sœurs lorsqu'il en avait treize. Son père pratiquait la médecine dans le quartier misérable de Löiten, et il grandit dans une ambiance où dominaient la mort, la maladie, l'angoisse. Dans sa *Madone* de 1895-1902, le thème typiquement décadent d'un nu évoquant la prostituée est renforcé par une bordure peinte de spermatozoïdes qui se dirigent vers un embryon se trouvant dans le coin inférieur gauche, et proviennent d'un manuel d'anatomie allemand, publié au milieu du XIXe siècle, qui sans doute devait se trouver dans la bibliothèque de son père. Assez significativement, Aubrey Beardsley usa de la même image dans plusieurs de ses dessins. Le concept de la femme fatale, sirène séductrice, mauvaise et destructrice, apparaît dans l'œuvre tardive de Rossetti, dans les peintures de Moreau, de Redon et de Klimt, dans les dessins de Félicien Rops, Beardsley et Grosz, dans les écrits de Swinburne, Verlaine et Wilde. Le thème de Salomé en fournit la concrétisation la plus répandue, et joua un rôle déterminant dans le travail de Munch. Régulièrement il revint au thème de la femme vampire, tentatrice fatale, et jusque dans ses « Madone » il semble vouloir détruire l'icône qui par le passé avait tant fait pour idéaliser la féminité.

Il n'était pas moins séduit par les idées de mort et de maladie. Le XIXe siècle était imprégné de ces idées. Maladie et sexualité étaient liées. Keats, Schubert, Schiller et bien d'autres avaient souligné ce rapport au début du siècle. Mais jamais l'image n'en fut élaborée aussi parfaitement que dans *La Jeune Fille et la mort* de Munch de 1893. Sur la gauche du tableau frétillent des formes de spermatozoïdes ; sur la droite une fresque se compose de deux créatures fœtales. La mort n'est pas un de ces squelettes dans la tradition gothique, encore que les lignes noires qui entourent sa silhouette rappellent l'anatomie ; c'est une forme semi- humaine, pleine d'ambiguïtés amorphes. L'horreur est renforcée par le moignon de la

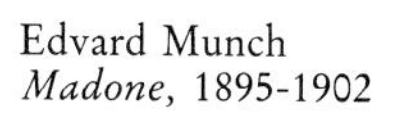

Edvard Munch
Madone, 1895-1902

Edvard Munch
La Jeune Fille et la mort, 1893

jambe qui émerge entre les cuisses de la jeune fille. Celle-ci, en revanche, possède une sensualité exubérante soulignée formellement par l'épaisseur de ses cuisses, la lourdeur de ses fesses, la franchise de son expression, et l'exagération de la ligne qui court depuis son aisselle gauche jusqu'à son genou.

Le travail de Munch est le plus souvent l'expression graphique d'une expérience réelle. Il nota dans son journal l'expérience qui fut à l'origine de son sujet le plus symptomatique, *Le Cri*. « Je marchais le long d'une route avec deux amis. Le soleil se couchait, et je commençai à éprouver de la mélancolie. Soudain le ciel devint rouge sang. Je m'arrêtai et m'allongeai contre une barrière, épuisé à en mourir, et contemplai les nuages enflammés qui pendaient, comme du sang, comme une épée, sur le fjord bleu-noir et sur la ville. Mes amis continuaient leur progression. Je demeurai cloué sur place, tremblant de frayeur. Et j'entendis un cri profond, sans fin, transpercer la nature. »

Munch forgea une technique visuelle remarquablement expressive, dans une frénésie de composition qui rappelle fréquemment Van Gogh. Cette affinité stylistique n'est pas fortuite. En 1889, Munch s'était rendu à Paris et avait découvert Van Gogh et Gauguin, ce dernier exerçant une influence importante sur le jeune homme qu'il était. C'est dans la capitale allemande qu'il rencontra le poète Richard Dehmel, le critique et historien Julius Meier-Graefe, l'industriel éclairé Walter Rathenau (qui acheta sa première toile de Munch en 1893) et Strindberg.

Vers 1895, il était de retour à Paris, et y vécut l'existence des cosmopolites, entrecoupée de séjours en sanatorium. En 1908, une attaque violente le contraignit à passer un an à l'hôpital du Dr Daniel Jacobson, à Copenhague. En 1909, il retourna en Norvège et y termina ses jours dans une réclusion presque complète.

Comme ses compatriotes écrivains, Munch était préoccupé par les sentiments plus que par les objets, et plus que tout par leur effet sur les gens et sur leurs relations. Sous ce dernier aspect il n'est pas représentatif des expressionnistes, comme on le voit par exemple dans le contraste avec l'œuvre de James Ensor, avec qui il présente néanmoins nombre de points communs.

Tous deux étaient des extatiques dans leur approche des choses ; tous deux s'intéressaient au côté sombre de la vie ; et tous deux s'appuyaient et se nourrissaient aux éléments traditionnels de l'art (Ensor surtout, dont les affinités avec Turner et même Chardin sont évidentes). Ensor s'ancrait dans une tradition flamande de fantaisie visuelle débridée, entremêlée de folklore bucolique, qui plongeait dans le Moyen Age et avait trouvé son expression la plus accomplie chez Pieter Bruegel, et qui, se poursuivant au XXe siècle, relierait, notamment par l'entremise de Magritte et Delvaux, l'expressionnisme au surréalisme. Ensor marque plus qu'aucun autre artiste la ligne de continuité entre les « expressionnistes du Nibelungen », Bosch, Urs Graf, Hans Baldung Grien, et les artistes de la fin du XIXe siècle et des débuts de celui-ci.

Satirique, humain, acerbe et fantasque, Ensor créa un univers personnel, peuplé de figures absurdes, voyantes, émouvantes, choquantes, qui retenaient l'attention, stimulaient l'imagination et par leur extrême

Edvard Munch
Le Cri, 1893

violence froissaient la sensibilité du spectateur. *Squelettes se réchauffant autour du poêle* pourrait servir à résumer le mouvement tout entier, avec le thème macabre, la bizarrerie sinistre des têtes de mort groupées en une pyramide grotesque autour du poêle, et la figure menaçante dans l'angle droit de la composition.

Mais malgré le thème du sujet, et c'est vrai de toute l'œuvre d'Ensor, la couleur a une qualité lumineuse et sensuelle qui débouche sur le lyrisme et souligne sa dette envers les impressionnistes. C'est seulement dans ses débuts qu'il céda au ténébrisme, mais là encore il déployait une technique délicate et soyeuse.

Squelettes se réchauffant paraît avoir été pensé comme une illustration d'un proverbe populaire plein de fiel, et bien qu'Ensor ait pu peindre des œuvres qui, telle *La Lueur*, n'ont d'autre signification que celle que traduisent la forme et la couleur, il a toujours, dans ses œuvres majeures, véhiculé des implications littéraires et sociales. Ce sont des commentaires, quand bien même la nature précise de la morale n'est jamais éclaircie. C'est particulièrement vrai de *L'Entrée du Christ à Bruxelles,* qui assemble en une composition massive (2,50 m x 4,34 m) tout un ensemble d'épisodes satiriques et grotesques. Une masse de grands visages atroces et tordus ; le Christ monté sur un âne ; une grande banderole où on lit *Vive la sociale* ; le tout ressemble à une kermesse folle, rendue dans une

James Ensor
Les Masques singuliers, 1891

James Ensor
Squelettes se chauffant autour du poêle, 1889

manière de parodie des *grandes machines* historiques de l'art baroque. Là encore les couleurs sont vives, lyriques, mais emphatiquement dissonantes ; la structure du dessin est caractérisée par une grossièreté délibérée, voire une vulgarité, qui indique l'un des apports principaux d'Ensor à l'expressionnisme : l'emploi de la ligne dans un but de susciter un autre effet que celui de la couleur.

C'est cette qualité qui le rendait si cher à Paul Klee et à Emil Nolde, qui tous deux lui doivent beaucoup. Rappelons qu'Ensor produisit son œuvre la plus importante dans les vingt dernières années du XIXe siècle (*L'Entrée du Christ* date de 1889), et que, plus encore que Gauguin ou même Van Gogh, il attaquait les éléments de représentation en art, s'inspirant largement de la caricature.

En même temps son exploration de l'incongru et de l'irrationnel anticipait des développements qui ne deviendraient manifestes que dans la deuxième décennie du XXe siècle. La vie, la mort, la grandeur absurde de la condition humaine l'obsédaient, à travers les changements d'un style qui montra tour à tour l'influence de Turner, de Constable et de Rowlandson.

Il étudia avec soin l'œuvre des grands graveurs (Rembrandt, Callot, Daumier et Forain avaient ses préférences), et produisit, surtout dans les années 1880, un grand nombre de gravures (parmi lesquelles *La*

James Ensor
L'Entrée du Christ à Bruxelles, 1889

Cathédrale) et d'autres travaux monochromes où une verve goyesque illumine une habileté minutieuse.

Bien que la reconnaissance du public fût tardive, on pourrait en faire un précurseur des fauves, aussi bien que des expressionnistes ou des surréalistes, et les symbolistes pourraient avoir lu dans son œuvre de préoccupations communes pour la métaphysique. Il était compatriote et contemporain d'Émile Verhaeren et de Maurice Maeterlinck. Sa préoccupation pour les résonances imaginaires, qu'on retrouvait chez des artistes aussi divers que Redon et Klimt, est visible dans son goût pour les masques, comme dans le célèbre *Les Masques singuliers*. Les figures masquées étaient un cliché symboliste, mais Ensor fut le premier à les hausser au statut d'entités indépendantes.

Bien qu'il fût cofondateur du groupe d'avant-garde *Les Vingt*, qui exposa en 1887 le *Dimanche après-midi à l'île de la Grande Jatte* de Seurat, Ensor ne fut pas vraiment reconnu avant les années 1920, alors qu'il avait depuis longtemps donné le meilleur de lui-même. Mais il joua un rôle décisif dans la création de l'expressionnisme belge.

Les liens entre Paris et Bruxelles ont toujours été étroits, et Rik Wouters est une figure typique de transition. Autodidacte, il visita Paris, où Degas et Cézanne l'impressionnèrent durablement. Mais ce postimpressionnisme fut transformé par l'influence d'Ensor et par sa passion dévorante pour sa femme Nel en quelque chose de plus dynamique, à la facture plus vive, à la couleur plus lyrique.

Gust de Smet est plus typique encore, et sa carrière met à jour la façon dont la tendance expressionniste qui était sous-jacente dans l'art flamand s'extériorise en quelque chose de plus proche à nos yeux d'un style international. En Hollande il se détacha de la tradition luministe qu'il tenait des impressionnistes, et, à travers le magazine *Das Kunsblatt* principalement, il se familiarisa avec ce qui se passait en Allemagne.

Son art se fit plus sauvage, plus tragique, la touche se fit vive, nerveuse, extatique, avec de sombres couleurs terreuses, et il choisit pour thèmes des sujets chargés d'émotion, tels que prostituées, gens du cirque, paysans, qui passent généralement pour les icônes du romantisme du XXe siècle.

Après avoir tâté de la dynamique structurelle du cubisme, il retourna vers 1930 à des toiles où le jeu de la lumière et de la couleur, à travers un dessin marqué, évoque une sensualité passionnée.

Son ami et contemporain Constant Permeke commença comme lui sa carrière dans la colonie d'artistes impressionnistes de Sint-Matens-Latem, et évolua vers une monumentalité émotive qui retenait d'Ensor le sens de la quasi-abstraction et de la violence visuelle. Blessé à la guerre, Permeke vécut cinq années d'extrême pauvreté parmi les paysans du Devonshire, expérience qui confirma son penchant pour un mysticisme rural qui est une tendance mineure de l'expressionnisme, à travers Van Gogh et l'école de Pont-Aven. Une extase lyrique imprègne ses peintures qui rappellent Turner par certains aspects, dont notamment l'unification en une seule composition d'une grande quantité d'éléments, arbres, maisons, moulins, sous une lumière envahissante à la plasticité limpide.

Léon Spillaert, autodidacte lui aussi, était plus sophistiqué, et son art pratique l'allusion. Influencé surtout par Munch, son travail de jeunesse possède des caractéristiques symbolistes patentes, et les arabesques linéaires qui y dominent suggèrent un art nouveau enflammé d'émotions qui ne lui sont pas coutumières. Mais dès le début ses peintures sont empreintes d'irréalité, d'hallucination, et certaines images l'obsédaient : jeunes filles au bord de la mer, personnages disputant et s'absorbant dans la nature.

Les arbres jouèrent un rôle toujours croissant dans son imagerie, et il les observait avec une frénésie qui les métamorphose en totems méditatifs, transformant leurs entours en paysages mentaux lourds de significations cachées. Plus clairement qu'aucun de ses contemporains, il souligne les liens entre symbolisme, expressionnisme et surréalisme.

L'Allemagne : Die Brücke

Une grande partie de l'énergie que dispensa l'expressionnisme belge lui vint de la présence, durant la Première Guerre mondiale, d'artistes allemands, travaillant pour beaucoup dans des équipes médicales.

Erich Heckel, par exemple, basé à Ostende, se lia avec Ensor et peignit sa dernière *Madone d'Ostende* en 1915 sur la toile d'une tente de l'armée.

Rik Wouters
Nel Wouters, 1912

Gust de Smet
La Jupe rayée, 1941

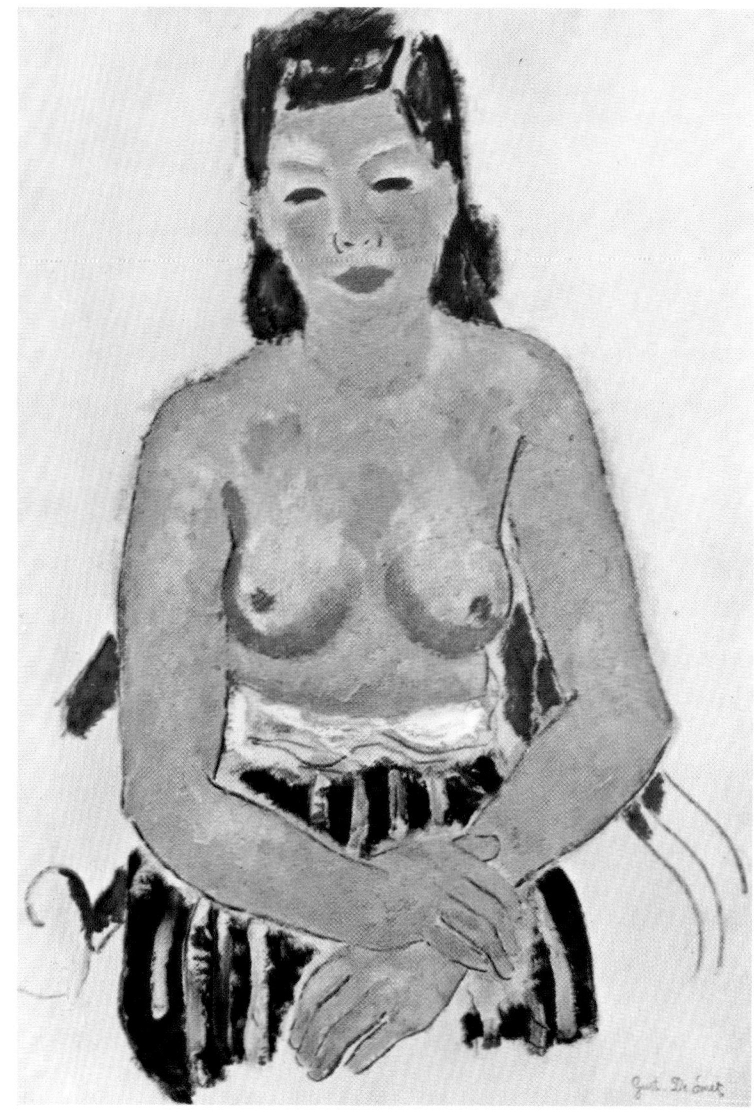

Leon Spilliaert
Les Grands Arbres, 1921

C'est ainsi en Allemagne que l'expressionnisme comme mouvement général européen acquit son expansion finale. Il y devint presque un mode de vie, et y acquit ses caractéristiques les plus radicales. Les peuples germaniques semblent avoir été les plus aptes à dramatiser le sentiment, préférant le monde imaginaire à celui des faits, séduits par le concept de tourmente et d'angoisse, jouant avec les idées de noirceur et de cruauté. Rien de neuf là-dedans. L'iconographie sadique de Grünewald, la violence de l'art populaire allemand, le succès d'histoires telles que le *Struwelpeter*, tout cela prouve un intérêt continu pour le macabre. John Willett, dans sa vivante étude sur l'expressionnisme, rappelle que le poète Johannes Becher, figure phare de l'expressionnisme littéraire, qui devint d'ailleurs ministre de la Culture en RDA en 1954, pouvait approuver sans restriction ce passage du poète Andreas Gryphius qui vivait au XVIIe siècle :

Oh, le cri !
Meurtre ! Mort ! Malheur ! Tourments ! Croix !
Ruine ! Vermine ! Terreur !
Poix ! Torture ! Bourreau ! Flamme ! Puanteur ! Glace !
Spectres ! Désespoir !
Oh ! Passez votre chemin !
Loin ! Haut !
Mer ! Collines ! Montagnes ! Falaise ! Douleur qu'aucun homme ne peut porter !
Engloutis, engloutis, abîme ! ces cris sans fin que tu entends.

On pourrait sans peine y voir un catalogue de l'iconographie expressionniste. Soutenu par le rôle, assumé volontairement, de gardien de l'Occident contre les hordes slaves, nourri par les horreurs de la guerre de Trente Ans, l'esprit germanique balançait entre l'idéalisme apocalyptique et le masochisme intellectuel.

Entre ses débuts comme nation unifiée en 1870, et l'avènement de Hitler soixante ans plus tard, l'impérialisme hystérique des Hohenzollern, les privations de la Grande Guerre, la misère de l'inflation, la tragédie de Weimar l'accablèrent successivement. La catastrophe millénariste paraissait pour l'Allemagne poindre à l'horizon. La musique de Wagner et de Richard Strauss, les écrits de Nietzsche et de Heinrich Mann, les pièces de Strindberg, très jouées en Allemagne, et de Wedekind, tout cela alimentait le sentiment de tourmente émotionnelle qui conduisit les artistes de Berlin, Munich, Dresde et Vienne bien au-delà des limites atteintes par leurs contemporains plus timorés de l'Europe occidentale.

En Allemagne, l'expressionnisme domina, à un degré inconnu ailleurs, la peinture, la sculpture, la littérature, le théâtre et le cinéma. A la différence de la France dont la tradition historique était celle d'une unité politique centralisée, l'Allemagne était encore traversée de régionalismes que la création de l'Empire avait masqués plus qu'anéantis. Bien que les prodromes du nouveau mouvement eussent été révélés par le succès de scandale de Munch en 1892 et par l'influence croissante de Gauguin et de Van Gogh, sa réalisation finale prit un caractère régional et non pas national.

Die Brücke (le pont), qui était au départ plus une cellule révolutionnaire qu'un mouvement artistique, fut fondé en 1905 par cinq transfuges de l'école d'architecture de Dresde, capitale de la Saxe. Sans expérience de la peinture, ils y voyaient un moyen d'exprimer leur message social. Dans le programme que l'un deux, Ernst Ludwig, composa et grava sur bois en 1906, on lisait :

« Croyant dans la croissance et dans l'apparition d'une nouvelle génération, tout à la fois créateurs et jouisseurs, nous appelons les jeunes gens à se rassembler, et en tant que jeunes gens, qui portons le futur en nous, nous voulons arracher la liberté pour nos actions et pour nos vies des forces flétries et confortablement installées. Nous proclamons nôtre quiconque reproduit directement et sans faux-semblants tout ce qui le pousse à créer. »

Influencé par Van Gogh, par la gravure médiévale et par la sculpture africaine et océanienne, Kirchner s'attachait à exploiter toute technique qui pût communiquer une sensation vivante, mêlant du pétrole à son huile, afin de la faire sécher rapidement avec un fini mat, excellant dans l'aquarelle, souvent employée conjointement avec d'autres médiums, et appliquant localement des couleurs vives par petites touches. Son inventivité chromatique était, prise dans son contexte, révolutionnaire : il harmonisait les bleus et les rouges, le noir et le violet, le jaune et l'ocre, le brun et le bleu de cobalt. Son œuvre de jeunesse est un document sur le travail sur soi d'un artiste écrasé par le formalisme de son éducation.

En conséquence lorsqu'il décida avec ses camarades de gagner l'atmosphère métropolitaine de Berlin, Kirchner avait développé des talents techniques remarquables, mais avait conservé une certaine innocence d'approche. Tout ceci est résumé par la *Femme à demi nue au chapeau*, peint cette année-là.

De conception simple, presque parcimonieuse dans son coloris, c'est une composition dynamique, fondée sur l'emploi d'arcs de cercle complémentaires et contrastants. L'une des séries commence au sommet du chapeau, et se poursuit dans les épaules et les bras. Une autre commence avec le bord du chapeau, et trouve un écho dans le menton et avec la poitrine, puis s'achève dans les lignes de la blouse. En contrepoint à ce thème, un autre est composé de triangles ; le premier, dans la section inférieure du chapeau, où il révèle le front de la femme ; le second, à l'envers, dans la gorge, se prolonge dans l'aisselle et les doigts de la main gauche. Dans le dos, peint hâtivement, prend racine l'ensemble de la figure, dont le visage, qui évoque la sculpture primitive, est aussi empreint d'un érotisme suggestif.

Les expressionnistes étaient fascinés par le monde du Berlin souterrain, putains, maquereaux et gangsters, qui contrastait si fort avec la pureté apparente de leurs propres rêves. Cette fascination apparaît particulièrement dans des œuvres de Kirchner telles que *Cinq Femmes dans la rue*, dans laquelle les figures noires, menaçantes, aux corps allongés et sinistres, aux chapeaux fantastiques, se détachent sur un fond vert violent, qui, bien qu'il conserve des éléments de figuration réaliste, est virtuellement abstrait et d'une complexité de composition étourdissante. Les influences de la sculpture sont là encore évidentes ; mais l'ensemble de la peinture

MIT DEM GLAUBEN
AN ENTWICKLUNG
AN EINE NEUE GE
NERATION DER SCHAFFEN
DEN WIE DER GENIESSEN
DEN RUFEN WIR ALLE JU
GEND ZUSAMMEN UND
ALS JUGEND, DIE DIE ZU
KUNFT TRAGT, WOLLEN
WIR UNS ARM- UND LE
BENSFREIHEIT VERSCHAF
FEN GEGENÜBER DEN
WOHLANGESESSENEN AL
TEREN KRAFTEN. JEDER GE
HÖRT ZU UNS, DER UN
MITTELBAR UND UNVER
FÄLSCHT DAS WIEDER
GIEBT, WAS IHN ZUM
SCHAFFEN DRAENGT

Ernst Kirchner
Programme de Die Brücke, 1905

vise à rendre le sentiment du péché éprouvé par l'artiste. Intention puritaine ; expression passionnée. Significativement, cinq ans plus tard, au bord de l'effondrement physique et mental, il écrivit :« Je me traîne à mon travail, mais tout mon travail est vain, détruit par les attaques de la médiocrité. Je suis maintenant comme les putains que je peignais. »

Après sa dépression, il gagna la Suisse où il trouva des thèmes moins obsédants, dans la contemplation des paysages, et dans l'idéalisation de ces paysans du Davos, dont l'industrie de base semble avoir été l'inspiration pendant une centaine d'années des nordiques neurasthéniques. Bien qu'il y montrât encore une certaine vigueur de conception, son travail d'après-guerre n'atteignit jamais le niveau du précédent.

Erich Heckel était plus mesuré que les autres membres de la *Brücke*, même si techniquement il démontra parfois plus d'audace. Ses premières peintures possèdent la véhémence incontrôlée du néophyte emporté par la liberté que lui donne l'art. *La Briqueterie*, de 1907, est peint en étalant de la peinture directement sortie du tube, en réservant la brosse à une unification de l'ensemble. Les couleurs et les formes tourbillonnent en une tempête picturale. L'impact visuel, très émouvant, n'a rien à voir avec le sujet ; il provient uniquement du médium, qui présente une vie autonome.

Les pigments purs, non dilués, ont la même violence que dans certains travaux de Van Gogh. Il y a quelque chose de touchant dans l'idéalisme avec lequel Heckel s'est dévoué au credo du groupe de cette époque. Il

Ernst Kirchner
Personnages sur des rochers (Fehmarn), 1912-1913

Ernst Kirchner
Femme à demi nue au chapeau, 1911

Ernst Kirchner
Cinq Femmes dans la rue, 1913

cherchait leurs ateliers communs, organisa leur première exposition, et leurs vacances communes sur les lacs de Moritzburg.

En 1909, Heckel visita de fond en comble l'Italie, et fut impressionné par l'art étrusque. La lumière le fascina, et il s'attacha dès lors à exprimer la cohérence formelle qu'il avait vue au sud des Alpes.

Le premier exemple de cette réflexion, et peut-être son tableau le plus réussi, est le *Nu sur un sofa*, où les couleurs chantantes et l'image discrètement hédoniste, explosent sous la vigueur de la composition et la nervosité de la touche. Au premier regard il est plus proche des fauves, mais aucun français n'eût été aussi direct dans le traitement des pieds, ni si émotif dans le traitement des murs et de la fenêtre, où à la fois le fond et la ligne sont couleur. Il déclara d'ailleurs : « Le peintre transforme un concept emprunté à sa propre expérience en une œuvre d'art. Il n'a aucune règle prédéterminée à son travail ; les règles sont suscitées par le travail lui-même, l'exécution, la personnalité du créateur, ses méthodes, et le message qu'il veut transmettre. La joie perceptible éprouvée à voir l'objet de départ est, d'un bout à l'autre, l'origine de cet art de représentation. Libérée du besoin de le faire, la peinture retrouve l'entière autonomie de son action. L'œuvre d'art est née de la transmission totale d'idées personnelles dans l'exécution. »

De fait, en traitant de plus en plus de la surface, le travail de Heckel, avec ses transcriptions géométrisées de lumière et de forme, ses contours aigus et sa figuration stylisée, devint l'exemple type de la contribution de la *Brücke* à l'art moderne. Malgré tout il ne présente que rarement de compassion véritable pour la condition humaine, et ce sont ses caractères narratifs qui lui valurent un très grand succès populaire, bien avant ses autres camarades.

Karl Schmidt-Rottluff, troisième membre de la *Brücke*, et qui en inventa d'ailleurs le nom, était à bien des égards moins éclectique que ses compagnons. Durant des années, les personnages n'apparurent que très rarement dans ses peintures. Introverti, réservé, sa facture hardie, presque vulgaire par moments, ses couleurs saturées, et de vastes surfaces de

Erich Heckel
La Briqueterie, 1907

Erich Heckel
Nu sur un sofa, 1909

composition indéfinie le menèrent au bord de l'abstraction. Il était fasciné par la mer, et le paysage de Norvège fut déterminant dans son œuvre. C'est essentiellement son départ à Berlin qui le conduisit à abandonner les paysages pour les personnages et les natures mortes, à définir plus précisément son sujet, à fragmenter la composition et à la complexifier, en usant d'un paysage réduit à des symboles bidimensionnels (comme dans *L'Été*), sur lesquels les figures humaines se détachent presque comme des statues primitives.

Après la guerre, le travail de Schmidt-Rottluff devint plus lyrique, moins vibrant, et il se réfugia dans un religieux transcendantal, se dirigeant vers une sorte de symbolisme aux connotations littéraires et théologiques puissantes. C'était à cette époque assez banal. Des conversions similaires avaient affecté les décadents, ainsi que d'autres écrivains ou artistes, qui, comptant trop à l'origine sur leurs propres sensations, avaient, au moment de la désillusion, réagi fortement en sens inverse. Interdit de peinture par les nazis, qui confisquèrent son œuvre, il fut nommé en 1946 à la « Hochschüle für Bildende Kunst » de Berlin.

Emil Hansen, qui en 1901, à l'âge de trente-quatre ans, prit le nom de Nolde, était à la fois l'« outsider » et le professionnel du groupe. En 1898, alors qu'il enseignait le dessin à Saint-Gall en Suisse, il décida de se consacrer à plein temps à la peinture, et partit étudier avec Adolf Hölzel à Dachau.

Hölzel a joué un rôle de diffuseur dans l'évolution de l'art contemporain. Préoccupé par les questions de l'harmonie colorée et par l'utilisation des formes naturelles comme bases d'un vocabulaire visuel, ses écrits ont de puissants accents sociaux, et il participa au premier plan à la revue *Die Kunst für Alle* (L'Art pour tous), lue à travers toute l'Europe.

Nolde passa alors quelque temps à Paris, où le travail de Daumier et de Manet l'impressionna. Peu à peu sa technique impressionniste s'élargit, sous l'influence combinée de Gauguin, Van Gogh et Munch, et vers 1904, il se mit à utiliser des couleurs vives appliquées avec un total mépris des conventions. Ces toiles attirèrent l'attention des artistes les plus jeunes de la *Brücke*, qui lui demandèrent de les rejoindre. Il participa aux expositions de 1906 et 1907. Mais le groupe lui apparut trop étroit, et il lança une association rivale, plus large, où se retrouvaient Christian Rohlfs, Munch, Matisse, Max Beckmann et Schmidt-Rottluff ; ce fut un échec. Vaine aussi fut sa tentative de prendre la tête de la nouvelle sécession berlinoise de 1911.

Il est difficile de comprendre la carrière de Nolde sans prêter attention à sa piété. Il confessa un jour à son ami Friedrich Fehrf: « Quand j'étais enfant, vers huit ou neuf ans, je fis la promesse solennelle à Dieu qu'en grandissant j'écrirais un cantique pour le livre de prières. Je n'ai jamais rempli ce vœu. Mais j'ai peint beaucoup de tableaux, et il y en a plus de trente proprement religieux. Je me demande s'ils peuvent faire l'affaire à la place. »

Il se tourna principalement vers les sujets religieux en revenant à la figuration vers 1909, après l'avoir abandonnée en même temps que son style impressionniste. Mais bien que, dans des œuvres telles que *Le Dernier Souper* de 1909, ses personnages soient réalistes en apparence,

Karl Schmidt-Rottluff
Dame à la coupe à fruit, 1909

Karl Schmidt-Rottluff
L'Été, 1913

l'année suivante les voit transformés, dans *La Danse autour du veau d'or*, en hiéroglyphes dionysiaques, extatiques et violents dans leurs couleurs, dont les formes déchiquetées se détachent au-dessus d'un paysage qui conserve le caractère abstrait de ses premières incursions dans l'expressionnisme. Les contours de la forme y sont définis par les limites des aires de couleur. Croyant absolument en la valeur de la réaction instinctive et de la vision personnelle, Nolde exprimait dans son credo esthétique l'égocentrisme romantique de la position expressionniste. « Aucune des toiles d'imagination que j'ai peintes à cette époque, vers 1910, ou plus tard, n'avait de modèle, ou même un concept clair. Il m'était très aisé d'imaginer un travail dans ses plus infimes détails, mais souvent mes projets étaient bien plus beaux que la réalisation : je devenais le copiste de mes idées. En conséquence j'ai préféré ne pas réfléchir à un tableau au préalable. Je n'avais besoin que d'une vague idée sur les arrangements de lumière et de couleur. La peinture se développait alors suivant son mouvement propre sous mes mains. »

Nolde était sans doute plus intéressé par la signification de l'art primitif que ses cadets. Il se mit à un livre, « Kunstäusserungen des Naturvölker » (Les expressions artistiques des peuples primitifs) et en 1913 il fut invité à se joindre à une expédition officielle dans les colonies allemandes du Pacifique, dont la Nouvelle-Guinée. Il n'en tira pas seulement de nouveaux procédés pour exposer « les expressions intenses, souvent grotesques, de la force et de la vie sous sa forme la plus élémentaire », mais il entra en contact avec des paysages et des climats plus violents qu'aucun de ceux qu'il avait éprouvés en Europe. *Soleil tropical* de 1914, qui est fort proche du travail de Kandinsky de cette époque, combine l'impact puissant de couleurs extrêmement dérangeantes et de formes qui possèdent une véhémence presque primitive.

Après qu'eut éclaté la guerre, Nolde rompit avec la scène de l'art contemporain, et la première grande exposition de son travail eut lieu en

Emil Nolde
La Danse autour du veau d'or, 1910

Emil Nolde
Soleil tropical, 1914

Emil Nolde
Prophète, 1912

1927, alors qu'il était âgé de soixante ans, avec une introduction de Paul Klee pour le catalogue. On y lisait : « Les artistes abstraits, qui ont quitté ce monde, ou l'ont fui, oublient quelquefois que Nolde existe. Pas moi. Peu importe à quelle distance je m'en éloigne, je tâche toujours de revenir sur terre, de trouver de l'assurance dans sa solidité. Nolde fait plus qu'appartenir à la terre ; il en est l'esprit protecteur. Peu importe où que l'on soit, on éprouve toujours sa parenté avec lui, une parenté fondée sur des choses immuables et profondes. »

Nolde souffrit également beaucoup sous le nazisme, mais reçut une sorte de compensation officielle en obtenant le grand prix de peinture de la Biennale de Venise de 1952.

Max Pechstein avait été un brillant étudiant en arts décoratifs avant de rejoindre la *Brücke* en 1906, et l'année suivante, il gagnait le Prix de Rome. Il était avant tout un professionnel, déterminé, pour des raisons économiques et psychologiques, à réussir dans un domaine choisi. Guère innovateur, peu touché par les vagues sauvages des passions esthétiques qui soulevaient ses contemporains, il utilisait leurs découvertes dans un style empreint de brillance des couleurs, de liberté de la ligne, et de fraîcheur de l'approche, à des fins décoratives. Il traduisait ainsi les inventions en une syntaxe digeste. Il voyagea lui aussi dans le Pacifique, mais n'en revint pas bouleversé. Des peintures telles que *Nu sous la tente*, qu'il peignit comme beaucoup d'autres au cours de ses vacances d'été à Nidden, sur la Baltique, s'imposent par l'élégance de la ligne et la délicatesse du coloris. Ses motivations étaient totalement dénuées d'inquiétude, et il ne produisit jamais les œuvres tourmentées et fragiles de ses collègues. « Je veux exprimer mon désir de bonheur. Je ne veux pas regretter sans cesse des occasions manquées. L'art est [...] la part de ma vie qui m'a apporté le plus de joie. »

Otto Mueller était, comme Nolde, plus âgé et plus expérimenté que Kirchner, Schmidt-Rottluff ou Heckel quand il rejoignit la *Brücke*.

Max Pechstein
Nu sous une tente, 1911

D'ascendance partiellement gitane, dit-on, il commença comme lithographe, puis étudia la peinture à l'académie de Dresde. Il fut influencé, pendant sa jeunesse, par les écrivains Carl et Gerhart Hauptmann, dont les œuvres étaient proches de l'expressionnisme littéraire, et avec lesquels il visita l'Italie. Il était également très attiré par les peintures du Suisse Arnold Böcklin, dont les fantaisies chargées de rêve, emplies d'accents étranges et émotifs, eurent une grande importance pour les artistes qui firent la transition entre l'empirisme du XIXe siècle et le subjectivisme du nôtre. Kirchner nota dans son journal : « Si quelqu'un retrace maintenant le travail de Böcklin à Bâle depuis son origine, il trouve une ligne de développement artistique si pure qu'on ne peut que reconnaître son grand talent. Il progresse avec assurance, sans détours, sans hésitation, directement d'une peinture de valeurs à un bidimensionnalisme coloré.

Otto Mueller
Deux Femmes dans l'herbe

C'est le même chemin qu'empruntèrent Rembrandt et des modernes tels que Nolde et Kokoschka, et c'est sans doute le seul valable en peinture. »

Le travail de Mueller durant cette période, qu'il détruisit plus tard en grande partie, semble avoir été principalement symboliste dans la thématique, sinon dans la forme, et imprégné d'influences égyptiennes. En 1910, il rejoignit la *Brücke* à l'âge de trente-six ans, et son style se fixa plus ou moins. Son sujet préféré était le nu féminin, qu'il ne malmenait guère. Sa couleur était retenue, presque monochromatique par moments, et le sentiment de cette réserve nostalgique était renforcé par la volonté de produire un effet de fresque, par l'emploi notamment d'une toile grossière ou de plusieurs mélanges d'huile, de gouache et de colle. Au total le travail de Mueller possède beaucoup du caractère décoratif de l'œuvre de Pechstein, et il joua un rôle semblable de divulgateur plus que de découvreur.

L'Allemagne : Der Blaue Reiter

En comparaison avec *Die Brücke*, l'autre groupe important d'expressionnistes allemands, *Der Blaue Reiter* était plus vaste, moins défini, plus variable dans ses appartenances, mais plus idéologique dans son approche, s'attachant davantage à explorer les rapports de l'homme à l'univers.

A terme, ses membres devaient avoir plus d'influence sur l'avant-garde. Plusieurs d'entre eux, dont Klee et Kandinsky sont les figures de proue, continuèrent à explorer de nouveaux territoires visuels. Le nom du groupe fut trouvé au cours d'une conversation entre deux de ses fondateurs. En 1930 Kandinsky racontait : « Franz Marc et moi choisîmes ce nom un jour où nous prenions le café sur la terrasse ombragée de Sindeldorf. Nous aimions tous deux le bleu. Marc tenait pour les chevaux, moi pour les cavaliers. Ainsi le nom est-il venu de lui-même. »

Kandinsky peignait à Munich depuis 1896, et avait déjà fondé plusieurs groupes progressistes, mais lorsqu'en 1911 l'un d'eux refusa son *Jugement dernier*, il fonda le *Blaue Reiter* avec Marc. Le mouvement organisa des expositions et publia un almanach du même nom, dont le numéro unique contenait des essais sur l'art, et affichait parmi ses signatures Schönberg, Webern et Berg, et parmi ses illustrations, l'art populaire, les dessins d'enfants et les travaux de Cézanne, Matisse, le Douanier Rousseau, la *Brücke*, Van Gogh et Delaunay. Naturellement le Blaue Reiter était cosmopolite dans ses appartenances et ses affiliations, incluant dans ses rangs des Russes tels que Mikhaïl Larionov et Natalia Gontcharova, des Français tels que Braque, Derain, Picasso et Delaunay, et les Suisses Louis-René Moilliet et Henry Bloè Niestlé.

Il fut néanmoins dans sa conception et dans sa courte existence (le groupe fut dissous en 1914) essentiellement allemand et expressionniste. Dans le *Prospectus* du catalogue de la première exposition à la galerie Tannhäuser de Munich, on lit une autre affirmation de cet idéal : « Donner expression à des impulsions intérieures dans un sens qui provoque une réaction personnelle chez le spectateur. Nous cherchons aujourd'hui, derrière le voile des apparences extérieures, les choses cachées qui nous semblent plus importantes que les découvertes des impressionnistes. Nous cherchons à extraire et à élaborer ce côté caché de nos personnalités, non par caprice ni par goût d'être différent, mais parce que c'est le côté des choses que nous voyons. »

Les membres du *Blaue Reiter* furent plus rigoureux et plus obstinés dans leur quête que leurs contemporains. Ils explorèrent les théories de la couleur, de la perception, se frottèrent avec profit aux sciences physiques, explorèrent des espaces imaginaires et déclarèrent leur autonomie par rapport aux limites du monde visible. Profondément marqués par les spéculations philosophiques de Wilhelm Worringer, nombre d'entre eux écrivirent des textes convaincants sur les formes créatrices. Leur approche de l'art était interdisciplinaire comme l'avait été celle de la Renaissance.

Vassily Kandinsky naquit et grandit en Russie, et s'étant converti à l'art en 1895 en assistant à une exposition des impressionnistes français à Moscou, il vint à Munich qui était le centre de l'art nouveau allemand. Il s'exprima à travers une grande variété de médiums (et son intérêt pour les arts décoratifs présageait de son appartenance future au Bauhaus), dessinant par exemple des vêtements, des tapis, et des sacs à main. Sa peinture était principalement art nouveau, mais possédait déjà des qualités d'allusion et d'émotion. Voyageur infatigable, il obtint une ample reconnaissance, recevant des distinctions à Paris en 1904 et 1905, participant au jury du Salon d'automne, et gagnant le grand prix en 1906.

Mais durant cette période des impulsions plus vitales apparurent dans son travail. Il digéra l'influence de Cézanne, Matisse et Picasso ; il commença à apprécier l'art folklorique bavarois ; ses couleurs se mirent à chanter ; ses formes visibles commencèrent à perdre leurs qualités descriptives. Dans des toiles telles que *Les abords de la ville* de 1908, le sujet réel est de peu d'importance. Ce qui compte, c'est le dynamisme que possèdent les groupes de couleurs fortement contrastées. « Les maisons et les arbres ne m'impressionnaient que très médiocrement. J'utilisais le couteau pour répandre des lignes et étaler la peinture sur la toile, et les faire chanter aussi fort que je pouvais. Mes yeux étaient emplis des couleurs saturées de la lumière et de l'air de Munich, et du tonnerre profond de ses ombres. »

C'était un moment décisif dans l'histoire de l'art contemporain. La liberté dionysiaque de l'expressionnisme était mêlée en lui à la tradition métaphysique du byzantinisme russe, avec sa tendance fortement antinaturaliste et son hiératisme.

Après 1910, Kandinsky continua à représenter des éléments reconnaissables ; mais en parallèle venaient des travaux tels que *La Grande Étude* de 1914, où la forme et les couleurs ont investi un monde autonome, qui devait peu aux phénomènes visuels identifiables, bien qu'il éprouvât quelque difficulté à créer une iconographie entièrement abstraite. Dans son célèbre ouvrage, « Du Spirituel dans l'art », paru en 1910, il qualifiait de spirituels les éléments irréels de sa peinture. Les formes tourbillonnantes traversent la toile comme des derviches tourneurs, et suggèrent des impulsions plus profondes que celles qui agitaient le courant principal de l'expressionnisme. Il était poursuivi par le désir de réaliser une synthèse entre la raison et le sentiment, la science et l'art, la logique et l'intuition.

Franz Marc aurait-il été de ceux qui n'ont pas su rompre les liens avec leurs origines naturalistes ? Il est difficile de le dire, alors qu'il tomba à Verdun âgé d'une trentaine d'années, à un moment où il paraissait arriver à un point d'évolution que son ami Kandinsky avait atteint quelques années plus tôt.

Son imagination montrait quelque chose d'obsessionnel et de puissant, à lier peut-être avec ses préoccupations religieuses. Il avait entamé des études de théologie avant de commencer à peindre, activité qu'il considérait comme plus spirituelle que terrestre. Bouleversé par l'impressionnisme, il se consacra plusieurs années durant à l'étude de l'anatomie animale.

Ces études possédaient une signification émotive particulière à ses yeux, à travers son amour du cheval. Pour lui les animaux incarnaient une pureté primitive, exprimant chacun une force remarquable ou une vertu désirable ; le daim, la fragile agilité, le tigre, la force contenue. Bien qu'au début il peignît des animaux dans le fond de ses peintures, il les intégra plus tard au paysage, comme s'il cherchait une identification complète des deux.

Vassily Kandinsky
Les Abords de la ville, 1908

Vassily Kandinsky
Grande Étude, 1914

Après avoir assuré ses formes d'expression, il subit l'influence de son ami August Macke, qui était le membre du *Blaue Reiter* le plus proche des fauves dans l'exploration émotionnelle des couleurs. « Si vous mélangez du rouge et du jaune pour faire de l'orange, vous transformez le passif jaune en une furie, dotée d'une force sensuelle qui rend le bleu, froid et spirituel, nécessaire. En fait le bleu s'impose presque toujours aux côtés de l'orange. Les couleurs s'aiment les unes les autres. Le bleu et l'orange produisent un son absolument festif. »

Les implications sexuelles, le symbolisme presque infantile, le sens puissant de la personnalisation, sont les caractères typiques de la génération de Marc. Ses expériences de la couleur conduisaient à une destruction de la forme semblable à celle qu'avait accomplie Kandinsky, lorsque la mort y mit un terme.

Russe de naissance comme Kandinsky, Alexei Jawlensky était étroitement associé au *Blaue Reiter,* bien qu'il ne participât à aucune de ses expositions. Alors qu'il devait se rapprocher plus tard de Nolde, les influences qu'il subit jusqu'en 1912 furent celles de Gauguin, Matisse et Van Dongen. Ses peintures chaudes et passionnées reposaient sur la simplification, avec des couleurs vives et cernées de noir, et l'emploi d'une ligne sinueuse qui donne une unité hiératique à l'ensemble de la composition.

L'impact de la guerre le conduisit à exagérer le goût du mysticisme qu'il partageait avec Marc et d'autres. « L'art est la nostalgie de Dieu », écrivit-il. Après 1917, le gros de son travail fut constitué de *Têtes mystiques*, abstraites.

Franz Marc
Chevreuil dans la forêt II,
1913-1914

Franz Marc
Tigre, 1912

August Macke
Dame en veste verte, 1913

Bien que l'expressionnisme en général et le *Blaue Reiter* dussent jouer un rôle important dans le développement de l'art de Paul Klee, son approche des deux était imprégnée de l'hésitation qui le caractérisa sa carrière durant. Il avait toujours été un expressionniste linéaire, produisant des formes graphiques où les conventions naturalistes entraient pour peu de chose, et qui étaient tordues pour traduire une ironie fantasque, voire un discret sadisme – ce qui souligne la dette de l'art non réaliste envers la caricature.

La ligne était pour lui un élément structurel indépendant qu'il déployait pour exprimer des sensations fortes. Ses contacts avec le *Blaue Reiter* l'encouragèrent à explorer les potentialités de la couleur. Il franchit la dernière étape lors de son voyage en Tunisie en 1914 avec Macke et Moilliet. C'était le résultat d'un long processus, et non une conversion soudaine. C'est dans l'aquarelle qu'il était le plus à l'aise.

Dans des œuvres telles que *Le Fœhn dans le jardin de Marc* de 1915, on repère des concessions superficielles à l'espace perspectif, et il ne devait jamais renoncer à la réalité objective. Il la considérait comme une source de matériaux pour une imagerie personnelle, non comme un modèle à copier. Complexe, subtile et lyrique, l'œuvre est composée de sections grossièrement géométriques qui contiennent chacune une couleur, dont

Alexei von Jawlensky
Femme aux pivoines, 1909

les formes composent un schéma plan de contrepoints qui se déplace sur la surface du papier.

Dans le pôle de l'expressionnisme, Alfred Kubin représentait une tradition très différente des fantaisies délicates de Klee. Surtout illustrateur, son imagination se nourrissait de morbide, et il donna forme à ses cauchemars d'angoisse dans un style qui devait quelque chose à Beardsley, quelque chose à Goya, et beaucoup à Odilon Redon. Auteur d'un curieux roman, « L'Autre Côté », il réaffirma au XXe siècle la tradition gothique du début du XIXe.

Der Sturm : Berlin et Vienne

La *Brücke* et le *Blaue Reiter* ne sont pas les seules manifestations du nouveau romantisme visuel qui embrasait les pays germaniques. A Berlin

Paul Klee
Le Föhn dans le jardin des Marc,
1915

Alfred Kubin
Le Monstre à un œil

Page de droite, en haut :
Max Beckmann
Autoportrait au foulard rouge,
1917

Page de droite, en bas :
Lyonel Feininger
Zirchow V, 1916 (détail)

et Vienne, de puissants mouvements sécessionnistes rassemblaient les éléments progressistes de l'art dans une alliance peu fragile. Aucun d'entre eux, même au sein des expressionnistes, n'aurait adhéré aux théories radicales de Kandinsky et Marc, et dans les colonnes de revues d'art telles que « Der Sturm » de Herwarth Walden (largement responsable de l'assise de l'expressionnisme en tant que mouvement), des controverses faisaient rage sur l'acceptation ou le rejet des attitudes conventionnelles.

Typique de cette attitude est Max Beckmann, qui commença par pratiquer un expressionnisme d'instinct, dans un style qui devait beaucoup à Munch et même à Delacroix. Il prenait pour sujets le lit de mort de sa mère, le tremblement de terre de Messine de 1910, ou la tragédie du Titanic.

Il exaltait, en particulier au cours d'un long débat avec Marc dans le magazine « Pan 1 », en 1912, les valeurs traditionnelles de la peinture. « Goût pour l'éclat de pêche de la peau, pour le lustre d'un ongle, qui le rend artistiquement sensuel ; pour des choses telles que la douceur de la peau, les gradations de l'espace, qui résident non seulement dans la surface d'un tableau mais dans ses profondeurs. Goût pour le matériau. La brillance de la peinture à l'huile que l'on trouve chez Rembrandt, chez Cézanne ; le travail inspiré du pinceau de Frans Hals. »

Une conversion qu'aucune dispute esthétique n'aurait pu résoudre fut provoquée par son expérience d'infirmier, qui le fit sombrer dans la dépression et au surplus transforma son style. L'angoisse tourmentée de l'*Autoportrait au foulard* de 1917, s'exprime non seuement dans le visage et dans la pose, mais encore dans un espace étroit, une couleur âcre, une facture sèche, très éloignée de son enchantement précédent pour les pigments riches et la texture sensuelle. Produisant au long de sa carrière de nombreuses toiles avec personnages, dont plusieurs autoportraits, il les présentait non comme la transcription de gens et d'événements, mais comme des symboles de pur désespoir, les essais d'une souffrance existentialiste.

Lyonel Feininger et Oscar Kokoschka formulaient des antithèses, différentes mais complémentaires, au pessimisme enflammé de Beckmann. L'un avait un style inventif, l'autre était un traditionaliste. Tous deux étaient par leur thématique beaucoup plus joyeux.

Feininger, qui refusait les groupes et ne signa jamais aucun manifeste, se déclarait ouvertement expressionniste. « Chacun de mes travaux sert à exprimer mon état d'esprit le plus personnel à un moment particulier, et l'urgent besoin de me libérer par le biais d'un acte de création approprié, dans le rythme, la forme, la couleur, et l'humeur du tableau. »

En fait son inspiration dérivait en bonne part des cubistes et à un degré moindre des futuristes ; le rythme et la forme surtout apparaissaient dans ses tableaux. D'une construction géométrique qui métamorphosait les éléments figuratifs, ses œuvres sont plus vives que celles de Delaunay avec lesquelles elles présentent des similitudes.

La couleur est maussade, la thématique plus vaste que celle du commun des cubistes français. L'analyse en unités géométriques est complète et minutieuse, abordant chaque élément du tableau, y compris la lumière du ciel. C'est la lumière qui donne à son travail son caractère le plus expressionniste, l'enveloppant dans un mystère et un drame, aboutissant, malgré l'austérité du style, à un malaise émotionnel.

Plus confiante dans son cosmopolitisme hédoniste que Berlin, la capitale de l'Empire austro-hongrois avait connu à la fin du siècle dernier une sécession dominée par la sensualité byzantine des toiles de Gustave Klimt. La libération des principes émotifs qui structurait le mouvement fut répandue à travers l'Erope dans les pages de la revue *Ver sacrum*, qui influença abondamment *Die Brücke*.

Egon Schiele, qui fut brièvement emprisonné pour avoir produit des dessins qualifiés de pornographiques, dépendait stylistiquement beaucoup de la vitalité linéaire qui organisait l'art de son maître Klimt. Mais il ajouta une morbidité acide toute personnelle qui est rehaussée par une distorsion formelle élégante.

Même ses travaux à l'huile possèdent quelque chose de la légèreté de l'aquarelle, qu'il prisait particulièrement, l'employant avec originalité dans des sujets à l'érotisme marqué, mais aussi dans les œuvres qu'il produisit en prison notamment, empreintes d'une angoisse torturée.

On insiste souvent sur le fait que Kokoschka a grandi dans la Vienne de Freud, et que son penchant pour le portrait, rare dans l'avant-garde

Egon Schiele
Portrait du peintre Paris von Gütersloh, 1918

Egon Schiele
Pour mon art et ceux que j'aime, j'endurerai mes souffrances jusqu'au bout, 25 avril 1912

Oskar Kokoschka
La Fiancée du vent, 1914

Max Ernst
La Fiancée du vent, 1926-1927

du XXe siècle, est lié à un désir de pénétrer derrière les apparences de la personnalité du modèle. Mais les effets que les critiques imputent à une pénétration psychologique sont plus vraisemblablement déterminés par l'attitude stylistique qu'il conçut dans les années 1910-1914, quand ses structures linéaires et tortueuses furent renforcées par un appétit de pigments riches et d'empâtements d'où émergent les personnages.

Dans l'un de ses travaux les plus célèbres de cette période, *La Fiancée du vent*, immédiatement sautent aux yeux une immense aptitude à la rhétorique visuelle, qui parfois frise le pompeux, une capacité à embrasser dans une seule composition les éléments les plus disparates, et une vitalité baroque. L'analogie historique se poursuit dans la limitation que se fixa Kokoschka durant sa carrière aux conventions de la Renaissance, jusque dans les mêmes échelles de toiles.

Dans *La Fiancée du vent*, les références au Greco et à Delacroix sont patentes ; la taille est conforme aux *grandes machines* de Rubens ou Poussin (1,81 m x 2,20 m), et on n'y trouve aucune innovation radicale de forme ou de construction. Le propre de Kokoschka et de la génération des artistes expressionnistes, c'est le traitement apocalyptique du thème, la morbidité de la couleur, et l'attachement au processus de la peinture pour en extraire une humeur et dispenser un sentiment.

Il est intéressant à ce propos de comparer le tableau de Kokoschka avec l'une des toiles que peignit son cadet Max Ernst sur le même thème durant les années 20. L'expressionnisme a été l'impulsion qui a libéré Ernst, et son œuvre d'avant-guerre en est très imprégnée. Après sa rencontre avec le nihilisme artistique de dada, il se tourna vers une iconographie de libération surréaliste de l'inconscient.

Dans *La Fiancée du vent*, la violence, l'agression et le tourment sont traduits formellement dans un style qui contient tous les éléments de base de l'expressionnisme : la couleur émotive, la turbulence des formes torturées pour provoquer une réaction chez le spectateur ; mais il y ajoute

Ernst Barlach
Manifestations de Dieu :
Les cathédrales, 1922

une série de métaphores sexuelles, qui traduisent le sentiment du viol. Tout cela est renforcé par le contraste avec le placide cercle lunaire qui occupe le coin supérieur gauche du tableau.

Après la Grande Guerre.

La fermentation politique qui caractérise l'Allemagne de l'après-guerre donne aux positions esthétiques des accents encore plus politiques. Aussi puissante qu'ait été l'attraction de dada et du futurisme, c'est l'expressionnisme qui commandait le gros des troupes, et qui s'identifia avec les éléments progressistes de la tragédie de Weimar. Jusqu'aux vieux peintres qui étaient influencés par lui, et Lovis Corinth, dont l'impressionnisme vigoureux avait marqué Nolde et Macke, l'abandonnaient au profit d'un style émotionnel chargé, aux implications sociales puissantes.

L'esprit du temps donna aussi une impulsion nouvelle à l'intérêt des expressionnistes pour les médiums graphiques, aux potentialités de propagande politique. Les innovations stylistiques de Crane et de William Morris, la popularité croissante des livres illustrés, l'impact de Beardsley, de Gauguin et de Lucien Pissarro, qui chacun dans son genre ont élargi le champ de la gravure et des impressions, tout cela était renouvelé par l'intérêt contemporain pour la gravure populaire sur bois de la fin du Moyen Age allemand.

Des artistes tels que Nolde, Heckel et Ernst Barlach (1870-1938), produisirent dans cette mouvance des œuvres en noir et blanc, de composition simple, et chargées d'une émotivité fébrile, où les effets perspectifs sont obtenus par l'intercommunication des plans. Ces œuvres s'abstiennent absolument de toute tentative de séduire.

Le désir de violenter la sensibilité du spectateur plus que de la charmer fut encore plus à l'ordre du jour dans les années 20. C'est chez George Grosz qu'on le voit le mieux, qui, bien qu'il appartînt au dada berlinois, était au fond très imprégné des principes expressionnistes, dans le but de déstabiliser l'establishment et de propager son idéal démocratique. Il

Lovis Corinth
Le peintre Bernd Grönvold, 1923

exprimait, avec un brio acerbe qui n'a jamais été égalé, le visage inacceptable du capitalisme.

Il produisit nombre de lithographies, de gravures et de tableaux, qui dépeignent l'Allemagne d'après-guerre avec la même précision que l'œuvre de Daumier, la France de Louis-Philippe. Mais sa force fut sa faiblesse, et bien que sa couleur puisse prendre des accents de lyrisme discret, il ne put jamais surmonter son dégoût fondamental pour l'humanité, malgré les idéaux démocratiques qui animaient son œuvre. Il n'était jamais aussi bon que dans le sadisme, et il concentre, sous une forme exagérée, la forte tendance de puritanisme venimeux qui donne habituellement son nerf à l'expressionnisme.

Les expressionnistes ont porté un coup fatal à la rationalité. Les

George Grosz
Scène de marché aux fruits, 1934

George Grosz
Les Chercheurs d'or, 1920

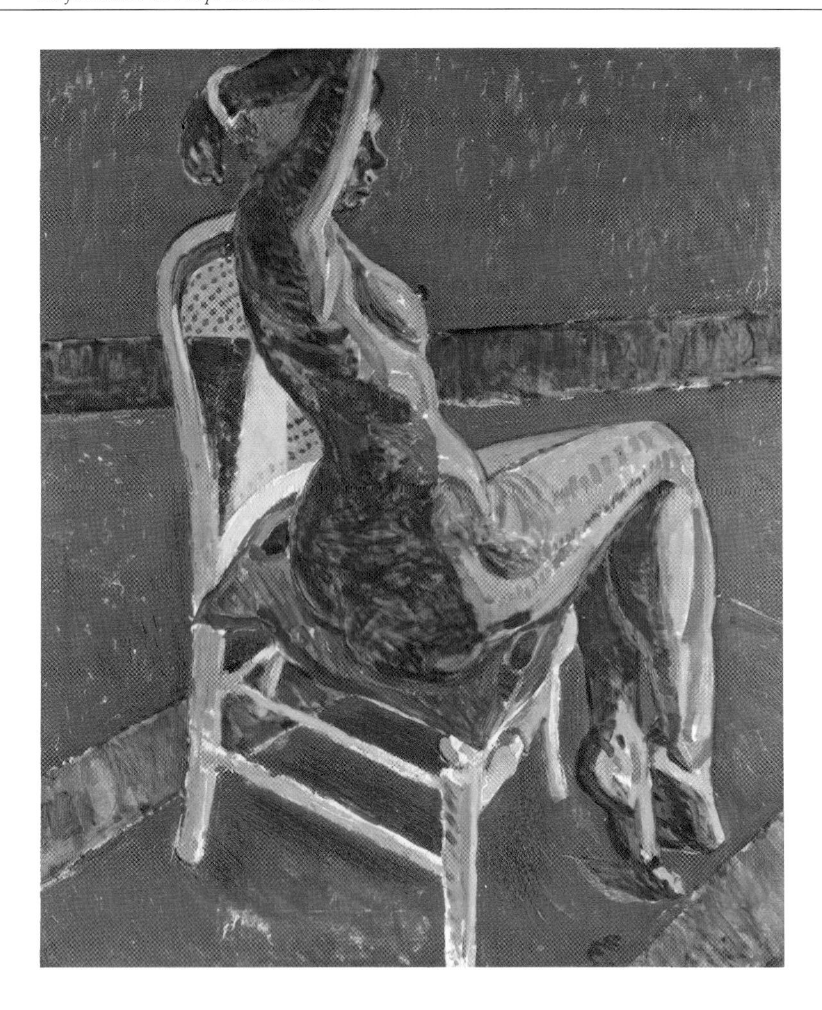

Matthew Smith
Nu, Fitzroy Street, n° 1, 1916

techniques qu'ils développèrent furent employées par de nombreux artistes dans des intentions souvent proches des leurs. Les couleurs simples et fortes, la vision passionnée qui caractérise l'œuvre essentiellement fauviste de Matthew Smith (1879-1959) représentent un aspect d'une tradition que complète la vision plus personnelle de Jack Keats, dont la mythologie intime prend forme sous une touche tourbillonnante de peinture lumineuse. Et l'iconographie brûlée de soleil, furieuse, de l'Australien Arthur Boyd ne paraîtrait pas étrangère à un membre de la *Brücke* ou du *Blaue Reiter.*

Le goût passionné de la violence, la recherche de sensations extrêmes qu'on pût enfermer dans le cadre traditionnel du tableau, sont un autre legs de l'expressionnisme. La ressemblance entre *Study of Red Pope* (Étude pour Innocent X), de Francis Bacon et *Le Chasseur de chez Maxim's,* de Chaïm Soutine, est plus que fortuite. Les deux sont mus par le désir d'exprimer les résonances de la couleur, les déformations de la ligne, dans une exagération des caractéristiques physiques, afin d'imprimer chez le spectateur l'impact de l'émotion éprouvée par l'artiste.

En même temps les spécialistes de l'esthétique et les critiques fournissaient de nouvelles bases théoriques pour établir l'infaillibilité du *ça*, qui était l'une des thèses implicites de l'expressionnisme. John Russell, par exemple, explique, voire revendique, l'imagerie torturée des plans multiples de Bacon, en se référant à l'« exploration de l'inconscient » formulée par Anton Ehrenberg dans *L'Ordre caché de l'art* (1967), et qui poursuit la théorie expressionniste de la créativité exposée par Worringer cinquante ans plus tôt. La rationalisation, le contrôle, la retenue, l'analyse, sont transformés en péchés psychologiques ; la spontanéité, le rejet de la vision consciente, le chaos de l'inconscient, la structure indifférenciée de la perception subliminale, passent pour des vertus, les sources vraies de la créativité.

Chaim Soutine
Le Chasseur de chez Maxim's, 1927

Les implications moralistes en sont évidentes, et cela devait apparaître au grand jour lorsque, avec l'avènement de l'école des expressionnistes abstraits de New York, le critique Clement Greenberg tâcha de lui fournir un fondement théorique ; en vertu de la spontanéité absolue du travail commandée par le pur hasard gestuel, les œuvres parvenaient à une sorte de vérité libératoire qui était en même temps vertueuse et thérapeutique. Cette idée est allée très loin, produisant le mode de vie selon lequel on pouvait « construire son existence », et se traduisant dans le culte contemporain de héros tels que Joseph Beuys.

Les impulsions récentes de l'expressionnisme ne sont d'ailleurs pas épuisées. L'art brut d'un peintre tel que Dubuffet démontre à l'envi une volonté de choquer l'œil, et il a dit lui-même de sa série des *Corps de dame* : « Je me suis toujours plu (et je pense que c'est constant dans ma peinture) à faire contraster dans ces corps de femmes le plus général et

Francis Bacon
Study of Red Pope
(Étude pour Innocent X), 1962

Willem de Kooning
Femme et bicyclette, 1952-1953

le plus spécifique ; la métaphysique et le grotesque trivial. » Willem de Kooning est aussi de ceux qui, tournant le dos à leurs premières périodes purement abstraites, sont revenus à des inspirations d'ordre expressionniste.

Mais limiter la signification contemporaine de l'expressionnisme à la survivance occasionnelle de ses maniérismes stylistiques serait le sous-estimer. Plus qu'aucun autre épisode de l'histoire de l'art durant ces cent dernières années, il a émancipé la peinture, agrandi ses limites de forme, de ligne et de couleur, et rendu possible l'impossible. Rien de ce qui est survenu en art après lui n'a échappé à son influence.

Cubisme, futurisme, constructivisme.

Le cubisme, le futurisme et le constructivisme sont les trois mouvements artistiques importants du début du XXe siècle. Ils s'épanouissent en des lieux et des époques différents. Le cubisme se développe à Paris entre 1907 et 1914, le futurisme s'annonce par un manifeste à Milan le 20 février 1909, et le constructivisme naît à Moscou, après la révolution de 1917 ; mais les liens qui les unissent sont nombreux. Ainsi les peintres futuristes rendent-ils visite aux cubistes dans leurs ateliers de Paris en 1911, et leur style en sortira profondément marqué. Le constructivisme, quant à lui, élabore ses réflexions théoriques sur le terreau des deux premiers mouvements.

A l'origine de formes neuves et de procédés nouveaux, ces théories artistiques influencent aujourd'hui encore nos conceptions sur les visées et la valeur de l'art. Si elles sont évidemment parentes, elles s'opposent toutefois à bien des égards. Les cubistes traitent les futuristes de « plagiaires italiens », qui répondent en qualifiant le cubisme d'« académie masquée », et se réclament du seul art vraiment moderne, dynamique. Les constructivistes, eux, écriront plus tard : « Les tentatives cubistes et futuristes pour dégager les arts visuels des eaux stagnantes du passé n'ont servi qu'à propager de nouvelles erreurs. » Sans doute une bonne partie de ces propos acerbes sont-ils dus au besoin de s'affirmer comme modernes et originaux. Néanmoins il est clair que, derrière des ressemblances multiples, un intérêt réciproque, des échanges partagés, les trois mouvements véhiculent des valeurs très différentes, tant au plan social qu'esthétique.

Le cubisme

On dit souvent que l'art moderne commence avec le cubisme. On a dit aussi que le cubisme révolutionnait les arts visuels d'une façon aussi importante que la Renaissance (mais ni le futurisme, ni le constructivisme n'admettent aisément leur dette à cet égard). Contrairement à eux, le cubisme n'est pas à l'origine un mouvement en soi. A l'image d'un mouvement politique, un mouvement artistique se propose de toucher un grand public. Or le vrai cubisme est un art essentiellement ésotérique, délibérément intime qu'inventèrent deux peintres à l'intention de leurs proches.

Ces peintres sont Pablo Picasso, un Espagnol, et Georges Braque, un Français. Parmi leurs amis, des écrivains d'avant-garde, tels Max Jacob, Guillaume Apollinaire, André Salmon et la richissime Américaine Gertrude Stein. Le seul autre peintre du groupe est André Derain. La

Pablo Picasso
La Danse, 1925

plupart habitent Montmartre, le village sur la colline qui domine Paris, devenu à la fin du siècle précédent le haut lieu de la vie nocturne de la capitale. Le bidonville délabré où vivaient Picasso et Max Jacob avait auparavant abrité d'autres artistes et écrivains de la génération de Gauguin, qui y avait d'ailleurs personnellement vécu. Le groupe était conscient « d'habiter la Bohème », de mener une « vie d'artiste ». L'incompréhension avec laquelle le public avait accueilli Cézanne, Gauguin et Van Gogh confortait son indifférence pour le monde extérieur.

Dans leurs souvenits, les peintres évoqueront avec tendresse leur pauvreté d'alors. Les écrivains trouvaient de petits emplois et travaillaient pour les journaux. Un ou deux marchands visitèrent les ateliers des artistes et achetèrent quelques œuvres. Mais le groupe dut de survivre à la fortune de Gertrude Stein, qui acheta à Picasso plus de tableaux qu'Ambroise Vollard.

Le cercle se complaisait dans son élitisme. « Nous inventions un monde artificiel fait de blagues sans nombre, de rites et d'expressions inintelligibles par d'autres », écrira plus tard André Salmon. Max Jacob baptisa les ateliers où il habitait avec Picasso du nom de « Bateau-Lavoir ». Au centre du cercle se trouve Picasso. Ses amis lui rendent visite quotidiennement ; sur sa porte on peut lire : « Au rendez-vous des poètes ». Dans leurs escapades parmi les bars, on les appelle « le bande à Picasso ».

Gertrude Stein les décrit : « Ils commençaient leur journée là-haut, mangeaient toujours au petit restaurant d'en face et Picasso était plus que jamais... le petit torero suivi de son escouade de quatre hommes... Napoléon suivi par quatre gigantesques grenadiers. Derain, Braque étaient de grands hommes, énormes, Guillaume (Apollinaire), un homme lourd, et Salmon n'était pas petit non plus. Picasso était un véritable petit chef. »

Selon ses amis, l'homme est unique, génie irrésistible, imprévisible, énigmatique. Enfant prodige à Barcelone, il exposa pour la première fois à l'âge de dix-neuf ans, en 1901, chez Ambroise Vollard. A vingt-quatre ans, il apparaît aux yeux d'Apollinaire comme un « adolescent aux yeux inquiets dont le visage rappelle Raphaël ou Forain... Tout Montmartre connaît son bleu de travail, ses blagues parfois cruelles et son art étrange. Son atelier déborde de peintures, d'Arlequins mystiques, de dessins sur lesquels marche le visiteur, qui peut, s'il le désire, les ramener chez lui ». C'est le rendez- vous de tous les jeunes artistes, de tous les jeunes poètes. En 1911, André Salmon donne sa version personnelle des visites à l'atelier de Picasso : « Accueillant et narquois, vêtu comme un aviateur, indifférent aux louanges comme à la critique, enfin, il montre ses toiles, très recherchées mais qu'il a la coquetterie de ne montrer nulle part. »

Salmon et Apollinaire mettent tous deux en lumière les manies de Picasso, et s'attachent soigneusement à entretenir cette image. Ces descriptions sont des articles écrits dans le but de promouvoir l'originalité du peintre, alors que d'autres artistes moins importants commençaient à attirer l'attention sur leurs interprétations personnelles du cubisme. « Il a été question d'une étrange manifestation cubiste..., note Apollinaire en 1910, il s'agit d'imitations serviles et fades de certains tableaux qui n'ont pas été exposés au Salon, et qui sont peints par un artiste doué d'une très forte personnalité qui n'a pas encore révélé ses secrets à personne. Ce grand peintre se nomme Pablo Picasso. »

Parce que Apollinaire, Salmon et Stein réduisent le rôle de Braque dans la genèse du cubisme, on l'a longtemps pris pour un disciple parmi tant d'autres. Apollinaire, qui était un grand ami de Derain, affirme en 1912, dans « Le Temps », que ce sont Derain et Picasso qui ont inventé ensemble le cubisme, et appelle Braque « le vérificateur » : « Il a vérifié toutes les innovations de l'art moderne. » C'est seulement en 1917, après que Braque eut souffert de blessures similaires aux siennes, tandis que Picasso, moqueur, était resté à l'arrière, qu'Apollinaire écrit à la presse pour rétablir Braque dans sa primauté et insister sur le fait que le cubisme n'est pas espagnol mais franco-espagnol, c'est-à-dire latin.

Plus tard, Gertrude Stein racontera sa vision des choses dans son « Autobiographie d'Alice B. Toklas » : « Mlle Toklas se souvient d'avoir vu au Salon des indépendants deux toiles qui se ressemblaient beaucoup, sans être identiques. L'une est de Braque, l'autre de Derain. C'étaient des tableaux bizarres de figures aux formes étranges comme taillées dans des blocs de bois. »

Par la suite, Gertrude Stein amène Alice B. Toklas à l'atelier de Picasso. Après qu'elles l'eurent quitté, Stein lui demande : « Qu'avez-vous pensé de ce que vous avez vu ? – Eh bien, j'ai vu quelque chose. – Assurément, mais avez-vous vu quels liens cela a avec les toiles qui vous ont absorbée si longtemps ? – ...Simplement que les Picasso étaient plutôt laids et que les autres ne l'étaient pas. – C'est que, dit Stein, comme le remarquait un jour Picasso, quand vous faites une chose, c'est si compliqué de la faire qu'elle est forcément laide, tandis que ceux qui viennent après vous n'ont pas à se préoccuper de la faire et qu'ils peuvent à leur aise la rendre jolie, en sorte qu'elle plaise à tout le monde. »

Parmi les tableaux « affreuses » que voient Alice B. Toklas et Gertrude Stein au Bateau-Lavoir devaient figurer les désormais célèbres *Demoiselles d'Avignon*. Cette toile composée de cinq femmes nues ou dénudées passe aujourd'hui pour la première œuvre cubiste. La plupart des analyses confirment celle de Gertrude Stein : c'est laid parce que c'est neuf. John Berger écrit, dans « La Réussite et l'échec de Picasso », qu'« accoutumés à l'insolence de tant d'œuvres récentes, nous sous-estimons certainement la brutalité des *Demoiselles d'Avignon*... qui se voulaient choquantes... Les dislocations de l'image sont une agression, et ne proviennent pas d'une esthétique. On y approche le scandale autant que le peut la peinture ».

C'est ce que Salmon suggérait dans son « Histoire anecdotique du cubisme » de 1912. Il se trouvait sans doute parmi les amis auxquels Picasso montra pour la première fois le tableau. « Des nus prennent forme – leurs déformations nous émeuvent peu, tant Picasso lui-même nous y a préparés, avec Matisse, Derain, Braque... et précédemment Cézanne et Gauguin. C'est la laideur des visages qui glace d'horreur ceux qui ne sont convertis qu'à demi. » Les masques de Méduse choquent, dit-il, car ils s'opposent aux canons de la beauté féminine de la Renaissance.

Or Salmon omet d'expliquer la raison de cette agressivité de Picasso, soulignant au contraire la gratuité de son acte. « Picasso menait une vie merveilleuse à l'époque. Son génie libéré rayonnait plus que jamais... Totalement lui-même, ayant confiance en lui, il se laissait guider par une imagination trépidante... il n'avait pas de raison de supposer qu'une modification de ses efforts lui apporterait plus de louanges ou lui ferait faire fortune plus rapidement, puisque l'on commençait à accrocher ses tableaux. Pourtant Picasso éprouvait un malaise. Il retournait ses toiles contre le mur, jetait ses pinceaux à terre. Il dessinait jour et nuit. »

On peut découvrir une source possible de ce malaise au sein du cercle d'amis, d'où non seulement provenaient les seules approbations qu'il estimât, mais sans lequel, par l'entremise essentielle des Stein, il crierait encore famine. Apollinaire note en effet dans son exemplaire du catalogue du Salon des indépendants de mars 1906, qu'« en ce moment (Léo) Stein ne jure que par deux peintres, Matisse et Picasso ».

Matisse a trente-six ans en 1906, douze de plus que Picasso ; il est le doyen de l'avant-garde. L'année précédente, ses tableaux, exposés au Salon d'automne avec ceux de plusieurs de ses amis, avaient fait sensation. Leurs couleurs, d'une vivacité stupéfiante, sortaient tout droit du tube, appliquées par touches dignes d'un enfant, aux dires de la plupart des critiques et des visiteurs. Dans cet esprit, Louis Vauxcelles surnomma le groupe « Les fauves », c'est-à-dire proprement les *bêtes sauvages*. Les autres peintres de l'exposition scandaleuse sont tous plus jeunes : André Derain, Maurice de Vlaminck, Alfred Marquet, Kees Van Dongen, pour ne citer qu'eux ; c'est pourquoi on surnomme Matisse « le roi des fauves ».

Or Picasso visitait régulièrement le 27 rue de Fleurus, où résidaient les Stein, ses nouveaux protecteurs. Chaque samedi, il pouvait voir ces toiles prisées d'avant-garde, et souvent rencontrait Matisse en personne. Quand, plus tard au cours de l'année 1906, il commença des études pour une grande toile non conventionnelle de nus féminins, il comprit qu'on la comparerait aux œuvres de Matisse, notamment *La Joie de vivre*, que possédaient les Stein, et *Luxe, calme et volupté*, clou du Salon d'automne de 1905. Cette dernière, peinte selon la technique pointilliste, figurait un groupe de femmes dénudées se baignant et pique-niquant au bord de l'eau. *La Joie de vivre* était plus hardi encore. Par son coloris et son effet général, il tenait davantage du tapis persan que de la traditionnelle peinture à l'huile occidentale. Son dessin était aussi libre que son coloris, évoquant les gravures sur bois japonaises du XVIIIe siècle.

Dans ces deux toiles ambitieuses, Matisse se risquait au sujet le plus ambivalent du XIXe siècle : la grande composition de nus féminins. Vénus, Galatée, Diane et d'autres pensionnaires moins importantes de l'Olympe, ainsi que des nymphes et bien d'autres thèmes encore, fournissaient l'occasion de représenter le nu féminin. Il était clair que le sujet importait de moins en moins, mais lorsqu'il disparaissait la nudité posait problème. Si la critique jugeait les compositions « acceptables » dans l'ensemble, on en louait l'exécution, l'habileté du dessin, la délicatesse des couleurs, ou la beauté du sujet. Si en revanche la couleur, le dessin, ou la laideur du modèle étaient critiquables, le tableau était automatiquement condamné pour vulgarité ou indécence.

Deux grands artistes du XIXe siècle sont associés au nu. Celui qui marque le plus directement le cubisme est Paul Cézanne. Ses toiles de femmes au bain, considérées comme l'apogée de sa carrière, influencèrent de façon déterminante Picasso lorsqu'il travaillait aux *Demoiselles*.

L'autre peintre de nus était Jean Auguste Dominique Ingres, « le grand peintre, le talentueux adorateur de Raphaël », comme dit de lui Charles Baudelaire en 1845. Parmi ses nombreux nus, l'un était sans précédent : *Le Bain turc* de 1863, achevé à l'âge de quatre-vingt-deux ans. Cette composition circulaire d'un intérieur de femmes nues est d'une sensualité incroyable, qui ne cherche aucunement à se justifier ni à se déguiser. Ingres avait abandonné les déesses de l'Olympe, et offrait au public parisien les concubines d'un harem turc, se baignant ensemble, nues.

Les amis de Picasso témoignent de l'importance d'Ingres dans la genèse du cubisme. La liste des influences subies par le cubisme, que dresse Salmon : « Cézanne, les nègres, le Douanier Rousseau, Greco, Ingres, Seurat », pourrait, à l'exception de Seurat, s'appliquer intégralement aux *Demoiselles*.

Picasso réalise deux variantes d'une scène de harem durant l'été 1906. Celle de Cleveland, la plus achevée, montre tout ce qu'il doit à Ingres, pour ce qui est du sujet et du style. Les premières études pour les *Demoiselles* révèlent qu'il pensait à une scène de bordel. Un marin habillé figure parmi les cinq femmes nues, et un autre homme habillé entre par la gauche. Le bordel est le sordide pendant occidental du harem, et le premier maître de Picasso, Toulouse-Lautrec, en avait fait un sujet de prédilection.

Au cours de la longue étape des dessins préliminaires exécutés par Picasso pour les *Demoiselles*, les deux hommes disparaissent rapidement.

Pablo Picasso
Étude pour *Les Demoiselles d'Avignon,* 1907

Pablo Picasso
Les Demoiselles d'Avignon, 1907

Les historiens estiment que Picasso abandonne alors son idée première pour se plonger uniquement dans les problèmes picturaux qui l'agitaient. Cette opinion suppose un travail d'expérimentation très proche d'une méthode scientifique, ce qui ne ressemble pas à Picasso. « A mon sens, chercher ne veut rien dire en peinture. C'est trouver qui est intéressant », dit-il en 1923. On peut plutôt penser qu'en chassant les marins de sa composition, Picasso déplace l'intérêt vers l'extérieur. La figure de gauche, masculine à l'origine, devient une femme, partiellement couverte d'un peignoir, qui écarte les pans d'un rideau afin de révéler les deux figures centrales au spectateur.

Les antécédents dont il se réclame sont des peintres peu considérés (les artistes catalans médiévaux), un peintre espagnol au génie bizarre (Greco), un naïf français chéri et loué par le groupe d'amis (le Douanier Rousseau), et plus choquant encore, « les Nègres ».

La sculpture africaine sur bois était collectionnée par la plupart des membres du cercle de Matisse. Quoique Picasso nie avoir connu les masques nègres avant les *Demoiselles*, on constate que les deux visages de droite, dont Salmon dit qu'ils provoquent l'horreur, leur ressemblent nettement. Une simple coïncidence paraît hautement improbable.

Le personnage accroupi sur la droite réunit les innovations les plus extrêmes. La tête grotesque, comme un masque, surmonte un corps curieusement déformé. « On dirait que le peintre s'est déplacé librement autour du modèle, récoltant des informations provenant d'angles variés. Le rejet d'un système de perspective, qui marque la peinture occidentale depuis la Renaissance, signale ... le début d'une nouvelle ère dans l'histoire de l'art », écrit John Golding dans son étude essentielle sur le *Cubisme*. Ce personnage figure sur les toutes premières esquisses, et y tenait déjà un rôle spécifique. Alors que les autres prostituées prennent des poses alanguies, elle s'accroupit face au marin (le client) assis au centre de la scène, s'offrant indubitablement à lui, les cuisses largement écartées. Elle est aussi accessible que le melon ouvert posé sur la table qui les sépare. Dans la toile elle-même, le marin a disparu ; la tête de la Demoiselle accroupie pivote pour regarder vers l'extérieur. Le compotier est à présent sur le bord du tableau, entre le spectateur et les putains.

Picasso n'a pas tourné son personnage pour l'exhiber de manière plus explicite, mais au contraire pour rendre sa position plus ambiguë. D'après les esquisses, il est clair que Picasso s'intéressait aux silhouettes insaisissables dont les contours peuvent aussi bien se lire comme vus de face ou de dos. Dans une étude à l'huile, la tête du personnage regarde le spectateur tandis que son corps est une forme totalement ambivalente, avec des seins coniques surgissant de dessous ses aisselles. Impossible de savoir si elle expose son dos ou son ventre.

Tel est le torse où Picasso a brutalement juché le masque africain primitif et terrifiant. Deux des dessins de cette époque peuvent en être des esquisses – à moins qu'il ne s'agisse d'études de torse. Picasso a dessiné un visage dans l'espace d'un dos. Les yeux apparaissent dans les omoplates, le nez dans la ligne courbe de l'épine dorsale, tandis que le menton est une cuisse raccourcie par l'angle de vue. L'autre esquisse montre le même contour transformé d'abord en vue frontale d'un torse, puis en une face semblable dont cette fois les yeux naissent des seins et la bouche du sexe de la femme. La même assimilation était fréquente déjà dans les *Caprichos* de Goya.

Voilà le masque de Méduse, dont parle Salmon, qui « glace d'horreur ceux qui ne sont convertis qu'à demi ». Par une indécence d'ordre esthétique, l'étalage offert originellement au marin glisse méthaphoriquement en direction du spectateur. Le tableau ne perd pas son sujet originel ; d'après Salmon d'ailleurs, il s'était un temps appelé « Le Bordel philosophique », avant de tirer son titre de la « Carrer d'Avinyo », quartier de la prostitution barcelonaise.

Si cette toile peut être considérée comme la réponse de Picasso à *La Joie de vivre* de Matisse, version moderne du *Bain turc* d'Ingres, c'est une réponse cruelle. Salmon rapporte que Picasso s'inspirait d'artistes sauvages parce que « leur logique les avait conduits à représenter un être en lui-même et non l'idée que nous en avons ». Il traduisait le rêve ingresque des houris languissantes dans un hammam par la sauvagerie réaliste d'un style « vraiment » primitif.

Matisse et Leo Stein se mirent en colère à la vue des *Demoiselles*. Ils se moquèrent en disant que Picasso essayait d'inventer une quatrième dimension. C'est à la même époque que Braque visita le Bateau-Lavoir pour la première fois. Il dit à Picasso : « En dépit de toutes tes explications,

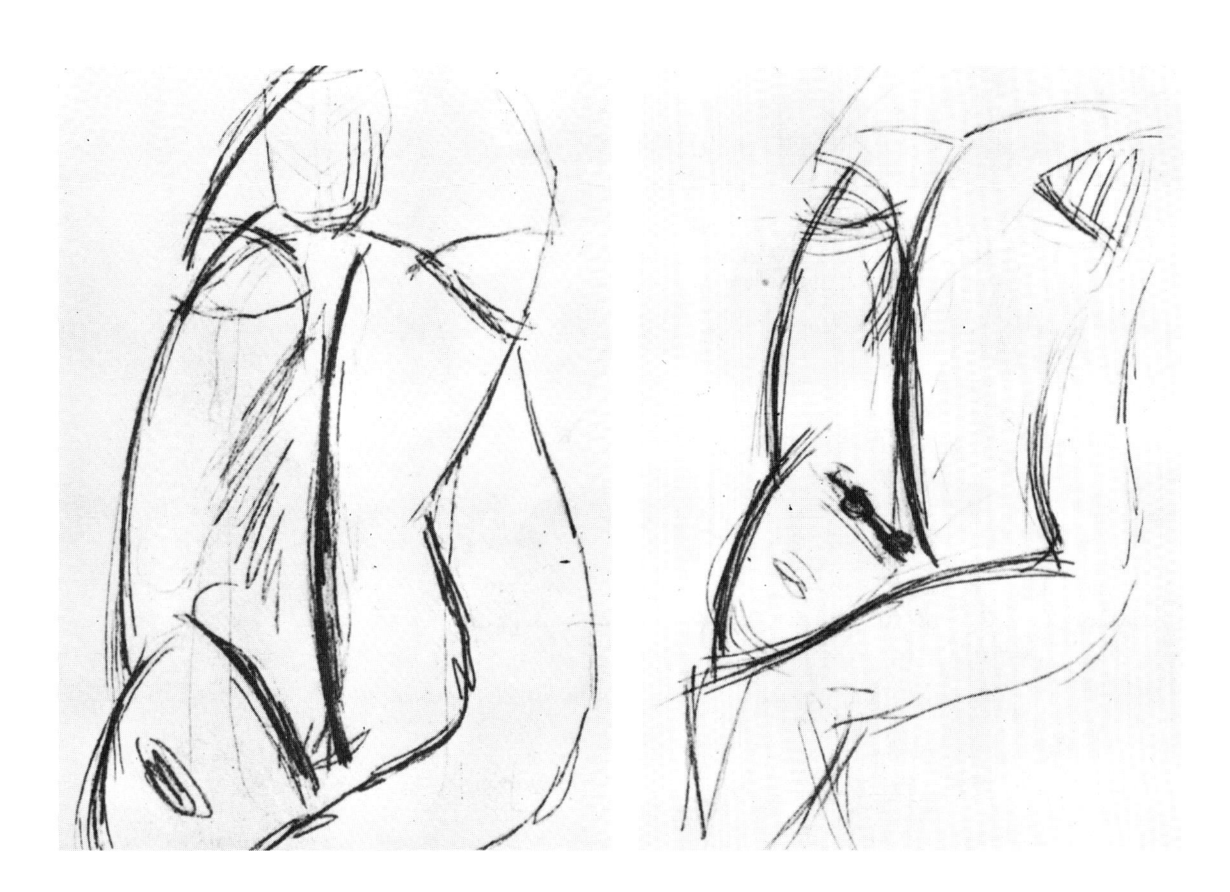

Pablo Picasso
Étude pour *Les Demoiselles d'Avignon*, 1907

Pablo Picasso
Étude pour *Les Demoiselles d'Avignon*, 1907

tu peins comme si tu voulais nous faire manger des bouts de ficelle ou boire du pétrole. »

De six mois le cadet de Picasso, Braque n'avait rien d'un prodige. Le Salon des indépendants de mars 1907 (alors que Picasso travaillait déjà aux *Demoiselles*) marque ses premiers succès professionnels ; les six toiles qu'il exposait furent vendues. Son travail fut remarqué par un jeune marchand allemand, Daniel-Henry Kahnweiler, qui venait juste d'ouvrir une galerie à Paris. En octobre de cette même année, il achetait par contrat toute la production de Braque, et parallèlement le présentait à Apollinaire, lequel l'introduisit auprès de Picasso.

Quelle que fût l'impression première de Braque devant les *Demoiselles*, elle demeura intense. Ses toiles du Salon des indépendants étaient fauvistes, mais la visite à Picasso réorienta son travail dans un sens totalement différent. Un tableau de nus de taille moyenne l'occupa durant les six mois suivants, et tout prouve que les *Demoiselles* sont à l'origine du bouleversement dans sa peinture.

Ce *Nu* de Braque présente un masque aux yeux vides, qui regarde le spectateur par-dessus l'épaule. Les formes vigoureuses, provenant aussi des *Demoiselles*, se détachent sur un drap aux plis anguleux. De même l'orientation spatiale est obscure. La Demoiselle en peignoir rose écarte un rideau brun révélant un ciel bleu, lui-même rideau s'écartant pour révéler un intérieur obscur. La Demoiselle au bras levé était, sur une esquisse, assise sur une chaise. A présent, elle se tient debout, ou plutôt prête à tomber, rappelant verticalement la pose horizontale de la *Vénus endormie* de Giorgione. La femme nue de Braque paraît se tenir inconfortablement sur les orteils de son pied droit, alors qu'elle est beaucoup plus à son aise si on l'imagine couchée et vue d'en haut.

En dépit de sa parenté criante avec les *Demoiselles*, ce n'est pas un tableau de Picasso mais le *Nu* de Braque qui inaugure le cubisme. Durant toute l'année 1908, Picasso développe les conséquences de sa trouvaille de 1906. Ses préoccupations tournaient autour de formes solides et hardiment sculpturales. Cette période a été qualifiée de « Période nègre », car ses travaux, même s'ils ne s'inspirent pas tous de l'art africain, sont tous également *primitifs* dans leur dureté et leur crudité. Braque quant à lui travaille dans une direction tout à fait différente. Il montre de plus en plus sa dette à l'égard de Cézanne. Ce sont ses œuvres, et non celles de Picasso, qui en 1908 méritent les premières le qualificatif de *cubistes*, de la part de Matisse, membre du jury du Salon d'automne qui refusa toutes les toiles de Braque cette année-là. Les tableaux furent exposés dans la galerie de Kahnweiler, et Louis Vauxcelles remarqua que Braque réduisait tout à des cubes.

Peut-être est-ce à partir de ce moment que Picasso commença à considérer plus sérieusement le travail de Braque. Le cubisme allait naître, de l'amitié et de la rivalité des deux peintres. Braque évoque les années qui suivirent : « Nous vivions à Montmartre, nous nous voyions tous les jours, nous parlions. Pendant ces années, Picasso et moi avons discuté de sujets que plus personne n'aborderait plus, que plus personne ne saurait aborder, que personne ne comprendrait plus. » Lui et Picasso étaient comme « deux montagnards encordés ensemble ». Bientôt ils eurent même du mal à différencier leurs travaux. Cette similitude leur plut, et ils ne signèrent plus leurs tableaux, laissant le soin à l'assistant de Kahnweiler d'établir les distinctions au dos de chaque toile.

Braque, dans les paysages peints à l'Estaque en 1908, concentra les qualités essentielles du cubisme. De Cézanne, il avait appris, en premier lieu, à fuir les diagonales puissantes, les raccourcis et autres références à la perspective qui pussent indiquer une profondeur trop manifeste. Il apprit aussi à inventer des modèles de représentation bidimensionnelle d'objets en trois dimensions, qui, au surplus, se trouvaient sur des plans différents. Un arbre se dressant sur la droite de la toile, par exemple, pouvait être contrebalancé par un sentier sur la gauche ; leurs deux courbes enserraient ainsi le paysage en l'unifiant. Le troisième enseignement de Cézanne était d'éviter les formes fermées. Des suspens dans le contour permettaient aux objets de se mêler les uns aux autres, et de rendre plan l'espace où ils se juxtaposaient. Le procédé avait aussi l'avantage de donner à la ligne son indépendance en tant qu'élément pictural.

Les paysages de Braque différaient de ceux de Cézanne à deux points de vue. Les travaux du Maître, épigone des impressionnistes, brillaient d'un coloris lumineux, tandis que la palette de Braque, où un gris neutre prédominait, tendait au monochrome – en réaction peut-être à sa période fauve. De même, alors que le dessin de Cézanne tremblait, chargé d'une

Georges Braque
Nu, 1907-1908

Georges Braque
Paysage de l'Estaque, v. 1908

hésitation expérimentale, Braque usait d'un trait agressif, d'une touche brutale. Cézanne paraissait contempler le monde, en quête de sa signification ; Braque le refaisait, obéissant aux exigences de son art.

Dès le début de l'année 1909, les différences entre le style « nègre » de Picasso et le style post-cézannien de Braque diminuèrent jusqu'à disparaître. Ils créaient un art qui, comme les critiques l'avaient déjà dit du fauvisme de Matisse, était théorique, mais qui, à la différence de la peinture fauve, semblait se donner pour objet la *substance* des choses. Ultérieurement, Braque devait faire des déclarations explicites sur son abandon de la perspective traditionnelle : « C'était un procédé trop mécanique pour pouvoir prendre pleinement possession des choses. » Il est paradoxal que dans la peinture cubiste en général, et dans celle de Braque en particulier, bien qu'il soit difficile de savoir exactement *ce qui* est représenté, ou même *l'endroit* où cela est censé être, néanmoins cet objet inconnu ou méconnaissable est d'une présence et d'une solidité indéniables.

Il n'y a là aucun mystère : cela provient de l'emploi que font les cubistes de la *facette* comme élément de base de la peinture. C'était l'innovation fondamentale de Picasso dans ses *Demoiselles d'Avignon*. C'est la facette, et non le cube, qui est la clef de son art. La facette peut être de taille variable, mais ses traits essentiels demeurent de 1908 à 1913. C'est une petite portion de tableau que cernent des lignes droites ou courbes, avec deux arêtes voisines définies par un ton clair et deux arêtes opposées par un ton sombre, tandis que la zone intermédiaire évolue entre ces deux extrêmes. L'effet de ton tend à suggérer une surface violemment convexe ou concave, ce que contredisent les arêtes des facettes.

Les facettes sont composées selon trois grands principes : tout d'abord, elles sont peintes presque toujours légèrement en biais par rapport à la surface verticale du tableau ; pour donner une image, on peut les comparer aux vantaux d'une fenêtre qui seraient toujours entrouverts, mais jamais ouverts à angle droit avec l'encadrement de la fenêtre. D'autre part, bien que les facettes se chevauchent et projettent des ombres les unes sur les autres, les ombres et les chevauchements ne sont pas cohérents entre eux. Troisièmement, les arêtes des facettes se dissolvent, laissant leurs contenus se fondre les uns dans les autres de la manière que les cubistes avaient apprise chez Cézanne.

Ainsi ces facettes en bas-relief, qui sont peintes en clair-obscur traditionnel et qui semblent si tangibles, si réelles, sont-elles agencées selon un système paradoxal, déroutant, qui défie toute identification immédiate. Elles représentent néanmoins des objets bien réels tirés de la vie de tous les jours, tels que des pipes, des bouteilles, des instruments de musique, tout ce qui entre dans la vie d'un artiste – ce sont parfois même des portraits de leurs amis ou de leurs maîtresses.

La première phase du cubisme était née de la rencontre du primitivisme de Picasso et des formes post-cézanniennes de Braque – période de simplifications radicales et de formes lourdes. Cet effet de monumentalité était allégé par l'ambiguïté des formes et par l'absence systématique du raccourci perspectif qui aurait donné aux objets une présence tridimensionnelle trop convaincante.

C'est dans ce climat sculptural que naquirent les images paradoxales de l'année 1910. Dans cette phase-ci, on rencontre des objets au relief accusé dans un espace qui paraît volontiers profond. Mais les dimensions des objets demeurent incertaines, l'espace indéterminé. A la Tate Gallery de Londres, on trouve deux tableaux de cette époque, une *Femme nue assise* de Picasso et une *Les Poissons* de Braque. Tous deux communiquent le sentiment de profondeur que donne le clair-obscur changeant d'un atelier morne ; mais leur obscurité est encore d'une autre espèce. La nature morte de Braque pourrait à première vue ressembler à un paysage de cheminées d'usines. Du moins les harengs sont-ils difficiles à identifier immédiatement. Certaines formes centrales du tableau ne se résolvent pas en représentation, elles sont insolubles. Mais l'espace dans lequel les objets

A droite :
Georges Braque
Broc et violon, 1909-1910

Georges Braque
Les Poissons, v. 1909-1911

semblent flotter, la lumière qui les charrie comme une marée qui se résorberait mollement – voilà les formes picturales qui nous arrêtent par leur présence.

La *Femme nue assise* de Picasso de 1910 est énigmatique à d'autres titres. La toile est couverte de hachures en diagonale qui s'entrecroisent dans des teintes plus ou moins sombres, la tonalité d'ensemble étant assourdie. La surface est homogène, et pourtant il n'est pas difficile d'identifier la silhouette assise sur une chaise ainsi que, derrière son épaule, le fouillis d'un atelier. La chaise, tout comme la table sur laquelle repose *Les Poissons* de Braque, respecte la prespective conventionnelle. Mais le torse encadré par les bras est à peine esquissé, comme s'il était constitué avec désinvolture de vieux cadres et de montants de tableaux mis au rebut. C'est de la tête surtout qu'émane la plus grande ambiguïté : est-elle levée comme pour regarder par-delà l'épaule gauche du spectateur, ou bien baissée dans une attitude rêveuse ?

Dès cette époque, Picasso et Braque avaient inventé un procédé de représentation inédit qui s'avérait tout aussi adaptable et expressif que les

Pablo Picasso
Femme nue assise, 1909-1910

Pablo Picasso
Femme à la mandoline, 1910

procédés académiques. Cela apparaît lorsque l'on compare la *Femme nue assise* de la Tate Gallery avec un autre Picasso, la *Femme à la mandoline* qui se trouve dans une collection privée à New York. Le tableau de la Tate est un emblème de mélancolie rêveuse, avec laquelle la sensualité du nu de New York offre un vif contraste. On pense également au portrait qu'a fait Picasso de son marchand de tableaux, Ambroise Vollard, portrait tout à fait ressemblant. Le museau de bouledogue crispé est clairement défini, mais le dôme du crâne a plusieurs contours possibles. Ici, le nouveau langage pictural sert à suggérer comment l'artiste, fasciné par cette mâchoire crispée, jamais desserrée, voyait changer sa perspective du crâne à chaque coup d'œil successif.

En l'espace de quelques mois, le procédé allait se radicaliser. Dans le portrait que fit Picasso du marchand Kahnweiler et des objets qui l'entouraient, les tableaux, les livres et les bouteilles sont réduits à de simples facettes qui, comme un château de cartes qui s'effondre, semblent voleter dans tout l'espace du tableau. Quant aux facettes elles-mêmes, elles se dissolvent dans un flux de lumière et d'ombre. Dans les tableaux

Pablo Picasso
Portrait d'Ambroise Vollard, 1909-1910

Pablo Picasso
Portrait de Daniel-Henry Kahnweiler, 1910

suivants, l'objet représenté se dissout pratiquement dans le jeu de facettes cristallines qui domine la surface du tableau. La pâte est traitée en petites touches régulières, un peu comme des briques disposées de façon assez lâche, à l'horizontale, sur une grille solide de lignes horizontales, verticales et diagonales à 30 et 60 degrés. Dans de telles structures, l'œil s'égare comme dans un labyrinthe. Tout d'abord, un certain système de formes s'élève jusqu'à la surface. Puis la perception se modifie, ces formes sont comme absorbées et une configuration nouvelle vient les remplacer. Ici le peintre vient donner un indice : un œil se laisse entrevoir entre les parallélogrammes, puis ce sont deux lignes tombantes qui deviennent une chaîne de montre, une série de points noirs les clefs d'une mandoline. Le titre joue un rôle crucial dans l'élucidation du mystère. C'est Braque le premier, suivi de Picasso, qui utilise le lettrage pour éclaircir le sens de ses tableaux.

C'est là la phase extrême du cubisme, dite cubisme « hermétique », où se manifeste l'« analyse » ultime de l'objet. Mais c'est surtout le dernier raffinement de la figuration indirecte. Dans une nature morte qui, à la contemplation, finit par se décomposer en un journal et un verre sur une table de café, Braque utilise la toile brute pour tous les objets et il représente l'espace qui les sépare par des empâtements.

Bien que Braque suivît l'exemple de Picasso et (après avoir montré deux tableaux au Salon des indépendants de 1909) ne fît plus d'exposition publique à Paris jusqu'après la Première Guerre mondiale, les cubistes commençaient à faire parler d'eux. D'autres peintres venaient visiter leur atelier, et, au Salon d'automne de 1910, il y avait suffisamment d'œuvres exposées qui portaient la marque du nouveau style de Picasso et de Braque pour que la critique les remarquât. Ces peintres comprenaient Jean Metzinger, Henri Le Fauconnier, Robert Delaunay, Albert Gleizes et Fernand Léger. Le groupe s'arrangea pour être majoritaire au sein du jury du Salon des indépendants au printemps suivant et fit ainsi des recherches avant-gardistes de Braque et de Picasso un mouvement artistique reconnu.

On peut se faire une idée de l'accueil que fit « la bande à Picasso » aux nouveaux cubistes par la façon dont Gertrude Stein décrit Robert Delaunay. C'était, dit-elle, « le fondateur de l'une des nombreuses vulgarisations de l'idée cubiste, ces gens qui peignaient des maisons en plomb, tout ce que l'on appelle l'école catastrophiste... C'était un homme capable, et d'une ambition démesurée. Il demandait toujours quel âge avait Picasso quand il avait peint tel ou tel tableau, et quand il avait la réponse, il disait toujours, oh je suis bien plus jeune que ça, j'en ferai autant quand j'aurai son âge ! »

Mais pour le grand public, le seul cubisme était le cubisme des épigones. En 1911, le mouvement cubiste exposait aux Indépendants au printemps, en juin à la Société des artistes indépendants de Bruxelles et au Salon d'automne en octobre. Ces *bizarreries cubiques*, comme les surnomma Vauxcelles, attirèrent l'attention et appelèrent des explications. L'année suivante, en 1912, on publia une nuée d'articles et de pamphlets pour expliquer les positions cubistes. Les explications étaient variables mais s'accordaient au moins sur une chose : les cubistes étaient des réalistes ;

ils voulaient peindre des tableaux figuratifs mais jugeaient que les méthodes traditionnelles de figuration étaient fausses.

Avec les autres exégètes, les peintres Gleizes et Metzinger, entre-temps devenus les chefs de file du mouvement cubiste, disaient que le cubisme avait pour objet la réalité, et que « le monde visible ne devient le monde réel qu'au prix d'une opération de l'esprit ».

Mais là où les autres soutenaient que la réalité que recherchaient les peintres était la réalité éternelle (la chose en soi) sous-jacente aux images partielles que nous librent nos sens, Gleizes et Metzinger le niaient. « Selon [certains autres critiques], écrivent-ils, l'objet posséderait une forme absolue, essentielle, et pour la découvrir il faudrait renoncer au clair-obscur et à la perspective traditionnelle. Quelle naïveté ! Un objet n'a pas une forme absolue, il en a plusieurs ; il en a autant qu'il existe de plans dans le domaine du sens. [...] Aux yeux de la plupart des gens, le monde extérieur est amorphe. Distinguer une forme, c'est la comparer implicitement à une idée préexistance, ce que personne, hormis celui que nous appelons artiste, ne saurait accomplir sans un secours extérieur. »

L'artiste, toujours selon eux, impose sa vision du monde au reste de l'humanité ; si bien que chaque fois qu'apparaît un artiste avec une vision nouvelle, son œuvre est initialement rejetée comme fausse parce que le public demeure esclave des images peintes jusqu'alors et « persiste à ne voir le monde qu'à travers les signes acceptés ».

Par rapport aux théories des gens de l'extérieur ou de leurs épigones, Picasso et Braque ont donné relativement peu d'explications sur leurs centres d'intérêt ou sur les sujets des longues conversations incompréhensibles que Braque se remémorait avec nostalgie. Braque émit un certain nombre de brèves déclarations durant sa vie, la première étant celle qu'il fit à un journaliste américain en 1908. Ses vues par la suite devaient rester d'une cohérence admirable. L'objet de sa peinture était la réalité, mais la réalité de l'esprit, et non celle des sens. « Il n'existe aucune certitude hormis dans ce que l'esprit conçoit. » Et ce n'est pas en imitant les apparences que l'on doit représenter la réalité, mais en explorant de façon intuitive le moyen artistique lui-même.

Picasso s'abstint de toute déclaration sur son art jusqu'en 1923. Puis il mit en avant l'artificialité même de l'art. « L'art est un mensonge qui nous fait atteindre la vérité... On parle de naturalisme par opposition à l'école moderne. J'aimerais bien savoir si quelqu'un a jamais vu une œuvre d'art naturelle. » Vélasquez et Rubens firent tous deux le portrait de Philippe IV d'Espagne, dit Picasso, mais le seul auquel nous croyons est celui de Vélasquez : « La raison du plus fort est toujours la meilleure. »

Bref, tandis que les spectateurs sympathisants, d'Olivier-Hourcade à Kahnweiler, prétendaient que le cubisme avait pour objet la vérité éternelle cachée sous les apparences, et évoquaient le nom de Kant comme caution de leurs explications, ceux qui voyaient la question de l'intérieur, de Gleizes et Metzinger à Picasso, disaient avec plus ou moins de fermeté qu'il n'y avait pas de vérité éternelle. La vérité, disaient-ils, est une illusion imposée par les forts à la multitude des faibles. En cela, ils étaient eux-mêmes influencés par un autre philosophe allemand, à savoir Nietzsche. C'est le seul philosophe mentionné expressément par Apollinaire, Salmon et Braque dans leurs explications sur le cubisme. (Le jugement que Picasso émet sur l'art semble directement issu du propos de Nietzsche : « L'art, où précisément le *mensonge* est sanctifié et la volonté de supercherie a bonne conscience. »)

Mais bien que Nietzsche, le créateur de Zarathoustra, du Surhomme, et de la *Volonté de puissance*, fût certainement lu et admiré dans le cercle qui entourait Picasso, son influence la plus déterminante dut s'exercer indirectement, par l'entremise du caractère et des écrits d'un autre ami du groupe, l'écrivain Alfred Jarry. Celui-ci devint célèbre à vingt-trois ans pour sa pièce *Ubu Roi*, fantaisie grotesquement burlesque. Bientôt, Jarry lui-même devint objet de scandale, menant une existence d'extrémisme absurde. Son roman *Le Surmâle*, en 1902, mêle la science-fiction et la pornographie ; le héros y démontre que l'homme pourrait faire tout ce dont il a envie – les limites physiques n'étant qu'une fiction issue des valeurs sociales conventionnelles. Le Surmâle est en quelque sorte une version comique du surhomme de Nietzsche.

On a peine à soutenir qu'une forme d'art sérieuse puisse en même temps faire montre d'absurdité volontaire : et certes, le cubisme de Picasso et de Braque ne se limitait pas à cela. Mais il serait erroné de sous-estimer l'importance du comique, du ludique et du spirituel dans le cercle qui entourait Picasso. C'est ce qui explique l'estime dont jouissait Jarry, et la description que fait Gertrude Stein de Picasso et de Braque est à la fois comique et révélatrice. Elle les décrit rendant visite au marchand Wilhelm Unde : « Il avait une espèce de galerie privée. C'était là que Braque et Picasso allèrent le voir, et, tels deux clowns du cirque Médrano, n'arrêtèrent pas de se présenter mutuellement et de se prier de se présenter l'un l'autre. »

C'était un two-men-show où les deux partenaires se stimulaient l'un l'autre de façon telle qu'aucun des deux n'eût pu paraître aussi brillant seul. Sans doute ni Picasso ni Braque ne peignirent-ils jamais mieux que durant leurs années cubistes.

Ils créaient un art *alternatif*, tout comme Jarry créait des mondes alternatifs dans ses œuvres fantastiques absurdes. Il doit y avoir plus qu'une simple coïncidence dans leur abandon de ce qui a été appelé le « cubisme analytique » en 1912, au moment précis où imitations et explications commençaient à être légion. C'est à ce moment-là qu'ils se mirent à explorer le collage, méthode « synthétique » dans laquelle on colle des objets sur la toile au lieu de les peindre. On explique cette mutation de plusieurs façons : Braque lui-même dira qu'il utilisait des formes de papier découpé pour donner une espèce d'objectivité, de certitude. Pourtant ce n'est pas là l'impression que font les œuvres elles-mêmes.

D'abord, en utilisant des bouts de journal, de vieux paquets de cigarettes, et toutes sortes de déchets de la vie moderne, ils rendaient ces œuvres plus difficiles à admettre. Le public qui avait appris à admirer l'obscurité du cubisme analytique devait maintenant inverser ses valeurs afin d'aimer ces assemblages bruts de détritus.

D'autre part, le fait que les toiles aient des objets collés dessus ne leur conférait pas nécessairement une plus grande réalité. Au contraire, la première fois que Picasso colla quelque chose sur une toile, c'était un morceau de toile cirée qui avait été imprimé par le fabricant afin de ressembler à un cannage de chaise. Braque et Picasso s'amusaient beaucoup de ces effets de fausse texture et de fausse surface.

Enfin, Picasso aimait l'humour qui préside aux collages. Ainsi, il collait des pommes et des poires d'un réalisme conventionnel, qu'il avait tirées d'un catalogue d'horticulture, sur une coupe à fruits découpée dans du papier journal. En général, il exploitait le collage dans le sens d'un jeu avec le spectateur, à base de transformations insolites, d'images familières.

Le cubisme était un art difficile, réservé aux initiés. Le plus grand apport d'Apollinaire au cubisme, dit Braque non sans sarcasme, fut son livre sur le cubisme, qui loin d'éclairer les gens sur la nature du cubisme, ne fit que les embrouiller encore plus. Et par la suite, après avoir tenté d'expliquer un peu de quoi il retournait dans le cubisme, il ajouta : « Mais tout ceci n'a de valeur que si cela demeure un mystère. »

Gleizes et Metzinger terminèrent leur ouvrage sur le cubisme par quelques phrases auxquelles on prête généralement peu d'attention : « Aux libertés partielles conquises par Courbet, Manet, Cézanne et les impressionnistes, le cubisme substitue une liberté indéfinie. Désormais que la réalité objective est enfin dévoilée pour la chimère qu'elle est, et que ce que la foule appelle forme naturelle est reconnu comme pure convention, le peintre ne connaîtra de loi que celle du Goût...

Dans les profondeurs de la science on ne retrouve qu'amour et désir. En tant que réaliste, [l'artiste] façonnera le réel à l'image de son esprit, car il n'y a qu'une vérité, la nôtre, quand nous l'imposons à tout le monde. Et c'est la foi dans la Beauté qui nous donne la force nécessaire pour continuer. »

Ce jugement établit un pont entre Nietzsche et les surréalistes. Le dernier grand travail cubiste de Picasso, *La Danse*, est aussi un des chefs-d'œuvre du surréalisme.

Je me suis limité aux réussites de Braque et de Picasso ; mais il y eut un nombre incroyable de peintres « cubisants » entre 1908 et la Première Guerre mondiale. En 1912, trois groupes se partageaient l'étiquette cubiste : les amis de Delaunay ; le groupe originel centré désormais sur Gleizes et Metzinger, qui se dénommaient eux-mêmes « les Artistes de Passy » ; et un cercle appelé « la Section d'Or », localisé dans les environs de Puteaux, autour des trois frères Duchamp. Ces groupes doivent vraisemblablement leur cubisme militant à l'exposition futuriste de février 1912 à Paris.

La plupart étaient des peintres mineurs. Gleizes, Metzinger, Herbin, Le Fauconnier, Lhote, Marcoussis, et d'autres figures de moindre importance encore, n'avaient pas participé aux inventions du début. Mais certains artistes avaient un réel talent, et étaient assez jeunes pour faire du cubisme une expérience formatrice qui les conduirait à leurs propres recherches. Les plus importants étaient Robert Delaunay, Marcel Duchamp et Fernand Léger, mais un grand nombre de peintres de toutes nationalités, et des artistes aussi différents que Chagall ou Klee, ont éprouvé l'influence du cubisme.

André Derain et Juan Gris sont un peu à part. Derain avait été un

Robert Delaunay
La Ville n° 2, 1910

Fernand Léger
Contrastes de formes, 1913

puissant créateur de formes au sein du groupe fauviste. Il avait appartenu au cercle de Picasso et il n'est pas douteux qu'en 1907 il apparaissait comme un peintre audacieux. Mais, bien qu'il ait produit des œuvres où se lit l'influence de Cézanne, il n'a cependant jamais rien peint qu'on puisse qualifier de proprement cubiste.

Comme je l'ai suggéré précédemment, c'est Apollinaire qui, par amitié, a mis en avant le rôle de Derain dans la création du cubisme. Juan Gris, un Espagnol de six ans le cadet de Picasso, passe pour le troisième des vrais cubistes, mais à tort, selon mon point de vue. Il connaissait Picasso fort intimement, demeura au Bateau-Lavoir. Ne manquant assurément pas de talent, il était simplement meilleur cubiste qu'aucun autre imitateur. Entre 1913 et 1915, il produisit des collages qui supportaient la comparaison avec les travaux les plus achevés de Picasso, à la même époque. Mais plus tard, il versa dans le maniérisme et la répétition, réduisant au rang de décoration élégante la spontanéité brillante qui avait été le nerf du vrai cubisme.

Le futurisme.

Le futurisme est un mouvement qui a vécu de la publicité. Sa naissance fut annoncée par un manifeste publié en France, à la une du *Figaro* du

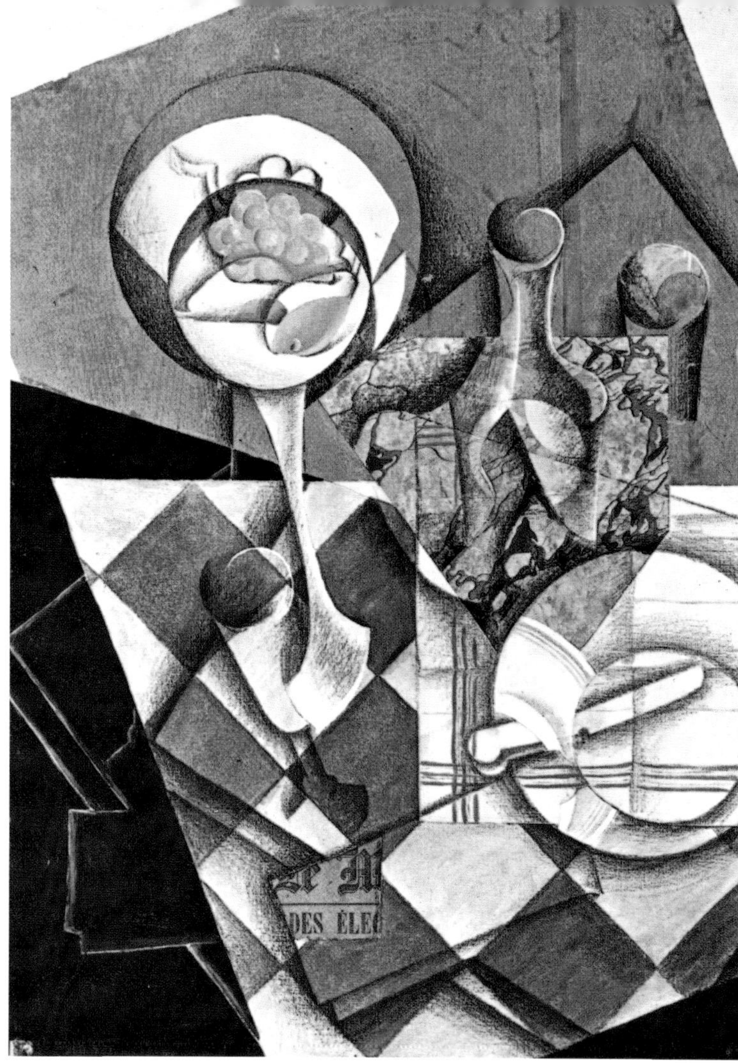

Juan Gris
Le Socialiste, 1914

Juan Gris
Nature morte aux fruits et à la bouteille, 1914

20 février 1909, que reprenaient des centaines de copies en italien envoyées aux principales personnalités de l'Italie. Jusqu'à la Première Guerre mondiale, douze autres manifestes seront publiés, auxquels s'ajouteront des articles sans nombre dans la presse. Des manifestations et des expositions futuristes auront lieu dans des théâtres, des galeries, à travers Paris, Londres, Berlin, Bruxelles, Amsterdam, Munich, Rotterdam, Moscou et Petrograd.

Ce mouvement international était né dans l'esprit de l'Italien Filippo Tommaso Marinetti, à la vie étrange. Son père, installé en Égypte, avait fait fortune en spéculant, conseillant le khédive d'Alexandrie. En 1893, Filippo Tommaso arrive à Paris pour étudier à la Sorbonne. Il ne tarde pas à se faire un nom dans les cercles symbolistes de la capitale. Plus tard, il se présentera aux côtés d'Alfred Jarry comme le « génie le plus élimé du monde », tandis que dans les salons de Mme Périer « je déclamais mon ode sur la vitesse des automobiles et Jarry sa métamorphose d'un bus en un éléphant ». La pièce de Marinetti, «Le Roi Bombance », s'inspirait de toute évidence de l'« Ubu Roi » de Jarry. Les deux pièces furent jouées à Paris par Lugné-Poe et soulevèrent toutes deux une émeute. De Paris,

Umberto Boccioni
Soir futuriste à Milan, 1911

Marinetti se rendit d'abord à Pavie, en 1895, puis à Gênes, afin d'étudier le droit. Son frère aîné, sa mère et son père moururent dans les années qui suivirent, et lui laissèrent une fortune considérable. Aussi s'installa-t-il à Milan, avec pour ambition de rénover les lettres italiennes. Il fonda en 1905 sa propre revue, *Poesia*, mais, comme l'écrivit assez acerbement Apollinaire en 1912, « pour réveiller l'Italie de sa torpeur, il avait pris la France en modèle, parce que la France est le guide des arts et de la littérature ».

Le *Manifeste du Futurisme* publié le 20 février 1909 est surtout connu pour ses onze principes qui, à la gloire de l'action et de la violence, traînent dans la boue toutes les traditions. « Les éléments essentiels de notre poésie seront le courage, l'audace et la révolte. » (axiome 2) « Nous voulons exalter le mouvement agressif, l'insomnie fiévreuse, le pas gymnastique, le saut périlleux, la gifle et le coup de poing. » (axiome 3) Ce culte de la violence, la croyance qu'« il n'y a plus de beauté que dans la lutte » (axiome 7), culminaient dans les fameux axiomes 9 et 10 :
« Nous voulons glorifier la guerre – seule hygiène du monde –, le militarisme, le patriotisme, le geste destructeur des anarchistes, les belles idées qui tuent, et le mépris de la femme.
« Nous voulons démolir les musées, les bibliothèques, combattre le moralisme, le féminisme et toutes les lâchetés opportunistes et utilitaires. »

Le passé était définitivement mort, les musées étaient des cimetières.
« Nous déclarons que la splendeur du monde s'est enrichie d'une beauté nouvelle : la beauté de la vitesse. Une automobile de course avec son coffre orné de gros tuyaux tels que des serpents à l'haleine explosive... une automobile rugissante, qui a l'air de courir sur de la mitraille, est plus belle que la *Victoire de Samothrace.* » (axiome 4)

La façon dont Marinetti présente ces onze points est plus révélatrice encore que leur contenu. Il décrit les étapes qui l'ont conduit à la proclamation : « Nous avions veillé toute la nuit, mes amis et moi, sous des lampes de mosquée dont les coupoles de cuivre aussi ajourées que notre âme avaient pourtant des cœurs électriques. Et tout en piétinant notre native paresse sur d'opulents tapis persans, nous avions discuté aux frontières extrêmes de la logique et griffé le papier de démentes écritures. Un immense orgueil gonflait nos poitrines, à nous sentir debout tout seuls, comme des phares ou comme des sentinelles avancées, face à l'armée des étoiles ennemies, qui campent dans leurs bivouacs célestes. Seuls avec les mécaniciens dans les infernales chaufferies des grands navires, seuls avec les noirs fantômes qui fourragent dans le ventre rouge des locomotives affolées, seuls avec les ivrognes battant des ailes contre les murs ! »

Cela s'apparente incontestablement au sentiment de la *différence* et de la supériorité de l'artiste qui prévalait dans les écrits romantiques d'Edgar Poe ou de Théophile Gautier. Toutefois Marinetti emploie l'éthique du romantisme pour en attaquer les valeurs. Avec ses amis, il abandonne la lascivité de l'Orient pour les rues de Milan, vieille cité tombant en ruine que les années précédant la Guerre avaient vue se moderniser. Il oppose les palais croulants et les canaux stagnants au « roulement des énormes tramways à double étage, qui passent sursautants, bariolés de lumières, tels des hameaux en fête que le Pô débordé ébranle tout à coup et déracine, pour les entraîner, sur les cascades et les remous d'un déluge, jusqu'à la mer ».

Au volant de leurs nouvelles automobiles, ils s'élancent, exhortés par Marinetti. « Allons, dis-je, mes amis ! Partons ! Enfin la Mythologie et l'Idéal mystique sont surpassés. Nous allons assister à la naissance du Centaure et nous verrons bientôt voler les premiers Anges ! – Il faudra ébranler les portes de la vie pour en essayer les gonds et les verrous !... Partons ! Voilà bien le premier soleil levant sur la terre ! »

Cette équipée furieuse devient dans le récit de Marinetti l'exemple même de l'existence. Il brandit toutes les métaphores romantiques pour les invalider, mais aussi pour détruire la notion de valeur elle-même. Derrière le volant qui ressemble à la lame d'une guillotine, lui-même cadavre dans un cercueil, il fend l'air, écrasant des chiens sous ses roues, jusqu'au moment où il dérape dans un fossé. Mais la voiture est ressuscitée, et c'est en la voyant s'éloigner à toute vitesse que le poète déclame les onze principes du futurisme.

La seule valeur est l'action. L'homme peut devenir ce qu'il veut. Il n'a pas besoin d'imaginer des centaures et des anges, parce qu'il est lui-même, dans son automobile, un centaure, et dans son aéroplane, un ange. Marinetti ne refuse pas seulement les idéaux traditionnels et le concept même d'idéal, mais encore la rationalité. « Sortons de la Sagesse comme d'une gangue hideuse... Donnons-nous à manger l'Inconnu, non par désespoir, mais simplement pour enrichir les insondables réserves de l'Absurde ! »

Le « Manifeste » de Marinetti appelle une nouvelle forme de vie. L'artiste doit être le héros. L'art est la forme, la seule véritable, de l'action. Bien que Marinetti eût puisé à de nombreuses sources intellectuelles du XIXe siècle, son maître à penser était Nietzsche. Son style « dithyrambique » provient directement de « Ainsi parlait Zarathoustra », son héros est le surhomme de Nietzsche. Il termine sa proclamation par une exhortation surprenante : « Les plus âgés d'entre nous ont trente ans... Quand nous aurons quarante ans, que de plus jeunes et de plus vaillants que nous veuillent bien nous jeter au panier comme des manuscrits inutiles ! (Ils) s'élanceront pour nous tuer, avec d'autant plus de haine que leur cœur sera ivre d'amour et d'admiration pour nous. Et la forte et saine injustice éclatera radieusement dans leurs yeux. Car l'art ne peut être que violence, cruauté et injustice. »

Le « Manifeste » soulève deux types de problèmes. D'abord et surtout, il s'oppose aux valeurs acceptées de la civilisation. Il s'accorde implicitement à Nietzsche, lorsque celui-ci écrit « que le *sens de toute culture* (est) justement de *domestiquer* le fauve "humain" pour en faire par l'élevage un animal apprivoisé et civilisé... Mais qui n'aimerait pas cent fois mieux trembler de peur, s'il peut admirer en même temps, que de n'avoir rien à craindre, mais d'être abreuvé de dégoût au spectacle de l'abâtardissement, du rapetissement, de l'étiolement, de l'intoxication à quoi l'œil ne peut se soustraire ? » (« La Généalogie de la morale », I, 11). Le second problème, plus technique, concerne l'artiste. Son idéal artistique se rapproche du stade que Nietzsche appelle « dionysiaque » dans « *La Naissance de la Tragédie* » : « Il n'est plus l'*artiste*, étant devenu lui-même une *œuvre d'art* : le pouvoir productif de tout l'univers est maintenant manifeste dans son transport. »

Puisque le futurisme était un stade de l'être, une condition éthique, quelles étaient donc les conséquences pour les formes artistiques traditionnelles ? Le credo du « Premier Manifeste » embrasse clairement toutes les formes d'art, et ne donne priorité à aucune d'elles. Aux yeux de Marinetti, le futurisme couvrait toutes les activités humaines. Attirés par son aura, nombre d'écrivains, de peintres, de sculpteurs et d'autres artistes se firent futuristes. Le « Premier Manifeste » fut suivi de manifestes sur la peinture, la sculpture, la musique, la photographie, l'architecture, les bruits et les vêtements. Marinetti lui-même signa, qu'il les ait écrits seul ou en collaboration avec ses amis, des manifestes sur la littérature, le cinéma, le théâtre et la politique. Le 11 mars 1915, Giacomo Balla et Fortunato Depero publièrent un manifeste sur la « Reconstruction futuriste de l'univers ».

Quelle forme devaient dès lors revêtir la peinture, la sculpture, la littérature, la musique ou le théâtre futuristes ? Marinetti envisagea le problème en poète dans son « Manifeste technique du futurisme » daté du 11 mai 1912, qui commençait par ces mots : « Assis sur le réservoir à essence d'un aéroplane, l'estomac réchauffé par la tête du pilote, j'éprouvais la ridicule inanité de la vieille syntaxe héritée d'Homère. » Plus important était le principe qui décrétait : « Détruisez le *Je* en littérature, c'est-à-dire toute psychologie », pour lui substituer une « psychologie intuitive de la matière », comme il lui a été révélé sur l'aéroplane. Le poète pouvait alors inventer les « mots en liberté », un jeu d'imagination débridée. « Poètes futuristes ! concluait-il, je vous ai enseigné le mépris des bibliothèques et des musées, pour vous préparer à haïr l'*intelligence*, réveillant en vous l'intuition divine, don caractéristique des races latines. Par l'intuition, nous conquerrons l'hostilité apparemment inconquérable qui sépare la chair humaine du métal des moteurs. »

Le problème d'*être* futuriste se posait de façon aiguë aux peintres. Peu après la publication du « Premier Manifeste », des peintres italiens, parmi lesquels Umberto Boccioni, Carlo Carrà et Luigi Russolo, se présentèrent à Marinetti et, selon les souvenirs de Carrà, rédigèrent leur propre « Manifeste des peintres futuristes ». (Il devait finalement être publié au terme d'une lecture publique sur la scène du Politeama Chiarella de Turin, le 8 mars 1910 ; la date du 11 février y figure en raison du goût de Marinetti pour le chiffre onze.) Il s'adressait aux jeunes artistes italiens, mais continuait assez platement le « Manifeste » de Marinetti. Déplorant la décadence de l'art italien contemporain, qui explorait toujours « les réussites des anciens Romains », il réclamait un nouvel art qui reflétât « la vie frénétique de nos grandes villes et l'excitante psychologie de la nouvelle vie nocturne ; les figures fiévreuses du viveur, de la cocotte, de l'apache et du buveur d'absinthe ». Les ambitions étaient assez fades, et le principe 8 illustrait fort prosaïquement la poésie explosive de Marinetti : « Soutenez et glorifiez notre monde de tous les jours, un monde qui va être transformé avec constance et splendeur par la victorieuse Science. » Deux autres peintres, Giacomo Balla et Gino Severini, rejoindront Boccioni, Carrà et Russolo, mais aucun n'avait encore rien peint qui méritât le qualificatif de futuriste. Probablement n'avaient-ils aucune idée de ce qu'il fallait faire.

Toujours est-il que les cinq en question publièrent bientôt un « Manifeste technique de la peinture futuriste », le 11 avril 1910. « Le geste que nous fixerons sur la toile ne sera plus un *moment* fixé du dynamisme universel, mais la *sensation dynamique* elle-même... En vertu de la persistance rétinienne d'une image, les objets mouvants se multiplient eux-mêmes constamment ; leurs formes changent comme de rapides vibrations, dans leur course folle. En conséquence un cheval au galop n'a pas quatre pattes, mais vingt, et leurs mouvements sont triangulaires. »

En d'autres mots, les futuristes conçurent d'abord leur art comme une tentative de montrer le monde non comme il était, mais comme ils l'*éprouvaient* réellement. Toutefois, bien que leur théorie réclamât une « sensibilité aiguisée et multipliée », en pratique, ils remplaçaient les conventions des musées par celles de la photographie et une théorie déjà habituelle de la couleur. Dans leur représentation du mouvement, ils étaient influencés par les expositions multiples de figures en mouvement qu'avait réalisées et publiées dans les dernières années du siècle Étienne Jules Marey. Leurs couleurs quant à elles se fondaient sur le pointillisme ou néo-impressionnisme de Georges Seurat, qui préconisait l'emploi de touches de couleur pure.

E. J. Marey
Chronophotographie, 1887 (?)

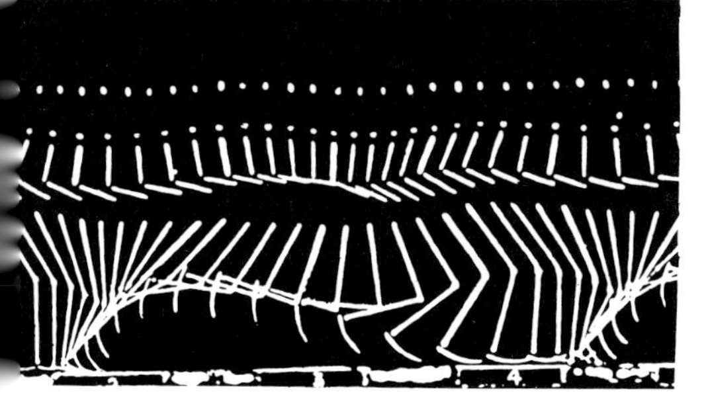

Néanmoins, malgré l'accent mis dans le « Manifeste » sur la *sensation dynamique*, un seul des futuristes fut constamment préoccupé par la représentation du mouvement, Giacomo Balla, doyen du groupe et maître de Boccioni et de Severini. Bien que ce fût lui qui introduisît la pratique néo-impressionniste au sein du groupe, et qu'il eût accepté de signer le premier « Manifeste de la peinture futuriste », il ne peignit pas de toile franchement futuriste avant 1912. Soudain, après un voyage à Düsseldorf, il réalise, en à peine plus d'un an, une brillante série de peintures du mouvement. La première et la plus connue, *Dynamisme du chien en laisse*, est aussi la moins intéressante, se basant trop clairement sur les photographies à expositions multiples. Le *Rythme d'un violoniste* est semblable, mais on peut remarquer l'utilisation ingénieuse de touches colorées en une succession prismatique qui traduisent la décomposition de la main en un ensemble de vibrations. *Petite Fille courant sur un balcon* est plus qu'ingénieux. Dissolvant la surface en une mosaïque de touches néo-impressionnistes, il oblige le spectateur à recomposer les touches en une figure unique de fillette et en même temps à la suivre dans son mouvement à travers plusieurs moments. Il y a un puissant contraste entre les représentations de la petite fille échelonnées dans le temps, et les verticales répétées des barreaux immobiles du balcon. Ses tableaux ultérieurs de martinets en vol ou d'automobiles en mouvement, toujours inspirés de Marey, seront une simple ampliation des principes de la *Petite Fille courant sur un balcon*. Très différentes, et étonnantes, ses *Interpénétrations iridescentes* de 1912 sont des toiles totalement abstraites où il pousse plus loin son étude de la lumière et de la couleur.

Malgré son âge, ou à cause de lui, Balla n'a jamais été représentatif du mouvement futuriste. Peut-être les premiers tableaux futuristes dignes de ce nom sont-ils dus à Carlo Carrà. *Les Nageurs* de 1910 et *La Sortie du théâtre* de 1910-11 constituent ses premières trouvailles, mais son œuvre la plus achevée sera *Les Funérailles de l'anarchiste Galli* de 1910-11. Angelo Galli était mort durant la grève générale de 1904 à Milan, et Carrà avait assisté aux heurts entre policiers et ouvriers qui avaient fait tomber à terre le cercueil drapé de rouge. La toile ne représente pas l'émeute comme un moment de lutte entre individus, mais comme un choc de

Giacomo Balla
Dynamisme du chien en laisse, 1912

Giacomo Balla
Rythme d'un violoniste, 1912

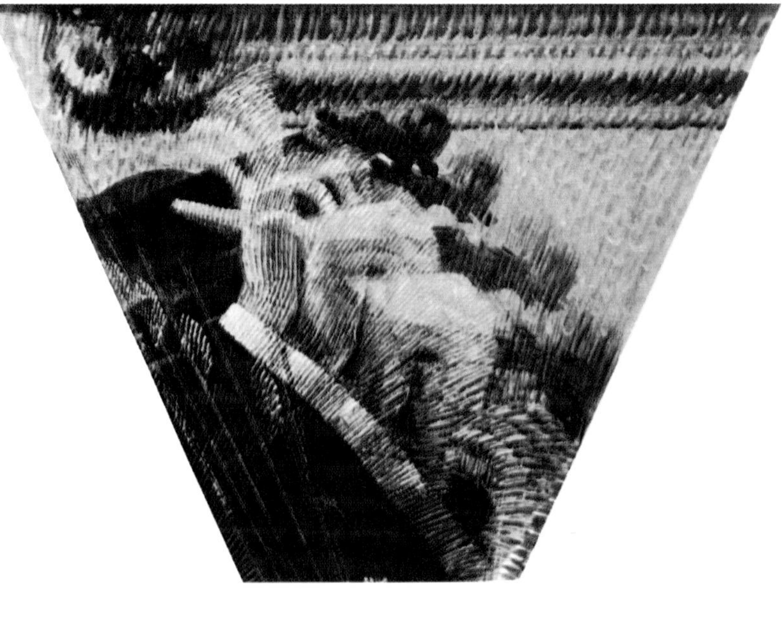

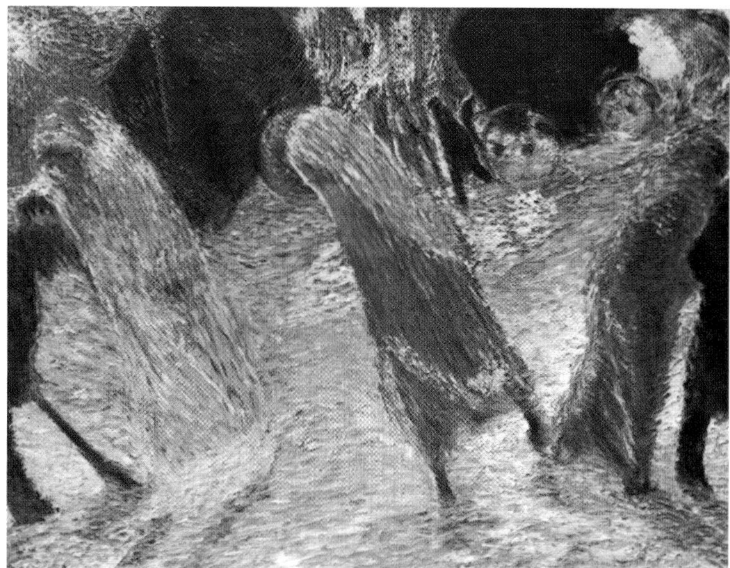

Carlo Carrà
Les Nageurs, 1910

Carlo Carrà
La Sortie du théâtre, 1910-1911

Carlo Carrà
Les Funérailles de l'anarchiste Galli,
1911 (détail)

Giacomo Balla
Petite Fille courant sur un balcon,
1912

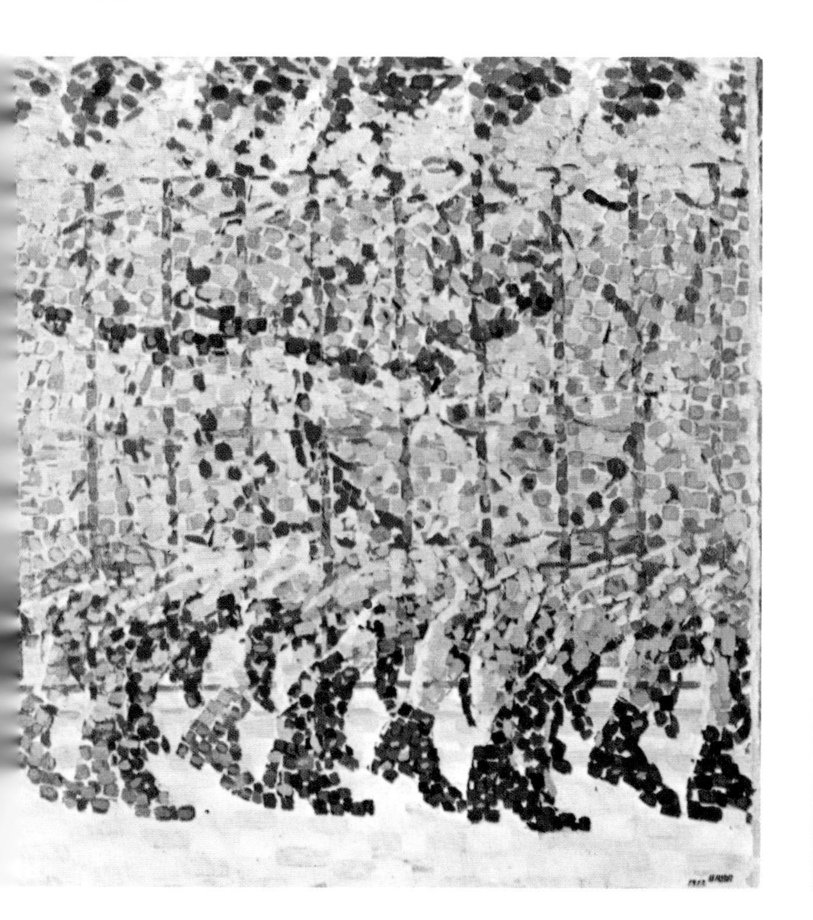

lignes et de couleurs. Les personnages sont anonymes, et leurs membres se dissolvent dans des gerbes de lignes qui figurent leurs mouvements. Carrà devait beaucoup aux photographies de Marey, mais son thème est incomparablement plus complexe qu'une simple étude du mouvement physique.

Luigi Russolo, le benjamin du groupe, était le plus extrémiste. Musicien averti, il consacra de nombreuses réflexions à établir un credo futuriste du bruit. Il publia un manifeste sur « L'Art des bruits » le 11 mars 1913, où il déclarait : « Pendant des années, Beethoven et Wagner ont ébranlé nos nerfs. A présent nous en avons assez et NOUS TROUVONS BIEN PLUS DE PLAISIR DANS LA COMBINAISON DES BRUITS DES TRAMS, DES MOTEURS PÉTARADANTS, DES AUTOMOBILES ET DES FOULES BEUGLANTES QUE DANS LA RÉPÉTITION DE L'*HÉROÏQUE* OU DE LA *PASTORALE*. » Le 21 mai 1914, il donna un concert de bruits produits pour beaucoup par des engins de sa propre invention, au Teatro Dal Verme de Milan.

Sa peinture d'autodidacte était moins impressionnante, bien qu'aussi ambitieuse dans son ingénuité. Le premier parmi les futuristes, il explorait les possibilités de la synesthésie, en peignant *Parfum* en 1909, qui exprimait les impressions d'un sens par un autre. Faible, sentimentale, médiocrement dessinée, cette toile a pour mérite d'essayer de cerner la qualité érotique de l'odeur de la femme par un réseau enveloppant et sinueux de lignes brillamment colorées. *La Musique* de 1911 devint une référence pour les futuristes. Le pianiste s'accroupit sataniquement sur le clavier, tandis que plusieurs mains répandent la musique qui tourbillonne en une vague polychrome au-dessus de sa tête. Autour de lui trônent les esprits de la composition, figurés par des masques criards et aveugles. Mais c'est son *Souvenirs d'une nuit* de 1911 qui est vraiment caractéristique des ambitions futuristes. La composition est décousue, avec des

Luigi Russolo
Souvenirs d'une nuit, 1911

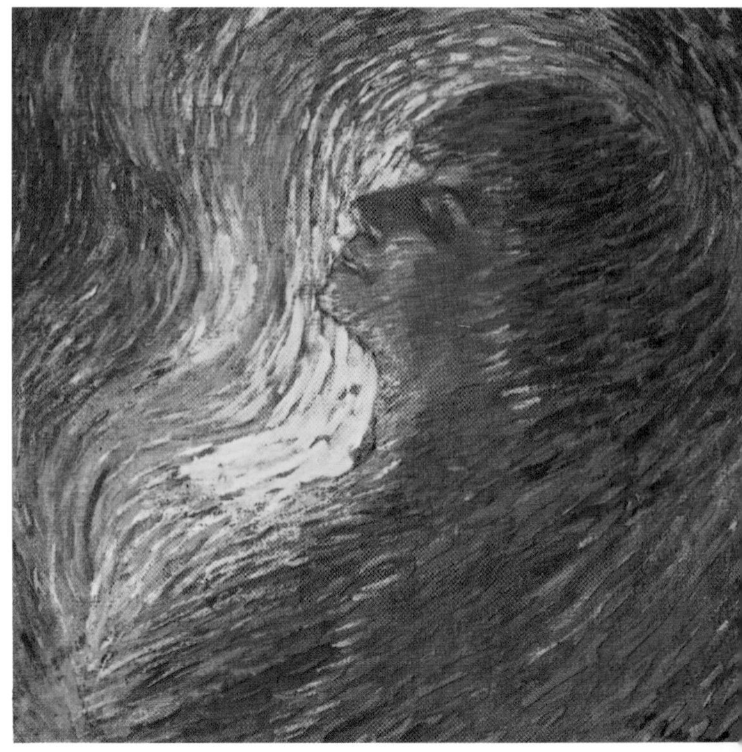

Luigi Russolo
Parfum, 1909-1910

Luigi Russolo
La Musique, 1911

personnages voûtés, des réverbères, des maisons, des chevaux, des têtes de femme et d'autres éléments posés les uns à côté des autres. Comme son titre l'indique, le sujet n'en est pas un événement unique, un endroit particulier, ou même un temps précis, mais la nature même de l'expérience. Les futuristes se montraient là influencés par le philosophe Bergson, qui soulignait que la perception et l'expérience n'étaient pas instantanées. Le souvenir joue un rôle essentiel dans notre expérience, qui s'étale dans le temps. *Souvenirs d'une nuit* et *Solidité du brouillard* reposent sur les effets de persistance de la vision qui sont traités, d'un plus large point de vue, dans le « Manifeste des peintres futuristes ». En 1911, de nombreux peintres futuristes se rendent à Paris. Gino Severini, signataire des « Manifestes », installé à Paris, semble avoir convaincu les autres membres que leurs réflexions profiteraient au plus haut point d'une visite dans les ateliers cubistes. Il introduisit Boccioni et Carrà auprès de ses amis et de ses relations, et les emmena au Salon d'automne voir les travaux de Metzinger, Gleizes, Léger, Le Fauconnier, La Fresnaye et d'autres. Ils visitèrent également le studio de Picasso, où ils rencontrèrent Apollinaire, qui rapporta la journée dans sa colonne d'humeur du « Mercure de France » :

« J'ai rencontré deux peintres futuristes, MM. Boccioni et Severini... Ces gentlemen portent des vêtements de coupe anglaise, très confortables. M. Severini, originaire de Toscane, apprécie les chaussures basses et les chaussettes de diverses couleurs... Cette coquetterie florentine l'expose au risque de passer pour distrait et il m'a dit que les serveurs de café se croient souvent obligés d'attirer son attention sur ce qu'ils prennent pour un oubli, mais qui est une simple affectation. Je n'ai encore vu aucune peinture futuriste, mais, si j'ai bien compris ce que les nouveaux peintres italiens ambitionnent dans leurs expérimentations, ils sont attachés avant tout à exprimer les sentiments, presque des états d'âme (le terme fut employé par M. Boccioni lui-même)... En outre ces jeunes gens veulent s'éloigner des formes naturelles et être les inventeurs de leur art.

« "Aussi, me dit M. Boccioni, ai-je peint deux tableaux qui exprimaient, l'un le départ, l'autre l'arrivée. Le lieu en est une gare de chemins de fer. Dans le but de souligner les différences d'humeur, je n'ai pas repris dans la scène de l'arrivée une seule ligne de l'autre." » Apollinaire estimait que ce genre de tableau « devait être avant tout sentimental et puéril ».

Boccioni était, comme le découvrit le poète, le théoricien du groupe. Il était aussi le plus doué. Néanmoins il fut, à l'exception de son maître Balla, le dernier à adopter une technique ouvertement futuriste. Plus jeune d'un an que Picasso, il avait pendant un an, en 1901, étudié avec Severini dans l'atelier de Balla à Rome. Ses premiers travaux témoignent de l'influence de son maître, notamment dans l'emploi d'une palette néo-impressionniste. La plupart des dessins qu'il exécuta vers vingt-cinq ans rappellent la solidité rugueuse des premiers dessins de Van Gogh. Jusqu'en 1908, c'était donc un membre, doué mais sans originalité particulière, de l'école néo-impressionniste italienne, qui comptait Balla, Severini et Previati.

Cette tradition italienne du réalisme lui parut alors insatisfaisante, et il commença à explorer les voies du modernisme qui lui étaient accessibles,

Umberto Boccioni
La Ville qui monte, 1910

Umberto Boccioni
État d'esprit I : Les adieux, 1911

Umberto Boccioni
Les Bruits de la rue envahissent la maison, 1911

6943

à savoir l'art nouveau et le symbolisme. C'est alors qu'il découvrit Marinetti et le futurisme. Sa première œuvre futuriste témoigne de ce que le mouvement était avant tout une attitude, une façon de vivre. Usant d'une grande variété de techniques, empruntées au néo-impressionnisme aussi bien qu'à Munch, il traita des scènes d'émeutes, de deuil, peignit un type de femme fatale moderne. Là n'est pas son originalité. Son œuvre majeure date de 1910, conçue à l'origine comme un triptyque qui, à la manière de certains travaux de Balla, aurait montré le travail à trois moments. L'aube, le jour et la nuit. *La Ville qui monte*, grande toile finale, illustre la génération du monde moderne des villes par un contraste entre des hommes minuscules et des machines puissantes attelées au travail (ce qui, en 1910, représente aussi des chevaux).

Peu de chose, dans *La Ville qui monte*, à part son sujet et son énergie, aurait pu sembler original aux contemporains. Mais immédiatement après, Boccioni se lança dans une série de toiles qui représentaient des états d'âme, comme le rapporte Apollinaire. En plus de son triptyque qui comprenait *Les adieux* de couples dans une gare, *Ceux qui s'en vont* en voyage, et *Ceux qui restent*, il peignit, au moment de sa tournée parisienne, une scène de café intitulée *Le Rire*. Son étude préliminaire montre un tourbillon, un rythme abstrait, dérivé de Munch et de l'art nouveau. Les toiles finales, après la visite à Paris, attestent la marque profonde du cubisme. Des trois *États d'âme I. Les adieux,* est le plus connu, et le plus cohérent. Ce qui aurait pu être une nature morte dans la manière de Braque s'appuie sur l'observation pour exposer les étreintes des couples, tel le maelström d'amoureux de Dante, au milieu des machines indifférentes de la gare de chemins de fer. Sans nul doute, voilà le chef-d'œuvre du futurisme.

La complexité et l'ambiguïté des problèmes que se posaient les peintres futuristes sont manifestes dans deux travaux de Boccioni de 1911. *Visions simultanées* et *Les Bruits de la rue envahissent la maison* sont au premier regard très semblables, tellement qu'on les a constamment confondus. *Les Bruits* est une vue depuis un balcon, et bien qu'influencé également par le cubisme, ne représente rien que la femme sur le balcon n'ait pu voir, pas forcément en un unique moment. *Les Visions simultanées*, que nous avons perdues, mélangent des détails d'une scène de rue avec une nature morte d'une coiffeuse ; la toile semble avoir « synthétisé ce que l'on se rappelle et ce que l'on a vu », comme l'écrivait Boccioni.

La visite des futuristes à Paris avait pour but de préparer une exposition de leurs travaux à la galerie Bernheim-Jeune en février 1912. La préface de leur catalogue, « Les exposants à l'adresse du public » passe aujourd'hui pour le résumé définitif des ambitions du mouvement. Les futuristes s'attachent soigneusement à démentir toute imitation du cubisme. Le « culte » persistant du cubisme pour « le traditionalisme de Poussin, d'Ingres et de Corot, alourdit et pétrifie leur art dans un attachement obstiné pour le passé... Notre but est de fixer des lois entièrement nouvelles qui puissent délivrer la peinture des incertitudes où elle s'embourbe... Nous nous proclamons *les primitifs d'une sensibilité totalement rénovée* ».

Apollinaire, sceptique au début, se rallia finalement. Il admirait Marinetti et Boccioni, et prit bientôt leur défense. Le 29 juin 1913, il publia même son propre manifeste futuriste, *L'Anti-tradition futuriste, manifeste synthèse*.

L'hostilité et la suspicion mutuelles du cubisme et du futurisme demeuraient. Mais les futuristes étaient plus influencés qu'ils ne voulaient l'admettre. Ironiquement, c'est un cubiste français qui peignit les deux meilleures toiles futuristes, et les plus célèbres. Marcel Duchamp, frère de Jacques Villon et de Raymond Duchamp-Villon, produisit au moment de la visite des futuristes à Paris son *Jeune Homme triste dans un train*, qui pourrait fort bien illustrer le « Manifeste technique de la peinture futuriste ». Il peignit alors une étude du corps en mouvement, le *Nu descendant un escalier*, qui en tout se rapproche davantage du futurisme que du cubisme, et devint, lors de son exposition en 1913 à New York, l'exemple même de l'art moderne.

L'exposition de Paris fut la plus grande manifestation futuriste hors d'Italie. Connaissant un grand succès, elle se déplaça à Londres en mars

Marcel Duchamp
Jeune homme triste dans un train, 1911

Marcel Duchamp
Nu descendant un escalier n° 2, 1912

1912, puis à Berlin, Bruxelles, La Haye, Amsterdam et Munich. Un des futuristes les plus intéressants était Gino Severini, dont *La Danse du pan pan à Monico*, traduisait une thématique de danseurs de cabaret digne de Toulouse-Lautrec. Il exposa seul l'année suivante dans la New Marlborough Gallery de Duke Street, à Saint-James. Le futurisme, fût-ce simplement le mot, était devenu célèbre et enfin à la mode.

Jusqu'alors, Marinetti avait préféré, pour promouvoir le mouvement, les soirées dans des théâtres. En 1910 et 1911, il avait été à l'origine de manifestations à Trieste, Milan, Turin, Naples, Venise, Padoue, Ferrare, Mantoue, Côme et Trévise. Mais ces lectures scandaleuses d'écrits futuristes, ces proclamations pleines d'insultes, et même de coups,

Carlo Carrà
Manifestation interventionniste, 1914

échangés entre les futuristes et l'audience, trouvèrent un terrain idéal en Italie, où les acteurs et le public partageaient la même langue. A un niveau international, l'exposition de peinture était une arme plus efficace. A la déclaration de la guerre de 1914, le futurisme avait établi aux yeux du monde que le modernisme en art était l'extrémisme. L'art des bruits de Russolo, les poèmes typographiques de Marinetti, ses « Mots en liberté », répandus librement à travers la page, les collages de Carrà à base de papier journal qui formaient à la fois des peintures abstraites incompréhensibles et de scandaleux poèmes, les sculptures de Boccioni composées d'un bric à brac de ferrailles – tout cela faisait date. Dada, le mouvement fondé à Zurich pendant la Première Guerre mondiale, fut un disciple direct des futuristes. L'un des dadaïstes reconnaîtra plus tard : « Nous avons avalé le futurisme, les os, les plumes et tout le reste ».

Avec la guerre prit fin le futurisme. Croyant éperdument en la guerre comme hygiène du monde, Marinetti, Boccioni et Russolo s'engagèrent immédiatement. Des principaux futuristes, seuls Sant'Elia, architecte prometteur, et Boccioni furent tués (ce dernier, ironiquement, lors d'un exercice à cheval...). Mais lorsque Marinetti tâcha de reformer le mouvement après la guerre, il avait été dépassé par de nouvelles formules, telles que dada et les aspirations diverses à l'abstraction complète, dont le constructivisme était la composante la plus importante.

Le constructivisme.

Dans leur essai de 1912, « Du cubisme », Gleizes et Metzinger souhaitent : « Que la peinture ne représente rien et qu'elle présente simplement sa raison d'être. » On a interprété cette appréciation, abondamment reprise, comme un appel à l'abstraction, mais rien n'est moins sûr. Durant de longues années s'est fait sentir une aspiration à détacher l'art de l'imitation.

Beaucoup plus tard, en 1935, Picasso explicita la relation de son travail à la réalité : de la peinture « je veux que sorte uniquement de l'émotion ». Parallèlement il disait : « Il n'y a pas d'art abstrait. On part toujours de quelque chose. Après on peut effacer toutes traces de réalité. »

L'idée d'un art qui n'imiterait rien n'était pas aisée à formuler. Dans les années 1910, de nombreuses tentatives furent développées qui donnèrent lieu à divers systèmes, et sur tous, à l'exception de l'abstraction de Kandinsky, l'influence du cubisme fut déterminante.

Le plus âgé de ceux que le cubisme marqua était un Néerlandais, Piet Mondrian. Il avait déjà trente-neuf ans en arrivant à Paris en 1911, mais, malgré de longues années de pratique, il était en quête d'un nouveau langage artistique. Adepte de la théosophie, il cherchait une forme qui fût transcendantale plus que représentative. Dès son arrivée, les toiles cubistes le fascinent, en témoignent ses représentations d'arbres et ses natures mortes réduites à des lignes brutes. Bientôt il produisit des toiles où le motif était réduit à des signes plus ou moins, qui rendaient toute identification de ce motif impossible.

De retour en Hollande durant la guerre, il participa à la création du mouvement *De Stijl*. Dans la revue du même nom, éditée par le propagandiste du groupe, Theo Van Doesburg, ils poursuivaient une unification, utopique, des arts visuels. Mondrian écrit en 1919 : « Le

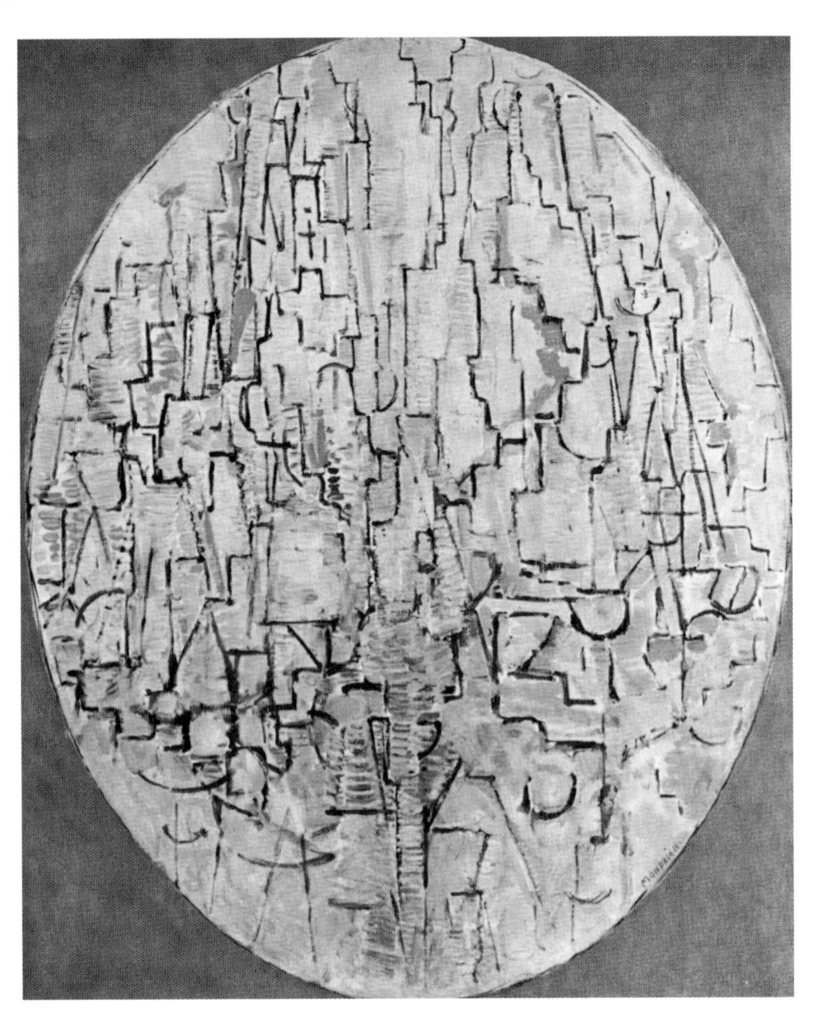

Piet Mondrian
Composition ovale (Arbres), 1913

Piet Mondrian
Composition ovale, 1913-1914

véritable artiste moderne ressent l'abstraction comme une émotion de beauté ; il est conscient de ce que l'émotion de beauté est cosmique, universelle... L'idée plastique nouvelle ne peut, en conséquence, prendre la forme d'une représentation naturelle ou concrète, encore que cette dernière indique toujours l'universel à un certain degré, ou tout au moins le contient. Cette nouvelle idée plastique ignorera les particularités des apparences, c'est-à-dire la forme naturelle et la couleur. Au contraire, son expression m'apparaîtra dans l'abstraction de forme et de couleur, que sont la ligne droite et la couleur primaire...
« Il apparaît que dans la nature toutes les relations sont dominées par une relation primordiale, définie par l'opposition de deux extrêmes. Le plasticisme abstrait représente cette relation primordiale d'une façon précise, en recourant aux deux positions qui forment l'angle droit. Cette relation de positions est la plus équilibrée de toutes, dès lors qu'elle exprime en une harmonie parfaite la relation de deux extrêmes, et contient toutes les autres relations. »

Mondrian voyait dans la peinture un modèle d'harmonie universelle et de beauté véritable, et croyait que l'homme, au cours de son développement, la remplacerait par un environnement total où il vivrait en harmonie. De Stijl s'intéressait de très près à l'architecture et au design, autant qu'à la peinture et à la sculpture. Parce qu'il croyait que ses verticales et ses horizontales traduisaient une parfaite harmonie, Mondrian dénonça en 1925 les diagonales des compositions de Van Doesburg, comme étant personnelles et subjectives, et il quitta le mouvement. Néanmoins De Stijl allait exercer une énorme influence, et trouva un équivalent dans l'art qui naquit avec la Révolution russe de 1917.

Les peintres russes du début du XIXe siècle regardaient unanimement vers l'Occident et ses valeurs picturales. Mais avec la fin du siècle, la société russe commença à redécouvrir une force originelle, notamment dans sa culture médiévale. Par ailleurs, certains marchands ramenèrent d'Occident des œuvres parmi les plus modernes. Ivan Morozov acheta des Monet, des Cézanne, des Gauguin. Serguei Chtchoukine, parmi les collectionneurs les plus avisés de son temps, visita constamment Paris entre 1906 et 1914, acquérant des toiles directement auprès de Matisse et Picasso. Le chemin de fer établissait un pont entre l'Est et l'Ouest. En 1906, Serge Diaghilev organisa une section russe au Salon d'automne. Partant des icônes médiévales, la section s'achevait sur les œuvres de l'avant-garde moscovite.

Les plus talentueux des jeunes peintres exposés étaient Mikhaïl Larionov et Natalia Gontcharova. Nés tous deux en 1881, comme Picasso, ils se rencontrèrent au cours de leurs études à Moscou, et y prirent rapidement la tête de l'avant-garde. Ils étaient influencés par l'art moderne occidental, aussi bien que par les icônes médiévales et l'art traditionnel. Le cubisme et les manifestes futuristes laissent une empreinte visible dans le manifeste de 1913 où Larionov prône une nouvelle forme artistique, le rayonnisme. « Nous déclarons que les génies de notre époque sont : les pantalons, les vestes, les chaussures, les tramways, les bus, les aéroplanes, les chemins

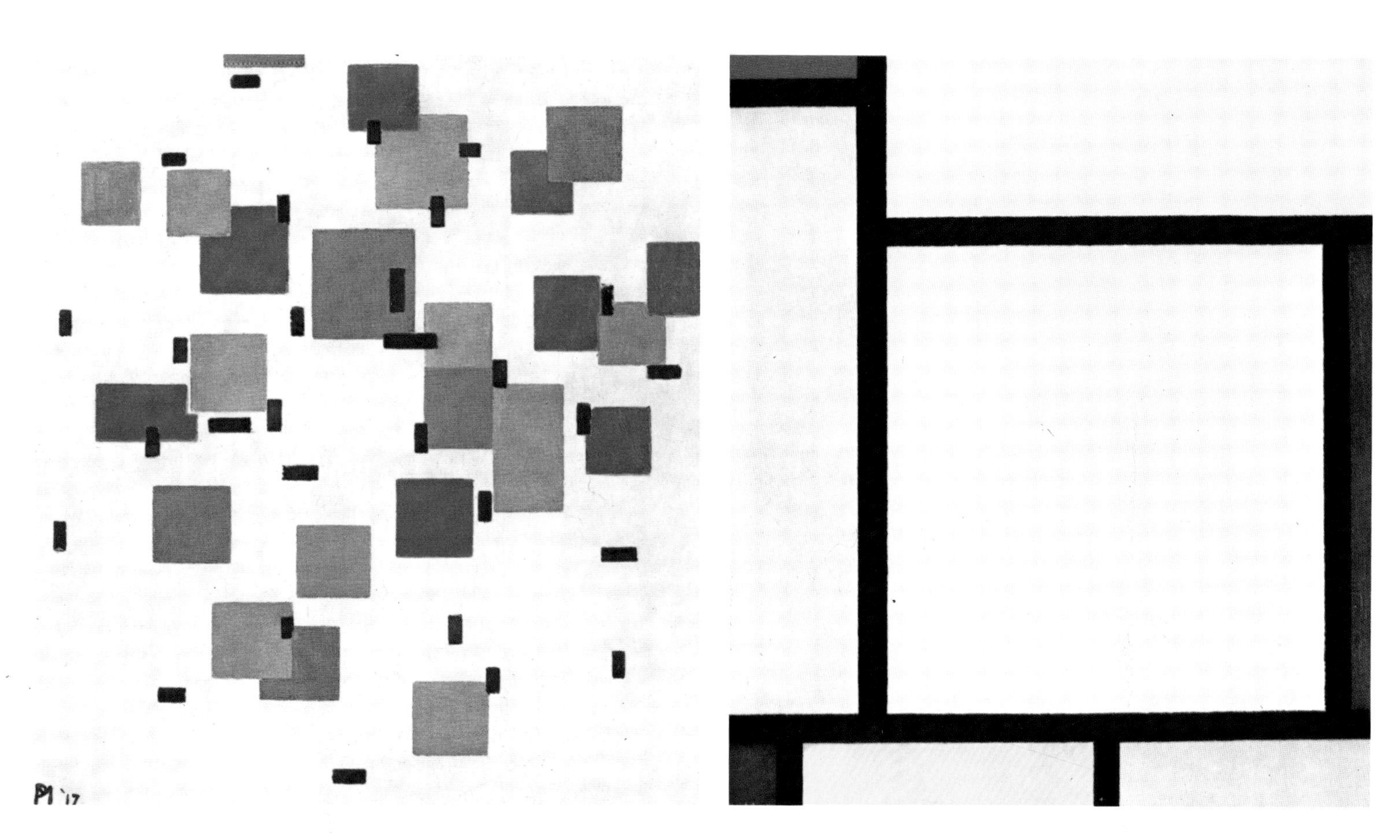

Piet Mondrian
Composition en couleur A, 1917

Piet Mondrian
Composition avec rouge, jaune et bleu, 1921

de fer, les paquebots splendides... Nous dénions toute valeur artistique à l'individualité... Vive le nationalisme ! – nous allons main dans la main avec les peintres en bâtiment... Ici commence la vraie libération de l'art : une vie qui procède uniquement des lois de la peinture comme entité indépendante. »

Mais en 1914, Larionov et Gontcharova quittèrent la Russie pour rejoindre Diaghilev, en qualité de décorateurs dans son ballet. Ils ne participèrent donc pas aux travaux de ces années qui s'avéreraient décisives.

Les trouvailles des années suivantes furent principalement l'œuvre de deux rivaux, Kasimir Malevitch et Vladimir Tatline. Malevitch, fils d'un contremaître d'une raffinerie de sucre à Kiev, était en grande partie autodidacte. Étudiant l'art à l'École d'art de Kiev, il ne vint à Moscou qu'à l'âge de vingt-sept ans, en 1905, où le cercle de Larionov le remarqua très vite. Entre 1909 et 1914, Malevitch progresse à grands pas. D'une sorte de proto-cubisme, qui tenait de Léger autant que de Picasso, il passa par plusieurs étapes qui le conduisirent, en 1913, à un type de collage fragmenté (anticipant les images dada de Kurt Schwitters aussi bien que les collages de Picasso), qu'il intitula « réalisme absurde ». C'étaient des images brillantes et spirituelles, presque surréalistes, mais il les abandonna rapidement en travaillant sur le décor de l'opéra futuriste de Kroutcho-

Mikhail Larionov
Portrait de femme, 1911

Natalia Gontcharova
Le Cycliste, 1912-1913

nykh, « Victoire sur le soleil », datant de 1913. Si les costumes étaient de spirituels concepts cubo-futuristes, ils étaient moins provocants toutefois que ceux créés par Picasso quelques années auparavant pour le ballet « Parade ». En revanche, l'une des toiles de fond était éminemment significative. Il s'agissait d'un simple carré divisé en deux triangles, blanc et noir. Partant de cette image, Malevitch, aux dires du peintre, se dirigea immédiatement vers l'abstraction pure, dont le premier exemple pictural est un carré noir sur fond blanc. Il inaugurait ainsi le « suprématisme ».

Peu après cela, Vladimir Tatline entamait sa propre démarche personnelle. Né en 1885, il était plus jeune de sept ans. Il arrive à Moscou en 1910, et après une seule année d'études, expose avec le groupe de Larionov. Influencé d'abord par Larionov et Gontcharova, il se brouille avec eux en 1913, et part en Occident, à Berlin, puis à Paris.

Il rendit visite à Picasso, et lui demanda de l'embaucher comme serviteur, ou apprenti. Picasso n'accepta pas, et Tatline retourna à Moscou. Mais dans l'atelier du cubiste, il avait vu les collages et les reliefs que

Kasimir Malevitch
Le Rémouleur, 1912

Kasimir Malevitch
Un Anglais à Moscou, 1914

Picasso avait réalisés avec du carton, de la ficelle, et toutes sortes de ferrailles. S'en inspirant, Tatline produisit certaines des œuvres les plus révolutionnaires de l'art moderne. Faites de matériaux de récupération divers, ses constructions ne représentaient absolument rien. C'étaient les premières œuvres à s'appeler « constructions ».

Malevitch et Tatline furent réunis en 1915 dans deux expositions d'avant-garde. A la première, « L'Exposition futuriste : Tramway V », organisée à Petrograd en février, Tatline envoya des reliefs et Malevitch ses collages cubo-futuristes des deux années précédentes. Les œuvres de bien d'autres artistes en étaient proches, de sorte que l'ensemble représentait la première exposiion futuriste en Russie. Or, en décembre, lors de l'exposition *0,10* (dernière exposition de la peinture futuriste), une crise éclata au grand jour. Malevitch voulait exposer ses compositions suprématistes entièrement abstraites, alors que Tatline, furieux, les

Kasimir Malevitch
Composition suprématiste : Carré rouge et carré noir, 1915 (?)

Kasimir Malevitch
Jaune, orange et vert, v. 1914

qualifiait de travaux amateurs. Leurs œuvres furent finalement accrochées dans des salles différentes – et l'avant-garde prenait définitivement pied en Russie.

La révolution d'Octobre de 1917 créa les conditions de développement de cette avant-garde. Les artistes étaient d'accord sur l'idée qu'un art révolutionnaire était un complément nécessaire aux révolutions politiques et sociales, et ils se jetèrent dans la bataille. Ils organisèrent des manifestations et produisirent des décorations, pendant que Maïakovski les exhortait à faire des rues leurs pinceaux et des places leurs palettes. L'enthousiasme pour une révolution et une reconstruction futuristes autant que bolcheviques possédait les artistes.

Mais l'ordre nouveau et la nouvelle bureaucratie qui virent le jour balayèrent la coopération enthousiaste des premiers temps, tandis que les artistes essayaient de s'intégrer dans les nouvelles structures du pouvoir. En 1918, le premier commissaire de l'Éducation, Anatoly Lunatcharsky, fut en charge du département des beaux-arts, et il procéda à un certain nombre de nominations parmi les créateurs de l'avant-garde.

A ce département, on doit la fusion de l'Université de peinture, sculpture et architecture de Moscou avec l'École Stroganoff d'arts appliqués, en une entité nouvelle, les Ateliers supérieurs de technique et d'art de Vkhutemas. Parmi les titulaires des ateliers, se trouvaient Malevitch, Tatline, Kandinsky et Antoine Pevsner. L'Institut de culture artistique (Inkhouk) délégua un programme d'enseignement à Kandinsky, lequel avait appartenu précédemment, à Munich, au groupe du *Blaue Reiter*, et avait inventé la seule forme d'abstraction qui ne provînt pas directement du cubisme.

Le programme de Kandinsky (publié en 1920) était en fait sa théorie de l'art. Il proposait de partager les études en deux parties, « Théorie des différentes branches de l'art », et « Combinaison des différents arts en vue d'un art monumental ». Il établissait une profonde relation entre art et société, d'ordre essentiellement religieux (comme Mondrian il était théosophe). Il croyait que l'artiste possède une vision spirituelle plus élevée que ses semblables, et l'art abstrait lui apparaissait comme le plus pur moyen de communiquer sa vision. L'enseignement artistique devait élaborer un dictionnaire artistique où chaque médium trouverait consciemment ses formes et ses lignes. Ainsi, les couleurs devaient-elles être étudiées séparément et dans leurs combinaisons, et fallait-il « relier ces études aux connaissances médicales, physiologiques et occultes ». Fort de ce savoir, l'artiste serait en mesure de s'attaquer à la deuxième partie du programme, travailler un art monumental qui produirait une réponse précise et contrôlée (« l'extase ») de la part de son public.

Les propositions de Kandinsky furent refusées par l'Inkhouk, et il ne put les appliquer qu'après son départ de Russie, en 1922, au Bauhaus à Weimar.

Parmi les plus jeunes artistes (Kandinsky avait alors cinquante-deux ans), Malevitch était peut-être le plus proche des vues de Kandinsky, mais il était trop indépendant pour travailler sous les ordres de quiconque. Invité à enseigner à l'École d'art de Vitebsk par son directeur, Marc Chagall, Malevitch profita d'une absence de celui-ci pour se déclarer lui-même directeur et rebaptiser l'école *Unovis*, l'Université de l'art nouveau.

Dès 1916, quand il qualifiait sont art de *suprématiste*, qui le mena du carré noir sur fond blanc de 1913 au *Carré blanc sur fond blanc* de 1918, Malevitch proclamait : « J'ai détruit l'anneau de l'horizon et j'ai échappé au cercle des choses [...] Reproduire des objets aimés et de petits coins de nature équivaut pour un voleur à être attaché par des boulets aux pieds. » Les futuristes « ont fait un gigantesque pas en avant : ils ont abandonné la viande [c'est-à-dire le nu] et glorifié la machine » ; mais malheureusement cela n'a conduit qu'à substituer une forme de copie à une autre. « Les formes du suprématisme, le nouveau réalisme en peinture, fournissent une preuve de la construction de formes à partir de rien, que génère la Raison Intuitive. » A l'inverse du futurisme, à l'inverse du cubisme, écrit Malevitch, « notre monde de l'art apporte le nouveau, le non-objectif, le pur ». Comme Mondrian, comme Kandinsky, Malevitch se méfiait de l'art de représentation parce qu'il se méfiait du monde représenté, le monde des sens.

Durant sa brève direction de l'Unovis de Vitebsk, Malevitch affirma avec courage le suprématisme comme art utilitaire. Il écrivit dans un manifeste de 1920, « La Question de l'art imitatif » : « Toute forme est le résultat d'une énergie se déplaçant le long d'un principe économique. De là proviennent les droits politiques humains [...] La liberté d'action n'est pas d'agir indépendamment et en dehors de la communauté, dans la mesure où elle est un principe économique, c'est-à-dire entièrement prosaïque [...] Le chemin philosophique général conduit à la désintégration des choses, au non-objectif, au suprématisme comme ensemble utilitaire nouveau et réel, et au monde spirituel des phénomènes [...] Nous allons travailler sur de nouvelles constructions créatrices de la vie [...]
« Trois vivats pour le renversement du vieux monde de l'art.
« Trois vivats pour le nouveau monde des choses.
« Trois vivats pour les meneurs Rouges de la vie contemporaine et le travail créatif Rouge du nouvel art. »

Or deux ans plus tard, il écrivait à un groupe d'artistes néerlandais pour se plaindre que ses compatriotes aient échoué à « comprendre l'importance du peintre ou de quiconque travaille à l'art dans la culture de l'humanité ». Cela incluait aussi ceux qui s'appelaient eux-mêmes « constructivistes ».

Malevitch croyait en un art spirituel, mais la bataille fut remportée, temporairement, par la faction des objectivistes constructivistes. Ils travaillaient à Moscou, à Vkhutemas, et n'étaient pas eux-mêmes d'accord entre eux. Le groupe le plus proche de Malevitch s'organisait autour de deux sculpteurs, Antoine Pevsner et son frère Naum Gabo, qui publièrent un « Manifeste réaliste » le 5 août 1920. Ils y condamnaient le cubisme et le futurisme, et en appelaient à un art « érigé sur les lois réelles de la Vie ». « La mine de plomb dans la main, les yeux aussi exacts qu'une règle, l'esprit aussi tendu qu'un compas [...] nous construisons notre travail comme l'univers construit le sien, comme un ingénieur construit ses ponts, comme un mathématicien ses formules d'orbites. »

La distance qui sépare ces vues de l'idéal de Malevitch apparaît plus clairement encore dans les explications ultérieures de Gabo, en 1937. « Je n'hésite pas à affirmer que la perception de l'espace est une donnée immédiate et naturelle des sens [...] Notre tâche est de la rapprocher de notre conscience, en sorte qu'elle nous devienne une émotion plus élémentaire et plus quotidienne, à l'égal de la sensation de lumière ou de la sensation de bruit. [...] Les formes que nous créons n'ont rien d'abstrait, elles sont absolues [...] La force émotionnelle d'une forme absolue est unique et remplaçable par aucun autre moyen [...] Les formes élèvent et les formes dépriment, elles donnent de l'élan et plongent dans le désespoir [...] L'esprit constructif nous permet de puiser dans cette source intarissable d'expression et de la consacrer à la sculpture. »

Cet art de matériaux réels dans un espace réel est celui que Tatline réclamait ; mais il demeure un art destiné aux facultés mentales, traitant d'expression et d'émotion. Tatline lui-même vit dans l'art le produit d'une société décadente, et fit sien le slogan « l'art dans la vie ». Il resta l'opposant à Malevitch qu'il avait été pendant une demi-douzaine d'années. De plus en plus, il travaillait au design d'objets, et dessina durant les dures années de 1918-19 un fourneau à consommation réduite en fuel et à rendement maximal de chaleur, ou bien une combinaison de travail pour l'ouvrier. Il passa des années à essayer d'améliorer un appareil volant, le *Letatline*, aux ailes semblables à celles d'un faucon. Son plus grand projet fut le *Monument à la Troisième Internationale*, commandé en 1919 pour être élevé au centre de Moscou. Une maquette exposée au Huitième Congrès des Soviets de décembre 1920 représentait un étrange squelette métallique, destiné à atteindre deux fois la hauteur de l'Empire State Building, et penchant sur un axe diagonal, comme si la tour Eiffel avait été reconstruite pour servir de rampe de lancement de fusées. Au centre de sa structure en spirale trois solides géométriques devaient contenir des salles de conférences, qui devaient respectivement faire une révolution par jour, une par mois et une par année. Par temps nuageux, le monument devait projeter des slogans sur le ciel de Moscou.

Vladimir Tatline
Monument à la Troisième Internationale, 1919-1920

Le heurt des idéologies qui divisait les constructivistes et d'autres artistes de la Révolution ne fut jamais dépassé en Russie. A mesure que le gouvernement central s'établissait plus fermement, l'initiative était refusée à ces révolutionnaires. On en vint à priser un art que le peuple pourrait comprendre plus aisément, jusqu'au moment où la « Petite encyclopédie soviétique » (dans sa troisième édition de 1960) qualifia le constructivisme de « tendance formaliste de l'art bourgeois, qui s'est développée après la Première Guerre mondiale. Anti-humaniste par nature, hostile au réalisme, le constructivisme apparaît comme le plus complet effondrement de la culture bourgeoise durant la période de la crise générale du capitalisme ».

Kandinsky, Pevsner et Gabo quittèrent la Russie en 1922 et 1923, pour ne plus jamais y revenir. Kandinsky accepta un poste au Bauhaus, qui n'était pas sans rappeler la Vkhutemas de Moscou, dans la mesure où s'y transcendaient, par un design fonctionnel, l'inutilité pratique traditionnelle des beaux-arts et le pur utilitarisme des objets manufacturés.

Des Russes qui exportèrent le constructivisme en Occident, le plus notable fut l'un des plus jeunes, El Lissitzky, né en 1890. A la fois architecte et graphiste, ses peintures devaient beaucoup à Malevitch, et pouvaient se comprendre comme des abstractions aussi bien que comme des dessins d'architecture nouvelle. Ses brillantes épures graphiques, ingénieuses et même spirituelles, combinaient des formes géométriques, des images photographiques et un emploi de la typographie d'une façon entièrement neuve. Son affiche de 1919-20 enjoignait le peuple à *Abattons les Blancs avec le Coin Rouge*, montrant un triangle rouge qui pénétrait un cercle blanc.

Lissitzky quitta également la Russie en 1922, et partit d'abord pour Berlin, où il organisa l'exposition « Abstraction russe moderne », à la galerie Van Diemen. Son influence se révéla importante sur De Stijl, sur l'enseignement du Bauhaus, et sur l'art abstrait occidental en général. Il finit ses jours en Russie comme concepteur d'expositions et d'affiches.

El Lissitzky
Proun 12 E, v. 1920

El Lissitzky
Abattons les Blancs avec le Coin Rouge, 1919

Les principes du constructivisme furent codifiés en Europe occidentale par l'enseignement dispensé au Bauhaus entre 1923 et 1928 par le Hongrois László Moholy-Nagy. A travers un programme éclectique qui puisait chez Kandinsky mais surtout chez Lissitzky, il éliminait le mysticisme de Mondrian, Kandinsky et Malevitch. L'art abstrait, disait-il, « projette un ordre futur désirable ». L'art est « la pierre d'affûtage des sens, rendant plus aigus l'œil, l'esprit et les sensations ». Il « crée de nouveaux types de relations spatiales, de nouvelles inventions formelles, de nouvelles lois visuelles, simples et basiques, homologues visuels d'une société humaine résolument plus coopérative ».

Magritte

Dada et surréalisme

Les bourgeois voyaient en dada un monstre dissolu, un méchant révolutionnaire, un barbare asiatique, qui complotait contre ses clochers, ses coffres-forts, ses listes d'honneur. Les dadaïstes inventaient des tours pour voler le bourgeois dans son sommeil... Les dadaïstes donnaient au bourgeois un sentiment de confusion et de grondement lointain mais néanmoins puissant, si bien que les cloches se mettaient à frémir, les coffres-forts à grogner, et les listes d'honneur à avoir des boutons.

La bouteille nombril, Hans Arp.

AVIS AU PUBLIC

Avant de descendre parmi vous pour arracher vos dents cariées, vos oreilles purulentes, vos langues pleines de chancres,

Avant de briser vos os putrides,

Avant d'ouvrir vos ventres infestés par le choléra et d'en extraire comme engrais votre foie obèse, votre rate ignoble et vos reins diabétiques,

Avant d'arracher votre sexe répugnant, incontinent et visqueux,

Avant d'éteindre votre appétit pour la beauté, l'extase, le sucre, la philosophie, le poivre et les concombres métaphysiques des mathématiques et de la poésie,

Avant de vous désinfecter au vitriol, de vous purifier et de vous vernir avec passion,

Avant tout cela,

Nous prendrons un grand bain d'antiseptique,

Et nous vous avertissons

Nous sommes des assassins.

(Manifeste signé par Ribemont-Dessaignes et lu par sept personnes à la manifestation du Grand Palais des Champs-Élysées, Paris, le 5 février 1920.)

Vous êtes tous accusés ; levez-vous ! Levez-vous comme vous le feriez pour la *Marseillaise* ou pour le *God Save the King*...

Seul dada ne sent pas : il n'est rien, rien, rien.

Il est comme vos espoirs : rien.

comme votre paradis : rien.

comme vos idoles : rien.

comme vos politiciens : rien.

René Magritte
Les Grâces naturelles, 1963

comme vos héros : rien.
comme vos artistes : rien.
comme vos religions : rien.
Sifflez, criez, cassez-moi la gueule, et après ? Je vous dirai quand même que vous êtes des abrutis. Dans trois mois mes amis et moi nous vous vendrons nos tableaux pour quelques francs.

(*Manifeste cannibale dada* de Francis Picabia, lu à la soirée dada du théâtre de la Maison de l'Œuvre à Paris, le 27 mars 1920.)

Les dadaïstes croyaient que l'artiste était le produit, et, traditionnellement, le soutien de la société bourgeoise, elle-même anachronisme promis à une mort prochaine. La guerre avait fini d'en démontrer la pourriture, mais au lieu de pouvoir participer à la construction d'un monde nouveau, l'artiste était encore prisonnier des derniers râles de cette société. Il était donc lui-même un anachronisme dont l'œuvre n'avait plus la moindre pertinence, et c'est cette absence de pertinence que les dadaïstes voulaient prouver publiquement. Dada exprimait des sentiments de frustration et de colère. Mais les dadaïstes étaient néanmoins peintres et poètes, ce qui les plaçait dans une position d'ironie complexe : ils appelaient à l'effondrement d'une société (et de son art) dont eux-mêmes dépendaient à bien des titres et qui, pour redoubler l'ironie, allait mettre un entrain masochiste à épouser dada et à se délester de bon argent sonnant pour acheter les œuvres dadaïstes et finir par les assimiler à l'art.

Les dadaïstes écrivaient des manifestes innombrables, chacun apportant sa coloration propre au concept de dada. Mais comment exprimer sinon des sentiments de frustration et de colère ? Dada se tourna dans deux directions, d'une part vers une attaque violente et nihiliste contre l'art, de l'autre vers le jeu, la mascarade et la bouffonnerie. « Ce que nous appelons dada est une arlequinade faite de néant où sont impliquées toutes les questions les plus élevées, un geste de gladiateur, un jeu avec des débris misérables, une mise à mort de la moralité affichée et de la plénitude », écrit Hugo Ball dans son journal, « Die Flucht aus der Zeit ». Picabia et Man Ray produisirent des œuvres d'une agression dada exemplaire dans des objets tels que le *Portrait de Cézanne* par Picabia – un singe empaillé –, ou encore le *Cadeau* par Man Ray : un fer à repasser ordinaire de la sole duquel dépasse une rangée de clous, ce qui, si l'on y adjoint le ready-made réciproque que suggérait Duchamp : « Utiliser un Rembrandt en guise de planche à repasser », fonctionne comme métaphore globale de dada.

L'art était devenu une monnaie dévaluée, il ne concernait plus que les connaisseurs dont le goût n'était plus qu'une question d'habitude. Jacques Vaché, qui mourut d'une overdose d'opium en 1918 sans avoir jamais entendu parler de dada, mais dont le caractère fantasque et les lettres d'un désespoir plein d'ironie devaient influencer les dadaïstes parisiens, écrit à son ami André Breton en 1917 : « L'ART n'existe pas, bien sûr – il est donc inutile de chanter – toutefois ! nous faisons de l'art parce que c'est ainsi et pas autrement... Donc nous n'aimons ni l'ART, ni les artistes (à bas Apollinaire) ET COMME TOGRATH AVAIT RAISON D'ASSASSINER LE POÈTE ! » Picabia écrivit avec irrespect dans *Jésus-Christ Rastaquouère* : « Vous recherchez toujours des émotions éculées, tout comme vous aimez aller à la blanchisserie chercher un vieux pantalon qui a l'air neuf quand on n'y regarde pas de près. Les Artistes sont des blanchisseurs, ne vous en laissez pas accroire par eux. Les œuvres d'art moderne sont faites non par des artistes, mais tout simplement par des hommes. » Ou même par des machines, aurait-il pu ajouter.

Lorsque, en 1913, Marcel Duchamp monta une roue de bicyclette à l'envers sur un tabouret, et qu'en 1914 il choisit le premier ready-made, un égouttoir à bouteilles, au Bazar de l'Hôtel de Ville, c'était le premier pas dans une polémique que dada allait tout faire pour alimenter : ce geste

Marcel Duchamp
Roue de bicyclette, 1913

de l'artiste élevait-il un objet ordinaire de grande série au statut d'œuvre d'art ou bien, tel le cheval de Troie, infiltrait-il les rangs de l'art pour rabaisser les œuvres d'art au niveau des objets ordinaires ? Bien sûr ce ne sont là que deux faces d'un même problème. Quoi qu'il en soit, les premiers ready-made ne quittèrent pas son studio, et lorsqu'il déménagea à New York en 1915, sa sœur jeta tous les déchets accumulés, dont l'*Égouttoir*. (Il devait en racheter un autre par la suite.) Ce n'est qu'une fois aux États-Unis qu'il leur donna l'appellation de ready-made, quand il se mit à « signer » d'autres objets de grande série. Duchamp lui-même ne cachait pas que le but de l'opération n'était pas d'en faire des œuvres d'art. Il expliquait que le choix du ready-made « dépendait de l'objet en général. Il fallait résister à la “simple apparence”. Il est très difficile de choisir un objet parce que, au bout de quelques semaines, on se met à l'aimer ou à le détester. Il faudrait atteindre une indifférence telle qu'on soit au-delà de toute émotion esthétique. Le choix des ready-made est toujours basé sur l'indifférence visuelle en même temps que sur une habitude : la répétition de quelque chose qui est déjà accepté ». C'étaient donc des exercices de négation de goût (de l'habitude). Lorsque Duchamp exposa le *Porte-Manteau*, le public collabora inconsciemment au jeu en y accrochant chapeaux et manteaux. Dans une exposition récente à

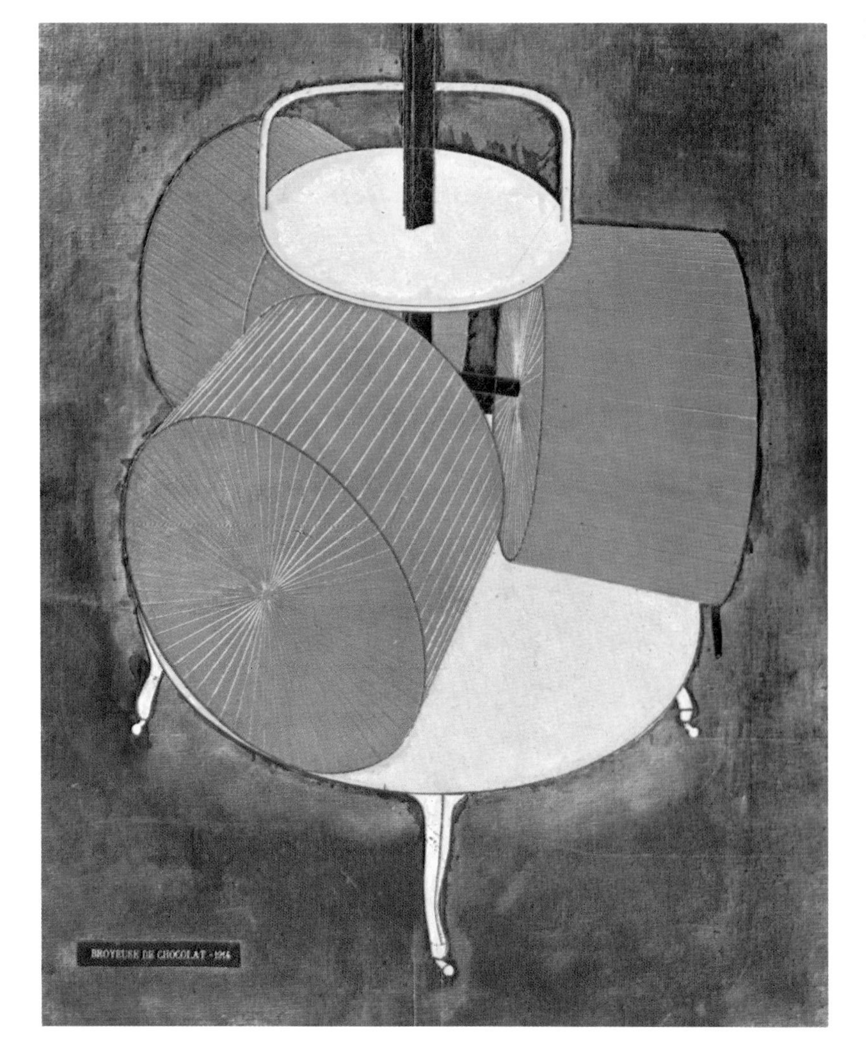

Marcel Duchamp
Broyeuse de chocolat n° 2, 1914

Londres, « Pionniers de la sculpture moderne », la *Roue de bicyclette* et l'*Égouttoir à bouteilles* figuraient énigmatiques et intacts cinquante ans après.

Duchamp interprète également ses dessins et tableaux mécaniques comme des moyens d'échapper à la tyrannie du goût. Ces œuvres atteignent leur apogée dans l'une des œuvres les plus volontairement difficiles et ésotériques de ce siècle, *La Mariée mise à nu par ses célibataires même, dite Le Grand Verre,* exécutée sur verre entre 1915 et 1923, date à laquelle il l'abandonna « définitivement » inachevée. Un certain nombre de notes de Duchamp la décrivent comme une « machine d'amour » en deux parties, celle du haut correspondant à la mariée et celle du bas aux célibataires. Chaque partie avait été scrupuleusement planifiée à l'avance, puis disposée dans une perspective rigide bien qu'idiosyncratique, avec pour effet, dans la partie inférieure de l'œuvre, de donner à certaines

Marcel Duchamp
La Mariée mise à nu par ses célibataires, même (Le Grand Verre),
1915-1923

parties de la machine une apparence tridimensionnelle tout en exaltant la bidimensionnalité et la transparence de la surface de verre. Duchamp y incorpora également divers éléments aléatoires ; ainsi, il laissa la plaque de verre s'empoussiérer pendant plusieurs mois près d'une fenêtre ouverte dans son studio de New York, puis il la dépoussiéra (après l'avoir fait photographier par Man Ray) en ne laissant de la poussière que sur les « tamis » (les formes coniques disposées en demi-cercle), où il la fixa avec de la colle.

Après 1913, mis à part une seule « évocation des ready-made », *Tu m'*, Duchamp abandonna définitivement la peinture à l'huile de type conventionnel. En 1923, il délaissa apparemment toute activité artistique, au profit du jeu d'échecs ! Ce silence même est peut-être l'un des mythes dada les plus puissants et les plus inquiétants. Après sa mort, en 1968, on découvrit qu'il avait passé plus de vingt ans, de 1944 à 1966, à travailler en secret à une installation intitulée *Étant donnés : 1 La chute d'eau, 2 Le gaz d'éclairage*, dont il est déjà question dans les notes du *Grand Verre*.

Duchamp et Picabia se rencontrèrent et devinrent très liés vers la fin de l'année 1910. Picabia était enthousiaste, riche et d'un nihilisme sans bornes, et il appréciait l'humour absurde d'Alfred Jarry. Duchamp était

Francis Picabia
Parade amoureuse, 1917

Francis Picabia
Page de titre de *Dada 4/5* 1919

Man Ray
La Danseuse de corde s'accompagne de ses ombres, 1916

renfermé, ironique et de goûts ésotériques. Tous deux cherchaient à échapper aux stéréotypes de l'avant-garde parisienne, alors essentiellement cubiste, et tous deux abhorraient le respect dont on entourait les artistes. En 1911, peu après avoir pris contact avec Apollinaire, ils assistèrent à une représentation d'« Impressions d'Afrique » de Raymond Roussel, où ils virent un chef-d'œuvre d'humour absurde. Il y avait, parmi la multitude d'objets et de machines, une machine à peindre actionnée par les rayons du soleil, qui peignait d'elle-même un chef-d'œuvre. La démystification de l'œuvre d'art qu'opérait Roussel, ainsi que la destruction systématique de l'ordre au nom de l'absurde, ne fit que les encourager dans cette direction, tandis que les jeux langagiers étranges auxquels se livrait Roussel, et qu'il explique dans « Comment j'ai écrit certains de mes livres » comme générateurs d'idées et d'objets, ne sont pas sans présenter des points communs avec la manière ésotérique dont procédait Duchamp.

Francis Picabia commença à dessiner des machines sous l'influence de Duchamp, en exploitant le potentiel blasphématoire de la métaphore entre machine et sexe. Il amena ses dessins de machines à leur conclusion logique lorsque, en 1919 à Zurich, il démonta une montre, plongea les rouages dans de l'encre et s'en servit pour imprimer la page de titre de « Dada 4-5 ». Son premier dessin de machine était paru dans le magazine d'Alfred

Stieglitz « Camera Work » à l'époque de l'Armory Show de New York en 1913. L'Armory Show avait marqué la première incursion de l'art européen de pointe aux États-Unis, et le scandale s'était porté sur le tableau de Duchamp *Nu descendant un escalier*, si bien qu'il était déjà célèbre à New York lorsqu'il y arriva en 1915, accompagné de Picabia. Picabia avait une commission militaire et des fonds pour acheter du sucre à Cuba, chose qu'il s'empressa d'oublier. Ils se joignirent à un groupe de poètes et d'artistes aussi révolutionnaires qu'eux, dont John Covert et Man Ray. On y rencontrait à l'occasion Arthur Cravan. Duchamp et ses amis avaient organisé une conférence de Cravan sur l'art moderne devant un public new-yorkais très choisi, mais Cravan arriva ivre mort et, ne sachant pas par où commencer, il se mit à se déshabiller sur l'estrade. Il disparut en essayant de traverser à la rame le golfe du Mexique.

Le groupe resta dans l'ignorance du mouvement « dada » européen, créé à Zurich en 1916. Picabia partit à Barcelone pour quelques mois afin de se remettre de ses excès d'alcool et d'opium, et c'est là qu'en 1917 il produisit les premiers numéros de sa revue itinérante « 391 », le meilleur et le plus durable de tous les périodiques d'esprit dada. Les activités du groupe de New York culminèrent avec la publication des numéros new-yorkais de « 391 », qui coïncida avec un geste spectaculaire de Duchamp. Invité à participer au jury d'une exposition à Grand Central Gallery qui autorisait n'importe qui à exposer, Duchamp envoya un urinoir de faïence blanche signé du pseudonyme R. Mutt. L'objet ayant été rejeté, Duchamp se désista du jury, et l'incident fut relaté dans les journaux satiriques « The Blind Man » et « Rongwrong ».

Dada à Zurich

Bien d'autres artistes furent dada à un moment ou à un autre, et dada lui-même varia suivant le lieu, l'époque et les personnes concernées. C'était avant tout un état d'esprit, un mécontentement que la guerre avait aiguisé en mépris. Ce mépris avait pour objet la société responsable du gâchis effroyable de la guerre, ainsi qu'un art et une philosophie qui semblaient tellement vendus au rationalisme bourgeois qu'ils étaient incapables d'engendrer des formes nouvelles susceptibles d'exprimer un mouvement de protestation. Face à la paralysie à laquelle semblait mener cette situation, dada se tournait vers l'absurde, le primitif, l'élémentaire.

Dada reçut le baptême à Zurich en 1916, bien que les circonstances exactes et le sens du mot soient sujets à discussion. Richard Huelsenbeck, jeune poète réfugié en Suisse à l'époque, dit que ce sont lui et Hugo Ball qui découvrirent le mot par hasard dans un dictionnaire allemand-français, et que ce mot enfantin qui signifie cheval à bascule « exprime le primitif, la table rase, le renouveau radical dans l'art ». Le mot fut adopté par un groupe de jeunes exilés, peintres et poètes pour la plupart, qui étaient venus en Suisse pour fuir la guerre et qui se retrouvaient au Cabaret Voltaire, une « boîte de nuit littéraire » lancée par Hugo Ball au début de l'année 1916. On y discutait du renouveau de l'art et de la poésie qui viendrait redonner vie à un langage usé et éculé. Un membre du groupe qui était à la fois peintre et poète, Hans Arp, décrit la situation en ces

Marcel Janco
Cabaret Voltaire, 1916

termes : « A Zurich en 1916, nous avions perdu tout intérêt pour la boucherie de la guerre mondiale et nous nous sommes tournés vers les beaux-arts. Tandis que les canons grondaient au loin, nous faisions des vers et des collages, nous récitions et nous chantions de tout notre cœur. Nous étions à la recherche d'un art élémentaire qui, du moins nous le croyions, sauverait l'humanité de la folie furieuse de ce siècle. Nous aspirions à un ordre nouveau qui vienne restaurer l'équilibre du ciel et de l'enfer. Cet art devint progressivement un objet d'opprobre. Mais y a-t-il rien d'étonnant à ce que les « brigands » ne nous aient pas compris ? Dans leur manie puérile de l'autoritarisme, ils voudraient que l'art lui-même serve d'instrument d'abrutissement du peuple. »

Les dadaïstes de Zurich comprenaient Hugo Ball, Emmy Hennings, Hans Richter et Richard Huelsenbeck, d'Allemagne, Hans Arp d'Alsace, Marcel Janco et Tristan Tzara de Roumanie, et à l'occasion l'énigmatique Docteur Walter Serner. Les manifestations publiques dada donnaient lieu à des soirées houleuses au Cabaret Voltaire. Voici en quels termes Tzara en décrit une dans son « Journal Dada » :

« 14 juillet 1916 – pour la première fois au monde. Waag Hall. 1re soirée dada. (Musique, danse, théories, manifestes, poèmes, peintures, costumes, masques)

"Devant une foule compacte Tzara se manifeste, nous exigeons le droit de pisser de plusieurs couleurs, Huelsenbeck se manifeste, Ball se manifeste, Arp *Erklärung* [déclaration], Janco *meine Bilder* [mes dessins], Heusser *eigene Kompositionen* [compositions originales], la baie des chiens et la dissection de Panama pour piano et dock – poème crié – cris et bagarre dans l'entrée, la première rangée approuve, la seconde réserve son jugement, les autres braillent à qui mieux mieux... La boxe reprend : danse cubiste, costumes de Janco, chacun un gros tambour sur la tête, bruit, musique nègre/trabatgea bonooooo oo ooooo/5 expériences littéraires : Tzara en queue-de-pie devant le rideau... pour expliquer l'esthétique nouvelle : poème gymnastique, concert de voyelles, poème bruitiste, poème statique, arrangement chimique des idées, Biriboom, biriboom... poème de voyelles a a ò, i e o, a i i..."

Les œuvres dada n'existent qu'en tant que gestes ou provocations publiques. Que ce soit dans le contexte d'une exposition ou d'une manifestation (et pour dada, la distinction était des plus ténues), l'objet dada, peinture ou construction, était un acte qui appelait une réaction.

Il est inévitable que certaines expériences dada, en poésie et dans les arts plastiques, paraissent emprunter dans une certaine mesure la voix d'autres mouvements. L'*Autoportrait visionnaire* de Hans Richter est une œuvre expressionniste. Mais surtout, dada est rempli d'échos du futurisme italien, dans la violence de ses manifestes et de ses expériences bruitistes et simultanéistes. George Grosz, dans son dadaïste *Cortège funèbre, dédié à Oscar Panizza* de 1917, tout comme le futuriste Carlo Carrà dans son tableau *Obsèques de l'anarchiste Galli* (1910-1911), semblent décrire des obsèques qui tournent à l'émeute. La dynamique des lignes qui s'entrecroisent et des maisons, des éclairages et des personnages qui s'interpénètrent, doit beaucoup au concept de simultanéité défini par Umberto Boccioni. Arp parlait, en termes futuristes, du « boucan dynamique » des diagonales vigoureuses dans ses premiers collages. Le *Port* frénétique d'Arthur Segal, avec sa parodie de facettes cubistes, doit beaucoup au futurisme. Très souvent, c'est un style ou un procédé qui est plagié et retourné contre lui-même dans une parodie grotesque. Le « Poème simultanéiste » de Tzara en est un bon exemple : c'est un poème composé de vers banals dans trois langues différentes, lus simultanément avec un accompagnement de bruits en coulisses, le tout singeant l'idée qu'on peut exprimer plusieurs idées à la fois. Les tentatives sérieuses et optimistes des futuristes pour rendre le dynamisme ou l'héroïsme de la vie moderne étaient des proies faciles pour les dadaïstes, pour qui cette branche de l'activité artistique était la plus futile de toutes.

Il y avait toutefois un fossé entre le travail d'un artiste dans l'intimité de son studio et ses activités publiques au sein du mouvement dada. Marcel Janco, par exemple, travaillait sur des reliefs abstraits en plâtre tout en faisant des masques pour les manifestations dada que Arp évoque avec émotion dans « Dadaland » : « Ils [les masques] étaient terrifiants, barbouillés de rouge sang pour la plupart. Avec du carton, du papier, du crin, du fil de fer et du tissu, on faisait des fœtus langoureux, des sardines lesbiennes, des souris en extase. »

George Grosz
Procession funéraire, en hommage à Oskar Panizza, 1917

Marcel Janco
Dada, armure militaire, 1918-1920

Arp était l'un des membres les plus fidèles du groupe ; tout en ayant peu d'affinités avec la violence et le bruit du Cabaret, il avait des idées bien précises sur la valeur et le sens de dada. En ce sens, il se rapprochait de Hugo Ball. Dans un essai intitulé « Je m'éloigne de plus en plus de l'esthétique », il écrit : « Le but de dada était de détruire toutes les illusions raisonnables de l'homme et de retrouver l'ordre naturel et déraisonnable. Dada cherchait à remplacer le non-sens logique des hommes d'aujourd'hui par de l'insensé illogique. C'est pourquoi nous tapions de toutes nos forces sur le gros tambour dada en chantant les louanges de la déraison. Dada allait donner un lavement à la Vénus de Milo et permettre à Laocoon et à ses fils de se soulager après tous ces millénaires de lutte avec cette grosse saucisse de serpent Python. Les philosophies ont moins de valeur pour dada qu'une vieille brosse à dents au rebut, et dada les laisse aux grands de ce monde. Dada dénonce les ruses infernales du vocabulaire de la raison officielle. Dada est pour l'insensé, ce qui ne veut pas dire le non-sens. Dada est insensé comme la nature. Dada est sans ambages comme la nature. Dada est pour le sens infini et les moyens définis. »

Insatisfait de la « texture lourde de la peinture expressionniste », Arp se mit à construire des œuvres faites de lignes et de structures simples. Il fit des collages d'une géométrie sans fantaisie, ainsi que des motifs abstraits avec l'aide de Sophie Taeuber (qui devait l'épouser) exécutés sous forme de tapisserie ou de broderie. Sophie et lui ignoraient les expériences comparables que menait Mondrian avec des lignes droites, des carrés et des rectangles colorés, et ce n'est qu'en 1919 qu'ils en virent des reproductions dans la revue hollandaise *De Stijl*.

L'une des raisons possibles pour lesquelles dada devint presque un mouvement artistique à part entière à Zurich est que, contrairement à Paris, le public était vivement hostile à toute tentative artistique novatrice. Richter évoque en ces termes ce qui arriva lorsqu'on demanda à Arp et à Otto Van Rees de peindre l'entrée d'une école de filles : « De part et d'autre de l'entrée de l'école, on pouvait voir deux grandes fresques abstraites (les premières de ce type dans la région) qui voulaient être un régal pour les yeux des petites filles et un emblème glorieux des citoyens de Zurich et de l'esprit progressiste de leur ville. Mais tout cela fut bien mal compris. Les parents des petites filles étaient scandalisés et les édiles locaux outrés par ces taches de couleur qui ne représentaient rien du tout et dont les murs, voire l'esprit des petites filles, allaient être infectés ! Il ordonnèrent que l'on repeignît immédiatement les murs avec des images "convenables", ce qui fut fait, et l'œuvre de Arp et de Van Rees fit place à des *Mères tenant des enfants par la main*. »

Arp devait bientôt abandonner la peinture à l'huile sur toile au profit d'autres matériaux tels le bois, la broderie, le papier découpé et le papier journal, et ce avec la collaboration de Sophie, afin d'échapper par le travail

Sophie Taeuber-Arp
Composition avec triangles, rectangles et cercles, 1916

Hans Arp
Illustration de *Onze peintres vus par Arp*, 1949

d'équipe à l'« égoïsme monstrueux » de l'artiste. Il dit de certaines de ces œuvres qu'elles ont été « organisées selon les lois du hasard », bien que comparées aux œuvres des années 30, elles semblent soigneusement préconçues.

Dans les poèmes qu'il écrit à cette époque, Arp utilise le hasard d'une façon encore plus radicale à la manière dada, en prenant des mots et des expressions au hasard dans les journaux. Certains de ses reliefs en bois étaient faits de bouts de bois pourri qui ressemblaient à des épaves. Sur plusieurs reliefs des années 1916-1917, il laisse volontairement le bois rugueux et à nu, avec des clous qui dépassent. D'autres reliefs en bois comme *Forêt* ou *Plateau d'œufs* sont peints de couleurs vives et composés de formes très concentrées qui donnent naissance par la suite à l'abstraction biomorphique de ses sculptures. Il avait là une grammaire des formes très souple. Richter se souvient d'avoir peint une gigantesque toile de fond avec Arp pour une manifestation dada. Chacun commença à un bout et ils couvrirent le rouleau de papier de mètres et de mètres de « champs de concombres géants ». L'évolution de Arp vers l'abstraction organique fut favorisée par les dessins automatiques qu'il pratiquait vers cette époque,

Hans Arp
Tête, 1926

technique que devaient reprendre ultérieurement les surréalistes à des fins différentes, en la systématisant.

Pendant quelques années, dada apparut ainsi, surtout aux yeux de Ball et de Arp, comme une source de nouvelles directions artistiques. Le désir qu'avait Ball de rendre sa magie au langage, la recherche que faisait Arp de l'immédiateté en art, vont sans doute dans ce sens. Ball dit : « L'immédiat et le primitif apparaissent aux yeux des dadaïstes, au milieu de notre immense anti-nature, comme étant le surnaturel même. » C'était du moins sous cet angle que le dadaïsme se présentait au public ; Tzara présentant la revue zurichoise « Dada » à Picabia la décrivit comme une « publication d'art moderne ». Mais l'arrivée de Picabia à Zurich en août 1918 introduisit un changement radical. Les dadaïstes n'avaient jamais rencontré personne qui fasse preuve d'une telle incrédulité dans l'art ni d'un sens aussi aigu de l'absurdité de l'existence. Richter dit que rencontrer Picabia, c'était voir la mort de près, et qu'après ces rencontres il éprouvait

Hans Arp
Forêt, 1916

Hans Arp
Trousse d'un Da, 1920

un désespoir tellement intense qu'il tournait en rond dans son studio en donnant des coups de pied dans les toiles.

Tzara, qui était le principal représentant de dada à Zurich, fut aussitôt séduit par le magnétisme irrésistible de Picabia ; dans son célèbre *Manifeste Dada 1918,* il met sa prodigieuse faconde au service du nihilisme.
« La philosophie se résume à cette question : sous quel angle choisissons-nous de regarder la vie, Dieu, l'idée ou tout autre phénomène ? Tout ce que nous regardons est faussé. Pour moi, le résultat qui découle de ce choix n'a pas plus d'importance que de choisir entre du gâteau et des cerises au dessert. Le système qui consiste à accorder un coup d'œil aux choses sous l'angle opposé afin de mieux imposer son opinion indirectement s'appelle la dialectique, autrement dit, l'art de discuter du sexe des anges tout en débitant des lapalissades.
« Si je m'écrie :

Idéal, idéal, idéal,
Connaissance, connaissance, connaissance,
Boucan, boucan, boucan,

« j'ai donné là une image assez fidèle du progrès, de la loi, de la moralité et toutes les belles qualités que divers messieurs très intelligents ont analysées dans tous leurs livres. »

Dada à Paris

C'est le Manifeste de Tzara en 1918 (« J'écris un manifeste et je ne demande rien, pourtant je dis quelque chose, et en principe je suis contre les manifestes tout comme je suis contre les principes ») qui allait séduire André Breton ainsi que divers autres membres du groupe parisien *Littérature*. Tzara arriva à Paris au début de l'année 1920 et aussitôt, avec l'aide notamment de Picabia, Breton, Aragon, Soupault et Georges Ribemont-Dessaignes, il se mit à faire connaître la révolte dada par ses œuvres scandaleuses comme *Plumes* de Picabia. Le 23 janvier, la première manifestation dada eut lieu au Palais des Fêtes ; elle vaut la peine d'être relatée, ne serait-ce que parce qu'elle devait donner le la de toutes les manifestations dada ultérieures. On avait donc annoncé une conférence sur « La crise du change », par André Salmon, qui avait attiré un certain nombre de petits boutiquiers du quartier avides d'informations financières, conférence dont le sujet réel était le renversement des valeurs littéraires depuis le symbolisme. Le public commençait à se disperser quand Breton ouvrit les hostilités en présentant des tableaux de Picabia (ce dernier n'aimant pas se montrer sur scène). On apporta donc un grand tableau couvert des inscriptions « haut » en bas et « bas » en haut, et au-dessus en grosses lettres rouges du rébus obscène *L.H.O.O.Q. (Elle a chaud au cul)*. L'insulte faisant son chemin dans l'esprit du public, il y eut des huées, qui se transformèrent en hurlements lorsqu'on apporta une seconde « œuvre » : c'était un tableau noir couvert d'inscriptions, intitulé *Riz au Nez*, que Breton s'empressa d'effacer avec un chiffon. Non seulement ce n'était pas une œuvre d'art, mais en plus on la détruisait sous les yeux du public ! Le clou de la soirée fut l'apparition sur scène de Monsieur

Francis Picabia
Plumes, 1921

dada en personne, Tristan Tzara de Zurich, qui venait présenter une de ses œuvres. Il se mit à lire le dernier discours qu'avait fait Léon Daudet à la Chambre des députés, accompagné en coulisses par Breton et Aragon qui faisaient vigoureusement sonner des cloches. Le public, qui comprenait des personnalités comme Juan Gris, qui était venu là pour encourager la jeune génération, réagit avec violence. On entendit un rédacteur d'avant-garde crier : « Retournez à Zurich ! Au poteau ! » Dada avait monté là un beau traquenard, après quoi le public était averti.

Dada en Allemagne

Après la guerre, dada s'étendit avec la dispersion des dadaïstes de Zurich vers le reste de l'Europe, où souvent le nom suffisait à consacrer des activités qui étaient déjà proto-dada. A Cologne en 1919, Johannes Baargeld et Max Ernst furent rejoints par Arp, à la suite de quoi, comme le dit Arp, ils produisirent « les plus beaux fruits de l'arbre dada », des fruits qui comprenaient les « Fatagagas », des collages faits en collaboration par Arp et Ernst. Baargeld distribuait son périodique radical antipatriotique *Der Ventilator* à l'entrée des usines : et dans le climat de l'Allemagne d'après-guerre, où déjà perçait un nouveau nationalisme militaire, dada vint jouer un rôle plus ouvertement politique. L'un des événements dada les plus réussis à Cologne fut une exposition à la brasserie Bräuhaus Winter, exposition qui se tenait dans une petite cour derrière les toilettes, où le jour du vernissage une jeune fille déguisée en première communiante récitait des poèmes obscènes. A l'entrée se tenait une « sculpture » en bois de Max Ernst, avec une hache et un panneau qui invitait à la détruire. Certains des objets exposés avaient le côté énigmatique qu'auraient par la suite les objets surréalistes – ainsi le *Fluidoskeptrick der Rotzwitha van Gandersheim* de Baargeld, un aquarium rempli d'eau rouge avec un réveil au fond, une masse de cheveux qui flottaient à la surface, et une main de mannequin en bois qui dépassait, fut détruit au cours de l'exposition.

Ernst et Baargeld furent convoqués au poste de police pour répondre de contrefaçon, sous prétexte qu'ils avaient demandé un droit d'entrée pour une exposition artistique qui n'avait manifestement rien à voir avec

Max Ernst
hier ist noch alles
in der schwebe...
Fatagaga :
FAbrication
de TAbleaux GAzométriques GArantis,
1920

l'art. Ernst répliqua : « Nous avons bien dit que c'était une exposition dada. Dada n'a jamais prétendu qu'il avait quoi que soit à voir avec l'art. Si le public confond les deux, ce n'est pas de notre faute. »

C'est à Berlin que le potentiel politique de dada approcha le plus de sa réalisation. Huelsenbeck arriva en 1917 pour poursuivre ses études médicales. Berlin à cette époque, avec sa population à moitié affamée et sans espoir, avec la défaite qui approchait, où « l'esprit des gens se restreignait de plus en plus à des questions d'existence brute », était bien différente de l'« idylle douillette » de Zurich qu'il venait de quitter.

Il écrivit un manifeste pour rectifier la direction que prenait dada : « L'art suprême sera celui qui, dans son contenu conscient, présentera les multipes problèmes de son époque, l'art qui a visiblement été laissé chancelant par les événements de la semaine précédente, qui essaie désespérément de rassembler ses membres après l'explosion de la veille. Les meilleurs artistes, les plus extraordinaires, seront ceux qui à chaque heure arrachent les lambeaux de leurs corps à la cataracte frénétique de la vie, qui, les mains et le cœur en sang, s'agrippent à l'intelligence de leur époque. L'expressionnisme a-t-il satisfait notre attente d'un tel art,

Raoul Hausmann
Tête mécanique, 1919-1920

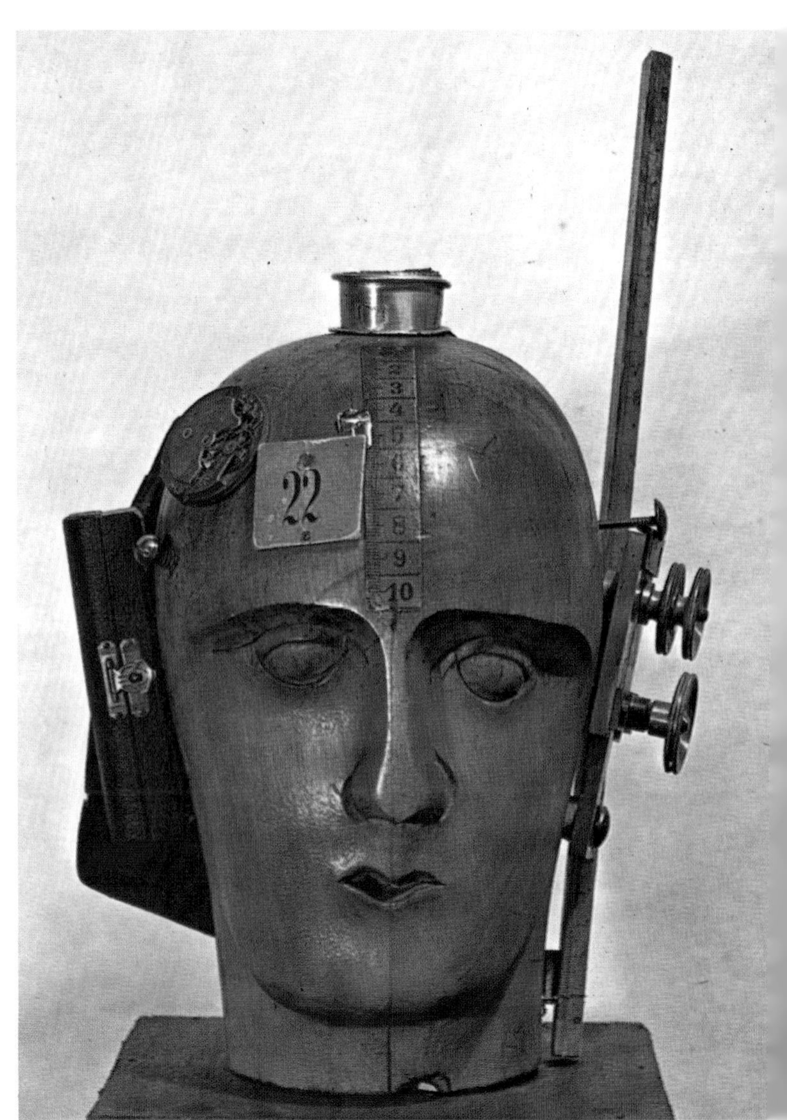

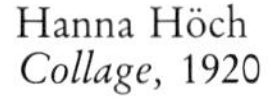

Hanna Höch
Collage, 1920

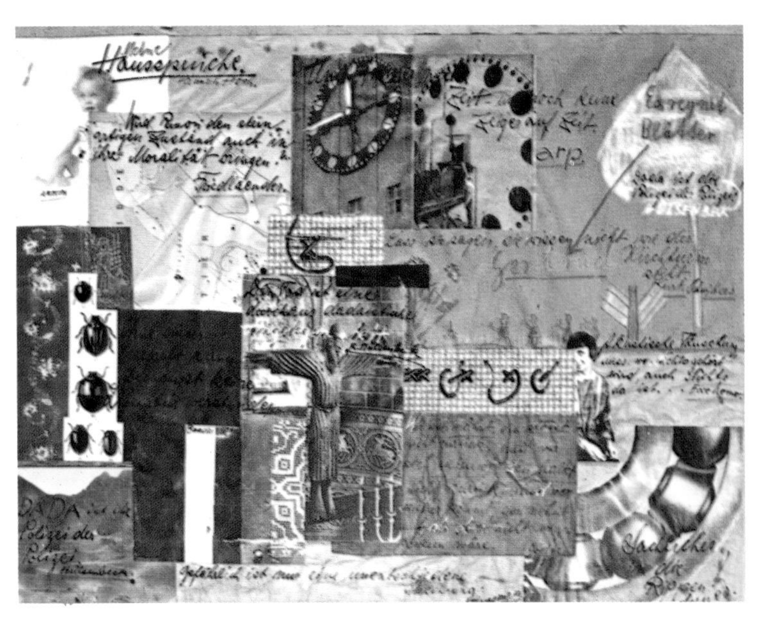

Vernissage de la « Première foire internationale Dada » à la galerie du Dr Otto Burchard, Berlin, juin 1920. De gauche à droite : Raoul Hausmann, Hanna Höch, Dr Burchard, Johannes Baader, Wieland Herzfelde, Mme Herzfelde, Otto Schmalhausen, George Grosz et John Heartfield.

qui se devait d'être une expression de nos soucis les plus vitaux ? Non, non et non ! »

On fonda un club dada, parmi lequel on trouve Hannah Höch, Johannes Baader, George Grosz, Wieland Herzfelde et son frère John Heartfield, Raoul Hausmann et Huelsenbeck. De nombreux périodiques apparurent sous la bannière dada, furent interdits et reparurent sous d'autres noms. La « Première foire dada internationale » eut lieu en 1920, et on y rendit hommage au nouvel art révolutionnaire soviétique : « L'art est mort. Vive le nouvel art mécanique de Tatlin. » Au plafond était pendu un mannequin vêtu d'un uniforme d'officier allemand, avec une tête de cochon et l'écriteau « Pendu par la révolution ».

Dada se présentait à Berlin avec un problème d'identité bien réel. D'une certaine façon, il entrait en compétition directe avec les ambitions révolutionnaires sérieuses de l'aile activiste de l'expressionnisme littéraire. Les dadaïstes y virent immédiatement leur ennemi numéro un ; ils haïssaient chez eux tous ces discours creux et pompeux sur la valeur de l'art, considéré comme une forme de thérapie sociale. D'un autre côté, tout en s'engageant activement dans les mouvements sociaux de l'après-guerre, notamment la brève occupation de Berlin par les communistes en novembre 1918 (durant laquelle Huelsenbeck tint même un poste officiel), puis la propagande contre la République de Weimar, les dadaïstes conservaient toutefois leur autonomie. Les communistes se méfiaient d'eux sous prétexte que ce n'étaient que des anti-artistes dilettantes, et la bourgeoisie voyait en eux des monstres bolcheviks.

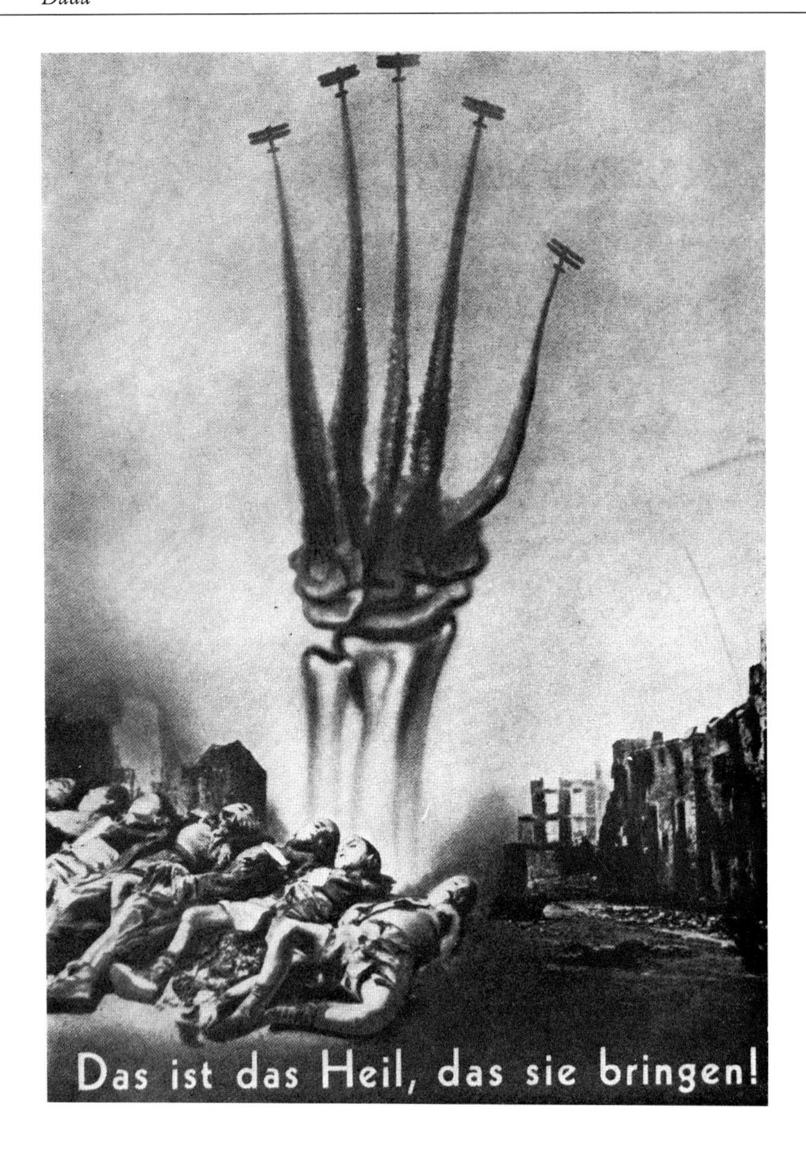

John Heartfield
Das ist das Heil, das sie bringen !, 1938

En partie pour réagir contre cette position, ils rétablirent les contacts avec la vie de tous les jours en transformant les collages en photomontages, un instrument incomparable de polémique visuelle. Les dadaïstes de Berlin se nommaient eux-mêmes *Monteure* (monteurs), et non artistes. Après que dada eut cessé d'exister en Allemagne, Heartfield continua d'utiliser la technique du montage photographique pour attaquer la montée du nazisme (*Das ist Heil, das sie bringen*).

Le groupe de Berlin était assez critique face au dada zurichois. Huelsenbeck écrit : « Je ne trouve dans le dadaïsme de Tzara et de ses amis, qui ont fait de l'art abstrait la pierre d'angle de leur nouvelle sagesse, aucune idée nouvelle qui mérite une propagande assidue. Ils ont échoué à s'avancer sur le chemin de l'abstraction, qui doit mener en dernier recours de la surface peinte à la réalité de l'imprimé de bureau de poste. »

Mais le manifeste qu'il rédigea avec Hausmann, « qu'est-ce que le dadaïsme et que veut-il en Allemagne ? », dans ses oscillations violentes entre les exigences les plus rationnelles et les plus folles, reflète la position ambiguë de dada. « *Le dadaïsme exige* : l'union révolutionnaire internationale de tous les créateurs et intellectuels, hommes et femmes, sur la base d'un communisme radical. [...] Le conseil central exige l'introduction du poème simultanéiste comme prière d'état communiste. »

Kurt Schwitters, qui animait « merz », un mouvement d'un seul homme à tendance dada, à Hanovre, tenta de se joindre au groupe de Berlin mais sa candidature fut rejetée. Il avait en fait beaucoup plus de points communs avec les dadaïstes zurichois comme Arp, qu'il appelait les dadaïstes « du noyau » par opposition aux dadaïstes « de la coquille ». Ces dadaïstes du noyau comprenaient Arp, Picabia, et assez bizarrement le sculpteur Alexandre Archipenko, ce qui montre bien que la palette des sympathisants et amis du dadaïsme était plus vaste que les quelques noms que l'on associe habituellement à ce mouvement ne le laisseraient supposer. Schwitters, qui n'avait nulle mauvaise conscience à s'intituler artiste, cherchait à renouveler les sources de la création artistique en dehors des moyens conventionnels. Il faisait des tableaux avec des bouts de tissu, de

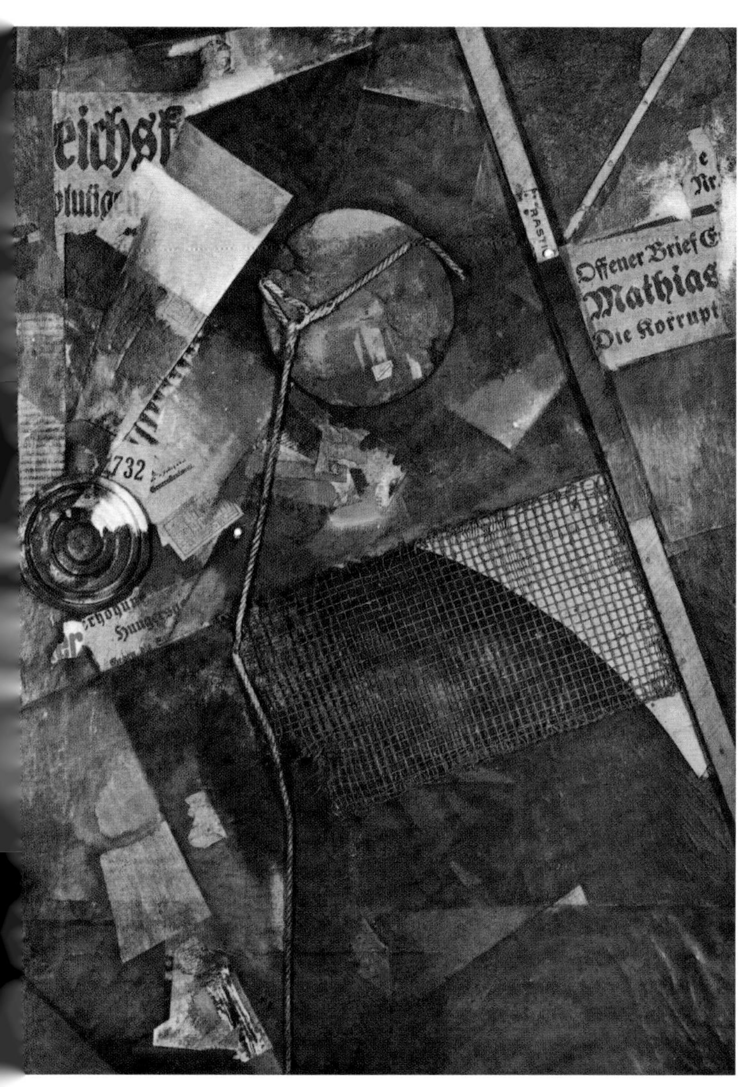

Kurt Schwitters
Merzbild 25 A. Das Sternenbild, 1920

Kurt Schwitters
Mz 26, 41. okola, 1926

corde, de bois, des tickets de bus, de la ficelle de cuisine et des débris divers qu'il ramassait dans la rue et qu'il collait ou clouait ensemble avant de les peindre. Le résultat, comme dans ses poèmes apparemment irrationnels, tel *Anna Blume*, atteignait à une beauté quasi lyrique.

Dada était un événement de portée véritablement internationale, non seulement parce qu'il transcendait les frontières nationales, mais aussi parce qu'il s'attaquait consciemment au nationalisme patriotique. L'effet global dépassait de loin l'énergie qu'y engageait chaque dadaïste pris isolément. Chaque dadaïste y apportait une nuance différente et en ressortait avec une idée différente de ce qu'était le dadaïsme. Les éclats de l'obus dada allaient modifier à jamais la face du monde artistique.

La période des sommeils

A Paris, dada dura deux ans. En 1922, il s'effondra, victime d'une série de querelles intestines qui avaient mis à nu les différends qui opposaient les anciens dadaïstes, Tzara et Picabia, au jeune groupe français, dont Breton. Ces derniers n'avaient peut-être jamais été réellement dadaïstes : du moins Breton avait-il organisé plusieurs projets grandioses qui n'avaient que des rapports très éloignés, voire inexistants, avec dada. Le « Jugement de Maurice Barrès », patriote et homme de lettres à qui Breton ne pouvait pardonner la fascination précoce qu'il avait exercée sur lui, eut lieu en 1921 ; cela scandalisa Ribemont-Dessaignes, selon qui « dada pouvait bien être criminel, poltron, pillard ou voleur, mais pas juge ». Breton, dans son rôle de juge, rappelait sévèrement les témoins à l'ordre quand ils se mettaient à digresser sur des incongruités ou des absurdités dada, et l'interrogatoire constituait une sorte de quête philosophique bâtarde et de jeu de la vérité inconfortable, d'un genre qui allait devenir caractéristique du surréalisme. Avec Jacques Rigaut, qui devait se tuer en 1929, Breton eut la conversation suivante :
Breton : « Selon vous, rien n'est possible. Comment parvenez-vous à vivre, et pourquoi ne vous êtes-vous pas suicidé ? »
Rigaut : « Rien n'est possible, pas même le suicide... Le suicide est, que vous le vouliez ou non, un acte de désespoir ou un acte de dignité. Se tuer, c'est admettre qu'il y a des obstacles terrifiants, des chose à redouter, ou simplement à prendre en considération. »

Il y eut un vide de deux ans entre la dissolution de dada à Paris en 1922 et la publication du premier « Manifeste du surréalisme » par André Breton à l'automne 1924. L'intervalle, de 1922 à 1924, se passa en une série d'expériences, une recherche incertaine de quelque chose de positif qui permettrait de sortir de l'impasse dada. Breton écrit :

> Quittez tout.
> Quittez Dada.
> Quittez votre femme et votre maîtresse.
> Quittez vos espoirs et vos craintes.
> Plantez vos enfants au coin du bois.
> Quittez la substance pour l'ombre...
> Mettez-vous en chemin.

Un événement allait avoir une grande importance pour le développement ultérieur du surréalisme : ce fut une exposition de collages de Max Ernst, qui devait avoir lieu l'été 1920 mais fut reportée en 1921. En déballant les collages, Breton, Aragon et les autres dadaïstes furent violemment émus, en voyant un genre nouveau d'images poétiques qui s'accordait à leurs idées. Ils virent sans doute alors en Max Ernst un artiste capable de rivaliser avec Picabia, qui représentait alors dada dans l'esprit du public, mais dont le mélange de nihilisme et de mondanité cynique dérangeait Breton, qui était déjà à la recherche d'une formule positive pour échapper à l'étreinte mortifère de dada.

Breton écrivit la préface d'un exposition, dans laquelle il définit le collage en termes identiques à ceux dans lesquels il devait par la suite définir l'image surréaliste : « C'est la faculté merveilleuse d'atteindre deux réalités fort éloignées sans quitter le domaine de notre expérience, de les rapprocher et d'obtenir une étincelle de leur contact ; de rassembler à portée de nos sens des figures abstraites douées de la même intensité, du même relief que les autres figures ; et de nous désorienter dans nos souvenirs en nous privant d'un cadre de référence – c'est cette faculté qui pour le moment soutient dada. Un tel don, de l'homme qu'il remplit, ne saurait-il faire mieux qu'un poète ? » Dans le manifeste surréaliste de 1924, il utilise la même métaphore de l'étincelle électrique pour décrire le rapprochement de « deux réalités éloignées », bien que cette fois il mette l'accent sur la nature nécessairement fortuite de l'image. Il voyait dans les collages de Max Ernst l'équivalent visuel de l'expression célèbre de Lautréamont, « beau comme la rencontre fortuite sur une table de dissection d'une machine à coudre et d'un parapluie ». Les collages, de format réduit, font appel à des gravures anciennes, des fragments découpés dans de vieilles revues (souvent des images géologiques de coupes de terrain, qui exerçaient une fascination toute particulière sur Ernst), et des photographies, pour créer des scènes où le spectateur est désorienté par l'absence de cadre de référence.

La désorientation du spectateur est un pas en avant vers la destruction des modes conventionnels d'appréhension du monde et de structuration de l'expérience selon des schémas préconçus. Les surréalistes jugeaient que l'homme s'était enfermé dans un carcan de logique et de rationalisme qui handicapait sa liberté et abrutissait son imagination. Breton qui héritait cette attitude de dada, trouva dans les révélations de Freud sur l'inconscient une sorte de manuel pratique pour la libération de l'imagination. Sans trop s'embarrasser des détails du modèle des processus mentaux que donnait Freud, il sauta sur l'idée qu'il existe un immense réservoir inexploité d'expérience, de pensées et de désir, à l'envers de la vie quotidienne consciente. Au moyen des rêves (dont Freud avait prouvé le rapport direct avec l'inconscient dans « L'Interprétation des rêves », publié en 1920), et au moyen de l'écriture automatique (équivalent du monologue en association libre que l'on rencontre dans la psychanalyse), Breton croyait que l'on pourait avoir accès à l'inconscient et que la barrière entre le conscient et l'inconscient, maintenue dans l'intérêt de l'ordre et de la raison, pourrait enfin être renversée. « L'homme propose et dispose. Il ne tient qu'à lui de s'appartenir tout entier, c'est-à-dire de maintenir à l'état anarchique la bande chaque jour plus redoutable de ses désirs. » C'était là ignorer la raison d'être de toute la théorie psychanalytique de Freud, qui était de *guérir* les troubles psychiques. Plusieurs surréalistes, dont Aragon, voyaient en Freud un réactionnaire bourgeois ; et Freud de son côté avait peu de sympathie ou de compréhension pour les jeunes surréalistes et les utilisations curieuses qu'ils faisaient de ses découvertes. « Je crois, dit Breton, à la résolution future des deux états, apparemment si contradictoires, du rêve et de la réalité, en une sorte de réalité obscure, de *surréalité*. »

Dès 1922, Breton utilisait le terme de « surréaliste » (forgé à l'origine par Apollinaire, sans doute par analogie avec le *Surhomme* de Nietzsche et le *Surmâle* de Jarry, et par lequel il avait désigné sa pièce « Les Mamelles de Tirésias ») pour signifier « un certain automatisme psychique qui correspond assez bien à l'état de rêve ». Mais il croyait à cette époque que l'« automatisme psychique » pouvait être produit par le sommeil hypnotique. Les futurs surréalistes, dont Breton, Aragon, Soupault, René Crevel, Robert Desnos et Max Ernst, firent des expériences d'hypnose individuelle et collective. Breton lui-même ne parvint jamais à se faire hypnotiser. Desnos était le plus doué pour s'endormir d'un sommeil auto-provoqué, et c'est dans cet état qu'il produisait des monologues et des dessins dont il disait qu'il aurait été incapable de les fournir à l'état de veille. Le sommeil hypnotique semblait donc donner un accès direct aux images poétiques issues de l'inconscient. Mais, après une série d'incidents assez inquiétants, il apparut clairement que ces expériences présentaient des dangers et pouvaient devenir incontrôlables ; peut-être aussi, après l'enthousiasme initial, les résultats s'étaient-ils avérés moins spectaculaires et moins durables que l'on n'avait cru. Ce que l'on appela la Période des sommeils ne fit apparaître que trop clairement une tension qui était inhérente au surréalisme, entre une conception des artistes et des poètes comme transmetteurs, « simples enregistreurs d'images », et une autre conception comme créateurs conscients avec des idées bien arrêtées sur ce qui constitue le beau. L'équilibre entre les deux était instable, mais Breton réaffirmait sans cesse la nécessité qu'il y avait pour l'activité surréaliste de demeurer inconsciente, comme une rivière souterraine. Le problème était particulièrement aigu pour les peintres, dont beaucoup refusaient d'abdiquer leur personnalité active de créateurs pour utiliser exclusivement les techniques automatiques proposées par Breton. Ce n'est même pas une question d'artistes individualistes qui veulent se donner de l'importance. Arp, par exemple, appelait de ses vœux un art collectif anonyme ; et pourtant, tout en étant le plus naturellement « inconscient » de tous les artistes, il n'aimait guère les théories surréalistes sur l'automatisme : « Ce n'est plus moi qui forme », disait-il.

Le surréalisme et la peinture

La définition du surréalisme que l'on trouve dans le premier Manifeste de 1924 visait à être définitive.

« Surréalisme, n.m. Automatisme psychique pur par lequel on se propose d'exprimer, soit verbalement, soit par écrit, soit de toute autre manière,

le fonctionnement réel de la pensée. Dictée de la pensée, en l'absence de tout contrôle exercé par la raison, en dehors de toute préoccupation esthétique ou morale.
Encycl. *Philos*. Le surréalisme repose sur la croyance à la réalité supérieure de certaines formes d'association négligées jusqu'à lui, à la toute-puissance du rêve, au jeu désintéressé de la pensée. Il tend à ruiner définitivement tous les autres mécanismes psychiques et à se substituer à eux dans la résolution des principaux problèmes de la vie. »

Voilà qui définit bien les ambitions principales du surréalisme. Bien que Breton dût par la suite en parler comme étant fondamentalement une attaque contre le langage dans l'intérêt de la poésie, c'était avec le sous-entendu que le langage jouait un rôle fondamental dans notre connaissance du monde, et que la poésie ne se limitait pas au mot imprimé sur la page mais était plutôt une question d'ouverture permanente et de disponibilité devant toute expérience nouvelle.

La peinture n'apparaissait dans le Manifeste qu'à titre marginal, et en dépit d'une ou deux amitiés entre poètes et peintres, notamment entre Breton et Masson ou Éluard et Ernst, les peintres se tenaient un peu à l'écart du groupe. Ils le faisaient pour maintenir leur indépendance, car Breton manifestait un désir intense de contrôler tout ce qui se passait autour de lui, et bien qu'il ait écrit plusieurs articles dans lesquels il essayait de définir la nature surréaliste des tableaux, ces derniers se conforment rarement à ses définitions quelque peu rigides, et la description en termes surréalistes s'avère fréquemment inadéquate. Il est à noter qu'il avait intitulé la série d'articles la plus importante « Le surréalisme et la peinture » (1927), et non pas « La peinture surréaliste ».

Durant l'hiver de 1922-1923, Joan Miró et André Masson se rencontrèrent dans une soirée et devinrent bientôt très proches. Peu après, Miró demandait à Masson s'il ferait mieux d'aller voir Picabia ou Breton. « Picabia, c'est déjà du passé, répliqua Masson, Breton c'est l'avenir. »

L'atmosphère d'enthousiasme et de ferment intellectuel qu'engendraient les surréalistes était pour eux plus stimulante que toutes les écoles de peinture de Paris, figées dans un rapport stérile au cubisme. « Je leur casserai la guitare », dit un jour Miró. Dès 1924, Miró, Masson et les jeunes écrivains réunis autour de Masson (dont Michel Leiris, Antonin Artaud et Georges Limbour), s'étaient intégrés au mouvement surréaliste, à une « communauté morale », comme en parle Leiris.

Au début, bien que pour des raisons différentes, les idées qui sous-tendaient le principe d'automatisme avaient attiré Miró et Masson. Dans le premier Manifeste, Breton raconte comment, dès 1919 et sous l'influence de Freud, il avait effectué ses premières tentatives pour noter « un monologue de débit aussi rapide que possible, sur lequel l'esprit critique du sujet ne fasse porter aucun jugement, qui ne s'embarrasse, par la suite, d'aucune réticence, et qui soit aussi exactement que possible la *pensée parlée* ». Avec Philippe Soupault, qui s'était joint à l'expérience, ils furent étonnés des résultats, « un choix considérable d'images d'une qualité telle que nous n'eussions pas été capables d'en préparer une seule de longue main », publiés en 1919 sous le titre *Les Champs magnétiques.*

En 1924, Masson se mit à faire des dessins automatiques. Dans les plus réussis, on retrouve une extraordinaire cohérence, une unité de texture, ce qui par exemple, dans une tête de cheval, fait apparaître de l'eau, des galets, des algues, des poissons, superposés à l'image dominante du cheval. D'autres dessins sont envahis par des images sexuelles obsessionnelles, des corps enlacés et des mains entremêlées. Masson s'intéressait au moment de la métamorphose, au moment où une ligne est en train de *devenir* autre chose. L'impact que ces dessins devaient avoir sur ses tableaux, jusqu'alors lugubres, plutôt rigides et lourdement influencés par le cubisme, fut un effet immédiat d'ouverture et d'allègement ; mais avec l'huile, il ne devait jamais retrouver la même fluidité. Il y a, en rapport avec ces dessins automatiques, une série de peintures au sable qu'il commença en 1927. Il enduisait grossièrement une toile de colle, puis y jetait du sable en pincées ou par poignées, et inclinait le cadre pour ne

André Masson
Peinture (Silhouette), 1927

André Masson
Étreintes rêvées, 1927

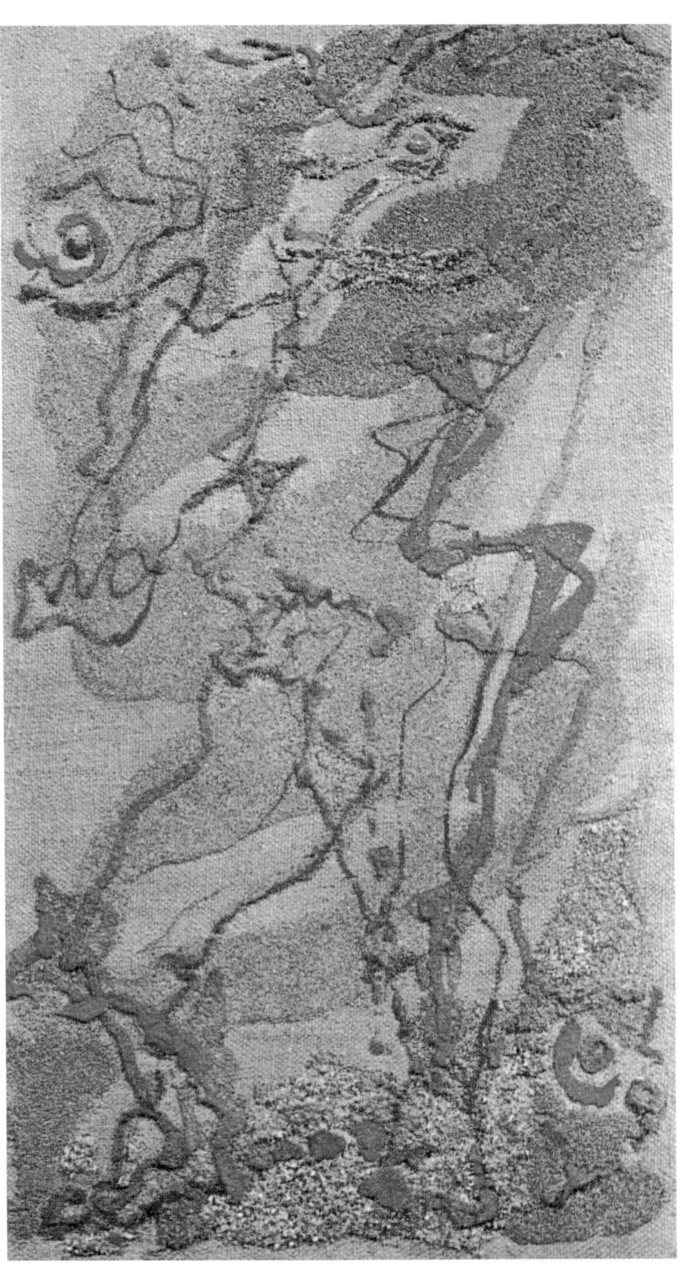

retenir du sable que sur les parties encollées. Il ajoutait alors quelques lignes ou quelques taches de couleur, ce qui avait pour effet, comme dans les dessins, d'évoquer l'image qu'il y voyait. L'un de ses gestes les plus radicaux fut la toile intitulée *Peinture,* en 1927, où les lignes de couleur épaisses ont été appliquées directement au tube de peinture. Le dialogue suivant, qui eut lieu entre Masson et Matisse en 1932, montre bien la différence qu'il y a entre le surréalisme et les autres traditions modernistes.

Masson explique : « Je commence toujours sans aucune image ou aucun plan en tête, simplement je dessine ou je peins rapidement en suivant mes impulsions. Progressivement, dans les traces que je fais, je vois des propositions de personnages ou d'objets. Je les encourage à émerger, en essayant de faire ressortir leurs implications tout comme maintenant j'essaie consciemment d'ordonner la composition.
– C'est curieux, répond Matisse, pour moi c'est tout le contraire. Je commence toujours par quelque chose, une chaise, une table, mais au fur et à mesure que l'œuvre avance j'en ai de moins en moins conscience. À la fin je me souviens à peine du sujet par quoi j'ai commencé. »

Quelle que soit l'influence de certaines techniques surréalistes (Masson appliquant la peinture à même le tube) sur les artistes abstraits à venir

Max Ernst
Tête de feuilles, 1925

Max Ernst
Forêt et colombe, 1927

(les action painters), le résultat pour Masson comme pour Ernst dans ses frottages était fondamentalement différent, dans la mesure où le mouvement, pour reprendre les termes de Breton, se faisait « vers l'objet ».

Max Ernst fit ses premiers frottages en 1921, mais ne développa plus l'idée jusqu'en 1925, où il la reprit en écho direct de l'écriture automatique des poètes. « Le procédé du frottage, qui ne repose donc sur rien de plus que sur l'intensification de l'irritabilité des facultés de l'esprit par des moyens techniques appropriés, en excluant tout contrôle mental conscient (par la raison, le goût, la morale), en réduisant à l'extrême la part active de celui que nous avons jusqu'à présent appelé l'auteur de l'œuvre, ce procédé s'avère l'exact équivalent de celui qui est déjà connu sous le nom d'*écriture automatique.* » Comme il était gagné par une obsession des fentes du plancher, il décida « d'examiner le symbolisme de cette obsession et, pour accroître [son] propre pouvoir de méditation et d'hallucination, [il] fi[t] à partir du plancher une série de dessins en y laissant tomber au hasard des morceaux de papier qu'[il] frott[ait] ensuite avec de la mine de plomb ». Jusque-là la technique n'est pas nouvelle, mais aux mains de Max Ernst, les « dessins perdent systématiquement, par une série de propositions et de transmutations qui viennent naturellement à l'esprit, [...] le caractère du matériau étudié — le bois — et prennent l'aspect d'images d'une clarté incroyable, d'une nature sans doute propre à révéler la cause première de l'obsession ». Ernst travailla également sur d'autres matériaux (toile de jute, feuilles ou fil), et la transformation qui amène au frottage final, désormais parachevé en image harmonieuse et équilibrée, rend souvent méconnaissable le matériau d'origine.

Ernst adapta cette technique pour la peinture à l'huile : il s'agissait de gratter une toile, préalablement enduite de pigments, placée sur une surface rugueuse, ce qui permettait, pour reprendre ses termes, « à la peinture de partir en bottes de sept lieues bien loin des trois pommes de Renoir, des quatre asperges de Manet, des petites femmes chocolat de Derain et du paquet de tabac cubiste, et lui ouvre un champ de vision que limite seule la capacité d'"irritabilité" du mental. Évidemment cela a porté un grand coup aux critiques d'art qui sont terrifiés de voir l'importance de l'"auteur" réduite au minimum et la conception du "talent" abolie ». *Forêt et colombe*

Joan Miró
La Ferme, 1921-1922

Joan Miró
Terre labourée, 1923-1924

de 1927 exploite cette technique du grattage pour constituer une image évocatrice des forêts qui le hantaient depuis son enfance à Brühl, près de Cologne, où il accompagnait son père en forêt pour aller peindre.

Miró, bien qu'il ait lui aussi utilisé des procédés automatiques dans une certaine mesure, les traitait avec plus de désinvolture que Masson ou Ernst, dans la mesure où il se préoccupait de l'œuvre elle-même davantage que des connotations théoriques que pouvaient avoir tel ou tel procédé. Mais il n'y a pas de doute que les surréalistes furent à la source de la floraison imaginative que l'on trouve dans la *Terre labourée* (1923-24). Bien que le sujet soit à peu près le même que dans *La Ferme* qu'il avait peinte un an plus tôt, la ferme de ses parents en Catalogne, où le moindre détail des touffes d'herbes qui croissent sur le mur de la ferme était rendu avec un illusionnisme délicat et précis qui n'est pas sans rappeler le Douanier Rousseau, dans le second tableau le paysage est envahi de créatures extraordinaires, et l'homme à la charrue sur la droite réapparaît sur la gauche sous la forme grotesque d'un homme-taureau, avec toutes les connotations sexuelles que cela comporte (le Minotaure ?). La technique, bien qu'elle soit plus plate, est toujours relativement illusionniste, mais en 1925 il se met à couvrir librement ses toiles de grandes vagues de couleurs, soit au pinceau, soit au chiffon. Sur ce fond, flottant

Joan Miró
La Naissance du monde, 1925

Joan Miró
Sourire de ma Blonde, 1925

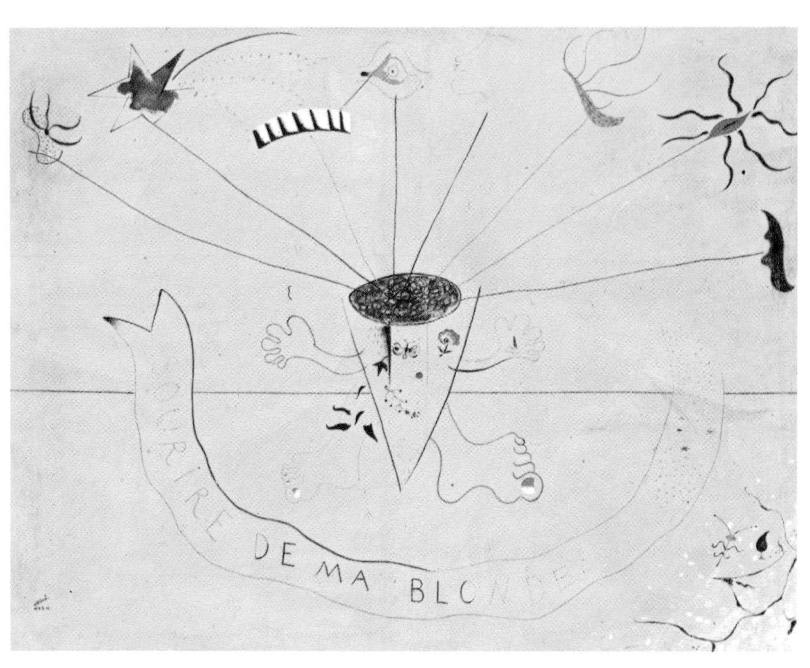

désormais dans un espace qui n'a plus rien à voir avec les lois de la perspective ni la ligne d'horizon, il place des formes et des lignes issues de son nouveau langage pictural *(La Naissance du monde).*

Breton exprima des réserves quant à ces tableaux dans « La Peinture et le surréalisme » : « Parmi des milliers de problèmes qui ne le préoccupent pas le moins du monde, bien que ce soient ceux qui troublent l'esprit humain, il y en a peut-être un pour lequel Miró a quelque inclination : s'abandonner à la peinture, et seulement à la peinture (ce qui serait se restreindre au domaine dans lequel nous sommes sûrs qu'il ait des moyens), s'abandonner au pur automatisme auquel, pour ma part, je n'ai cessé d'appeler, mais sur la valeur et la raison d'être profonde duquel je crains que Miró ne se soit mépris. Certes, il passera peut-être pour cette raison-là pour le plus "surréaliste" de nous tous. Mais que nous sommes loin, dans son œuvre, de cette "chimie de l'intellect" dont nous avions parlé ! »

Cette « chimie de l'intellect », que Breton chantait, était l'œuvre de Masson. Aragon devait critiquer Miró dans le même esprit quand il parlait de ses « harmonies imbéciles ». Ce genre de critique prouve assez le genre d'exigence qu'avaient les surréalistes envers la peinture : que son intérêt réside non point dans le plaisir sensuel que nous donne la surface peinte, mais plutôt dans la puissance énigmatique, hallucinatoire ou révélatrice, de l'image. « Seul le merveilleux est beau », écrivait Breton dans le premier Manifeste, et il dit dans « La Peinture et le surréalisme » qu'« il [lui] est impossible de regarder une peinture de toute autre manière que comme une fenêtre, et [son] premier souci est de savoir ce sur quoi elle ouvre ».

Après 1924, la peinture de Miró devint étroitement liée de diverses manières à la poésie des surréalistes et des poètes qu'il admirait comme Rimbaud et Saint-Pol Roux. *Portrait d'une danseuse* est une évocation monosyllabique. *Sourire de ma blonde* est un emblème de la femme aimée de Miró, avec sa chevelure chargée de symboles et d'attributs sexuels à la manière de Rimbaud dans « Voyelles », où chaque voyelle est associée à une couleur et à une série de métaphores ésotériques des blasons du corps féminin :

A, noir corset velu des mouches éclatantes
Qui bombinent autour des puanteurs cruelles,
Golfes d'ombre...

La « fixation en trompe l'œil des images oniriques », dans laquelle Breton voit l'autre voie dont disposent les peintres surréalistes, est peut-être un terme erroné. Le « dessin onirique peint à la main » de type illusionniste n'est pas nécessairement constitué d'images oniriques symboliques, et l'on doit se garder d'y voir une entité ouverte à l'analyse comme peut l'être le rêve. Le tableau *peut* utiliser des images oniriques ; il peut rassembler des images provenant de rêves différents ; il peut tout aussi bien nous rappeler simplement certaines caractéristiques générales des rêves. C'est une peinture illusionniste, mais d'un monde intérieur.

Les tableaux visionnaires de Tanguy sont basés sur un espace profond où flottent ou s'élèvent des objets étranges qui projettent des ombres

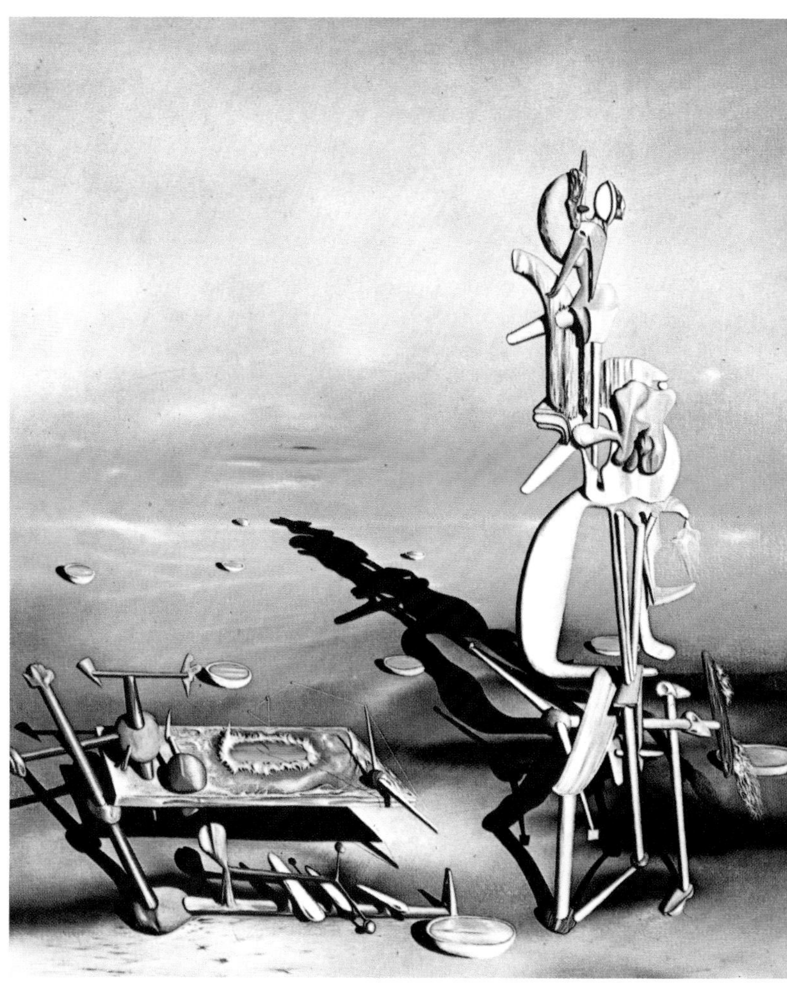

Max Ernst
Les Hommes n'en sauront rien, 1923

Yves Tanguy
Infinite Divisibility, 1942

noires. En un sens général ce sont comme des rêves, ou comme l'état d'esprit où l'on se trouve immédiatement avant de s'endormir et où l'on a un sentiment intérieur d'espace infini. Tanguy était l'un des rares peintres surréalistes autodidactes. Il était fasciné par Giorgio de Chirico, et dans *Maman, Papa est blessé,* les lignes en forme de diagramme qui ramènent à la structure énigmatique en arrière-plan font peut-être référence aux tableaux métaphysiques de Chirico, où l'on trouve des tableaux couverts de diagrammes et d'équations, ou encore au tableau de Ernst *Les Hommes n'en sauront rien.* Un grand tableau qui est un paysage, de 1927, fait également écho à Chirico, mais la désorientation à laquelle est soumis le spectateur est propre à Tanguy. Un désert s'étend à l'infini mais il est recouvert de flammèches qui suggèrent des algues au fond de la mer. La sculpture hérissée de pointes dans *Infinite Divisibility* projette une ombre épaisse dans l'espace, dans ce qui semble être du ciel, que reflètent de petits coquillages ou des bols remplis d'eau — ces derniers étant à l'endroit où devrait normalement se trouver le ciel. Les peintures plus tardives de Tanguy sont envahies par des formes de rochers qui présentent une certaine ressemblance avec les côtes rocheuses de sa Bretagne natale.

Ernst, Tanguy et Magritte étaient tous profondément influencés par Chirico. C'est en voyant un de ses tableaux dans la vitrine d'une galerie que Tanguy décida de devenir peintre. Mais Chirico lui-même ne fut jamais surréaliste. Après 1917, sa peinture revint à l'académisme et perdit tout intérêt pour les surréalistes, qui jugeaient qu'il s'était trahi. Mais de 1910 à 1917 ses tableaux énigmatiques de places italiennes en arcades, de statues, de gares ferroviaires, de tours ont une intensité hallucinatoire et onirique, chargée d'un puissant flux d'images sexuelles inconscientes. Des objets hors cadre projettent des ombres menaçantes, et l'horloge dans *La Conquête du philosophe* suggère la détresse du départ — le train est peut-être un souvenir de son père ingénieur ferroviaire, installant des lignes de chemin de fer en Grèce où Chirico passa son enfance. Chirico célébrait peut-être la fin de la prédominance de l'idéal de beauté classique — idéal qui était violemment remis en question par les futuristes dans l'Italie de 1910 où vivait Chirico. Mais tandis que ces derniers cherchaient à substituer la beauté moderne de l'univers mécanique de la vitesse et de la puissance, Chirico peignit des statues grecques oubliées, des villes vides sous le soleil. Il se remémore le souvenir d'enfance suivant : il était assis sur une place dans une ville d'Italie à regarder une statue, et se sentait

Giorgio De Chirico
La Conquête du philosophe, 1912

Giorgio De Chirico
Chant d'amour, 1914

Giorgio De Chirico
Les Muses inquiétantes, 1917

très faible car il était en convalescence, quand soudain l'ensemble de la scène lui apparut dans une lumière d'une clarté extraordinaire, hallucinatoire, avec cette intensité énigmatique qu'il devait chercher à reproduire dans ses tableaux. Parfois des objets apparaissent, sans lien entre eux, comme s'ils émergeaient d'un rêve. Dans *Le Chant d'amour*, le ballon vert, le gant rouge et le masque classique sont associés, comme dans un collage de Max Ernst. Les tableaux sont presque toujours vides de personnages humains, mais progressivement des mannequins viennent habiter ces espaces qui deviennent de plus en plus théâtraux.

En 1921-24, Max Ernst fit une série de tableaux, dont *L'Éléphant*

Max Ernst
Collage d'*Une Semaine de bonté,* 1934

Célèbes, Œdipe Roi et *Pietà ou la révolution la nuit,* qui portent la marque de l'influence de Chirico tant dans leur structure que dans la lumière froide et intense qui les habite et dans leur contenu imaginaire. Ils demeurent extrêmement difficiles à interpréter ; il s'agit d'images oniriques, il faut ici rappeler l'avertissement de Freud à qui l'on avait demandé de préfacer une anthologie surréaliste de rêves : « Une simple collection de rêves, sans les associations du rêveur ni la connaissance des circonstances dans lesquelles le rêve a été produit, ne m'apprend rien, et je vois mal comment quelqu'un pourrait en tirer quoi que ce soit. »

Dans l'absence des conditions spécifiées par Freud pour la psychanalyse, nous pouvons toutefois suggérer, en nous rappelant que Max Ernst fait des références fréquentes à son père, que dans *Œdipe Roi* la légende d'Œdipe, telle que l'interprète Freud, et que Ernst avait lue, avait une résonance particulière pour lui. Œdipe s'était crevé les yeux, et la référence aux yeux dans le tableau est soulignée de façon troublante par le ballon en arrière-plan, qui est une citation de *L'Œil comme un ballon étrange vers l'infini* d'Odilon Redon.

Ernst partageait le goût qu'avaient les surréalistes pour l'art exotique et primitif. Dans *L'Éléphant Célèbes*, l'éléphant lui-même est tiré d'une photographie d'un panier à grain africain que l'imagination de Ernst a transformé en cet animal grotesque, et une tête de taureau, qui rappelle un masque africain, est suspendue au bout de la trompe. L'un de ses tableaux les plus marquants est *La Toilette de la mariée*, où le personnage de la mariée est vêtu seulement d'une cape magnifique qui s'inspire de la description que fait Breton du « splendide et convulsif manteau fait de la répétition à l'infini de l'unique petite plume rouge d'un oiseau rare que portaient les chefs hawaïens ». Chassée par cette écrasante figure primitive de la jeunesse, on voit une petite créature prostrée qui est une parodie grotesque du vieil hermaphrodite Tirésias de la légende grecque. Ernst fit également un certain nombre de sculptures, surtout lorsqu'il vivait dans l'Arizona après la Seconde Guerre mondiale, qui s'inspirent souvent directement de l'art africain et océanien. Breton lui-même était propriétaire d'une magnifique collection de sculptures, d'objets et de masques primitifs. Wilfredo Lam, le peintre cubain qui se joignit aux surréalistes en 1938, peignit un certain nombre de tableaux qui sont des évocations poétiques des masques vaudou et des objets totémiques qui lui étaient

Max Ernst
La Toilette de la mariée, 1939-1940

Man Ray
À l'heure de l'observatoire – Les Amoureux, 1932-1934

familiers. C'était dans ce type d'objets que les surréalistes trouvaient l'immédiateté de la vision, l'alternative au rationnel et aux hiérarchies sclérosées de la pensée occidentale, et surtout cet élément du merveilleux qui seul pour eux constituait la beauté.

Parmi les plus troublantes de toutes les œuvres surréalistes, il faut citer la série de romans-collages que fit Max Ernst, *La Femme 100 têtes* (1929) et *Une Semaine de bonté* (1934). Composés presque exclusivement de vieilles gravures, ils consistent en scènes déroutantes où l'échelle est souvent complètement perturbée. Dans une scène d'*Une Semaine de bonté,* on voit un homme à tête d'oiseau assis dans un compartiment de chemin de fer, qui regarde par la fenêtre ce qui apparaît tout d'abord comme la tête gigantesque du Sphinx de Gizeh. Ces collages fonctionnent avec une sorte d'effet à retardement ; passé le premier choc, on remarque des détails plus troublants, des textures ambiguës, des images doubles.

Entre tous les artistes qui font des « images oniriques à la main », Man Ray est peut-être celui qui a produit les plus spectaculaires, tel *À l'heure de l'observatoire — Les Amoureux.* Les tableaux de Victor Brauner, comme *La Pierre philosophale,* présentent des métamorphoses qui évoquent des icônes magiques. Dans l'œuvre de Pierre Roy et surtout dans celle de René Magritte, l'image est figée dans l'espace plan de la peinture.

Certains tableaux de Magritte sont peut-être réellement des souvenirs de rêves. *Les Amoureux,* avec leurs têtes enveloppées de tissu, pourraient bien être une transformation onirique du terrible souvenir d'enfance de la mort de sa mère, que l'on avait retrouvée noyée avec sa robe enroulée autour de la tête ; mais on ne saurait l'affirmer. La plupart de ses tableaux prennent la forme d'un dialogue avec le monde, d'un questionnement de

Page de droite, en haut à gauche :
René Magritte
Au Seuil de la liberté, 1929

René Magritte
Les Valeurs personnelles, 1952

Page de droite, en bas à gauche :
René Magritte
Couverture du *Minotaure, n° 10,* 1937

René Magritte
La Condition humaine I, 1933

MINOTAURE

René Magritte
Reproduction interdite
(Portrait d'Edward James), 1937 (détail)

la réalité des phénomènes réels, et de la relation qu'ils entretiennent avec l'image peinte *(La Condition humaine I).* Parfois c'est en modifiant l'échelle des objets qu'il transforme une chose inoffensive en chose menaçante (comme la pomme monstrueuse dans *La Salle d'audience)* ou déroutante *(Les Valeurs personnelles).* Souvent, bien que l'image existe en tant que telle — elle est bien là présente dans le tableau — il est impossible de la comprendre parce qu'elle dépasse notre entendement logique : dans *Le Champ de verre,* il y ainsi une fenêtre entrouverte sur le néant. Le panneau fermé reflète des nuages, mais l'autre panneau, qui est ouvert, ne révèle qu'un cadre vide. *Au Seuil de la liberté* représente une pièce décorée de motifs tirés des propres tableaux de Magritte, avec un canon qui suggère une violence menaçante, peut-être un viol. La couverture qu'il fit pour une revue surréaliste représente peut-être l'expression la moins ambiguë que l'on trouve dans son œuvre de la violence qui sous-tend les images surréalistes.

En 1949, Magritte écrivait un manifeste, « Le Vrai Art de la peinture » (qui soit dit en passant contient une allusion critique aux « champs magnétiques du hasard », par référence à l'ouvrage de Breton et Soupault), pour exposer ses idées sur la vraie fonction de la peinture par opposition à ce concurrent direct qu'était le cinéma. « L'art de la peinture est un art de penser, dont l'existence souligne l'importance du rôle joué dans la vie par les yeux du corps humain. » Il fait plus loin une déclaration qui vient contredire radicalement notre conception de l'immortalité de l'art : « Le tableau parfait ne produit d'effet intense que pendant très peu de temps, et les émotions qui ressemblent à l'émotion originalement ressentie sont

Paul Delvaux
La Vénus endormie, 1944 (détail)

dans une plus ou moins grande mesure contaminées par l'habitude... Le vrai art de la peinture est de concevoir et de réaliser des tableaux capables de donner au spectateur une perception purement visuelle du monde extérieur. » Il n'est pas au-delà des capacités techniques de l'artiste moyennement doué d'évoquer sur la toile un ciel bleu — « mais ceci pose un problème psychologique... que faire de ce ciel ? » Le procédé de Magritte est de nous faire prendre conscience, au moyen de la contradiction (« dans l'obscurité totale », dit-il), de l'apparence d'un ciel, d'une pipe, d'une femme, d'un arbre. « Ceci n'est pas une pipe », va-t-il jusqu'à écrire sous la figuration tout à fait banale d'une pipe.

Magritte faisait partie du groupe surréaliste belge, ainsi que Paul Nougé et E.L.T. Mesens. Ces derniers gardaient leurs distances avec les surréalistes parisiens. Paul Delvaux, un autre Belge, participait aux expositions surréalistes tout en conservant une certaine distance avec cet

Salvador Dali
Le Jeu lugubre, 1929

Salvador Dali
La Girafe enflammée, 1935

Salvador Dali
Impressions d'Afrique, 1938

arbitre du surréalisme qu'était André Breton. Les tableaux de Delvaux, souvent d'assez grandes dimensions, évoquent des villes silencieuses peuplées de nus somnambuliques, où pointe parfois un train tout droit sorti d'un tableau de Chirico. Dans leur onirisme (et la nuit qui fréquemment les habite), on pourrait croire qu'ils représentent les rêves des personnages eux-mêmes *(Vénus endormie),* ce qui en fait des œuvres curieusement refermées sur elles-mêmes.

Salvador Dali, qui croisa le mouvement surréaliste en 1928 pour s'y intégrer immédiatement, soulève les questions les plus difficiles en ce qui concerne la représentation des rêves sur la toile, et donc en ce qui concerne le fonctionnement symbolique de l'image.

On doit ici rappeler que, pour Freud comme pour Breton, le rêve était un moyen d'accès privilégié à l'inconscient ; la manière dont le rêve traite son sujet, par condensation, distorsion et déplacement, en permettant à des faits ou à des impressions contradictoires de coexister sans contradiction apparente — tout ce que Freud appelle le travail du rêve — est caractéristique des processus de l'inconscient. Le contenu manifeste du rêve, ce dont nous nous souvenons au réveil, masque probablement un sens latent, caché, qu'il s'agit d'amener au jour par les associations du rêveur dans le travail psychanalytique. Pour la plupart des surréalistes, les rêves présentaient de la valeur simplement à cause de leur contenu poétique, en tant que documents d'un monde merveilleux et dont le symbolisme sexuel caché les remplissait néanmoins de ravissement. Le premier numéro du périodique surréaliste « La Révolution surréaliste » contenait de simples récits de rêves de Breton, Chirico et Renée Gauthier. Dali, d'un autre côté, surtout vers la fin des années 20 et le début des années 30, présente des images oniriques dont le contenu est manifeste. Freud, qui avait rencontré Dali et le trouvait infiniment plus intéressant que le reste des surréalistes, comprit aussitôt où Dali voulait en venir. « Ce n'est pas l'inconscient que je recherche dans vos tableaux, mais le conscient. Tandis que dans les tableaux des maîtres — Vinci ou Ingres — ce qui m'intéresse, ce qui me semble mystérieux ou troublant, c'est précisément de rechercher les idées inconscientes, d'un ordre énigmatique, qui sont cachées dans le tableau, chez vous le mystère est immédiatement rendu manifeste. » Dali avait lu Freud, ainsi que la « Psychopathia Sexualis » de Krafft-Ebbing, et sa « manie de l'auto-interprétation, non seulement de [ses] rêves, mais de tout ce qui [lui] arrive, pour aussi fortuit que cela puisse paraître à première vue », est manifeste non seulement dans ses tableaux, mais aussi dans ses livres comme « Le Mythe tragique de l'Angélus de Millet », où le contenu caché du tableau de Millet, et donc la cause de l'obsession qu'il exerçait sur Dali, lui apparaissait par une série d'associations, de coïncidences et de rêves.

« La seule différence entre un fou et moi, c'est que je ne suis pas fou », dit un jour Dali. Il a érigé sa paranoïa en un système qu'il appelle « l'activité paranoïa-critique », qu'il définit comme « une méthode spontanée de connaissance irrationnelle fondée sur l'association interprétato-critique des phénomènes délirants ». « L'activité paranoïa-critique découvre de nouvelles significations objectives dans l'irrationnel ; elle fait passer de manière tangible l'univers du délire sur le plan de la réalité. » Les phénomènes paranoïaques sont « des images courantes qui ont une double figuration ». Autrement dit un objet peut être interprété comme s'il était à la fois lui-même et un tout autre objet, et ainsi de suite ; en théorie la capacité à continuer de voir des figurations doubles et triples dépend, comme dans la technique des frottages de Max Ernst, des capacités d'hallucination volontaire du spectateur. « Impression d'Afrique » (1936) charrie un double courant d'images, à partir de l'angle supérieur gauche, où les yeux de Gala représentent également les arcades du bâtiment situé en arrière-plan. Sur la droite, des formations rocheuses étranges, qui rappellent les roches volcaniques près de sa maison de Port Lligat en Catalogne, se transforment en silhouettes humaines. En fait, Dali fixe et rend visibles pour tous ses propres images doubles, plutôt que de nous inviter à lire dans ses tableaux ce que nous voulons.

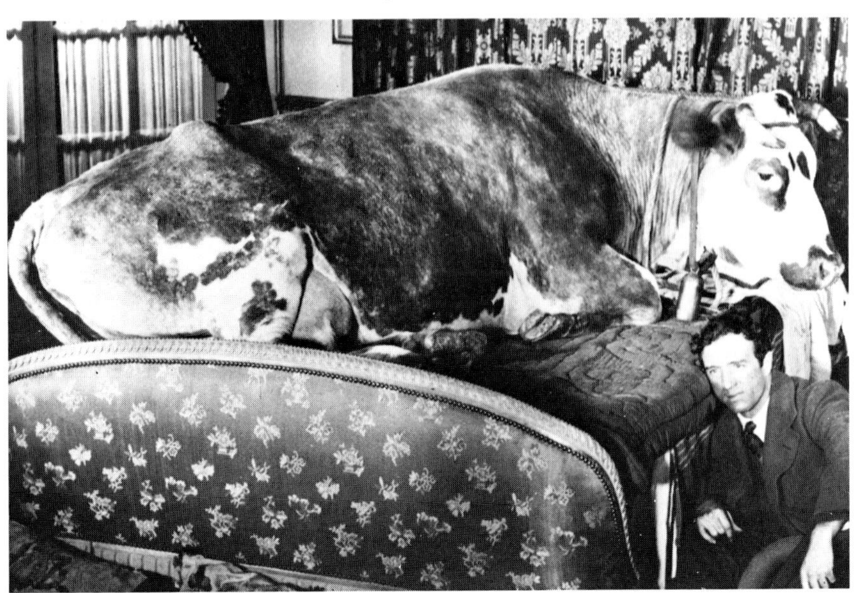

Luis Buñuel et Salvador Dali
Plan fixe de *L'Âge d'or*, 1930

Pablo Picasso
La Crucifixion, 1930

Dali usait volontairement d'une technique ultra-illusionniste, un « retour à Meissonier » (peintre académique du XIXe siècle dont on disait le plus grand mal), par une espèce d'anti-art. « L'illusionnisme de l'art le plus ignoblement arriviste, le plus irrésistiblement imitatif, les trucs paralysants habituels du trompe-l'œil, l'académisme narratif le plus analytique et le plus discrédité, tout cela peut donner de sublimes catégories de la pensée et des moyens d'approche d'une exactitude nouvelle de l'irrationalité concrète. » Il décrit des œuvres comme *Six Apparitions de Lénine* comme étant « de la photographie instantanée coloriée à la main ».

En 1928 Dali collabora avec Luis Buñuel au film « Un chien andalou », et en 1930 ils firent « L'Âge d'or », dont le contenu plus ouvertement sacrilège et politique est en fait l'œuvre de Buñuel. Le programme de « L'Âge d'or » comprenait un manifeste écrit par les surréalistes, ainsi que des dessins de Dali, Miró, Ernst, Man Ray et Tanguy.

L'objet surréaliste

À l'Exposition surréaliste internationale de Paris en 1928, l'accent n'était pas tant sur les tableaux que sur les objets et la création d'environnements complets. Ce fut Duchamp qui supervisa l'installation de l'exposition. La salle principale avait un millier de sacs de charbon accrochés au plafond, des feuilles et des brindilles répandues par terre, un point d'eau entouré d'herbe et un grand lit à deux places dans un coin. Le couloir qui menait à la salle était bordé de mannequins décorés de diverses façons — celui de Masson portait un mini-slip couvert d'yeux en verre, avait la tête dans une cage et était bâillonné par un bandeau noir avec une fleur à l'emplacement de la bouche. Dans la cour d'entrée se trouvait le *Taxi de pluie* de Dali, dégoulinant d'eau, couvert d'escargots, avec une passagère blonde hystérique.

Les objets surréalistes sont essentiellement des objets trouvés et modifiés, ou bien des objets mécaniques « qui fonctionnent de manière symbolique ». La *Veste aphrodisiaque* de Dali est une veste de smoking recouverte de paires de lunettes ; de même Oscar Dominguez métarmorphosa une statuette art nouveau pour en faire l'indescriptible *L'Arrivée de la Belle-Époque*.

Les sculptures d'Alberto Giacometti au début des années 30, alors qu'il était très proche des surréalistes, endossent parfois une fonction symbolique. Il explique que le *Château à 4 heures du matin* est dérivé

Oscar Dominguez
L'Arrivée de la Belle-Époque, 1936

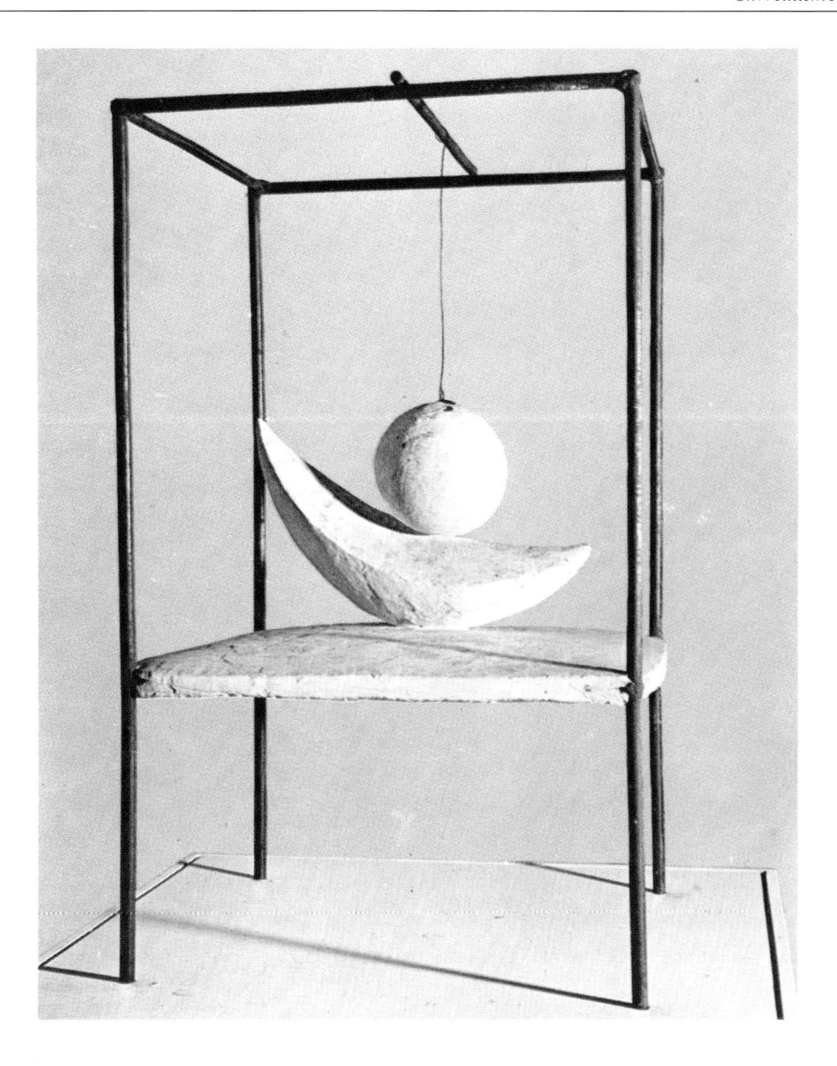

Alberto Giacometti
Boule suspendue, 1930

des fragiles châteaux d'allumettes qu'il bâtissait la nuit avec sa compagne. Le squelette d'oiseau et la colonne vertébrale sont paraît-il des références à des événements qui lui sont liés. La femme de *L'Objet invisible* (1934), les mains légèrement écartées comme si elle tenait quelque chose, resta inachevée jusqu'au jour où, en se promenant avec Breton au marché aux puces de Paris, Giacometti vit un vieux masque à gaz qu'il ajouta ensuite en guise de tête.

Dans un essai publié dans « Qu'est-ce que le surréalisme ? » sous le titre "Les vases communicants", Breton considère la proposition que fait Dali de fabriquer des objets érotiques portatifs qui procureraient un plaisir sexuel particulier par des moyens indirects. Ceux-ci, pense-t-il, seraient bien moins réussis que les objets moins « systématiquement déterminés ». Quand le contenu latent est volontairement travaillé, comme dans la version que donne Dali de sa propre méthode, l'effet de choc est gâché pour le spectateur. À de tels objets, il manquerait « l'étonnant pouvoir

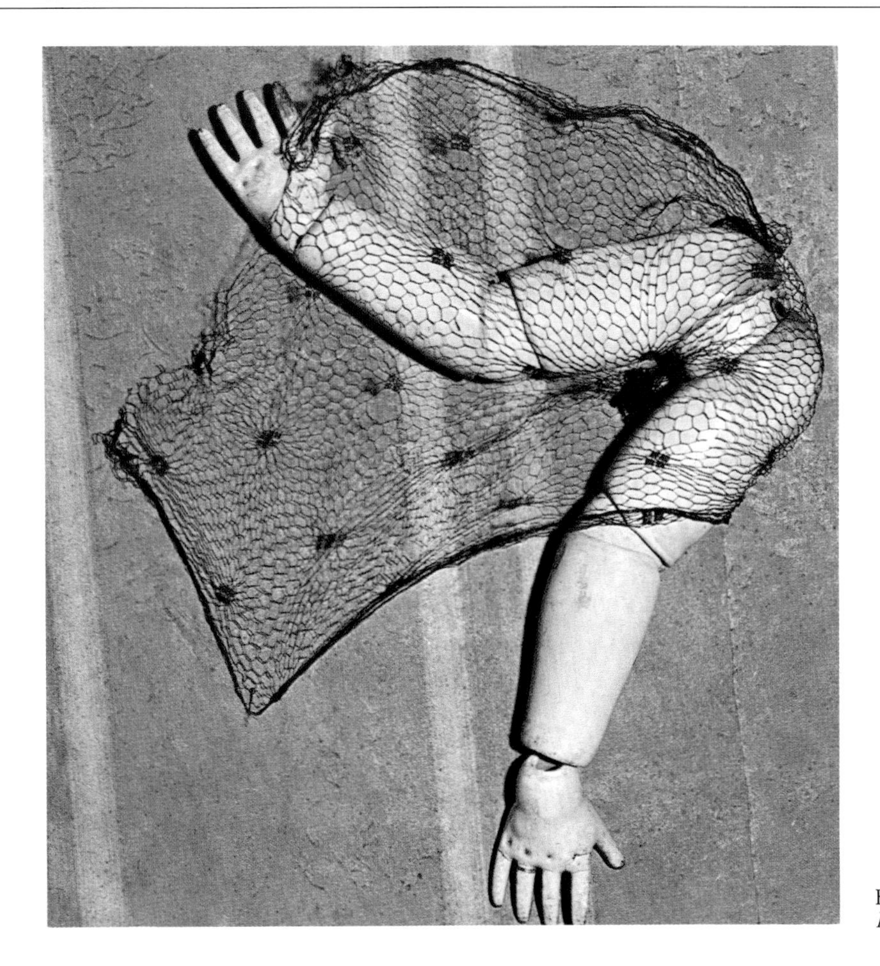

Hans Bellmer
Rotules - La poupée, 1936

de suggestion de l'électroscope à feuilles d'or » (deux feuilles d'or qui s'écartent quand on en approche une baguette métallique). Dans un autre essai, « La beauté sera convulsive », dont le titre reprend les derniers mots de son roman admirable « Nadja », « La beauté sera CONVULSIVE ou ne sera pas », il analyse avec plus de précision ce qu'est le beau pour lui : « J'avoue sans la moindre confusion mon insensibilité profonde en présence des spectacles naturels des œuvres d'art qui, d'emblée, ne me procurent pas un trouble physique caractérisé par la sensation d'une aigrette de vent aux tempes susceptible d'entraîner un véritable frisson. Je n'ai jamais pu m'empêcher d'établir une relation entre cette sensation et celle du plaisir érotique et ne découvre entre elles que des différences de degré. » Par « convulsive », Breton entend non pas le mouvement mais « l'expiration du mouvement » (une locomotive abandonnée dans la forêt vierge, le manteau de plumes rouges des chefs hawaïens). Il compare l'œuvre d'art à un cristal, tant dans son apparence, « la dureté, la rigidité, la régularité, le lustre sur toutes ses faces extérieures, intérieures, du cristal », que dans son apparition *spontanée.* Il est impossible de créer ce type d'œuvre d'art par des moyens logiques. Cela n'a manifestement plus d'importance que l'objet qui procure cette sensation soit un objet fabriqué ou trouvé. Ce qui importe est le pouvoir qu'a le spectateur de « reconnaître le merveilleux précipité du désir ».

Post-scriptum

J'ai sévèrement limité cet essai dans plusieurs directions. Tout d'abord, plutôt que d'analyser directement la relation entre dada et le surréalisme, j'ai implicitement accentué leurs différences, plutôt que leurs ressemblances. Ces deux courants étaient bien sûr suffisamment proches pour permettre à de nombreux ex-dadaïstes comme Max Ernst, Man Ray ou Arp, de s'agréger aux surréalistes sans avoir à modifier radicalement leur œuvre. Comme le dit Arp : « J'ai exposé avec les surréalistes parce que leur attitude de révolte contre "l'art" et leur attitude directe envers la vie me paraissaient justes, comme dada. » Le surréalisme hérita des mêmes ennemis politiques. Mais c'était manifestement un mouvement moins généreux et moins anarchique que dada, qui érigeait des règles rigides et des principes fondés sur des théories soigneusement calculées.

D'autre part la peinture n'est qu'une activité surréaliste parmi tant d'autres, et une activité assez mineure de surcroît. L'activité du mouvement se dépensa plutôt dans le champ de la poésie, de la philosophie et de la politique. Mais, pour des raisons assez fondamentales, le surréalisme doit sa notoriété aux œuvres plastiques, parce qu'elles représentaient la façon la plus directe d'*imposer* la vision surréaliste.

Comme nous avons volontairement limité notre étude aux années 20 et 30, il a fallu laisser de côté des peintres comme Matta qui, en rejoignant le mouvement en 1937, fut la dernière recrue à avoir un effet marquant sur l'expression visuelle du surréalisme.

Roberto Matta Echaurren, qui est chilien et qui avait commencé comme architecte associé à Le Corbusier, se joignit donc aux surréalistes en 1937 et commença à peindre en 1938. Lui et Arshile Gorky, un Arménio-Américain, furent vraiment les derniers peintres à pratiquer de nouvelles percées dans l'expression visuelle de la pensée surréaliste. Les tableaux

Matta
The Earth is a man, 1942

Matta
Paysage intérieur
(Morphologie psychologique n° 104), 1939

Arshile Gorky
The Leaf of the Artichoke is an Owl, 1944

de Matta comme *Paysage intérieur (Morphologie psychologique n° 104),* de 1939, et *The Earth is a Man,* de 1942, sont comme des métaphores d'un paysage intérieur où apparaissent par endroits de petites cellules violemment éclairées pour donner une impression de niveaux de matière superposés que l'on pourrait déliter pour voir apparaître d'autres mondes intérieurs. Ces œuvres devaient profondément marquer Gorky.

Gorky, qu'admirait Breton, avait également été à l'école de Picasso, Miró et Kandinsky. Dans ses tableaux *Comme le tablier brodé de ma mère se déploie dans ma vie* (1944) et *The Leaf of the Artichoke is an Owl* (1944), la peinture coule et éclabousse librement sur la toile. Gorky ouvrit de nouvelles possibilités pour l'expression des impressions spontanées et des perceptions simultanées. Breton écrit à son sujet, dans *Le Surréalisme et la peinture* : « Par hybride, je veux dire le résultat que produit la contemplation d'un spectacle naturel qui se mélange avec l'afflux des souvenirs d'enfance que provoque l'extrême concentration devant ce spectacle chez l'observateur qui possède au plus haut degré la capacité à l'émotion. Il est important de souligner que Gorky est, de tous les artistes surréalistes, le seul qui reste en contact direct avec la nature, en allant peindre *devant elle.* Il n'est plus question pour lui, toutefois, de prendre l'expression de cette nature comme *fin,* mais plutôt d'évoquer à travers elle des sentiments qui peuvent jouer le rôle de tremplins vers l'approfondissement, la connaissance autant que le plaisir, de certains états de conscience. »

Enfin, je n'ai pas analysé en détail les diverses techniques imaginées par les surréalistes pour explorer plus avant l'automatisme, comme la décalcomanie ou encore le cadavre exquis. C'étaient, pour reprendre

Breton, de « misérables expédients » dans le combat que menaient les surréalistes pour la conquête de l'imagination.

Le surréalisme n'était pas un style pictural. Comme le dit Breton de la poésie en 1923 : « Elle n'est pas là où vous croyez qu'elle est. Elle existe en dehors des mots, du style, etc. Je ne reconnais aucune valeur à aucun moyen d'expression. » Les peintres surréalistes cités ici sont ceux qui, dans leur relation avec le cœur théorique du surréalisme, témoignent le plus clairement de la vision que le surréalisme voulait imposer au monde.
« Le surréalisme a supprimé le mot "comme"...
« Celui qui ne parvient pas à voir un cheval galoper sur une tomate est un imbécile. Une tomate est aussi un ballon d'enfant. »

André Breton, Paul Eluard et Valentine Hugo
Cadavre exquis, c. 1930

L'expressionnisme abstrait

Les bouleversements sociaux et politiques engendrés par la Dépression et la Seconde Guerre mondiale ont eu une influence décisive sur les jeunes artistes européens et américains. Le cubisme et les mouvements qui en étaient dérivés avaient perdu leur séduction, la génération qui commença à peindre dans les années 30-40 était désespérée. Il lui fallait trouver une nouvelle approche pour résoudre ce qui apparaissait comme une crise du sujet, adopter une esthétique qui mît fin à l'hégémonie de l'intellect et permît à l'artiste de s'exprimer librement. Robert Motherwell affirmait son « besoin d'une expérience vécue — intense, immédiate, directe, subtile, unifiée, chaude, vivante, rythmique ».

De nombreux peintres travaillèrent sur l'acte même de peindre. Ils s'appuyaient sur le principe de l'automatisme, déjà utilisé en littérature par les surréalistes. La définition du surréalisme par André Breton, en 1924, était pour eux pleine de sens : « automatisme psychique pur par lequel on tente d'exprimer, soit verbalement, soit par écrit, soit de toute autre manière, le fonctionnement réel de la pensée. Dictée de la pensée, en l'absence de tout contrôle exercé par la raison, en dehors de toute préoccupation esthétique ou morale. »

D'autres influences étaient à l'œuvre, notamment celle de Paul Klee, qui s'intéressait beaucoup au rêve. D'autre part, la simplicité des dessins d'enfants et de malades mentaux était pour beaucoup aussi instructive que l'étude de leurs antécédents artistiques. Un groupe d'artistes du nord de l'Europe donna à l'expressionnisme allemand un style vigoureux et coloré. Les peintres matiéristes inventèrent une nouvelle variante de collages : en mélangeant du sable, du plâtre et d'autres matériaux avec des pigments, ils donnaient à la toile quelque chose de la solidité tridimensionnelle de la sculpture.

Le réexamen de la tradition occidentale ne conduisit pas seul à ce déploiement de la gestualité ou de « l'acte de peindre ». Les artistes s'intéressèrent de près à l'art oriental, notamment à la calligraphie chinoise, qui privilégie la touche du pinceau : le peintre-scribe abolit la contradiction entre sujet et objet, et, se concentrant sur le processus de production du signe, il participe activement à une série d'événements continus et potentiellement sans fin (offrant un parallèle au processus cosmique de génération et de régénération).

Les graffitis publics, comme les idéogrammes, sont des « gestes figés ». Le fait qu'ils expriment une rupture dans l'ordre social séduisait des hommes désillusionnés pour qui peindre était une proclamation héroïque

Mark Rothko
N° 61, 1953

de leur personnalité. Loin de fuir le soi comme dans l'art oriental, ils voulaient l'affirmer. La créativité était une suite de choix sans contraintes, à travers lesquels ils pouvaient transcender leur aliénation par la société et la tradition esthétique.

La philosophie existentialiste leur servit de fondement théorique. S'appuyant sur l'œuvre de Sartre, les artistes abstraits, en Europe et en Amérique, firent leur l'idée d'un homme unique responsable de son destin, et la thèse existentialiste selon laquelle « faire, c'est être » justifia des pratiques qui exaltaient le processus aux dépens du produit.

Il convient cependant d'établir une distinction entre l'école de Paris et l'école de New York. Les peintres français n'abandonnèrent jamais le contenu en tant que tel, message ou signe, et l'on peut même déceler dans leurs œuvres des principes de composition classique. Les peintres new-yorkais, en revanche, allèrent au-delà, jusqu'à affirmer que « ce qui arrivait sur une toile n'était pas un tableau mais un événement ».

Le passé new-yorkais

Les artistes américains furent parmi les premiers à souffrir de la crise des années 30. Les patrons étaient rares et quand ils investissaient dans l'art, ils traitaient les artistes comme des courtiers à leur botte ; le grand public, de son côté, n'avait guère de temps à leur consacrer.

Quelques-uns, à l'instar de certains peintres français, essayèrent de se passer des marchands, et d'échanger leurs œuvres directement contre « quoi que ce soit de raisonnable ». Un soutien inespéré arriva cependant du gouvernement fédéral. En décembre 1933, tandis que le New Deal de Roosevelt paraissait devoir s'imposer, on mit en place le Projet public d'œuvres d'art. Durant ses six mois d'existence, 3 749 artistes fournirent 15 663 œuvres aux institutions publiques. Ce n'était encore pas assez. Le Projet fédéral d'art, plus ambitieux, s'occupa en vingt mois de 5 500 artistes, professeurs, artisans, photographes, dessinateurs et chercheurs. Pour percevoir un salaire, les peintres devaient régulièrement prouver leur activité.

Les politiciens espéraient ainsi, en favorisant la culture, encourager un certain idéalisme social. « Pourrions-nous, par l'entremise d'acteurs et d'artistes qui ont eux-mêmes connu la privation, apporter de la musique et des pièces de théâtre aux enfants dans les parcs urbains, et faire trouver aux galeries d'art le chemin des petites villes ? » demandait Harry Hopkins, à qui Roosevelt avait confié la responsabilité des différents programmes. « Est-ce que des gens heureux au travail ne sont pas le plus sûr rempart de la démocratie ? »

Cet optimisme n'entamait guère la défiance viscérale de l'Américain à l'égard de l'art. Des concerts gratuits dans les hôpitaux et les écoles, des fresques dans les bureaux de poste, aidaient davantage le producteur que le consommateur. Le but du Projet fédéral était d'unir les artistes, et de leur donner la possibilité de réaliser librement leurs ambitions, avec un minimum de problèmes financiers. Ainsi, Willem De Kooning put se consacrer à plein temps à la peinture lorsqu'il fut employé par le Projet.

La scène de l'art américain était à cette époque très disparate. Certains peintres figuratifs s'attachaient à une représentation folklorique du passé agraire américain. Avec la montée du fascisme, les plus jeunes talents s'intéressèrent au socialisme international. À New York le parti communiste attirait de nombreux artistes, parmi lesquels des sociaux réalistes. Leurs toiles radicales et polémiques traitaient de thèmes tels l'affaire Sacco et Vanzetti ou l'emprisonnement d'un syndicaliste. Un réalisme dynamique influencé par les fresquistes révolutionnaires mexicains, Orozco, Siqueiros et Rivera, était à la mode.

Les régionalistes et les sociaux réalistes tournaient obstinément le dos à l'abstraction et aux découvertes de l'avant-garde européenne. Néanmoins, depuis l'Armory Show de 1913, une tradition d'abstraction s'était timidement établie. En 1937, Josef Albers fonda une association appelée les « Artistes abstraits américains » (AAA), qui publia des ouvrages, organisa des expositions et des lectures publiques. Ses membres rejetaient catégoriquement l'impressionnisme, l'expressionnisme et, plus que tout, le surréalisme, pour une esthétique géométrique postcubiste.

De jeunes peintres, futurs créateurs de l'expressionnisme abstrait, bientôt las des formules de l'AAA, préférèrent se rencontrer dans des groupements de leur goût, plus souples. De leur côté, le régionalisme et le social réalisme s'épuisèrent rapidement.

Par ailleurs la Seconde Guerre mondiale vit l'arrivée aux États-Unis de nombre de figures clés de l'art du XXe siècle en exil — Breton, Chagall, Ernst, Léger, Lipchitz, Masson, Matta et Mondrian, notamment. Des surréalistes comme Masson et Matta étaient désormais une présence réelle, et non plus un exemple lointain. Par l'effet de la guerre, New York reprenait le flambeau de Paris. Pour la première fois, les Américains occupaient une place centrale sur la scène culturelle.

Mythes et symboles

André Breton, chef de file du surréalisme, écrivait en 1927 : « Freud a montré que dans les profondeurs inatteignables prévaut une complète absence de contradiction, une nouvelle mobilité des blocs émotionnels causée par la répression, une absence de temporalité et la substitution de la réalité psychique à la réalité externe, tout cela soumis au seul principe de plaisir. L'automatisme conduit directement à cette région. »

Cependant, ni la réalité psychique, ni le principe de plaisir n'étaient suffisants en soi ; et les peintres de New York s'étaient détournés de Freud pour regarder en direction de Carl Jung, pour qui l'inconscient n'ouvrait pas seulement les portes des névroses individuelles, mais celles des archétypes universels de l'expérience humaine. L'inconscient était pour lui *mythopoétique* et l'art un moyen capital par lequel les mythes et les symboles sont capturés tout vifs dans l'univers de la conscience.

Jung a montré que l'art primitif était une mine inexplorée de symboles, applicables tant au monde contemporain qu'au monde préhistorique. Mark Rothko remarqua en 1943 que « ceux qui pensent que le monde est plus gentil et gracieux que les passions primitives et prédatrices d'où proviennent ces mythes, ceux-là se méprennent sur la réalité, ou bien ils ne veulent pas la voir en art. Le mythe [...] exprime pour nous quelque chose de réel, qui existe en nous, comme c'était le cas pour ceux qui, les premiers, ont trébuché sur les symboles pour leur donner vie ».

Le jeune Jackson Pollock s'est intéressé à Jung dès le milieu des années 30, et, en 1937, il s'adressa à un analyste jungien pour soigner son alcoolisme. Il assimilait ce qui dans l'art occidental contemporain lui paraissait le meilleur à la peinture des Indiens d'Amérique, appréciant chez eux « leur capacité de saisir des images appropriées, et leur compréhension de ce qui constitue le sujet de la peinture ».

Pollock et ses compagnons imaginaient des formes *biomorphes*, combinant des structures animales ou végétales, des symboles primitifs, des formes libres et des modèles d'automatisme semi-conscient.

Arshile Gorky occupe une place particulière dans ce genre *mythique*. Ses hybrides, pour utiliser l'expression de Breton, s'y rattachent par la thématique. Il ne rompit pas les ponts avec l'Europe, et l'on peut le considérer comme un précurseur de l'école de New York. Né en Arménie turque en 1904, il était arrivé aux États-Unis en 1920. Il étudia à l'école de dessin de Rhode Island, puis à la grande école centrale d'art, où il fut à la fois élève et professeur. Il se fit une réputation de brillant pasticheur, et ses premiers travaux empruntent avec esprit et méthode aux principaux mouvements de l'art moderne.

Son point de départ était l'impressionnisme, mais il se rapprocha vite de Cézanne et du cubisme synthétique. De 1929 à 1934, il fut surtout influencé par Picasso, Braque et Gris, et on le surnomma le « Picasso de Washington Square ». Il se tourna ensuite vers Tanguy, Masson et Matta, attiré par leurs formes mouvantes, et Mirò, dont les traits en volutes l'inspiraient. Vers 1936 il essaya un style biomorphique abstrait, avant de s'intéresser à Kandinsky aux alentours de 1940.

Sa maturité de peintre ne s'épanouit que dans les dernières années de sa courte vie : en effet, il se suicida en 1946, à l'âge de quarante-trois ans. Trois ans auparavant, il avait enfin trouvé son style avec la série des « Garden in Sochi ». Dans *Water from the Flowery Mill*, sa peinture est composée de fins sillages de couleurs brillantes, qui débordent et s'entremêlent. Des formes féminines douces se mêlent à des formes masculines plus aiguës, et, bien qu'elles rappellent clairement les influences de Gorky, le cubisme synthétique en l'occurrence, elles s'en distinguent par un emploi rêveur et méandreux de la ligne. Sa rencontre des surréalistes à New York lui avait donné confiance dans un dessin spontané qui submergeait, s'il ne l'éliminait pas, son héritage cubiste.

Les hybrides de Gorky, curieux composés de végétal et d'animal, suggèrent des griffonnages mentaux devant la nature. À ses yeux le paysage a un contenu symbolique et sexuel, qui provient de ses souvenirs d'enfant dans l'Arménie rurale. S'il avait vécu, son épicurisme l'aurait sans doute éloigné de l'expressionnisme abstrait, tant son travail était dénué de cette urgence qu'on voit sur les tableaux de Pollock ou de Newman.

Le travail de William Baziotes jouit d'une grande considération durant cette phase *mythique* de l'expressionnisme abstrait, et ne changea pas radicalement par la suite. Les « abysses » jungiens évoquaient pour lui un monde sous-marin de protozoaires flottant dans une lumière filtrée. Des monstres amiboïdes, des araignées et des oiseaux y figuraient également. « Chacun d'entre nous voit dans l'eau ou bien un symbole de paix, ou bien de frayeur, écrit-il en 1948. Je ne me sens jamais mieux qu'en restant à regarder un étang paisible. »

Né à Pittsburgh en 1912, Baziotes vint à New York en 1933, étudia à l'académie nationale de dessin, et rejoignit le Projet fédéral d'art. Peu connu avant d'exposer à la « Art of this Century Gallery » de Peggy Guggenheim en 1944, il était influencé par les couleurs exotiques et précises des miniatures perses, et aussi par Klee, Mirò, et surtout Picasso. En 1940, il rencontra le surréaliste Matta, et s'enthousiasma pour l'abstraction ; en 1942, il figurait dans l'Exposition internationale surréaliste de New York.

Il apprit à équilibrer les tensions de surface de ses compositions en éliminant la profondeur tridimensionnelle, et en la remplaçant par une surface cohérente à l'harmonie tonale couvrante. *The Dwarf,* peint en 1947, montre l'apogée de ses potentialités. De 1950 à sa mort en 1963, Baziotes exprima une sophistication et un contrôle croissants, montrant dans ses derniers travaux un sens décoratif subtil, mais d'où le risque était exclu.

Le champ total

Il n'est guère étonnant que les artistes américains, intéressés comme ils l'étaient par les processus de la peinture et du dessin, se soient penchés avec ferveur sur l'art oriental, la calligraphie notamment. Bien qu'il ne fût pas directement lié à l'école de New York, Mark Tobey fut l'un des premiers à prêter attention à la peinture orientale. Comme ses maîtres orientaux, il poursuivait un but méditatif. Né dans le Wisconsin en 1890, il enseigna à Seattle de 1922 à 1925. Il s'intéressa alors à l'art indien et à la gravure japonaise. Converti à la doctrine d'une secte universaliste et optimiste, la Croyance universelle Baha'i, il se consacra à la réconciliation et à l'union des cultures occidentale et orientale. Il étudia la peinture de l'Orient à l'université de Washington, enseigna à Dartington Hall en Grande-Bretagne, et en 1934 se rendit en Chine et au Japon.

Arshile Gorky
Composition, 1932-1933

Ce voyage favorisa son évolution esthétique, et au retour il commença la série de tableaux appelée *Écritures blanches,* qu'il poursuivit dans les années 40 et 50. *Edge of August,* peint en 1953, est un sommet de l'application par Tobey de la calligraphie à la peinture. Un labyrinthe de fils blancs surnage sur un fond rouge : la perspective est anéantie et la forme, pour employer ses mots, « pulvérisée ». La fonction communicative du signe ouvre sur un travail rythmé, créant une texture partout répandue qui dématérialise effectivement la touche de la brosse. Le meilleur de Tobey possède une discrète et méticuleuse tranquillité.

Les *Écritures blanches* de Tobey ressemblent aux *drip paintings* de Pollock. La comparaison se fait au bénéfice de Pollock, en raison encore une fois de l'intensité de son travail. Pollock était préparé à s'impliquer totalement. Plus qu'aucun de ses contemporains il osa tester ses idées jusqu'à ce que les failles apparaissent et qu'elles commencent à produire quelque chose. Cette authenticité, ou, selon les mots de Sartre, cette « bonne foi », a eu autant d'influence que ses toiles.

Retracer sa carrière revient à analyser les éléments clés de la phase gestuelle de l'école de New York. Bien qu'il ne fît pas toutes les découvertes lui-même (Hans Hoffman fut le premier par exemple à utiliser le *dripping*), il en fit l'usage le plus énergique. Né en 1912 dans le Wyoming, Pollock était d'une famille pauvre, et rien ne le prédisposait à devenir artiste.

Il fallut quelque temps avant que le jeune Pollock ne prît contact avec l'avant-garde internationale. Vers 1930 il étudiait la peinture en compagnie de son frère dans l'atelier de Thomas Benton, à la Ligue des étudiants en art. Benton était un régionaliste romantique à la tournure d'esprit réactionnaire.

La réaction de Pollock se fit à travers lui, plutôt que contre lui, en abandonnant sa thématique mais en gardant le sentiment d'un rythme pictural, que le vieil homme avait puisé chez Rubens, Michel-Ange et Greco. Dans *The Flame,* réalisé en 1937, on peut reconnaître un contenu, mais il est subordonné à la fascination de Pollock pour les pigments, les contrastes de tons, et une violence extrême du traitement.

En 1935 il travaillait pour le Projet fédéral ; il admirait les artistes de la Révolution mexicaine, et étudia Kandinsky, Mirò, Klee, et les surréalistes, dont Masson. Plus que tout, il fut influencé par Picasso. Il passa dix ans à pratiquer une syntaxe symbolique semi-figurative. Ses tableaux traduisent, dans un style partiellement automatique, des mythes primitifs, où l'on décèle en particulier une sexualité passionnée. Trois exemples caractéristiques sont, en 1943, *Pasiphaé* (qui devait s'appeler *Moby Dick*), *The She-Wolf* et *The Moon Woman cuts the Circle.*

The She-Wolf illustre l'intérêt de Pollock pour les motifs totémiques. La composition violente et la facture vigoureuse n'en trahissent pas moins des angoisses personnelles. Le rouge du loup et ses yeux qui ne se ferment pas reviendront discrètement durant toute la carrière de Pollock.

En 1947, toute imagerie identifiable disparaît, et ses toiles deviennent des surfaces qui rappellent simplement son passage. Les techniques et les matériaux conventionnels ne lui semblent pas assez flexibles. Aussi invente-t-il sa fameuse méthode du *dripping*, qu'il décrit ainsi :

Arshile Gorky
Water of the Flowery Mill, 1944

Arshile Gorky
The Betrothal II, 1947

« Ma peinture ne provient pas du chevalet. Je tends à peine ma toile avant de commencer. Je préfère poser ma toile directement sur le mur ou sur le sol. J'ai besoin de la résistance d'une surface dure. Sur le sol je suis plus à mon aise. Je me sens plus proche de la peinture, y participant davantage, dans la mesure où je peux marcher tout autour, travailler par chacun des quatre côtés, et être littéralement dans la peinture. C'est apparenté à la méthode des peintres sur sable des Indiens de l'Ouest.
« Je continue à me tenir éloigné des outils traditionnels, tels le chevalet, la palette, les brosses, etc. Je préfère les bâtons, les truelles, les couteaux, et la peinture fluide qui s'égoutte, ou un empâtement épais de sable, de verre brisé ou d'autres matières intégrées. »

Trois œuvres maîtresses, *Cathedral,* peint en 1947, *One (n° 31),* de 1950, et *Blue Poles,* de 1953, révèlent l'étendue de l'originalité de Pollock. La composition est un *champ total* : bien que le réseau de fils et de cordes de peinture soit habituellement retenu dans les limites de la toile, le spectateur sent bien qu'ils pourraient se poursuivre indéfiniment. Cette impression est encore renforcée par la taille des tableaux de Pollock, qui

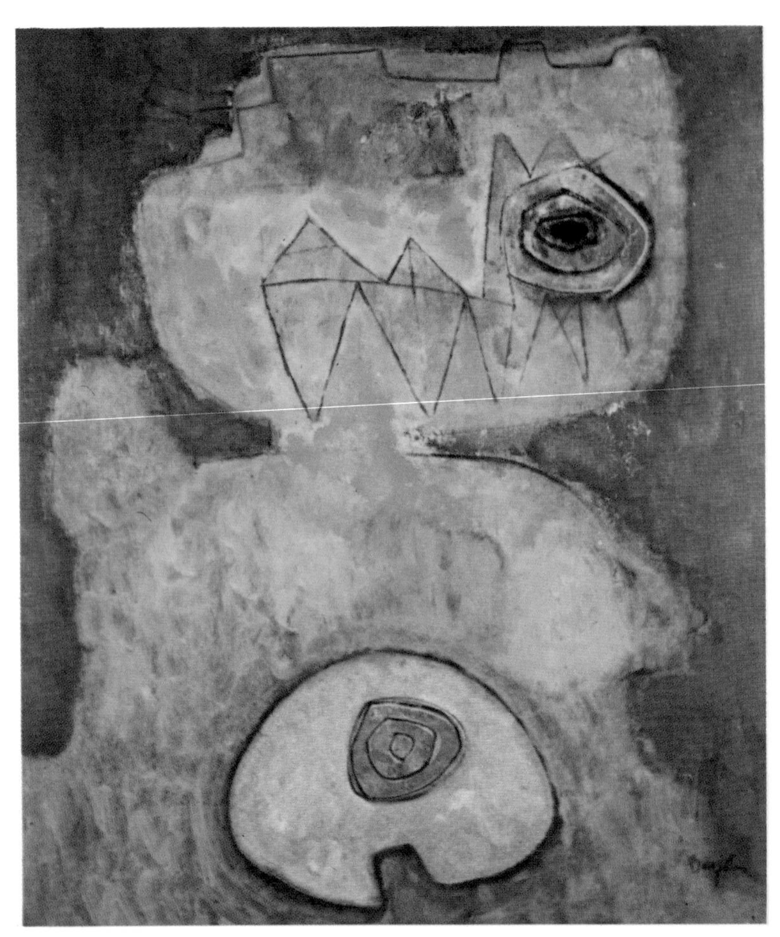

William Baziotes
The Dwarf, 1947

ressemblent à des fresques portatives, et marquent les préoccupations de l'école de New York pour les dimensions. « Un journaliste a écrit que mes tableaux n'avaient pas de commencement ni de fin. Ce n'était pas sous sa plume un compliment, mais c'en était un. Un très joli compliment. »

La prédominance du noir et du blanc dans *Cathedral* rappelle que Pollock est essentiellement un dessinateur. Le critique Frank O'Hara remarqua sa « stupéfiante capacité à rendre une ligne plus rapide en l'affinant, à la freiner en l'élargissant, à élaborer l'élément le plus simple de tous, la ligne, à changer, renforcer, élargir, construire une intrication complexe avec les seules armes du dessin ».

Plus que tout, dans ces tableaux explose une libération d'énergie, pleine d'un dynamisme euphorique. Pollock travaillait très vite, après de lentes

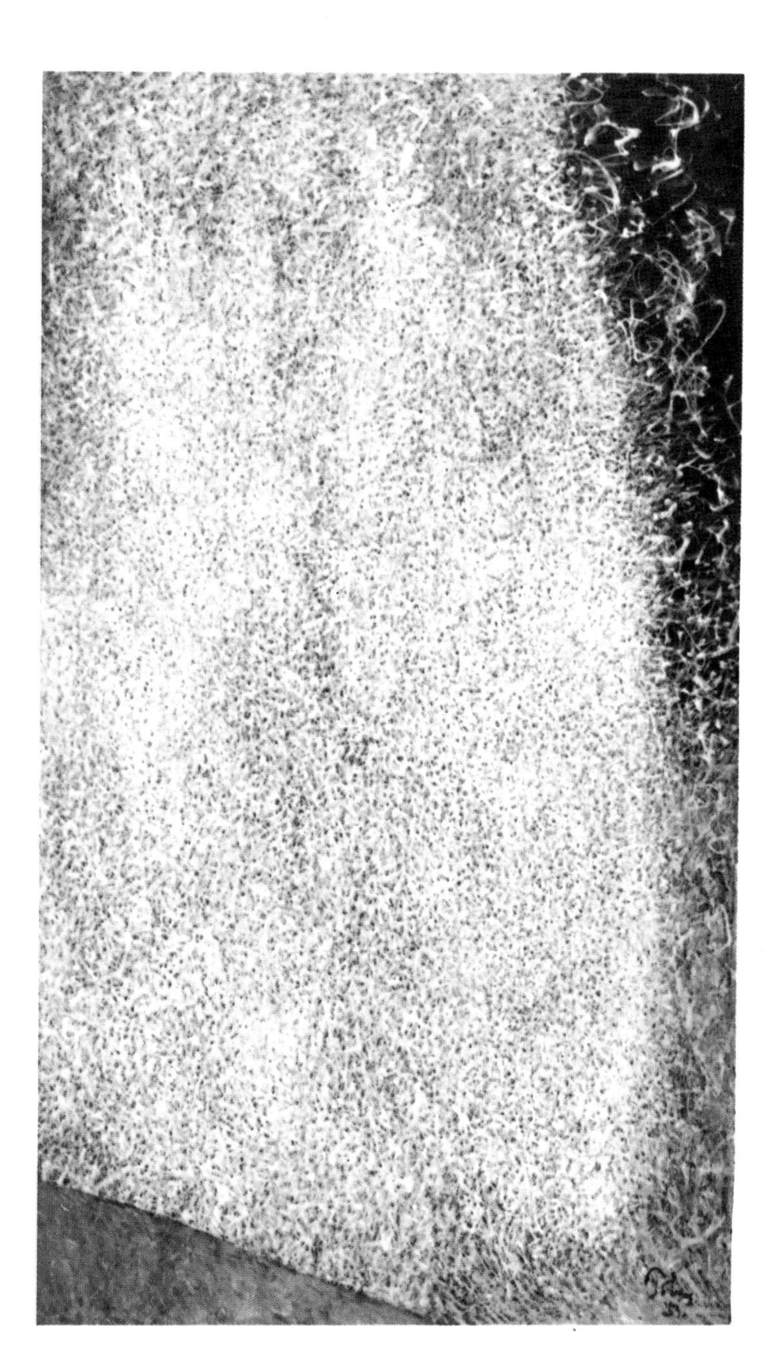

Mark Tobey
Edge of August, 1953

pauses consacrées à marcher autour du tableau en méditant. Ce qui ressemble au hasard en est l'exploitation. « Quand je peins, j'ai une idée générale de ce que je poursuis. Je peux contrôler le flux de la peinture. Il n'y a pas d'accident. » En même temps, ses décisions étaient passives plutôt qu'actives (comme on l'attendrait d'un héritier de l'automatisme surréaliste). « Je n'ai pas peur de faire des changements, de détruire l'image, etc., parce qu'un tableau a sa vie propre. Je la laisse survenir. »

Vers 1953, Pollock estima avoir épuisé les potentialités du *dripping*. Sa vie personnelle était également en crise, et, après deux années de sobriété, il sombra de nouveau dans l'alcool. Il abandonna la couleur et retourna à la figuration. Une des conséquences en fut la perte de l'effet de *champ*, et son dessin s'effondra en vastes flaques de pigments. Il produisit quelques œuvres intéressantes, dont la plupart, et particulièrement *Easter and the Totem*, dénotent un retour à son ancienne thématique, avec des moyens plus sophistiqués.

Les contemporains de Pollock observaient sa carrière avec une excitation croissante, en ce qu'il atteignait dans une forme non diluée la plus grande part des préoccupations du jour. Plus que tout, il représentait un engagement d'honnêteté émotionnelle. Robert Motherwell écrivit en 1950 : « Le procès de peindre est alors conçu comme une aventure, sans idées préconçues, de la part de personnes intelligentes, sensibles, et passionnées. La fidélité à ce qui se passe entre soi et la toile, aussi inattendu que ce soit, devient centrale [...]. Les décisions les plus importantes dans le procès de peindre sont de l'ordre de la vérité, non du goût [...]. Aucun artiste ne finit avec le style qu'il pensait développer quand il commençait. »

Willem De Kooning partageait avec Pollock la position de chef de file de l'avant-garde gestuelle de New York. Malgré tout il demeura plus proche de ses prémisses esthétiques que beaucoup de ses pairs. Le mouvement qui l'attira particulièrement fut le cubisme, mais on peut voir son attachement général à la tradition dans l'acceptation de la figure humaine comme sujet possible pour la peinture.

Né à Rotterdam en 1904, il passa ses vingt et une premières années en Europe, étudiant à Anvers, Bruxelles et Rotterdam, avant de se rendre aux États-Unis en 1926. Dans ses premières œuvres il s'attaqua avec peine au problème d'un traitement tridimensionnel de la figure qui n'étouffât pas la surface de la toile. Dans des travaux du milieu des années 40, de la *Seated Woman* de 1940 à *Pinck Angel* de 1947, sa solution fut d'abandonner le modelé, et graduellement d'isoler les parties individuelles du corps humain, en les traitant comme des plans. Des silhouettes pittoresques, des objets courants et des formes biomorphiques (il était très proche de Gorky) sont juxtaposés dans un fond lisse. Peu de spatialité ; les images et les vides qui les séparent deviennent en quelque sorte interchangeables.

Après 1942, De Kooning explora l'automatisme, qui libéra sa facture et l'encouragea à exploiter l'ambiguïté des signes semi-abstraits. Il introduisit également une nouvelle véhémence dans sa touche. Tout cela fit le lit de l'adoption soudaine, en 1947, d'un style nouveau, avec une série en noir et blanc, dans un émail de fabrication personnelle (il était trop pauvre à cette époque pour se permettre l'huile). Les segments

Jackson Pollock
The Flame, 1937

anatomiques individuels sont désormais détachés de leur contexte figuratif, et assemblés, dans *Dark Pond,* peint en 1948, en un puzzle de chairs — ce qu'un critique appela « un mur de musculature vivante ». Plus de distinction entre le fond et la figure. De Kooning peignit une succession de tableaux remarquables dans cette veine, en revenant dans le même temps à la couleur, comme dans *Excavation,* de 1950.

De Kooning n'était pas un tenant du geste pour le geste, qui par coïncidence aurait retenu un reste de figuration ; le sens de sa thématique n'était guère éloigné de son état d'esprit. « L'art ne me rend jamais paisible ou pur, dit-il en 1950. J'ai toujours l'impression d'être enveloppé dans le mélodrame de la vulgarité. » Ne faisant que rarement des concessions aux nécessités financières, il vivait la vie bohème d'un « rat d'atelier », et exprimait ainsi sa réponse inquiète à la vie moderne.

Vers 1951, il reprit ses « Women », atrocement laides mais séductrices, en partie déesses de la fertilité, en partie graffitis. C'était là une obsession personnelle. « Cela me rendit un service : en éliminant la composition, les arrangements, les rapports, la lumière — tout ce discours idiot sur la ligne, la couleur et la forme, parce que [ces *Women*] étaient ce que je voulais saisir. »

En 1955 De Kooning revint à une semi-abstraction, qui rappelait cette fois « les paysages et les autoroutes et la sensation de tout cela, en dehors de la ville — le sentiment d'aller à la ville ou d'en venir ». Il simplifia son dessin et allégea sa palette. Dans *Door to the River,* de 1960, se trouve une vaste et conquérante puissance picturale, comme si l'artiste avait retravaillé un détail effacé d'une composition précédente. Dans les années

60, il reprit le thème des « Women », mais avec des figures plus douces, plus fluides et palpables. Ses grandes réussites tiennent dans la combinaison d'un contenu personnel et du refus du *style,* ainsi que dans le mariage de la figuration avec une manière gestuelle extrême.

Pollock et, dans une moindre mesure, De Kooning tendaient à une spatialité de surface, un effet de *champ total* entièrement occupé par l'emploi d'un treillis de touches ou d'écoulements. Mais d'autres artistes, parmi lesquels Mark Rothko, Clifford Still et Barnett Newman, étaient plus intéressés par la couleur que par la gestualité. De grandes surfaces planes remplaçaient l'empâtement et la ligne. « Au lieu de souligner, écrivit Newman, au lieu de faire des formes et de créer des espaces, mes dessins proclament l'espace ; au lieu de travailler avec les restes de l'espace, je travaille avec tout l'espace. »

L'échelle était un ingrédient essentiel. Comme Clement Greenberg le remarqua en 1948, « il y a une urgence persistante, aussi persistante qu'elle est en grande part inconsciente, d'aller au-delà du tableau de chevalet qui occupe seulement un point du mur, vers un type de peinture qui, sans s'identifier vraiment avec le mur, comme une fresque, du moins s'y répande et éprouve sa réalité physique ».

Jackson Pollock
Dessin v. 1948

Jackson Pollock
The She-Wolf, 1943

Jackson Pollock
Blue Poles, 1953

Les tableaux très grands bouleversent les rapports du spectateur à l'œuvre. Il ne peut plus la maîtriser ou la considérer d'un seul coup d'œil ; il est emporté par un raz de marée coloré qui dépasse son champ de vision. D'après Rothko, en 1951, « Peindre un petit tableau, c'est se placer soi-même hors de son expérience, regarder par-dessus une expérience comme avec une vue stéréoscopique ou un verre réducteur. En revanche, vous peignez la plus grande toile, vous êtes dedans. Vous n'y pouvez rien ». La toile devient alors un environnement en soi.

Des objets de grande taille inspirent la crainte, et le fait que des tableaux aux surfaces entièrement colorées ne soient pas seulement amples, mais, comme dans certains travaux de Pollock, contiennent des indications d'*infinité,* cela convenait parfaitement aux aspirations métaphysiques de Newman et Rothko. Le *champ total* de couleur leur apparaissait comme une affirmation du mystère de l'être. Newman apprécie le terme *sublime,* et puise sa définition dans l'« Enquête philosophique sur nos idées du Sublime et du Beau » de Burke. D'après l'élaboration par Burke des thèses de Longin, la base de la beauté est le plaisir, alors que le sublime repose sur la douleur ou la peur. L'espace, la solitude, et l'infinité, entre autres, conduisent au sublime. Les toiles « non relationnelles » de Newman étaient vides de tout sauf de couleur et (selon ses mots) privées des « embarras du souvenir, de la connotation, de la nostalgie, de la légende, du mythe ou de tout ce qu'on a en soi ». Les peintres de New York n'étaient pas des érudits ; ils se reportèrent à Burke parce que ses idées prêtaient l'autorité de la tradition à leur manière de peindre, manière qui, au dire de Motherwell, « devient sublime quand l'artiste transcende son angoisse personnelle, quand il projette au milieu d'un monde hurlant une expression de vivre et sa fin, qui est silencieuse et ordonnée ».

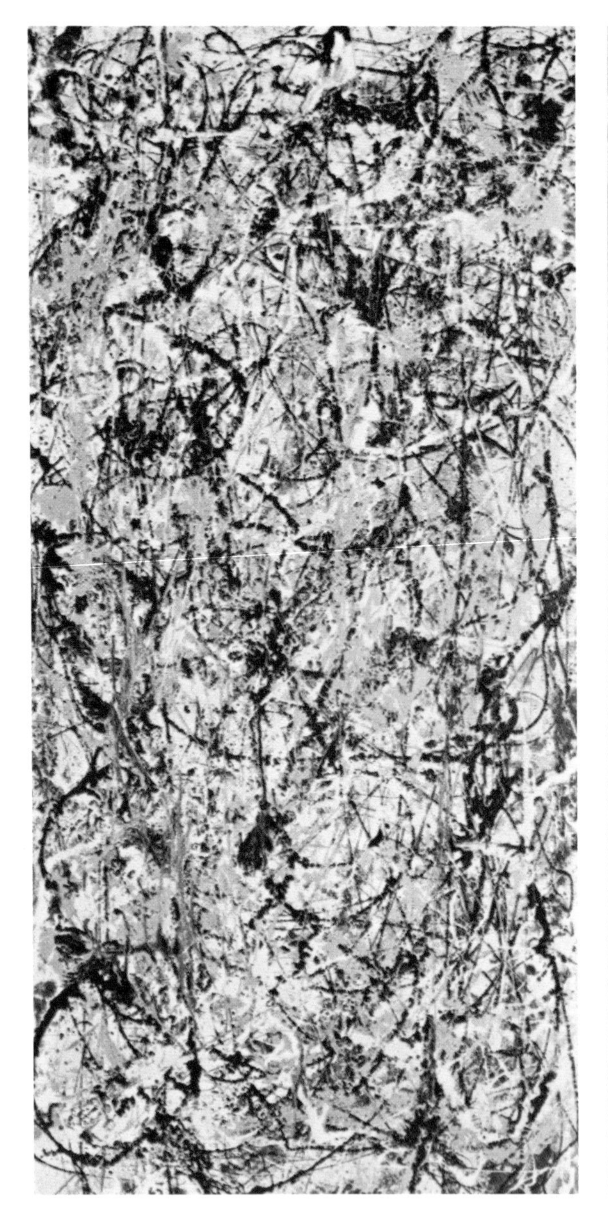

Jackson Pollock
Cathedral, 1947

Jackson Pollock
Easter and the Totem, 1953

Barnett Newman naquit à New York en 1905, et y mourut en 1970. Il enseignait durant les années 30, et ne participa donc pas au Projet fédéral. « J'ai payé le prix fort pour n'avoir pas été dans le projet avec les autres ; à leurs yeux je n'étais pas un peintre. » Durant les années 30 il fut attiré par les idées de gauche, et on raconte qu'il aurait dit : « Mes idées politiques tendaient vers des formes ouvertes et des situations libres ; j'étais un anarchiste très en voix. »

Newman était un polémiste chevronné, et il passa par toutes les phases de l'expressionnisme abstrait. En 1947, avec Rothko, Motherwell et Baziotes, il fut à l'origine d'une école appelée « Subjects of the Artist », et de l'édition de *Tiger's eye*, un magazine qui prônait une esthétique fondée sur le mythe. Bien qu'il se rebellât contre les canons du surréalisme, Newman explora les procédés automatiques. Les formes archétypales et l'énergie plastique des Indiens des côtes du Nord-Ouest l'avaient impressionné, tout comme l'art précolombien. « Mon idée était qu'avec une impulsion automatique, vous pouviez créer un monde. »

Quelque chose de cet ordre apparaît dans *Sans titre*, de 1945 ; le geste crée un monde où des formes biologiques et une bande prophétique,

Willem de Kooning
Seated Woman, v. 1940

Willem de Kooning
Pink Angel, v. 1947

ressemblant à une route, traversent un espace lointain et crémeux. En 1948 Newman était prêt à abandonner une thématique du sujet. *Ornament I,* peint cette année-là, marque le tournant de son style. Une raie verticale large y masque, presque au centre, un ruban adhésif. Sans aucun doute Newman avait en tête une tout autre toile ; et, comme l'a souligné Charles Harrison, le refus de retirer le ruban ou de peindre par-dessus le fond furent des décisions mûrement réfléchies.

Le tableau préfigure clairement son travail ultérieur. Le rejet de la sensualité d'une peinture manuelle va de pair avec la disparition de la *forme,* c'est-à-dire des éléments picturaux et du dessin. La toile devient un champ indifférencié qui est défini, plus que divisé, par la raie (ou les raies, comme dans *Vir Heroicus Sublimis,* de 1950-51). Ces bandes étroites répondent sur un mode neutre aux limites de la surface peinte, et introduisent une séquence sérielle qui pourrait être répétée indéfiniment au-delà d'elles-mêmes.

Mais malgré son importance, le dessin est subordonné à la couleur. Dans *Vir Heroicus Sublimis* et dans *Achilles* de 1950, la grande étendue de rouge écrase le moi, et inspire une sorte de crainte tranquille. La technique de Newman, loin de tout effet pictural, empêche néanmoins le spectateur de s'abandonner à la sensation. Par sa sécheresse et sa banalité, il porte l'attention de l'expérience vers l'idée.

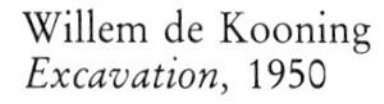

Willem de Kooning
Excavation, 1950

Willem de Kooning
Door to the River, 1960

La palette de Mark Rothko, plus douce et plus lumineuse, est plus sensuelle que celle de Newman. Mais la sensualité se distingue de l'hédonisme. Les champs colorés de Rothko possèdent une intensité contemplative, et invitent à une reddition de soi. Parmi les ingrédients de son art, il notait « une préoccupation claire pour la mort. Tout art traite avec des indications de la mortalité ».

Né en Russie en 1903, Rothko émigra aux États-Unis avec sa famille à l'âge de dix ans. Il suivit les cours de dessin de Max Weber à la Ligue des étudiants d'art. En 1953 il était parmi les cofondateurs des Dix, un groupement des artistes expressionnistes qui s'opposaient à l'abstraction postcubiste des artistes abstraits américains.

Au début des années 40, comme beaucoup de ses contemporains, il tâta de l'automatisme et du biomorphisme jungien. Il peignit des amalgames d'humain, de végétal, d'animal et de formes de poissons. Ses figures reposent sur des fonds remplis de lumière douce (*Entombment*, 1946). Elles expriment, comme le dit Rothko d'une des premières toiles dans cette manière, « un panthéisme où l'homme, l'oiseau, la bête et l'arbre, le connu comme l'inconnaissable, se fondent dans une seule idée tragique ».

Vers 1947, Rothko remplaça ses emblèmes linéaires par des zones de couleurs floues, les réduisant finalement à deux ou trois formes grossièrement rectangulaires entassées l'une sur l'autre. Il commença parallèlement à accroître la dimension de ses toiles et à travailler à une échelle monumentale.

Bien qu'on puisse séparer les compositions de Rothko en éléments singuliers, il trouva un moyen de préserver l'intégrité du « champ » : pas de point central. Ses rectangles emplissent le tableau, dont ils répètent et confirment la forme. En raison de son emploi d'une couleur lavée, la surface unificatrice de la toile apparaît. Avec une légère ironie, il entendait ne pas dissiper l'illusion qui oscillait entre une profondeur nuageuse, ou une surface visible et rugueuse.

L'atmosphère des travaux de maturité tels que *Rouge, Blanc et Brun*, de 1957, est passive et méditative. Des brumes opaques de couleur désincarnée invitent le spectateur à un espace paisible, équivalent métaphorique de la rêverie. Elles expriment une mélancolie qui n'est pas déplaisante.

Rothko ne changea rien à sa formule stylistique, mais ses couleurs s'assombrirent progressivement. Des toiles tardives comme *Noir sur Gris* présentent un pessimisme morne. Il se suicida en 1970.

Le cheminement d'Alfred Gottlieb fut analogue à celui de Rothko : figuration mythique, puis emblèmes abstraits sur un fond vierge. Néanmoins il n'alla pas aussi vite ni aussi loin. Né en 1903 à New York, il voyagea en Europe et passa quelque temps à Paris. Durant les années 30, il peignit des vues réalistes du paysage américain. Sous l'influence du surréalisme et de la psychologie freudienne, comme de Klee et de Mondrian, Gottlieb développa une manière personnelle basée sur un réseau irrégulier contenant des images tirées de la mythologie des arts primitifs et des fragments d'anatomie humaine, dans des tableaux qu'il appela *Pictographs*. Il adopta ce nom, parce qu'« il m'était nécessaire de rejeter totalement la *bonne peinture*, afin d'exprimer ce qui était visuellement vrai pour moi ». Curieusement, au cours de sa carrière, son intérêt pour la technique se fit toujours plus grand. Ses tableaux soignés sont avenants et paraissent se présenter sous leur jour le plus favorable.

Au début des années 50, après une dizaine d'années consacrées aux *Pictographs*, il rationalisa ses principes de composition, comme dans *The Frozen Sounds n° 1*, où une bande aux aspects terreux traverse la partie inférieure de la toile, tandis que dans un « ciel » pâle se tient une succession de disques ovoïdes ou rectangulaires. Une réduction supplémentaire survint en 1957, avec sa série des *Burst*. Un seul « soleil » domine désormais la partie supérieure, avec une passivité qui s'oppose violemment à la linéarité active de la liasse de touches entrelacées en dessous. Des observations de Gottlieb à propos de Gorky quelques années auparavant donnent une bonne description de ses *Burst* : « ce qu'il a éprouvé,

Barnett Newman
Sans titre, 1945

Barnett Newman
Ornament I, 1948

Barnett Newman
Achilles, 1952

j'imagine, c'était un sens de la polarité, non une dichotomie : ces contraires pourraient exister simultanément dans un organisme, dans un tableau, ou dans un art tout entier ».

Dans un tableau comme *Bord, Brink* de 1959, Gottlieb est presque arrivé à une conception totalisante de la surface peinte, à un champ total. Mais ses disques et ses explosions de taches demeurent anecdotiques et accidentels. Il voulait généraliser et rendre abstrait le *pictographs* ou le signe, mais il refusait en même temps de le bannir, soit par élimination comme Newman, soit par magnification comme chez Rothko. Prudent et logique, Gottlieb resta dans son domaine connu jusqu'à sa mort, en 1974.

Clyfford Still est un artiste moins porté aux compromis. Son rapport à l'avant-garde était aussi distant que celui du maître de Pollock, Benton, et étant passé par des phases Bauhaus, dada, surréaliste et cubiste, Still tourna résolument le dos aux mouvements d'art contemporain. « Ce dernier degré de l'ironie, l'Armory Show de 1913, nous a barbouillés des conclusions composites et stériles de la décadence européenne », telle fut sa dernière opinion. Il cultiva à sa place un individualisme de pionnier, une attitude très américaine. L'art était une manière de vivre, un problème de conscience : « Bon sang, il ne s'agit pas seulement de peindre — n'importe quel imbécile peut poser des couleurs sur une toile. »

Né en 1904 dans le Dakota du Nord, Still enseigna pendant six ans dans les années 35. Le travail figuratif qu'il réalisa durant cette période anticipe ses dernières abstractions : un personnage vertical se tient dans un paysage ouvert, dans une dualité morale entre le soleil et la terre, la lumière et l'ombre.

Il arriva par ses propres réflexions à une manière *mythique,* qui ressemblait néanmoins à celle de Rothko et Gottlieb. En 1941 sa production artistique fut réduite par des occupations de guerre ; après une exposition personnelle à San Francisco en 1943, il se remit à peindre à plein temps, et abandonna définitivement la figuration. Décision entièrement délibérée, et avec sa crudité de paroles habituelle il dira plus tard : « Je n'ai pas de temps à perdre pour des signes ou des symboles ou des allusions littéraires dans ma peinture. Ce sont des béquilles pour les illustrateurs et les politiciens en mal d'audience. »

Il chercha un format caractéristique, qu'il conserva par la suite. *Painting 1948-D, 1951 Yellow,* et *Painting 1951* montrent une surface de couleur totale corrodée par des verticales ressemblant à des flammes déchirées. Ses compositions sont rationnellement organisées, et forment, ainsi que l'a écrit Lawrence Alloway, « comme les codes de couleurs d'une carte [...] qui retrouve une réalité substantielle ; pas une clé pour un ailleurs, mais un espace en soi ».

Bien que ce soit une métaphore habituelle, il ne faudrait pas prendre la référence à un paysage trop au pied de la lettre. « Le fait que j'aie grandi dans la prairie n'a rien à voir avec ma peinture, avec ce que les gens croient trouver en eux. Je ne peins que moi-même, non la nature », observa Still dans une interview.

Durant les années 40, il réduisit son chromatisme originel, ses champs devinrent noirs ou d'un pourpre opaque. Des formes ou des perturbations picturales survenues au centre du tableau sont reléguées sur les côtés.

Mark Rothko
Rouge, blanc et brun, 1957

Mark Rothko
Noir sur gris, 1970

Alors, dans les années 50, un lyrisme inattendu fait son apparition, et dans des travaux comme *Painting 1958*, les couleurs semblent plus faites pour plaire que précédemment.

Still, comme Newman, avait une conception exaltée de l'art. Son but était de purifier l'acte de peindre, en sorte qu'il se transcende lui-même et devienne une affirmation autosuffisante du sublime. Il compara un jour l'artiste à un homme qui voyage dans une région désolée et atteint un haut plateau : « L'imagination, sans plus être entravée par les lois de la peur, se confond avec la vision. Et l'acte, intrinsèque et absolu, était son but, et le portefaix de sa passion. »

Compagnons et successeurs

Ad Reinhardt se distingue par son appartenance temporaire à l'école de New York. Il était au fond opposé à l'expressionnisme abstrait ; l'immédiateté et l'indétermination lui étaient étrangères. La clarté hiératique des formes d'expression orientales lui plaisait davantage, et il rechercha la « dernière » peinture, qui serait, comme l'image du bouddha, « hors du souffle, hors du temps, hors du style, hors de la vie, hors de la mort, sans fin ». Il admirait Mondrian, rejetait le surréalisme, et ignorait la calligraphie. « En aucun autre endroit de la planète qu'en Asie, il n'est apparu plus clairement que rien d'irrationnel, de fugace, de spontané, d'inconscient, d'accidentel ou d'informel ne peut sérieusement être qualifié d'art. »

Adolph Gottlieb
Brink, 1959

Adolph Gottlieb
The Frozen Sounds number 1, 1951

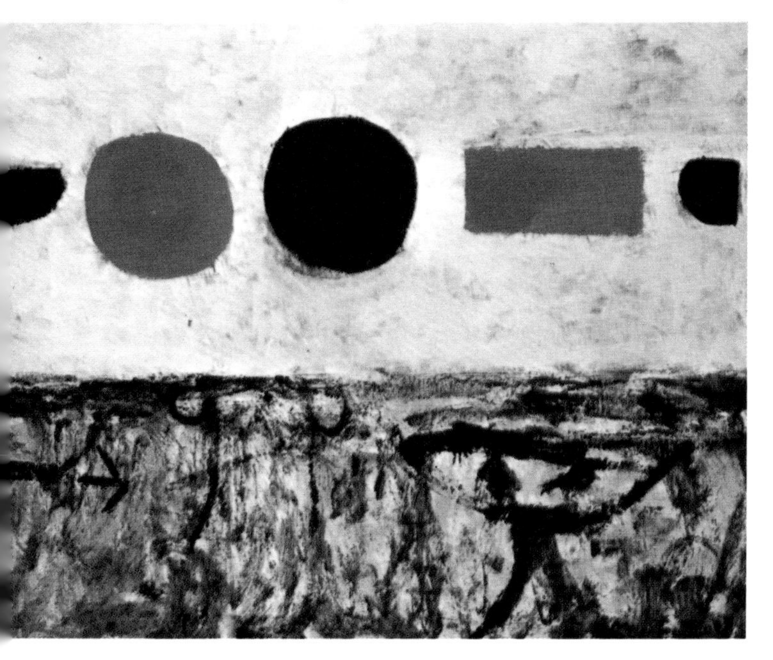

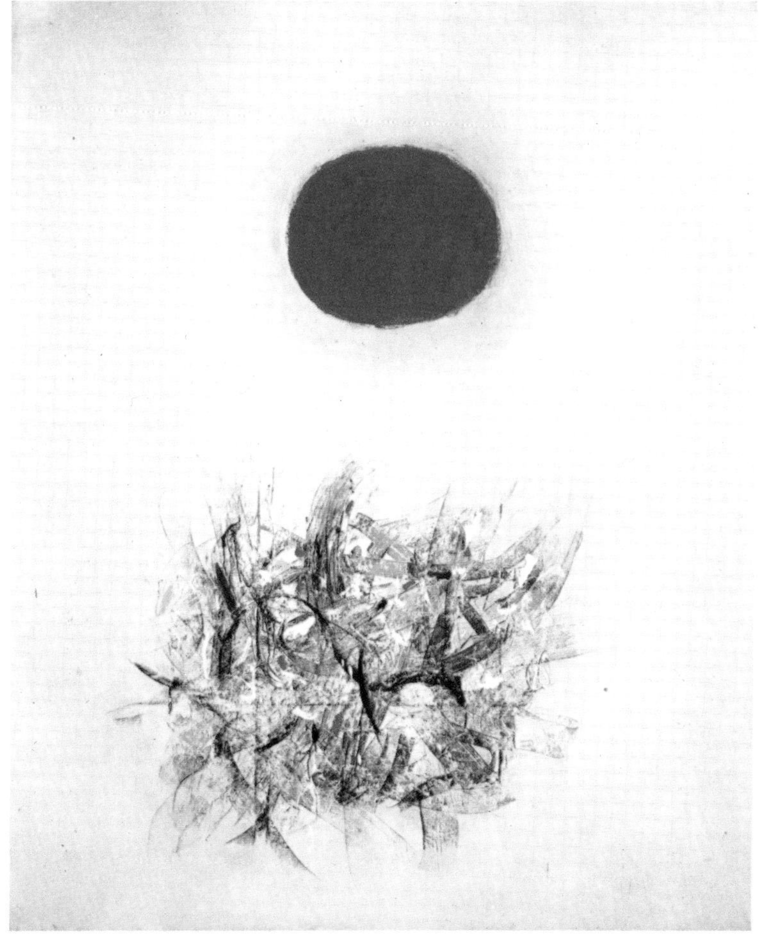

Durant la plus grande part de sa carrière, il développa une forme géométrique d'abstraction, mais, dans les années 40, il se lia d'amitié avec Newman, Rothko et Still, et commença à peindre des toiles qui tendaient au *champ total.* Elles étaient composées à l'origine de zones de flou et de lignes, puis de petits rectangles peints à la brosse (*Painting,* 1950), enfin de rectangles horizontaux débordants, avec des bords épais (*Red Painting,* 1952). En 1952, il se dirigeait vers les *Ultimate Paintings* entièrement noires de son style minimal final, qui, avec leurs valeurs proches et leurs divisions rectilinéaires à peine perceptibles, sont, délibérément, presque impossibles à reproduire.

Malgré, ou à cause, de leur ambition d'étendre les frontières de l'art et de débrouiller un territoire qui serait leur, les expressionnistes abstraits voulaient connaître ce qu'ils laissaient derrière eux. Ils écoutaient avec ferveur les professeurs ou les critiques qui leur apprendraient les développements de l'art en Europe, et leur fourniraient des formules de travail applicables à leurs activités. Hans Hofmann s'intéressa sa vie durant à l'éducation artistique, et se distinguait également comme peintre, haut placé parmi les seconds couteaux de l'école de New York. Né en Allemagne en 1880, il débuta comme scientifique, étudia l'art, et se fixa à Paris entre 1904 et 1914, où il rencontra Matisse, Picasso et Braque, ainsi que Delaunay, qui lui enseigna sa théorie de la couleur. Il fonda sa propre école d'art à Munich en 1915, avant d'émigrer aux États-Unis en 1932, pour y ouvrir bientôt une autre école à New York.

Clyfford Still
Peinture 1948 - D 1948

Clyfford Still
1951 Yellow, 1951

Clyfford Still
Peinture 1958

Clyfford Still
Peinture 1951

Les œuvres les plus intéressantes de Hofmann sont, dans une manière personnelle, un résumé des trouvailles contradictoires de l'art des débuts du XXe siècle. Il enseigna que « l'expression créatrice est [...] la translation spirituelle de concepts internes dans une forme, résultant de la fusion de ces intuitions avec des moyens d'expression artistiques, dans une unité d'esprit et de forme ». Peindre, c'est « former avec de la couleur ». Il s'attacha à trouver une synthèse entre la structure cubiste et la palette fauviste, et Clement Greenberg a dit qu'« on pouvait apprendre plus (chez lui) sur la couleur de Matisse que chez Matisse lui-même ».

Il peignit dans une manière semi-abstraite entre 1936 et 1941. Ses sujets, toujours identifiables, s'organisaient en couleurs brillantes et en surfaces structurées. Après 1942 il s'abandonna à l'automatisme et pratiqua un vocabulaire biomorphique. Il inventa un écoulement original et, anticipant Pollock, la technique de l'éclaboussure.

Il commença en 1946 la série abstraite pour laquelle on le connaît surtout. *Transfiguration,* de 1947, par exemple, consiste en surfaces peintes énergiquement où se détachent des éléments linéaires. Des traces de l'organisation cubiste demeurent, mais la conception tient dans l'équilibre entre une profondeur à trois dimensions et une surface bidimensionnelle. « Chaque mouvement génère un contre-mouvement, écrit-il. Une forme représentée qui ne doit pas son existence à une perception du mouvement n'est pas une forme. » Dans les années 50, il employa divers modes d'expression. Certains tableaux, tel *Fantaisia in blue,* présentent des rectangles surchargés de pigments riches qui sont entourés de zones de gestualité libre. Avec d'autres toiles, après 1960 essentiellement, comme dans *Rising Moon*, de larges balayages liquides à demi transparents luisent sur un fond blanc.

Robert Motherwell est un autre artiste de New York qui s'intéresse d'une autre manière à l'Europe. Né en 1915, il fit ses études à Stanford puis à Harvard, où il étudia l'histoire de l'art. Il se lamentait de la disparition des « merveilleuses choses du passé — les rencontres de fin d'après-midi, les moments oisifs, les discriminations du goût, les grâces maniérées, et la culture désintéressée des esprits ».

En 1940, il rencontra les surréalistes en exil, qui, l'initiant à l'automatisme et à la psychologie freudienne, renforcèrent son attachement pour l'esthétique du XIXe siècle français. Se référant à la théorie

Ad Reinhardt
Peinture rouge, 1952

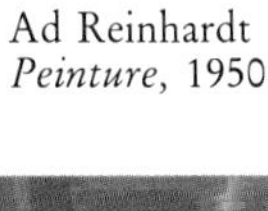

Ad Reinhardt
Peinture, 1950

baudelairienne des correspondances, selon laquelle « les parfums, les couleurs et les sons se répondent les uns aux autres », Motherwell en vint à penser que l'abstraction totale était impossible. « Le rouge *pur* dont parlent certains abstraits n'existe pas. Tout rouge renvoie au sang, au verre, au vin, à une cape de chasseur et à cent autres phénomènes concrets. »

Motherwell s'adonna au collage et ses premiers travaux sont influencés par Picasso, Matisse et Schwitters. Mais ses premières grandes réalisations, avec la série intitulée *Elegies to the Spanish Republic,* commencèrent dès 1949 ; en 1965 il en avait produit plus d'une centaine. Des rectangles verticaux et des ovales sont disséminés sur une toile aux allures de frise. Les teintes en sont généralement du noir sur du blanc. D'après Motherwell lui-même, « les tableaux sont [...] des métaphores générales sur la vie et la mort, et sur leurs rapports mutuels ». Cette conjonction freudienne d'Eros et de Thanatos est un de ses thèmes favoris, et se trouve indiquée ici par la configuration phallique des formes.

D'autres oppositions caractérisent le travail de Motherwell : les figures et le fond se chevauchent au point de se greffer sur une surface unifiée ; le geste et le champ d'intervention (des surfaces planes et une monumentalité simple qui rappelle l'abstraction du *champ coloré*) manifestent une facture ouvertement picturale, avec des coulures hasardeuses et des éclaboussures.

Motherwell peint souvent dans des dimensions intimes, comme avec la série des « Je t'aime » *(sic)* des années 50 ; mais sa contribution la plus

Hans Hofmann
Transfiguration, 1947

Hans Hofmann
Fantasia in blue, 1954

Hans Hofmann
Rising Moon, 1964

originale réside dans l'intimisme et le sentiment personnel dont il emplit les toiles les plus monumentales.

Vers 1950, enhardis par le succès de Pollock et de ses camarades pionniers, quatre peintres abandonnèrent la figuration pour l'expressionnisme abstrait. Aucun n'était un débutant, et ils avaient passé leur carrière à ressasser des styles traditionnels.

Franz Kline, né en 1910, passa quelques années en Grande-Bretagne. Jusqu'aux années 40, il produisit des peintures de villes, puis, soudain, il s'adonna à une peinture gestuelle en noir et blanc qui ressemblait à des agrandissements gigantesques d'idéogrammes. En fait, la piste orientale est trompeuse. « Les gens pensent quelquefois que je prends un tableau blanc et que j'y dépose un signe noir, mais c'est faux. Je peins le blanc aussi bien que le noir, et le blanc est aussi important. »

Les compositions de Kline sont abstraites, mais reflètent les schémas des vues urbaines. « Si quelqu'un dit : "cela ressemble à un pont", cela ne m'ennuie pas vraiment. [...] Si vous utilisez de longues lignes, que pourraient-elles être [d'autre que] des autoroutes ou des ponts ? »

Le travail de Kline à son apogée communique le sentiment d'une excitation de peindre difficilement contrôlée. « La peinture ne semble jamais se comporter de la même façon. Même une seule peinture ne se comporte jamais pareil. Elle ne sèche pas de la même façon. » Les corrections, les effacements, les surcharges donnent au spectacteur l'impression qu'il participe au procès créateur : Kline paraît, comme il l'a dit de Bonnard, « être en train de travailler sous vos yeux ».

Dans les dernières années de sa vie, ses tableaux devinrent plus noirs et plus atmosphériques. Il s'attaqua également à la couleur, mais *King Oliver,* aussi réussi soit-il, n'est que la transposition du vieux monochrome de Kline. Il ne trouva pas avant sa mort, survenue assez précocement en 1962, l'emploi personnel de la couleur qu'il recherchait.

Philip Guston naquit au Canada en 1913, et étudia à Los Angeles. Il se rendit au Mexique pour voir les fresques de Rivera et de ses compagnons, et produisit alors une toile où le souvenir jouait un rôle essentiel : « La peinture est une bataille entre ce que vous connaissez et ce que vous ne connaissez pas. »

En 1951, il se tourna vers l'abstraction, mais il ne pensait pas devoir abandonner le sujet pour autant. « Il y a quelque chose de ridicule et de misérable dans le mythe que nous héritons de l'art abstrait, que la peinture est soi-disant autonome, pure et seule avec elle-même, et qu'en conséquence nous analysons ses ingrédients et définissons ses limites. Mais la peinture est *impure.* Nous sommes des faiseurs d'images bourrés d'images. »

Robert Motherwell
Je t'aime, II A, 1955

Pendant un temps, Guston déploya des hachures verticales et horizontales sur la toile, en souvenir de Mondrian ; ses couleurs étaient hésitantes, pastel et lumineuses, et on le qualifiait d'impressionniste abstrait. Après 1954, cependant, il peignit des surfaces plus grandes et moins géométriques, avec une palette plus sombre et une touche plus hardie. Plus tard, il revint partiellement à la figuration, avec des objets à demi identifiables émergeant de la surface peinte — traces de choses oubliées que le souvenir ne peut rappeler en totalité.

Pour James Brooks, Pollock était une figure aussi gigantesque que Picasso ou Matisse. Les grandes toiles couvertes de coulures eurent sur sa maturité le même effet libérateur que dans sa jeunesse le cubisme. Né à Saint-Louis en 1906, il s'associa dans les années 30 au mouvement régionaliste, sans pour autant rejeter le modernisme européen, et la région de son enfance lui fournit sa principale source d'inspiration. De Picasso il apprit à abstraire une image de la nature en même temps qu'à en préserver les caractères identifiables, et il se gagna une réputation de peintre mural.

Après 1945, il explora le cubisme et chercha à libérer la structure de ses compositions. L'automatisme de Pollock lui fournit l'impulsion dont il avait besoin. Il peignit le dos de ses toiles, et précautionneusement

Franz Kline
King Oliver, 1958

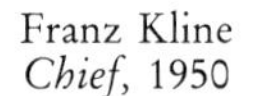

Franz Kline
Chief, 1950

travailla les traces qui avaient transpercé en de subtils et souples rythmes. Le produit final, comme dans *N° 36* de 1950, est un flux animé de zones transparentes, traversé de lignes fines. En 1953, son pigment acquiert plus de densité, et de vastes formes gestuelles semblent se bousculer avec bonhomie.

Bradley Walker Tomlin naquit en 1899 et grandit à New York. Il gagna sa vie comme illustrateur et produisit également des peintures murales. Il reste peu de chose de son travail de jeunesse. Après 1939, il adopta un cubisme décoratif, où s'incorporaient des éléments franchement figuratifs. Ce fut d'abord un symbolisme rêveur qui apparaît dans la conception d'ensemble. Puis après 1945, il se lia avec Gottlieb, dont l'exemple le convainquit d'introduire plus de spontanéité dans ses peintures. Il peignit des signes calligraphiques blancs sur fond noir, mais, mal à l'aise sans une structure linéaire, il les transforma en bandes courbes assemblées en un réseau lâche. Avec *N° 20* (1949), commence sa dernière période où les bandes se réduisent à de petits fragments rectangulaires. Les tableaux doux et mélancoliques de Tomlin prouvent d'évidence que la gestualité pouvait accueillir la passivité et l'élégance.

Avec les années 50, les critiques, les collectionneurs, les musées et le grand public avaient compris qu'ils devaient désormais compter avec un art américain d'envergure internationale. Les artistes devinrent riches et célèbres, et la peinture n'était plus une carrière misérable pour « rats d'ateliers ». En un sens cela bouchait l'entrée à de nouvelles recrues. Les

Philip Guston
Passage, 1957-1958

grandes découvertes avaient toutes été accomplies, et les pressions désespérées contre lesquelles les expressionnistes abstraits avaient réagi héroïquement n'existaient plus. Un zèle réformateur n'était en conséquence pas envisageable, et les jeunes artistes adoptèrent une position d'attente. Plus que Pollock ou De Kooning ils choisirent les peintres du *champ coloré,* Newman et Still, pour point de départ. Ils étaient cependant plus intéressés par leur minimalisme que par leur recherche du sublime, et ils partageaient avec Reinhardt le goût de l'anonymat et de l'absence d'émotion.

Malgré tout, quelques-uns poursuivirent dans le sens de l'abstraction gestuelle. Helen Frankenthaler (née en 1928), qui épousa Robert Motherwell, travailla dans une technique de taches dérivée des écoulements de Pollock et des bayalages de couleurs lavées de Rothko. La touche autographique disparaît, et des tableaux tels que *Blue Territory* expriment une jouissance impersonnelle de la couleur pure, remplie de lumière et arrangée en accidents libres.

En 1952, Morris Louis (1912-62) découvrit le travail de Pollock et rencontra Helen Frankenthaler, qui l'initia à la teinture. Dans sa série des *Veils,* des rideaux de couleurs diaphanes coulent les uns sur les autres : plus tard, dans la série des *Unfurled,* des ruisseaux obliques de couleur brillante remplissent le bas de toiles intouchées par ailleurs. Suivirent les peintures des *Stripes* et des *Pillars,* qui codifient la couleur en faisceaux entrelacés. Louis métamorphosa son héritage expressionniste abstrait : le pigment avait acquis une qualité optique et non substantielle, où les lisières méandreuses de ses formes ne sont déterminées que par le séchage. La couleur parle pour elle-même, loin de tout discours du peintre. L'aventure des expressionnistes abstraits avait fait son temps.

L'abstraction européenne

Le développement concomitant et indépendant de l'abstraction gestuelle sur les deux bords de l'Atlantique n'est pas une coïncidence aussi extraordinaire qu'il y paraît. Quand les conditions sont *grosso modo* les mêmes dans les différentes parties d'un bois, il n'est pas étonnant que le feu y prenne en même temps.

Immédiatement après la Seconde Guerre mondiale, l'Europe et l'Amérique partageaient l'héritage du cubisme et du surréalisme, le malaise des après-guerres et la crise du sujet. Les principes de l'abstraction européenne, connue sous le nom d'art informel, abstraction lyrique et tachisme, présentent de nombreuses similitudes avec ceux de l'école de New York. On discutait abondamment de la spontanéité de la technique, de la libération des vieilles conventions formelles, de l'exploration de l'inconscient et du rejet de l'illusion spatiale.

Malgré tout, les ressemblances recouvrent des objectifs divers. L'Europe, avec pour centre Paris, fut moins radicale que l'Amérique. Jean Dubuffet était comme Pollock excité par les potentialités des matériaux et des techniques inhabituels, et il élaborait ses empâtements avec du plâtre, de la colle, du mastic et de l'asphalte. Mais il fixait son attention sur les matériaux eux-mêmes (« Je fais mon possible pour réhabiliter des objets tenus pour déplaisants »), alors que Pollock ne cherchait qu'à libérer l'acte créateur. De même l'Europe ne rejette pas le chevalet en agrandissant l'échelle de ses peintures : il n'y a pas chez elle de quête du *champ coloré.*

Cela dit, le triomphe américain a conduit à sous-estimer l'école de Paris d'après-guerre. Clement Greenberg résuma en 1943 l'orthodoxie new-yorkaise : « Malgré tous les aspects aventuriers de ses images, la dernière génération de peintres parisiens recherche encore une *qualité picturale.* Ils *enrichissent* la surface avec des films d'huile et de vernis, ou avec une peinture crémeuse. De même, ils tendent à produire des compositions empreintes d'une certaine facilité, ou bien l'unité du tableau est obtenue par un rappel de l'ancienne illusion de profondeur dans un emploi de couleurs glacées ou tempérées. »

Helen Frankenthaler
Blue Territory, 1955

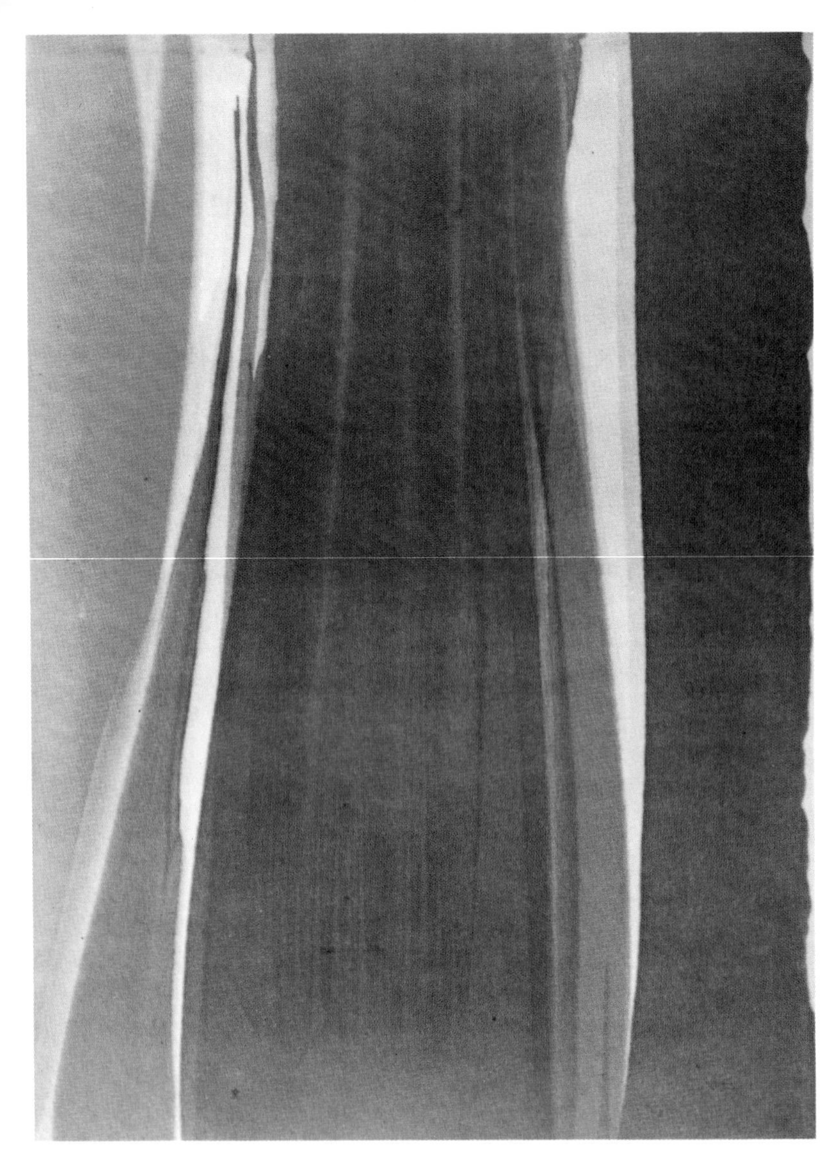

Morris Louis
Sans titre, 1959

Morris Louis
Sky Gamut, 1961

Le critique, aussi perspicace soit-il, ne rend pas justice aux plus grands talents européens. Georges Mathieu, peintre et principal propagandiste de l'abstraction lyrique, s'éleva contre l'animosité des expressionnistes abstraits américains. « J'ai été très surpris qu'à New York vous n'ayez pas d'emblée reconnu Wols comme le Rimbaud de la peinture. Je ne veux pas croire qu'un nationalisme étriqué ait rien eu à faire dans vos réserves à l'égard de son exposition. »

Wols était le nom de guerre de Wolfgang Schulze. Né en 1913, à Berlin, c'était un violoniste et un photographe doué, en même temps qu'un étudiant de zoologie, de botanique et d'ethnologie. Il ne considéra jamais la peinture comme une profession, et fuyait autant que possible le monde des marchands et des exposants. Dans sa jeunesse il se lia avec Klee, Otto Dix et George Grosz, qui tous le marquèrent. Écœuré par les nazis, il quitta l'Allemagne en 1932 et s'installa en Espagne, où on le déporta en France en 1936. Ses premières aquarelles et ses premiers dessins sont des élaborations de griffonnages automatiques, où l'on retrouve l'angoisse allemande des expressionnistes, tout comme la spontanéité et l'esprit surréalistes.

La Seconde Guerre mondiale et l'occupation allemande le confirmèrent dans sa vision pessimiste de l'existence. Il tira un certain réconfort à observer les formes de la nature : « Les pierres, le poisson/les rochers vus au travers d'un verre/le sel marin et le ciel/m'ont fait oublier l'importance de l'homme. » Dans ses dessins des formes organiques se fondent en des biomorphes suggérés par un esprit à demi conscient (il fermait volontiers les yeux et se laissait envahir par des formes hypnagogiques). Ils sont chargés d'ailleurs d'un érotisme dérangeant.

Wols travaillait à petite échelle : « Les mouvements de la main et des doigts suffisent à tout exprimer. Les mouvements artistiques nécessaires à peindre une toile exigent trop d'ambition et de gymnastique. » Néanmoins, au milieu des années 40, il était prêt pour autre chose. Sur la suggestion d'un propriétaire de galerie, il se lança, l'espace de quelques mois, presque à contrecœur, dans une suite de tableaux exécutés rapidement dans un état proche de l'hypnose. Dans *Composition V* il atteint sa maturité. Son travail de la brosse est libre, gestuel et sans préméditation, et son emploi des couleurs crée un espace vague, incertain, une arène où il peut tracer ses habituels entrelacs. Bien que l'imagerie en soit abstraite et intuitive, on y discerne des indications d'une vie moléculaire microscopique.

À l'égal de Pollock, Wols était un aventurier qui utilisait son art comme moyen de se révéler à soi-même. Sa vie bohème était en soi une réussite, dans la veine rimbaldienne que suggérait Mathieu. L'alcoolisme le conduisit à une mort précoce en 1951 ; mais sa carrière morne fut tenue pour un succès auprès des existentialistes qui affirmaient l'existence dans l'action, et il exerça une grande influence dans les années 50.

Jean Dubuffet fut la seconde grande figure à apparaître sur la scène française d'après-guerre. Fasciné par la peinture des enfants, des malades mentaux et des amateurs, il forgea le terme d'*art brut* pour désigner son anti-art, immédiat et sauvage. « Je tiens pour inutiles les savoir-faire acquis et les dons (comme nous en trouvons dans les œuvres des peintres professionnels), dont le seul effet me semble d'anéantir toute spontanéité, de l'éteindre, et de condamner le travail à l'inefficacité. »

Né en 1901 au Havre, il arriva à Paris à l'adolescence, où il étudia l'art pendant un temps, mais aussi la littérature, la musique, la philosophie et les langues. En 1924, il abandonna la peinture et passa les deux décennies suivantes dans le commerce du vin ; il ne peignit plus à plein temps avant 1942. Deux ans plus tard, il montra dans une exposition à Paris des images de maisons à la façon de Klee, des natures mortes, et d'autres scènes figuratives — comme si le tout eût été peint par un enfant. Ses travaux présentaient une confusion, une *maladresse antiplastique ;* le terme implique un rejet de la *qualité picturale* que Greenberg reprochait à tort à l'école de Paris.

Dubuffet exposa une deuxième fois en 1946 ; le titre, « Mirobolus, Macadam & Cie, Hautes Pâtes », évoquait la magique « naïveté du prestidigitateur des rues ». C'est alors qu'il commença à expérimenter de nouveaux matériaux, en en faisant une pâte avec laquelle, comme un enfant, il pût jouer. Il était touché par la poésie ignorée des choses de tous les jours, en particulier celles qui possédaient des propriétés formelles, comme le sable et les murs. Au début des années 50, il lança trois nouvelles séries, *Corps de dames*, grandes figures féminines connotant la fertilité, *Soil and Ground* et *Radiant Land* dans laquelle « des animaux amicaux

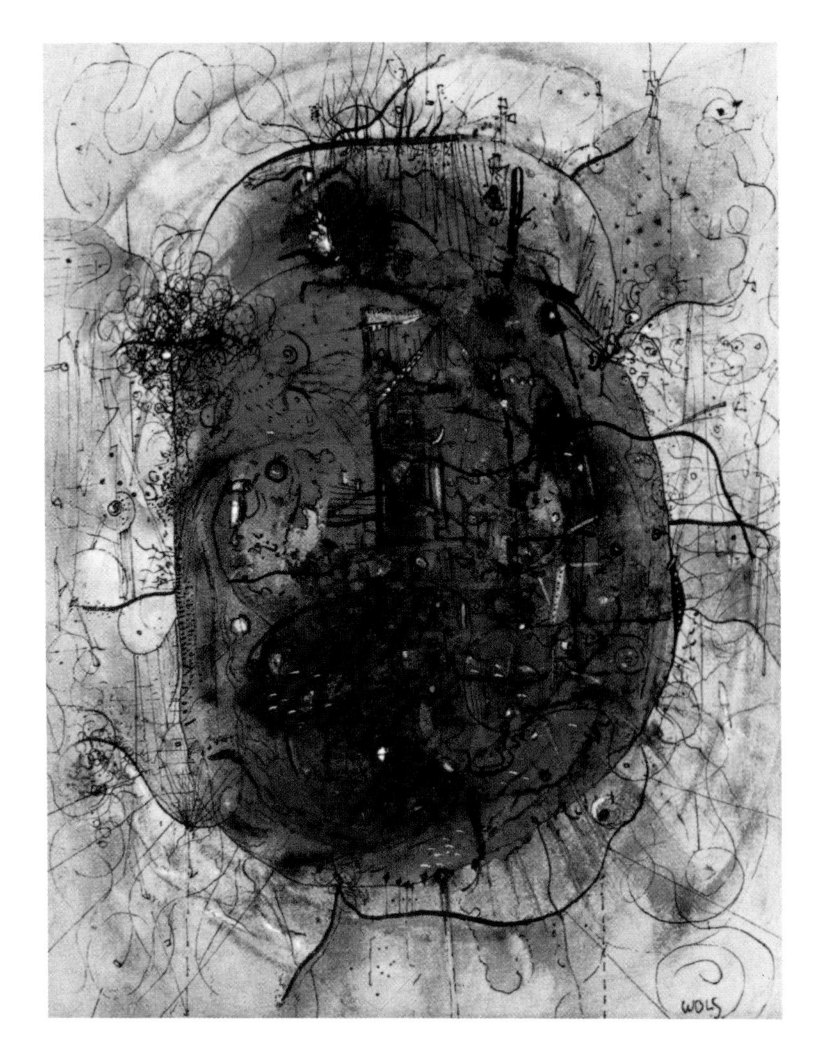

Wols
Composition V, 1946

et de charmants petits hommes » se détachent sur des fonds qui évoquent des structures géologiques et des fossiles.

Dans *Table, compagne assidue,* peint en 1953, une image plane et frontale se charge d'une riche texture. Si la figure est une table, elle possède également des valeurs animales, qui renvoient à un éléphant sans tête et sans queue. Quoi qu'il en soit, le goût de Dubuffet pour les matériaux et la fantasque simplicité de ses formes indiquent qu'il n'est pas au premier chef intéressé par le problème de la représentation. Il se situe quelque part entre abstraction et figuration, où le *cela,* la présence physique de la toile, signifie autant que le bestiaire enfantin qui la peuple. En 1956, Dubuffet explora une nouvelle technique à base de collage : il découpait de petits morceaux de tissu imprimé, des étoiles, des disques, des losanges, et les appliquait sur la toile en une mosaïque, y ajoutant quelquefois des bouts de papier aluminium, des fleurs séchées et des feuilles.

De nouvelles approches de la matière physique de la peinture apparaissent dans l'œuvre de nombre de contemporains de Dubuffet, non seulement afin d'accroître leur éventail expressif, mais pour attaquer les conventions des beaux-arts. Antoni Tàpies, né à Barcelone en 1923, adopta en 1953 un style matiériste, en mélangeant de la colle, du plâtre et du sable. Ses œuvres étaient empreintes de désespoir quant à l'époque industrielle et montraient une nostalgie du *naturel.* Tàpies, qui insistait sur le fait que l'art devait avoir un « substrat moral », se fixe pour but de rappeler à l'homme sa vraie nature, non par de grandes affirmations, mais par de discrets rappels. Son commentaire admiratif de Tchekhov est éclairant : « C'est extraordinaire, il ne dit presque rien. Il est presque absent. Il vous donne des fragments de réalité dans leur crudité, selon qu'ils traversent son esprit. »

Dans *Blanc et Orange,* de 1967, Tàpies, comme Dubuffet, donne à la peinture la substance d'un mur (son nom, par une coïncidence qui lui

Jean Dubuffet
Table, compagne assidue, 1953

plaît, signifie *murs* en catalan), et un dessin symétrique a été creusé dans l'épaisseur du plâtre. Dans d'autres travaux, par un contraste dialectique, l'équilibre formel est éliminé ou submergé par une gestualité spontanée, où une manière de peindre, ou de surcharger, montre une attention aux productions de l'école de New York. Sa tentative de faire de la toile un objet concret est malheureusement affaiblie par un illusionnisme sous-jacent (*Blanc et Orange* veut ressembler à un mur, mais n'en est pas un), et il a récemment progressé dans la résolution de ce problème en incorporant des objets réels à son travail, tels que paniers, meubles, morceaux de bois, et en les transformant en des assemblages surréalistes et des fantasmagories paisibles.

L'artiste italien Alberto Burri, né en 1915, organise, ou plutôt met à mal, des matériaux tout prêts. On le connaît surtout pour ses « Pagine », où il crée une composition par l'emploi de sacs et de vêtements. Il a aussi produit des collages de métal, de bois et de carton. Dans *Pagine n° 5*, peint en 1953, les trous du sac et le fond noir rappellent des blessures et des bandages, et proviennent de ce qu'il vit comme médecin officier pendant la guerre. Ses toiles sont mélancoliques et critiquent notre époque d'un point de vue partiellement autobiographique. Malheureusement elles s'attachent à être nettes et jolies, au point qu'elles ne peuvent transmettre une charge émotive puissante.

Antoni Tàpies
Blanc et orange, 1967

Un autre Italien, Lucio Fontana (né en Argentine en 1899, mort en Italie en 1969), a été rapproché des matiéristes. Sa matière était la toile elle-même, souvent monochrome, qu'il tailladait ou creusait. Par cette voie littérale il ouvrait la surface de la peinture : le spectateur pouvait voir à travers elle l'espace tridimensionnel qui se trouvait derrière, qui devenait ainsi un élément de la composition. Ses méthodes destructrices peuvent aussi passer pour un refus ironique de la peinture de chevalet. Elles rendaient avec précision un geste, en l'occurrence la découpe avec un couteau.

En 1946, dans son *Manifeste blanc*, où il établit clairement que ses préoccupations sont la perception et la sensation de perception, il écrit : « Nous avons besoin d'un art qui tire sa valeur de lui-même, non des idées que nous pouvons avoir sur lui. On trouve la couleur et le son dans la nature, et ils s'y rattachent à la matière. La matière, la couleur et le son — tels sont les phénomènes dont l'évolution silmultanée forme une part intégrante du nouvel art. »

Fontana y remarque que la « sensation » était tout pour l'art primitif : « C'est notre intention de développer cette condition originelle de l'homme. » Après le milieu des années 40, le travail de Fontana devint toujours plus sculptural, et il explora des médiums assez peu orthodoxes,

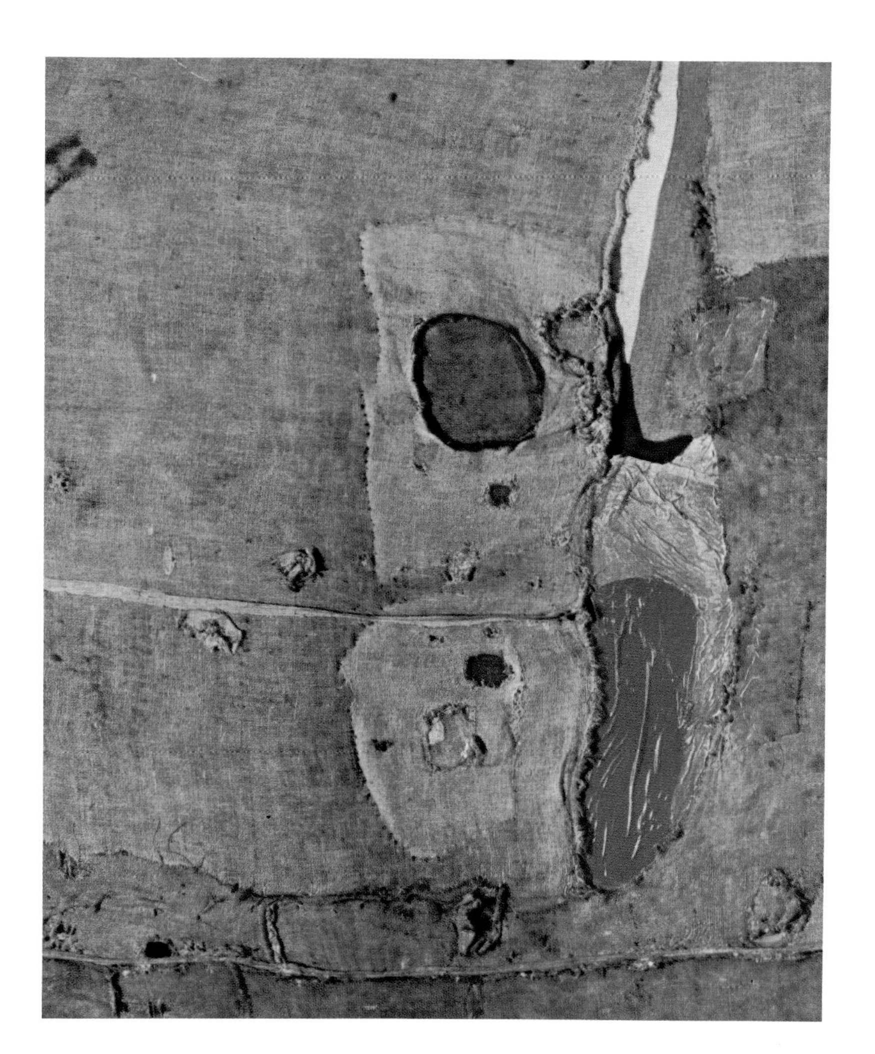

Alberto Burri
Pagine n° 5, 1953

tels que la lumière électrique, dans sa poursuite de la synthèse totale de la couleur, du son, du mouvement, du temps et de l'espace.

En France, un grand nombre d'artistes utilisèrent le matiérisme de Dubuffet et le style informel de Wols plus directement.

Jean Fautrier, né en 1897, attira l'attention avec la série des *Otages.* Il usait d'une pâte gluante à base de ciment, de plâtre et de peinture qu'il appliquait au couteau. Des formes humaines vagues, des visages, construits couche après couche d'un pigment blanchâtre, flottent sur un fond flou et opalescent. Ces images se réfèrent à des exécutions auxquelles Fautrier assista pendant la guerre. Dans son œuvre plus tardive, la signification de sa thématique se fit plus obscure, et il l'élargit pour y inclure des objets, des nus et des paysages, semi-abstraits et seulement reconnaissables. Comme par une loi, ses compositions sont dominées par une image centrale plane.

Lucio Fontana
Concetto spaziale, 1960

Jean-Paul Riopelle est un peintre et sculpteur canadien né au Québec en 1922. Influencé par les surréalistes, il rencontra en 1945 Wols et d'autres Français pratiquant l'informel. Son travail s'ancre dans une affection pour le paysage, développant vers la fin des années 40 un « panthéisme non figuratif ». Techniquement, il s'intéressa à la texture et rompit ses organisations en petites taches de couleur brillante irradiées par de fines lignes de force. Cela donne à des travaux tels que *Peinture* (1951-52) une qualité de *champ total,* bien que modifiée par des effets spatiaux atmosphériques et une palette évoquant les couleurs de la nature. Une préoccupation croissante pour la masse dans l'espace l'a conduit récemment à une suite d'expériences sculpturales.

Si la matière, après la guerre, est une dimension de la production de l'école de Paris, le geste en est une autre. La touche de la brosse, ou le signe calligraphique, vus comme une trace de l'activité psychique, étaient

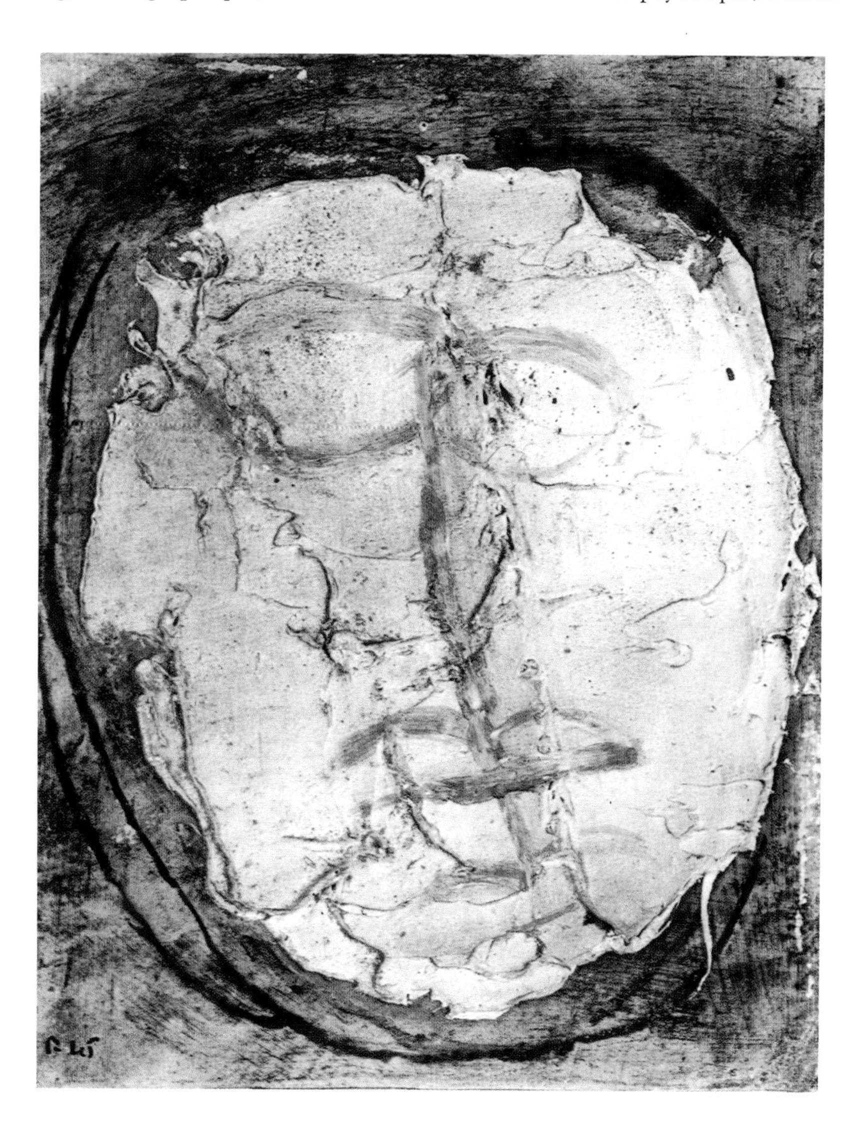

Jean Fautrier
Otage, 1945

Jean-Paul Riopelle
Peinture, 1951-1952

un contenu suffisant. Cela conduisait à l'exaltation de « l'acte de peindre », mais à la différence des Américains, n'entraînait pas une implication de l'être tout entier. Pour les peintres de l'école de Paris, c'était un moyen de produire de nouvelles expressions du dessin qu'ils pourraient isoler, chérir ou exploiter dans des effets décoratifs.

Hans Hartung naquit à Leipzig en 1904, et ce n'est pas avant 1935, à la suite d'innombrables vicissitudes, qu'il s'installa à Paris et devint plus tard citoyen français. Il avait été influencé, durant ses années de formation, par Kandinsky et Klee. Son œuvre se place sous le sceau de ce que Klee appelait *improvisations psychiques.* Son style de la maturité, après 1934, développe une manière nerveuse, automatique, et doit beaucoup à l'art oriental. La peinture est pour lui une sorte de langage de signes abstraits où les énergies humaines psychomotrices sont transférées dans des formes concrètes. En 1947, il remarqua, usant d'une analogie éclairante, que « nos contemporains, et les générations à venir, apprendront à lire, et un jour cette écriture directe paraîtra plus normale que la figuration, tout comme nous trouvons notre alphabet, abstrait et illimité dans ses possibilités, plus rationnel que l'écriture figurative des Chinois ».

Après 1954, ses tableaux deviennent de plus en plus informels, rassemblant sans entraves les arrière-pensées de l'artiste. Hartung fait d'un fond blanc le champ d'expression d'une énergie. Des réseaux en spirale et des maillages de couleur créent une profondeur rythmique variable. Avec le temps sa confiance en lui grandit, et ses derniers travaux manifestent une grande virtuosité technique. Ses dessins ressemblent de plus en plus à des idéogrammes affinés. Peu d'indétermination dans *T 1958-4 :* au contraire une vitalité habituelle retenue au sein d'une image ordonnée. Malgré toute leur énergie, les traces du pinceau de Hartung semblent neutralisées, comme un vol de mouches dans de l'ambre.

On a souvent comparé Hartung et Pierre Soulages, dont les compositions sont faites d'un entrelacs de larges bandes noires. Né en 1919, ses premiers intérêts vont à la préhistoire et à l'art roman. Des expositions de Picasso et Cézanne vues en 1938-39 l'impressionnent. Après 1946, il commence à exposer à Paris. Bien qu'il fût comme la plupart de ses contemporains attiré par le geste, c'était davantage pour les potentialités architectoniques que cela autorisait que pour la jouissance du mouvement. Ses tableaux, tel *Peinture* de 1959, suivent un programme rationnel : une structure de bandes noires est peinte sur un fond plus ou moins lisse de couleur vive, cette structure est alors recouverte de bandes verticales et de diagonales. Le résultat est une composition extrêmement monumentale : les niveaux superficiels dispensent une dynamique de rythmes formels et spatiaux, mais ils sont solidement retenus par les niveaux inférieurs. Un tel formalisme constrate avec la gestualité plus spontanée de Kline. Soulages ne démordait pas de son attachement à l'abstraction :

Hans Hartung
T-1958-4, 1958

« Je ne commence pas avec un objet ou un paysage avec l'intention de les torturer, pas plus que je ne cherche, quand je peins, à les susciter. »

Georges Mathieu, né en 1921, fut l'un des premiers Français à apprécier l'importance de l'école de New York, et s'est dépensé sans compter pour diffuser ce qu'il appelait l'abstraction lyrique. Il admirait l'art du XVIIe siècle français, et s'est voulu un nouveau Le Brun, un arbitre du goût. Il commença à peindre vers 1942, sous la houlette des surréalistes Matta et Masson. Très marqué par les peintures de Wols qu'il avait vues en 1947, il développa rapidement son style personnel. Dans la théorie comme dans la pratique il était proche des expressionnistes abstraits. Il parlait de l'« autonomie intrinsèque de l'œuvre d'art » et de la « phénoménologie de l'acte de peindre en soi ».

Mathieu était persuadé que l'intentionnalité consciente n'est jamais mieux chassée que par une extrême rapidité d'exécution. Il a peint en public à de nombreuses reprises, et à Tokyo il a un jour exécuté une toile

Pierre Soulages
Peinture, 1959

Georges Mathieu
Mathieu d'Alsace va à Ramsey Abbey

de douze mètres en moins de vingt minutes. Pourtant, ses tableaux, sauf peut-être au début, sont plus décoratifs qu'agressifs. Comme dans *Mathieu d'Alsace va à Ramsey Abbey,* un lacis de pigment brillant (le rouge, le blanc, le noir et le bleu sont ses couleurs préférées) traverse horizontalement le milieu de la toile, ou se répand depuis une coagulation centrale de pigment qui ressemble à un idéogramme. Parce qu'ils se gardent à bonne distance des bords de la toile, ils ne peuvent produire un effet de champ total. L'œuvre de Mathieu séduit par sa joie de vivre, bien que ses réussites les plus incontestables soient du domaine de la publicité.

Henri Michaux, né en 1899 en Belgique, s'est promené librement entre littérature et arts visuels. Son médium favori est l'encre sur le papier, et la peinture est pour lui une extension non verbale de l'écriture, une poursuite de la poésie par d'autres moyens. Comme Hartung et Mathieu, il fut influencé par la calligraphie orientale, et il se disait « possédé par les mouvements, totalement tendu par ces formes qui viennent à moi à toute vitesse, dans une succession rythmique ». C'est un bon résumé de sa technique du dessin ; des taches se répandent sur le papier à vive allure, sous l'action de l'émotion et, à l'occasion, de la mescaline. Comme dans *Tableau à l'encre de Chine,* de 1966, ces taches se rassemblent en un champ d'énergie, que l'œil peut déchiffrer, en passant d'un petit signe expressif à un autre.

Une foule de figures secondaires remplissent la scène parisienne de l'après-guerre. La plupart gardent une empreinte de leurs débuts figuratifs des années 30.

Jean Bazaine, né en 1904, quitte dans les années 40 une figuration postcubiste pour une abstraction libre, inspirée de la nature, comme dans *L'Enfant et la nuit* de 1949. Un trait original de ses travaux est que la composition en semble déborder et subvertir le rectangle arbitraire de la toile.

Henri Michaux
Tableau à l'encre de Chine, 1966

Alfred Manessier, né en 1911, a suivi en grande partie la même trajectoire que Bazaine, en se décidant sur la fin pour une abstraction symbolique, fondée sur le paysage, qui exprime une vision chrétienne mystique, comme dans *Nuit à Gethsémani.* Ses travaux les plus intéressants sont réalisés en verres teintés. Maurice Estève, né en 1904, a traversé de nombreuses phases de l'art moderne avant de trouver sa propre variante de l'abstraction, dans laquelle des compositions soignées et statiques sont unifiées par une riche palette. Bien qu'on l'ait classé comme coloriste, une œuvre telle que *Friselune* de 1958 démontre des talents structuraux dérivés de Cézanne.

Nicolas de Staël, né à Saint-Pétersbourg en 1914, vécut principalement en Belgique et en France, jusqu'à son suicide en 1950. Par son illusionnisme économe et sa palette décorative, De Staël a atteint une très grande popularité. Mais les peintres ne l'ont jamais beaucoup apprécié, et il impressionna peu ses contemporains ou ses successeurs. Sa carrière est intéressante par ce qu'elle traduit d'un refus de se dévouer entièrement soit à l'abstraction, soit à la figuration. Ses dessins vivement colorés, à rapprocher des *Nocturnes* de Whistler, peuvent se lire autant comme d'harmonieux arrangements de forme pure que comme des évocations

Jean Bazaine
L'Enfant et la nuit, 1949

Alfred Manessier
Nuit de Gethsémani, 1952

Maurice Estève
Friselune, 1958

stylisées mais atmosphériques de paysages. En un sens, à la différence de Whistler, ses titres semblent donner prééminence à la représentation *(Figure au bord de la mer,* 1952). L'ambivalence permettait à de Staël toutes les approches esthétiques : « Pour moi-même, afin de progresser, j'ai toujours besoin de fonctionner différemment, d'une chose à l'autre, sans *a priori* esthétique. Je perds le contact avec la toile à chaque instant, et le retrouve, le perds de nouveau. C'est absolument nécessaire, parce que je crois en l'accident — dès que je me sens trop logique, cela me contrarie et je me tourne naturellement vers l'illogisme. »

Les surréalistes et les expressionnistes allemands suscitèrent des émules dans les nations du nord de l'Europe. À la fin des années 30, quelques Danois exploitèrent l'automatisme dans le cadre de leur tradition folklorique, peuplant leurs toiles de trolls, de dieux et de dragons de la mythologie nordique. Cet expressionnisme runique se proposait comme solution aux « stérilités de l'abstraction ». Certains peintres s'y associèrent en Belgique et aux Pays-Bas, avant que le mouvement ne s'officialise dans la création, en 1948, du groupe *COBRA* (acronyme de COpenhague, BRuxelles, Amsterdam). On y trouvait Karel Appel, Constant, Corneille, Christian Dotremont, Asger Jorn et Philippe Noiret, que rejoignirent Atlan, Pierre Alechinsky, et les Allemands Karl Otto Götz et Otto Piene.

Une des caractéristiques majeures de Cobra est une violence, autant par le style que par le contenu, d'ordre spirituel. Dans l'immédiat après-guerre, ses membres se voyaient comme des résistants de l'art. Ils se plaisaient à une exagération expressive : « Il neige des couleurs, écrivait Dotremont. Les couleurs sont comme un cri. »

Nicolas de Staël
Figures au bord de la mer, 1952

La figure principale en était Asger Jorn, né dans le Jutland en 1911. Avec un passé d'automatisme surréaliste, il concevait l'artiste comme un indivualiste héroïque, et la peinture comme un geste existentiel. « L'art est le seul acte de l'homme, ou une exception dans les actions humaines. » Kandinsky, Miró et Klee influençaient son travail, mais les simplifications rigoureuses de Le Corbusier et de Léger l'avaient également frappé. Une technique linéaire céda doucement la place à une manière sauvage, et, à l'apogée de sa carrière dans la seconde moitié des années 50, il appliquait les pigments en larges bandes, par marbrures de couleurs lumineuses *(Illimité,* 1959-60). Son obsession pour les mythes ne le quitta jamais, et les images hallucinatoires de la légende persistaient dans ses compositions tourbillonnantes.

Corneille, né en 1922 Cornelis Van Beverloo, en Belgique, étudia le dessin à Amsterdam. Son inspiration puise dans les paysages, et ses peintures informelles sont paisibles, joyeuses, surtout par comparaison avec la production de ses collègues. Son premier travail doit beaucoup à

Asger Jorn
Illimité, 1959-1960

Corneille
Jeu du soleil sur les vagues, 1958

Karel Appel
Deux Têtes dans un paysage, 1958

Miró et Picasso, puis il adopta une manière nouvelle d'abstraire le paysage, en prenant un point de vue d'oiseau, et en présentant un patchwork plan de couleurs chaudes qui ressemble à une photographie aérienne. On identifie dans le *Jeu du soleil sur les vagues* de 1958 une marine gestuelle. Dernièrement il a éclairé sa palette et fluidifié son dessin.

Karel Appel, né à Amsterdam en 1921, est obsédé par le processus de la peinture, qu'il considère comme une « expérience sensuelle tangible ». On l'a surnommé la *bête fauve de la couleur* ; cette réminiscence des fauves est bien venue, puisqu'il prend une joie à peindre dans une couleur primaire et brillante qui rappelle celle de Matisse. Néanmoins ses antécédents immédiats sont Jorn et son compatriote De Kooning. Sa technique, comme dans l'ardent *Deux Têtes dans un paysage,* de 1958, est d'une extrême vigueur. « Mon tube de peinture est comme une fusée qui décrit son propre espace. » Ses personnages, notamment ses nus,

Patrick Heron
Manganeses in Deep Violet : January 1967, 1967

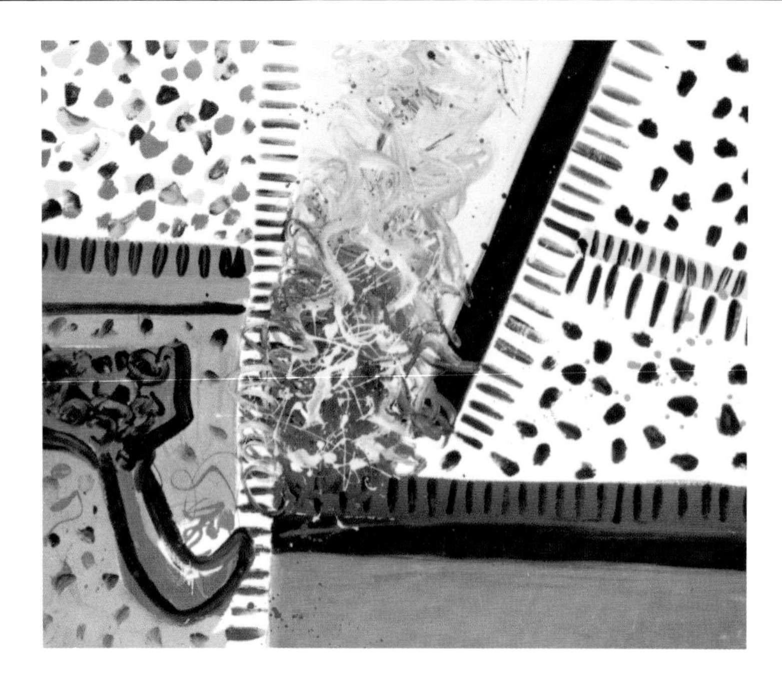

Alan Davie
Heavenly Bridge n° 3, 1960

possèdent une qualité fétichiste qui renvoie à l'art primitif et s'apparente à la spontanéité des peintures d'enfant.

Les peintres britanniques, liés culturellement à la fois au continent européen et aux États-Unis, occupèrent une position très favorable dans l'après-guerre, période durant laquelle le leadership de l'art passait de Paris à New York. Le groupe de Saint-Ives se forma dans les années 40 autour de deux personnalités, le sculpteur Barbara Hepworth et le peintre Ben Nicholson. On y trouvait Terry Frost, Patrick Heron, Roger Hilton et Peter Lanyon. Malgré des styles très divers, ils étaient unis par leur goût pour un paysagisme abstrait fait d'impressions visuelles. Leur héritage français s'effaça devant des références à l'expressionnisme abstrait. Il est intéressant de noter que William Scott, né en 1913 en Écosse, délaissant Gauguin et Cézanne, passa sous la bannière de Rothko et des autres membres de l'école de New York, et qu'après un voyage à New York en 1953 il ouvrit ses toiles sur de vastes *champs* emplis de formes symboliques planes.

Patrick Heron, né à Leeds en 1920, était également encouragé à la simplification par l'exemple américain. Dans ses tableaux, des formes plates, indifférenciées, planent sur des fonds lisses *(Manganese in Deep Violet, january*, 1967). Des contrastes vifs entre une couleur brillante, à l'intensité égale, y stimulent des renversements optiques figure/fond, qui créent une profondeur ambiguë.

Alan Davie, autre Écossais né en 1920, s'est toujours tenu à l'écart des principaux courants de l'art anglais. Il s'identifie plus que tout au concept européen du rôle de l'artiste. Son idée que « l'artiste est le premier magicien et le premier guide spirituel, et naturellement de nos jours doit prendre la place de l'archevêque du nouveau spiritualisme », cette position renvoie explicitement à Rimbaud. L'élan gestuel de Davie et son sens libérateur de la couleur en font un émule de Cobra aussi bien que de Pollock et de l'écoulement. Son centre d'intérêt réside dans les rapports entre couleur et espace, articulés en termes structurels dans une manière très personnelle *(Heavenly Bridge n° 3,* 1960). Sa réputation internationale est due à l'acuité avec laquelle il exprime les préoccupations du temps présent.

À propos de ses ambitions artistiques, Davie commenta en 1960 les directions que lui et ses contemporains empruntaient, des deux côtés de l'Atlantique. « Je peins parce que je n'ai rien, ou je peins parce que je suis rempli d'idées de peintures, ou je peins parce que je veux une toile violette sur mon mur, ou je peins parce que de ma dernière peinture est sorti quelque chose de miraculeux [...] quelque chose d'étrange, et que peut-être quelque chose d'étrange peut de nouveau se produire. »

Pop art

Le terme « pop art » désigne un courant stylistique, qui se développa entre 1956 et 1966 environ, principalement en Grande-Bretagne et aux États-Unis, avec des évolutions parallèles en Europe.

Le pop'art possède trois traits caractéristiques. En premier lieu, il est à la fois réaliste et figuratif, ce qu'aucune avant-garde n'avait été depuis le réalisme défini par Courbet. En 1861, Courbet publie dans le journal parisien « Le Courrier du dimanche » un manifeste du réalisme dans lequel il déclare que pour un artiste, la pratique de l'art devrait impliquer de « consacrer toutes ses facultés aux idées et aux objets de l'époque dans laquelle il vit ». Cette idée extrêmement importante selon laquelle l'artiste doit s'occuper du monde contemporain et de la vie autant que de l'art, est aussi le point de départ du pop art. Un siècle après le manifeste de Courbet, Roy Lichtenstein, un des initiateurs du pop art en Amérique, affirmait à un journaliste : « Dehors il y a le monde ; il est là. Le pop art regarde vers et dans le monde. »

En deuxième lieu, le pop art est né à New York et à Londres, le monde qu'il considère est donc celui, très spécifique, des grandes métropoles du milieu du XXe siècle. De plus, s'il prend ses racines dans l'environnement urbain, il n'en retient que certains aspects, ceux qui, de par leurs connotations et leur niveau culturel, semblent à première vue impossibles à retenir comme sujet d'art : les bandes dessinées et les illustrations des magazines, les publicités et emballages de toutes sortes, les attractions populaires, y compris les films hollywoodiens, la musique pop, les fêtes foraines, les galeries de jeux, la radio, la télévision, les quotidiens populaires ; et aussi les articles d'équipement, avec peut-être une préférence pour les voitures et les réfrigérateurs ; les autoroutes et les stations-essence ; la nourriture, surtout les hot dogs, les glaces et les tartes ; et enfin l'un des thèmes principaux : l'argent.

En troisième lieu, les artistes du pop art appréhendent ces sujets d'une manière très particulière. D'une part, ils insistent sur le fait qu'une bande dessinée, une boîte de soupe, ou tout autre objet, sont simplement des « motifs », des excuses pour faire des tableaux, comme la pomme dans une nature morte de Cézanne. D'autre part, alors que dans un Cézanne le motif reste traditionnel et bien connu, et qu'il est donc aisé pour le spectateur de l'ignorer et de se concentrer sur les qualités formelles du tableau, dans le pop art, le motif est absolument insolite, parce que n'ayant jamais été utilisé auparavant comme sujet d'inspiration, et de ce fait retient fortement l'attention du spectateur. Ce n'était pas seulement le motif qui était nouveau ; la représentation qui en était faite atteignait généralement

Andy Warhol
Shot Light Blue Marilyn, 1964

un point de littéralité étonnant : dans toute l'histoire de l'art, le tableau n'avait jamais autant ressemblé à l'objet réel. Il en résulta un art qui combinait l'abstrait et le figuratif d'une manière plutôt nouvelle ; c'était du réalisme, mais appliqué en toute connaissance de cause à la lumière de tout ce qui était survenu dans l'art moderne depuis Courbet.

New York

Marcel Duchamp, venant de Paris, arriva à New York en 1915. Il apporta, comme présent pour son ami le collectionneur Walter Arensberg, une de ses œuvres : un morceau de Paris (un peu d'air de la ville, en fait) simplement enfermé dans un bocal de verre. Duchamp avait commencé à produire des œuvres de ce type, appelées « ready-made », deux ans plus tôt, en 1913. Il s'agissait de parties de la réalité, le plus souvent des objets manufacturés, mais quelquefois aussi, comme pour *L'Air de Paris*, de choses prises dans la nature, puis présentées comme de l'art ; ces objets étaient quelquefois modifiés (« assistés »), mais parfois aussi exposés sans autre intervention qu'une légende ou la signature de l'artiste seule. La *Roue de bicyclette* de 1913 est son premier ready-made assisté, mais c'est à New York en 1971 qu'il exécuta son ready-made le plus connu, la *Fontaine :* un urinoir, du genre de ceux qui se fixent au mur, simplement signé R. Mutt (apparemment le nom d'un ingénieur en sanitaires). Ces œuvres n'étaient pas conçues comme des objets sensuels, mais comme les démonstrations d'une idée. Les ready-made assistés traduisaient la proposition selon laquelle le travail de l'artiste, n'importe quel artiste, consiste à assembler des matériaux préexistants, qui peuvent très bien être aussi préfabriqués. Le véritable ready-made va encore plus loin, en montrant que l'activité créatrice en art n'a pas besoin d'être manuelle, mais peut bien consister purement et simplement à faire des choix. Il

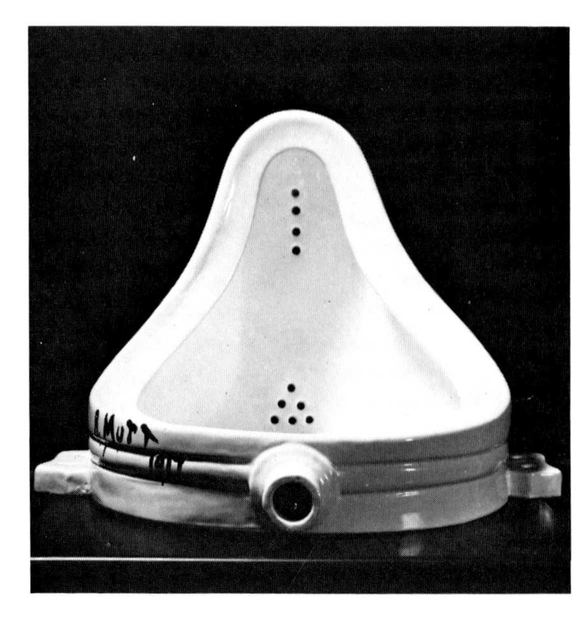

Marcel Duchamp
Fontaine, 1917

soulignait aussi le fait qu'aucun aspect du monde ne devait être considéré comme hors de portée de l'artiste. Ce sont ces idées qui furent reprises à New York (où Duchamp travaillait encore) par Robert Rauschenberg et Jasper Johns et qui par eux passèrent aux artistes du pop art.

En 1955, Rauschenberg exécuta son tableau *Bed,* un lit reconstitué avec de vrais draps sur lesquels il avait éclaboussé et fait dégouliner de la peinture, le tout monté sur châssis puis accroché au mur. Ce fut le premier de ses « tableaux combinés », dans lesquels la peinture sert à intégrer un objet réel dans l'œuvre. La plupart de ces tableaux s'introduisaient dans l'espace du spectateur par une partie d'eux-mêmes, devenant ainsi des éléments du monde réel. Et c'est alors qu'il exécutait ces tableaux que

Robert Rauschenberg
Bed, 1955

Robert Rauschenberg
Coca-Cola Plan, 1958

Rauschenberg fit cette remarque, souvent citée et très révélatrice, déclarant qu'il opérait « dans l'espace entre la vie et l'art ». En plus des tableaux combinés, Rauschenberg réalisa également des œuvres en trois dimensions, parmi lesquelles *Coca Cola plan* (1958), où sont figurées, bien en vue, trois bouteilles de Coca Cola, objets qui deviendront plus tard l'un des motifs majeurs du pop art.

Comme Rauschenberg, Jasper Johns est à la fois un peintre et un constructeur d'objets. Sa contribution à la formation du pop art fut encore plus considérable. C'est également à partir de 1955 que Johns commença à produire d'extraordinaires peintures d'images et d'objets familiers, sinon ordinaires ; d'abord des cibles et le drapeau américain, puis plus tard aussi des cartes des États-Unis et des chiffres. Tous ces motifs possédaient pour Johns trois qualités fondamentales : ils étaient très connus, bidimensionnels et enfin simples et visuellement frappants. La reproduction d'un objet bidimensionnel, comme le drapeau américain, en peinture, donc toujours en deux dimensions, fait qu'au premier coup d'œil, le tableau ne se distingue pas de l'objet réel. Johns renforça cet effet en faisant arriver le drapeau jusqu'au bord extrême du tableau, éliminant ainsi l'illusion d'une

Jasper Johns
US Flag, 1958

image posée sur un fond. De plus, le drapeau est un motif audacieusement abstrait, et les tableaux qu'en a faits Johns sont exécutés dans des gammes de couleurs ravissantes (proches ou non de l'original), et avec une technique picturale extrêmement subtile et sensuelle. Ces œuvres marquent ainsi la première apparition dans la peinture américaine de cette combinaison, caractéristique du pop art, de qualités formelles et abstraites avec une iconographie immédiatement reconnaissable.

Johns appliqua le même système pour des œuvres en trois dimensions, quand il réalisa par exemple sa célèbre sculpture de deux boîtes de bière Ballantyne en 1960. Peut-être plus encore que les tableaux de drapeaux,

Jasper Johns
Ale Cans, 1964

ces boîtes de bière ressemblent tellement à l'original qu'on en arrive presque à exclure la possibilité qu'il s'agit d'art. Elles sont en réalité admirablement moulées en bronze patiné, les étiquettes sont minutieusement reproduites à la main, et les deux cylindres ainsi interprétés soutiennent une belle qualité sculpturale.

Les nouvelles voies ouvertes par l'art de Johns et de Rauschenberg furent reprises par les artistes du pop art, en partie en réaction contre la suprématie de l'expressionnisme abstrait. Cette peinture partait de l'idée que l'art devait être un enregistrement direct des élans intérieurs et des états d'esprit de l'artiste ; cet art, intensément intérieur et peu attaché à la réalité extérieure, était en fait complètement à l'opposé du pop art. L'expressionnisme abstrait se manifesta sous diverses formes, les deux extrêmes étant représentés par l'action painting dynamique et gestuel de Pollock et les grandes surfaces statiques, délicatement peintes, de Rothko. Roy Lichtenstein est celui qui a le mieux exprimé l'attitude du pop art envers l'expressionnisme abstrait : « L'art est devenu romantique et irréaliste à l'extrême ; se nourrissant de l'art même, il est utopique, il a de moins en moins à voir avec le monde, il regarde vers l'intérieur. »

Le problème était double : l'art était devenu introspectif et irréaliste, et il était aussi dégradé par l'exploitation commerciale qui en était faite. La solution adoptée par les artistes du pop art fut de ramener l'art au contact du monde et de la vie et de trouver des thèmes qui assureraient à leurs œuvres un certain degré d'inacceptable. Une des ironies de l'histoire de l'art est que, comme Lichtenstein l'exprime ci-dessus, le pop art à New York soit devenu en deux fois moins de temps aussi commercial que l'expressionnisme abstrait, sinon plus.

Roy Lichtenstein commença sa carrière de peintre vers 1951 avec des tableaux qui étaient, selon ses propres mots, « surtout des réinterprétations de ces artistes qui s'étaient intéressés à la ruée vers l'Ouest, et peignaient des cow-boys, des Indiens et des cérémonies de signature de traités, comme Remington ». À partir de 1957, ses tableaux se ressentent de l'expressionnisme abstrait ambiant, mais vers 1960, il se passa autre chose dans son œuvre : « J'ai commencé à mettre des images de bandes dessinées dans ces peintures, Mickey, Donald et Bugs Bunny. En même temps je dessinais des petits Mickey et d'autres choses pour mes enfants et je travaillais à partir de papiers de bubble-gum. Je m'en souviens très bien. J'ai voulu reproduire un de ces emballages de bubble-gum, tel quel, agrandi, juste pour voir ce que cela allait donner. » Il trouva le résultat très intéressant, et commença donc à utiliser une imagerie de publicité et de bande dessinée qui allait faire de lui l'un des artistes du pop art new-yorkais les plus marquants. Interrogé sur son choix d'un matériel iconographique a priori aussi dévalué et inesthétique. Lichtenstein exprima peut-être l'opinion de tous les artistes du pop art quand il répondit : « J'accepte tout cela comme étant là, dans le monde... Les enseignes et les bandes dessinées sont intéressantes comme thème. Il y a certaines choses de l'art publicitaire qui sont utilisables, parce que énergiques et vitales. »

Les premières œuvres de Lichtenstein dessinées d'après des publicités, *Roto Broil* (1961), *Chop* (1962), *Woman in bath* (1963), révèlent son étonnante habileté à organiser les motifs sommaires mais énergiques des

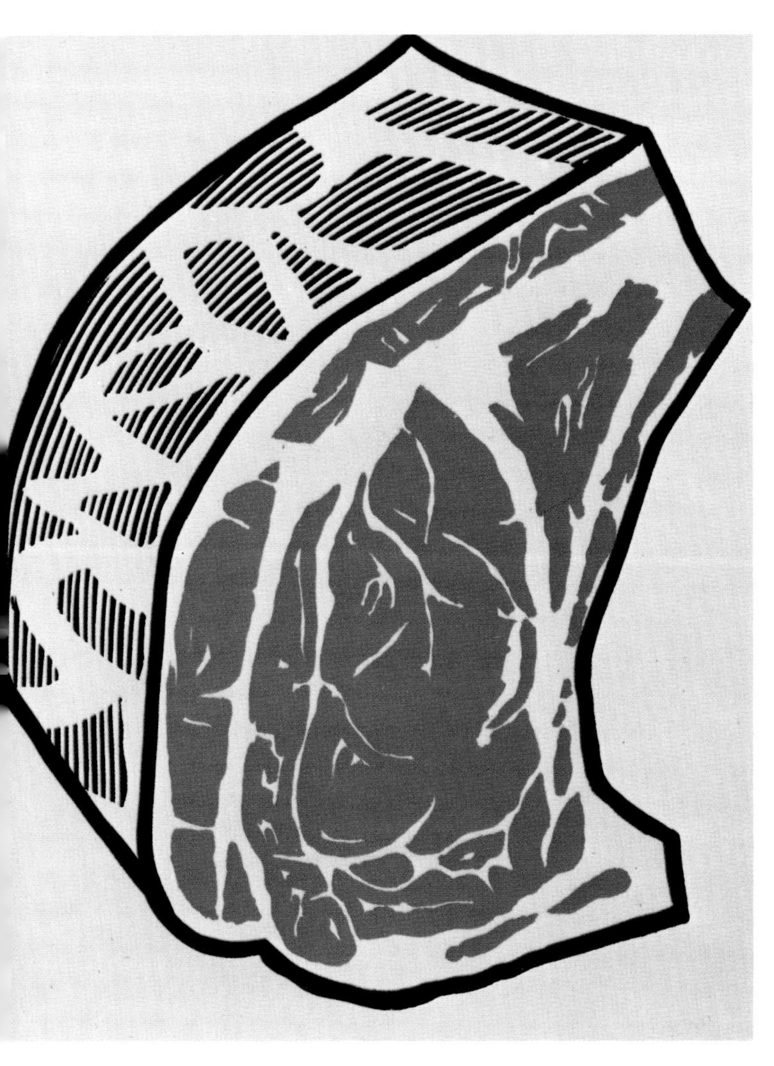

Roy Lichtenstein
Chop, 1962

Roy Lichtenstein
Roto Broil, 1961

images de départ en structures formelles cohérentes, tout en gardant des références si fortes à l'original que le spectateur est constamment obligé d'être conscient à la fois de l'image figurative renvoyant à sa source (publicités ou bandes dessinées) et des traditionnels éléments physiques de la peinture : couleur, ligne, forme, composition, etc.

Pourtant le message formel et abstrait des tableaux de Lichtenstein était au départ loin d'être clair pour tout le monde. De nombreux critiques se plaignaient de ce qu'il agrandissait simplement les bandes dessinées et les publicités, de ce qu'il ne « transformait » pas ses sources. Il est important de comprendre que Lichtenstein transforme effectivement ses sources, bien qu'il insiste lui-même sur le fait qu'il ne les modifie pas. En 1963, en réponse à ces critiques, il déclare : « Il est étrange d'utiliser le mot "transformation". Cela impliquerait que l'art transforme. Mais non, il ne transforme pas, il est pure forme. Les artistes n'ont jamais travaillé avec leur modèle, mais toujours avec la peinture. (...) Mon œuvre est en réalité différente des bandes dessinées, en cela que chaque signe est vraiment à une place différente, même si cette différence semble minime à certains. »

Voici en fait le processus de travail de Lichtenstein : ayant repéré une image qui l'inspire, il en fait un dessin, ou une esquisse, exactement de la même façon que Constable ferait une esquisse d'un paysage du Suffolk

Roy Lichtenstein
Woman in Bath, 1963

pour ensuite élaborer à partir de cela un tableau grandeur nature. Le but de l'esquisse est de recomposer, plutôt que de reproduire l'original, et bien que Lichtenstein dise qu'il essaye de faire aussi peu de changements que possible, il combine quelquefois deux ou trois images en une seule ou même en invente carrément une de toutes pièces. Il projette alors ce dessin sur la toile à l'aide d'un épidiascope et le trace au crayon. À ce stade, des mises au point dans la composition sont encore possibles, avant que les points soient peints au pochoir, les couleurs appliquées et les caractéristiques lignes bleues et noires tracées. Les points notamment aident à redonner la sensation du procédé d'impression des bandes dessinées et des publicités, mais Lichtenstein retient aussi des originaux leurs vives couleurs primaires et l'impersonnalité de leurs surfaces.

Le résultat de ce processus peut se voir dans *Roto Broil* où l'appareil lui-même, placé symétriquement sur un fond rouge uniforme, est traité en vigoureuses masses simplifiées de noir et de blanc. Le rendu des trous de drainage de la friteuse est particulièrement frappant : ces disques noirs semblent posséder une vie propre, de la même manière que dans un tableau tout à fait abstrait, comme *Supernovae* de Vasarely par exemple. La symétrie de la composition est délibérément rompue par les lignes noires (indiquant paradoxalement les reliefs) du côté droit de l'appareil, ainsi que par le manche saillant de la friteuse du même côté. Et dans *Woman in Bath,* la structure du carrelage bien distincte contraste fortement avec l'étonnant réseau de formes linéaires, organiques, flottantes et ondulantes qui figurent les cheveux de la femme. Cette habileté à créer des formes et des compositions puissamment expressives en elles-mêmes, et qui pourtant restent lisibles en tant qu'images figuratives précises, tient à l'essence même du génie de Lichtenstein, et constitue la source de l'extraordinaire richesse et complexité de ses tableaux.

Entre 1963 et 1965, Lichtenstein produisit deux grandes séries de tableaux qui se détachent du reste de son œuvre. Les formes, les couleurs et les lignes en sont de plus en plus abstraites et expressives, et en même temps les thèmes prennent une plus grande importance. Respectivement centrés sur les bandes dessinées d'amour à l'eau de rose et de guerre, ces deux groupes d'œuvres traitent de certains des plus grands drames de la vie humaine. *M-Maybe*, de 1965, représente une jeune fille très séduisante, qui attend un homme (un thème repris dans plusieurs de ses toiles) dans un décor imprécis mais indubitablement urbain. Son expression, autant que la légende « M-Maybe he became ill and couldn't leave the studio » (P-Peut-être qu'il est tombé malade et qu'il n'a pas pu quitter le studio),

Roy Lichtenstein
Sweet Dreams, Baby

Roy Lichtenstein
As I Opened Fire..., 1964

Roy Lichtenstein
Blonde Waiting, 1964

montrent clairement que cela fait longtemps qu'elle attend et qu'elle commence à s'inquiéter. Et si on va plus loin, Lichtenstein, comme un peintre narratif victorien, invite le spectateur à se poser des questions : qui est cette femme ? qui est l'homme dans le studio ? peut-être une vedette de cinéma, un photographe, une personnalité de la radio, de la télévision, un artiste ? et quelle est la situation ? l'a-t-il laissée tomber pour une autre femme ? est-il réellement malade ? mortellement blessé ?

Sweet Dreams, Baby, représentant le coup de poing unique qui met l'autre K.-O., et que tout homme rêve secrètement de donner en réponse à une insulte, pour clore une dispute, pour séduire ou protéger une femme, est, comme toute image de guerre, une évocation de l'agressivité, et fait allusion à l'idéal américain de la masculinité de plus d'une façon : le poing est très clairement un symbole phallique, et bien que le destinataire du coup soit un homme, la légende « Sweet dreams, baby » pourrait très bien s'adresser à une femme, contenant alors une allusion érotique. Il y a dans les tableaux des bandes dessinées sentimentales un intéressant sous-groupe constitué exclusivement de têtes de femmes, parmi lequel *Blonde Waiting* de 1964, qui est l'une des plus belles œuvres de Lichtenstein, et l'une des plus étrangement composées. Un des chefs-d'œuvre du pop art.

Andy Warhol est né à Pittsburgh sans doute en 1928. Après des études au Carnegie Institute of Technology à Pittsburgh de 1945 à 1949, il vint à New York où il vécut et travailla. Pendant les années 50, il fut dessinateur publicitaire et obtint un grand succès. Il fit plusieurs expositions personnelles de ses dessins et publia plusieurs livres, de ses dessins également, sur différents thèmes (dont les chats et les jeunes garçons). Il vivait à cette époque de façon riche et élégante, collectionnait les œuvres d'art, avec semble-t-il un goût particulier pour la peinture surréaliste.

En 1960, en même temps que Roy Lichtenstein mais indépendamment de lui, il commença lui aussi à peindre d'après des bandes dessinées et des publicités. Une de ses premières toiles, *Dick Tracy* (1960), porte encore les traces d'une forte influence de l'expressionnisme abstrait : la légende est en partie masquée par des coups de pinceau imprécis, la peinture dégouline sur la figure de Tracy, et le visage de son compagnon est traité à moitié avec un contour ferme comme dans une bande dessinée,

Andy Warhol
Dick Tracy, 1960

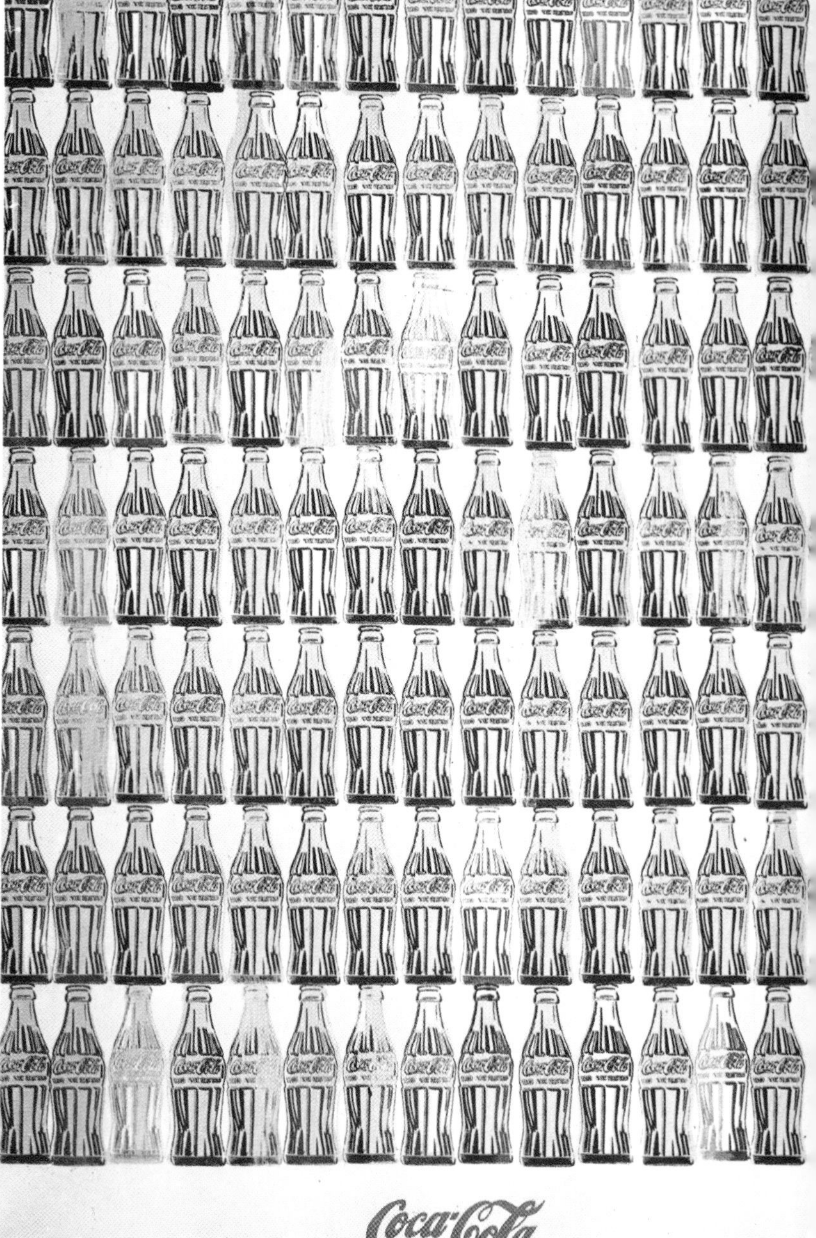

Andy Warhol
Green Coca-Cola Bottles, 1962

et à moitié peint à la brosse. L'imagerie populaire reste donc intégrée à une structure picturale, comme dans une œuvre de Rauschenberg de 1955 environ ; mais Warhol présente déjà ces images d'une manière plus objective et dépassionnée que ne le fit Rauschenberg. Au contraire de Lichtenstein, Warhol abandonna presque tout de suite l'imagerie des bandes dessinées et il commença à fonder son travail sur des images publicitaires et populaires qui étaient choisies par l'artiste pour leurs qualités visuelles, pourtant peu évidentes a priori. En effet, l'une des qualités fondamentales des images de Warhol est leur exceptionnelle évidence : il choisit les marques les plus connues, Campbell's Soup, Coca-Cola ; les personnages les plus célèbres, Elvis Presley, Marilyn Monroe, Élizabeth Taylor ; le tableau du passé le plus connu, la Joconde ; les objets les plus courants, des billets, des journaux. Et quand l'illustration qu'il choisit est en elle-même peu habituelle, comme les accidents de voiture, les chaises électriques, les émeutes raciales, les explosions de la bombe H, etc., elle appartient toujours à une catégorie d'images rendues courantes par les mass media. La conséquence de ce choix est qu'il donne l'impression déconcertante que l'artiste ne s'intéresse pas à ses images, qu'il ne veut pas faire de commentaire, que les images n'ont pas de signification particulière. Mieux encore, Warhol les présente de façon telle qu'elles paraissent n'avoir que peu subi, ou pas du tout, l'intervention de l'artiste, n'avoir pas été « transformées » en œuvres d'art. Pourtant Warhol réalisa ses premiers tableaux à la main, méticuleusement.

En 1962, il commença à exécuter ses tableaux en sérigraphie, une version sophistiquée de la technique du pochoir, normalement utilisée pour la reproduction en plusieurs tirages des œuvres graphiques. Non seulement il employa la sérigraphie comme personne ne l'avait fait auparavant, pour l'exécution de tableaux peints, mais il adopta aussi une nouveauté technique employée dans la publicité, qui consiste à appliquer l'image sur l'écran par un procédé photomécanique, au lieu de la découper laborieusement à la main. Warhol continua à effectuer l'original manuellement, bien que souvent il le laissât faire par un de ses assistants, en se contentant de superviser. En utilisant ce procédé mécanique, il semble que Warhol ait simplement suivi la logique de son art qui est fondé sur une imagerie fabriquée en série. Mais le propos de ce processus, associé à la banalité des images, était de faire apparaître les œuvres comme totalement dépourvues de signification. Et cela était encore renforcé par la pratique fréquente de Warhol de répéter ses images, souvent de nombreuses fois, sur la même toile ou sur des tableaux disposés en série.

Bien sûr, les œuvres de Warhol ne sont pas réellement dépourvues de signification. Ses images, malgré leur caractère habituel, en dépit du fait qu'elles sont disponibles, visibles, ailleurs que dans ses tableaux, et malgré l'impartialité de leur reproduction, ou peut-être grâce à elle, s'avèrent extrêmement puissantes. Son œuvre révèle des préoccupations constantes et signifiantes : la célébrité, la séduction, la mort, la violence et les catastrophes, l'argent. Ses images ne manquent pas non plus d'un sens formel et esthétique certain. Warhol utilise la répétition pour les réduire au rôle d'éléments de la composition (comme la pomme de Cézanne encore une fois !). L'attention du spectateur est ainsi détournée de l'image en elle-même et peut considérer ce qu'en a fait l'artiste. Un examen attentif

Andy Warhol
Green Disaster, 1963

Andy Warhol
Four Mona Lisas

de *200 Campbell's Soup* ou de *Marilyn Diptych,* deux sérigraphies du début, montre qu'aucune image n'est absolument semblable aux autres. Il y a des variations dans la texture ou la densité de la peinture, ce qui modifie les détails, ou alors les couleurs sortent parfois en dehors de l'empreinte, ce qui distord la forme. Même *Pink Cow* est plus une formulation comique qu'une simple répétition mécanique.

Entre les mains de Warhol, la sérigraphie devient donc un moyen très souple de créer en peinture des surfaces et des formes expressives. Warhol exerce sur l'exécution de son œuvre beaucoup plus de contrôle qu'on ne le croit. Richard Morphet nous le raconte : « Ceux qui l'aidaient dans l'exécution matérielle de ses tableaux de la Factory (l'usine, nom donné par Warhol à son atelier) ont expliqué que même pour une série qui semblait peu importante, Warhol s'intéressait dans leurs moindres détails à la texture des couleurs du fond, à l'exactitude de la couleur même ; il ne la prenait pas toujours directement du tube, mais souvent la mélangeait, et essayait les nouvelles nuances sur des bandes de toile jusqu'à obtenir le ton désiré. » De plus, Warhol rehaussait fréquemment ses sérigraphies de touches de couleurs apposées au pinceau ; et bien évidemment, la disposition des images (en rangées régulières ou parfois en configurations légèrement plus complexes, comme dans *Mona Lisa 1963* où certaines images sont couchées), et la détermination des rapports entre l'image, ou le groupe d'images, et le fond ne sont pas laissées au hasard.

L'aspect formel le plus étonnant de l'œuvre de Warhol est sans aucun doute son utilisation énergique, variée et extrêmement expressive de la couleur. Ses teintes peuvent présenter une totale ressemblance avec les couleurs de l'original, dans *200 Campbell's Soup,* ou s'étaler en sinistres lavis monochromes dans *Orange Disaster* et *Green Disaster,* ou encore réaliser la somptueuse et subtile harmonie d'orangé, de bleu et de jaune du *Marilyn Diptych,* ou les stupéfiantes variations (auxquelles aucune reproduction n'arrive à rendre justice) des tirages des Marilyn de 1967. Enfin, la couleur vibrante, intense, arrive à une dissolution quasi complète de l'image dans les *Self-Portraits* de 1967.

Avec ces tableaux, qui sont parmi les derniers que Warhol a réalisés avant d'abandonner la peinture pour se lancer dans des films et d'autres activités, la boucle est bouclée : Warhol lui-même est devenu une star,

Andy Warhol
Pink Cow (Cow Wallpaper), 1966

Andy Warhol
Autoportrait, 1967

une célébrité, et devient par là même le sujet de son art. Malgré tout, ces autoportraits figurent sans doute parmi les plus effacés, les plus modestes de l'histoire de l'art : l'image est difficile à lire, et en la déchiffrant, on réalise que Warhol est parti d'une photo de lui prise avec sa main devant la figure et la cachant à moitié. Encore une fois, et plus énergiquement que dans aucune de ses œuvres précédentes, il détourne notre attention de l'image et la dirige vers l'œuvre, quelque chose à regarder en termes de couleurs et de surfaces, de la même façon qu'on regarderait un Monet ou un Matisse. Il le dit lui-même : « Je crois que la peinture reste ce qu'elle a toujours été. Cela m'embarrasse que les gens attendent du pop art qu'il fasse des commentaires, ou qu'ils disent que ses adhérents acceptent purement et simplement leur environnement. Je considère la plupart des œuvres que j'aime depuis toujours — celles de Mondrian, Matisse, Pollock — comme plutôt inexpressives dans ce sens-là. Une œuvre existe dans la réalité, et cela suffit. Les tableaux sont chargés de leur seule présence. La situation, les idées matérielles, la présence matérielle, je pense que c'est cela le commentaire. » Et encore : « Si vous voulez connaître Andy Warhol, il vous suffit de regarder à la surface de mes tableaux, et de mes films, et de moi, et voilà, c'est moi. Il n'y a rien derrière. »

Claes Oldenburg est né en Suède en 1929, et vint tout enfant aux États-Unis, suivant son père alors nommé à New York. En 1936, la famille déménage à Chicago, où Claes sera élevé ; après avoir obtenu son diplôme en art et littérature, il devient reporter stagiaire. En 1952, il décide de devenir artiste et suit pendant deux ans les cours de l'Art Institute de Chicago. En 1956, il repart à New York et s'installe dans le Lower East Side, quartier dans lequel il continuera à vivre et qui aura sur lui une grande influence. Dès le début il eut fortement conscience de son implication au sein de l'environnement urbain, de « l'expérience de la ville ». Mais celle-ci prenait pour lui un aspect tout différent de celui qui avait attiré l'attention de Lichtenstein et de Warhol. « Les rues en particulier me fascinaient. Elles semblaient posséder une existence propre où je découvrais tout un monde d'objets que je n'avais jamais remarqué auparavant. Des emballages ordinaires devenaient des sculptures à mes yeux, et dans les détritus de la rue je voyais des compositions fortuites très élaborées. »

Le résultat de cette activité fut montré en deux expositions de ses premières œuvres matures, à la Judson Gallery en 1959 et 1960. La deuxième exposition s'intitulait d'ailleurs « la rue » et consistait en formes, signes et objets fabriqués à partir de matériaux fragiles ou de rebut. Beaucoup de ces œuvres étaient des *Ray Guns*, objets constitués de matières variées et inspirés des pistolets laser de bande dessinée ; pour Oldenburg une sorte de mascotte en même temps qu'une forme de base qui engendra des variations infinies. Le « ray gun » est un symbole de la ville elle-même : écrit à l'envers, « Nug Yar », ce qui, dit Oldenburg, sonne comme New York. En tant que symbole phallique, il rejoint un autre sujet de prédilection d'Oldenburg : l'érotisme. L'exposition dans son ensemble était une extraordinaire évocation poétique de la ville à travers certains de ses matériaux les plus humbles et les moins précieux.

À la fin de l'été 1961, Oldenburg s'installe dans un atelier de la East Second Street, qui devient le « magasin », bondé de sculptures d'aliments, de vêtements et d'autres objets encore, fabriquées principalement avec du grillage et de la mousseline ou de la toile à sac trempée dans du plâtre, matériaux encore une fois courants et bon marché. En septembre 1962, il élargit l'idée du « magasin » en une seconde version.

Les sculptures du « magasin » étaient peintes de couleurs vives. La couleur est un de leurs aspects les plus importants, elle en fait des tableaux autant que des sculptures. Et, Oldenburg l'a affirmé, la peinture elle-même contient une référence directe à la source d'inspiration que sont les magasins de la ville : « La Rue était la métaphore de la ligne. Le Magasin est devenu celle de la couleur. J'avais trouvé dans une droguerie de l'East Side une "ligne" de peinture, Frisco Enamel, en sept couleurs particulièrement vives, qui pour moi symbolisaient le magasin. Ces couleurs devinrent ma palette. Pour peindre les sculptures d'objets de magasin, je puisais directement dans les pots, sans autre préparation ni mélange. »

Ces œuvres — *Giant Blue Pants, Breakfast Table, Kitchen Stove, White Shirt and Blue Tie,* et d'autres — ne se réfèrent pas directement à leurs modèles dans le monde extérieur, comme le font celles de Warhol ou de Lichtenstein. Certaines, c'est vrai, comportent de véritables objets, mais ceux-ci servent essentiellement de présentoirs, comme le socle d'une statue dans un musée. Ces sculptures d'objets de magasin ont pour but de stimuler l'imagination. Ce sont peut-être des pots de peinture, des chemises, des aliments. Mais chacune pourrait aussi bien être n'importe quoi d'autre, ou même une forme abstraite, une accumulation de plâtre et de peinture. Cela a été fort bien décrit par un visiteur du studio d'Oldenburg qui remarqua un objet fabriqué par l'artiste. Le critique d'art Rublowsky rapporte l'histoire : « C'était une pièce vaguement en forme de coin, sommairement éclaboussée de peinture aluminium. Le visiteur la prit et essaya de l'identifier. "C'est un sac à main, dit-il en la tournant et retournant dans ses mains. Non, c'est un fer à repasser ; non, c'est une machine à écrire ; non c'est un grille-pain ; non, une part de gâteau." Oldenburg était ravi : l'objet, qui n'était qu'une forme avec laquelle l'artiste s'était amusé, était exactement tout ce que le visiteur avait dit. Tous les objets qu'il avait nommés étaient concrétisés par ce petit morceau de plâtre en forme de coin. » Cette équivalence des formes, cette façon dont une forme renvoie simultanément à de nombreuses autres, fascine Oldenburg et constitue le fondement de son art.

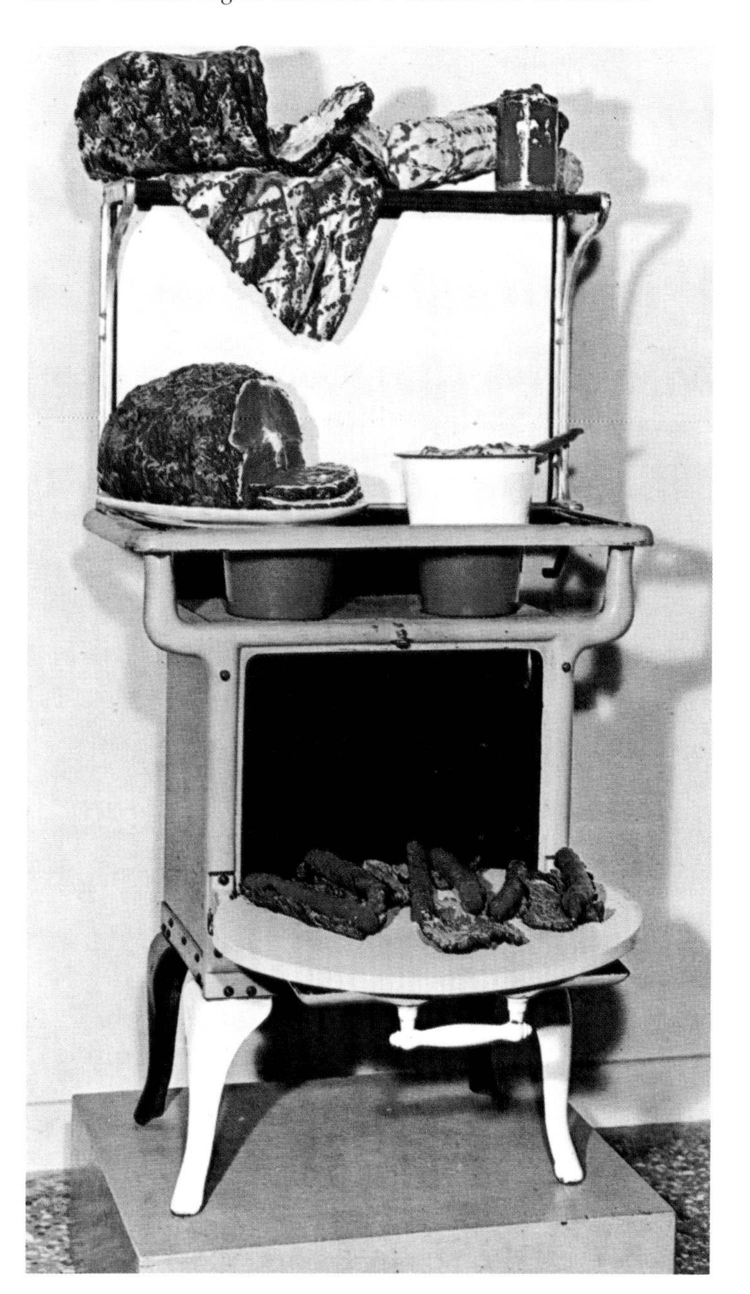

Claes Oldenburg
Kitchen Stove, 1962

Lors de l'exposition du second « Magasin », Oldenburg montra quelques sculptures qui se distinguaient du reste de l'exposition et de ses travaux précédents selon deux manières importantes. Certaines de ses sculptures avaient été agrandies à une échelle gigantesque, comme *Hamburger, Popside, Price* qui a plus d'un mètre de haut ; d'autres étaient, sans précédent dans l'histoire de la sculpture, avachies et molles plutôt que dures et impérissables. Une des premières sculptures molles de ce genre, le *Floorburger/Giant Hamburger* de 1962, ne mesure pas moins de 2 mètres de haut et de 1,20 m d'épaisseur ; il est fabriqué en toile bourrée de mousse et de carton, et peinte.

Ces innovations sont toutes deux liées à l'intérêt d'Oldenburg pour l'équivalence des formes. Le changement d'échelle du hamburger ouvre un nouveau champ de références, et en éloignant encore plus l'objet d'art de la source d'inspiration, il attire encore plus fortement qu'auparavant l'attention du spectateur sur les qualités strictement sculpturales de

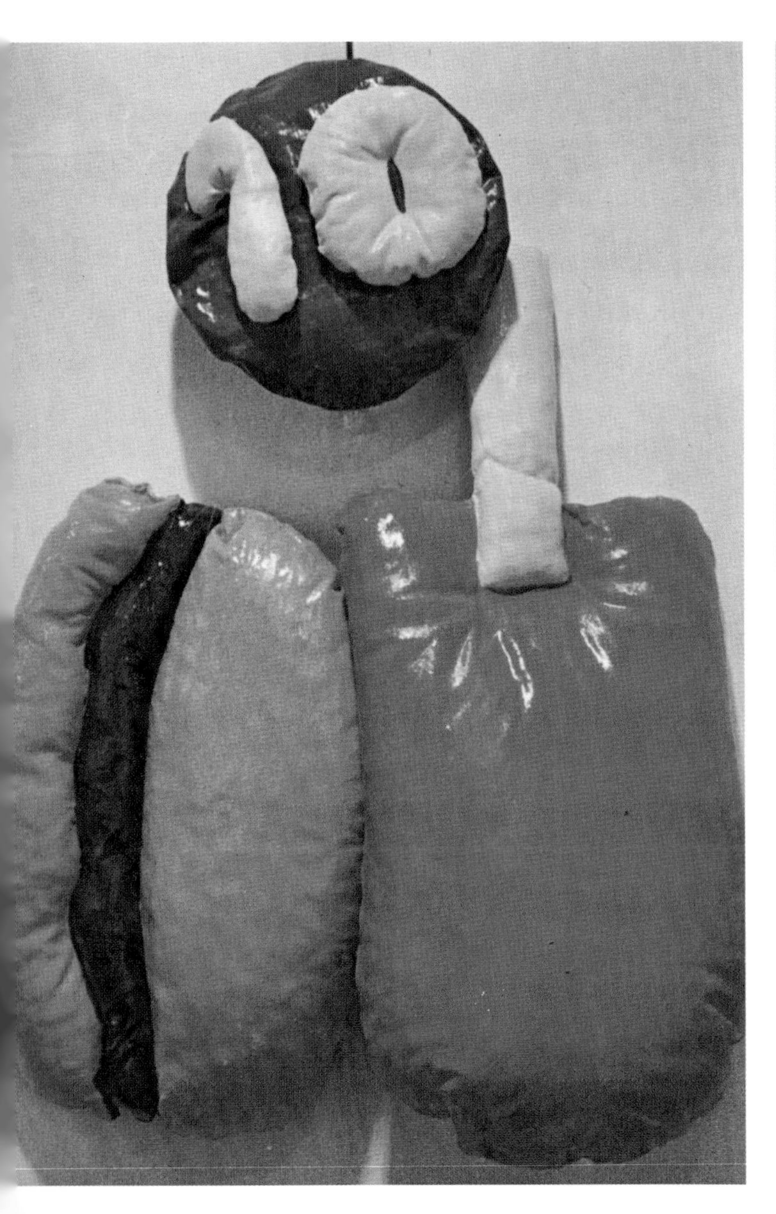

Claes Oldenburg
Hamburger, Popsicle, Price, 1962

Claes Oldenburg
Giant Soft Swedish Light Switch, 1966

Claes Oldenburg
Giant Fireplug, 1969

Claes Oldenburg
Trowel Scale B, 1971

l'œuvre : forme, couleur, texture, etc. Cette attention qu'Oldenburg porte à l'échelle des choses culmine dans les quelques plans de monuments géants qu'il dessine à partir de 1965. Ces monuments sont des versions colossales de mobilier urbain, comme *Giant Fireplug* (Bouche d'incendie géante) qu'Oldenburg avait imaginé pour le Civic Center de Chicago, ou bien d'objets domestiques, comme la *Trowel Scale B* (Truelle, échelle B), un des monuments, hélas peu nombreux, qu'il a pu construire et installer.

Le passage du dur au mou se révéla d'une portée plus grande encore, parce qu'une sulpture molle ne se réfère pas passivement à d'autres objets, mais peut carrément changer de forme. Une sculpture molle d'Oldenburg ne se ressemble jamais dans ses installations successives. Et une fois installée, elle se modifie petit à petit sous l'effet de la gravité. En fait Oldenburg exploite une des principales forces naturelles en l'intégrant au processus sculptural. *Giant Soft Swedish Light Switch,* de 1963, avec ses mystérieuses formes affaissées, en est un merveilleux exemple.

Claes Oldenburg a essayé de créer un art qui dans sa signification soit universel. Prenant comme point de départ des détails familiers de la vie quotidienne, il a entrepris d'en faire des sculptures qui représentent tout ; des sculptures qui soient des incarnations et des métaphores de la vie dans son entier. Que ce soit là son but, il le dit clairement dans cette proclamation publiée pour la première fois en 1961, et qui est un des manifestes les plus émouvants de l'art moderne :
« Je suis pour un art qui soit politique, érotique et mystique, et qui fasse autre chose que rester sur son cul dans un musée.
« Je suis pour un art qui grandisse sans même savoir qu'il est un art, un art auquel on donne la chance de pouvoir partir d'un point zéro.
« Je suis pour un art qui s'implique dans la merde de tous les jours et qui ressorte quand même au-dessus.
« Je suis pour un art qui imite l'humain, qui soit comique si nécessaire, ou violent, ou n'importe quoi si c'est nécessaire.
« Je suis pour un art qui prenne ses formes dans le champ de la vie même, qui se torde, s'étire, et qui accumule, et qui crache, et qui goutte, qui est lourd, et grossier et brutal et doux et stupide comme la vie elle-même. »

James Rosenquist fit des études d'art à l'université du Minnesota de 1952 à 1955. Un été, pendant ses vacances, il travailla dans une entreprise de décoration industrielle ; il voyageait à travers le Midwest pour peindre les façades des entrepôts et des énormes silos à grains. En 1955, il obtint une bourse pour l'Art Student's League à New York et il y compléta ses études. Les années suivantes, il gagna sa vie avec divers emplois, mais en particulier, il travailla quelque temps pour une entreprise de publicité, peignant des panneaux d'affichage. Ces deux expériences de travail ont eu un retentissement considérable sur son évolution artistique, une influence sur ses thèmes, sur l'échelle de son œuvre en général autant que sur son sens de l'échelle à l'intérieur même de ses tableaux, enfin lui ont inspiré une manière de composer très personnelle.

Se souvenant de son premier emploi, Rosenquist raconte :
« Imaginez cette scène : une surface de mur au moins aussi grande qu'un terrain de foot et tout en bas, dans un des coins, un homme avec un pot de peinture. » En évoquant le temps où il peignait le panneau d'affichage du cinéma Astor-Victoria sur Times Square, qui faisait quand même 9 mètres sur 30, il déclara qu'il avait eu alors l'occasion de « voir les choses sous un tout autre angle ». Il travaillait sur une partie de lettre ou de chiffre, mais ne pouvait pas voir l'ensemble d'un seul coup, « c'était comme l'infini... tout semblait différent ». Ces déclarations sont en relation directe avec la formulation picturale de Rosenquist : dans *I Love You with my Ford* (1961), un de ses premiers chefs-d'œuvre, d'énormes fragments flous d'une voiture Ford, d'un visage de femme et de spaghetti à la sauce tomate sont assemblés pour exprimer le thème érotique annoncé par le titre ; le symbole phallique de la Ford surgit au-dessus du visage de la femme, qui ferme les yeux, entrouvre les lèvres de ravissement, alors qu'en dessous l'union est en quelque sorte symbolisée par la masse gluante des spaghettis entortillés. Ses tableaux reprennent son expérience de peintre de panneaux, mais ils reflètent aussi l'expérience visuelle similaire, fragmentée et kaléidoscopique du citadin qui marche dans les rues animées, avec des immeubles et des publicités se dressant au-dessus de lui, ou bien qui de

James Rosenquist
I Love You with my Ford, 1961

sa voiture ou de l'autobus attrape de la ville quelques images éclairs.

La vie universitaire de Tom Wesselman fut plus sportive que studieuse ou artistique, et ce n'est qu'une fois à l'armée qu'il apprit à dessiner, avec l'ambition de devenir dessinateur de bandes dessinées. C'est dans ce but qu'en sortant de l'armée il s'inscrit à l'Académie d'art de Cincinnati, puis qu'il passe, de 1957 à 1960, trois ans à la Cooper Union School of Art à New York. C'est là qu'il découvre la peinture et le monde de l'art ; et vers la fin de sa dernière année, il abandonne la bande dessinée et se met à peindre et à faire des collages. Pour ses premiers collages, il utilisait des vieux journaux, des chiffons, des feuilles, de vieilles étiquettes qu'il retient pour leurs couleurs et leur texture. Mais un changement crucial se produisit dans son art en 1960, quand il commença à employer les éléments pour qu'ils se représentent eux-mêmes dans le collage, et qu'il les combina à la peinture dans des œuvres traitant d'une façon nouvelle deux thèmes traditionnels : le nu et la nature morte. Les sujets de ses natures mortes sont repris des affiches publicitaires vantant des aliments, des boissons, des cigarettes et des biens de consommation plus durables (ces derniers sont souvent représentés par l'objet lui-même, et il est tellement bien intégré dans la composition qu'il est difficile de dire s'il est peint ou non).

Les nus de Wesselman, qui appartiennent pour la plupart à la série des *Great American Nudes* qu'il commença en 1962 et qu'il continue encore, tiennent leur puissance et leurs qualités formelles de l'œuvre de Matisse,

Tom Wesselman
Great American Nude n° 99, 1968

qui l'a beaucoup influencé. Mais ils contiennent aussi des allusions aux nus séducteurs du soft porno de revues genre *Playboy.* Cependant, ils sont plus franchement et plus activement érotiques que n'importe quel nu de *Playboy,* et peut-être que la plus grande réussite de Wesselman est d'avoir comblé un grand vide dans l'histoire de l'art, en érotisant pleinement le nu de la « grande peinture ».

Robert Indiana utilise les mots comme des images et les introduit dans ses tableaux non seulement comme des expériences visuelles puissantes, mais aussi comme des injonctions, des slogans ou des messages adressés au spectateur, qui renvoient au rêve américain. Dans son tableau de 1961 intitulé *The American Dream,* et plus tard dans *Demuth Five,* le rêve est vu comme un jeu de flipper où le gagnant prend tout, et où un faux mouvement déclenche le tilt. Utilisant l'imagerie des flippers aux contours durs, aux surfaces lisses de couleurs vives, Indiana intègre son message dans une composition abstraite, impersonnelle et figée. D'autres tableaux proclament simplement « eat », « die », « hug », « err » ou, dans le plus fameux de tous, avec ses surfaces lisses aux couleurs complémentaires chatoyantes imbriquées les unes dans les autres : LOVE.

Allan d'Arcangelo exposa pour la première fois à New York en 1963, alors que le pop art était déjà bien reconnu. Toutefois, il établit très rapidement sa propre sphère iconographique : les autoroutes américaines. Il a exécuté toute une série de tableaux, comme *Highway N° 2,* dans lesquels les immenses distances des États-Unis sont évoquées avec romantisme par l'utilisation de perspectives en zoom, et des signes de la route. Comme Indiana, d'Arcangelo a adopté une manière très serrée, lisse et enserre son motif dans une composition géométrique rigoureuse.

Robert Indiana
The Demuth Five, 1963

Robert Indiana
Love, 1967

La côte Ouest

Le pop art commença et se développa à New York, mais trouva dès ses débuts un accueil sur la côte Ouest des États-Unis, où il prit un caractère particulier. Le mouvement tournait autour de deux centres, Los Angeles

Allan d'Arcangelo
Highway n° 2, 1963

au sud et San Francisco au nord. Los Angeles se distingua comme le centre le plus important et fut la première ville à reconnaître le génie d'Andy Warhol, en organisant sa première exposition en 1962, alors qu'il débutait dans le pop art. La ville de Los Angeles est sans doute l'un des environnements urbains les plus extraordinaires, et eut en tant que tel une grande influence sur le pop art de la côte Ouest. N'oublions pas que cette ville est aussi le berceau d'Hollywood qui a inspiré le pop art dans son ensemble. Les diverses subcultures exotiques qui fleurissaient dans la région eurent aussi de l'importance : il y avait celle des surfers, des passionnés de hot-rods (ou voitures gonflées), des amateurs de courses d'accélération des customizers de voitures, et des clubs de motards hors la loi comme les Satan's Slaves ou les fameux Hell's Angels.

Évoqués dans le titre de l'essai de Tom Wolfe, *The Kandy Kolored Tangerine Flake Streamline Baby*, les étonnantes peintures et les carrosseries baroques réalisées par les customizers, et les décors élaborés des planches de surf sont les échantillons d'un art populaire industriel qui, par son impact et son éclat, a donné le ton à presque tout le pop art de la côte Ouest. Comme l'ont aussi donné les bizarres voitures du drag-racing, les hot-rods et les choppers des Hell's Angels, des Harley Davidson 74, complètement démontées puis reconstruites qui devenaient entre leurs mains de véritables sculptures ambulantes. L'uniforme des Hell's Angels est lui aussi un objet fort intéressant de la culture populaire, en particulier la veste sans manches en denim, arborant les couleurs : une tête de mort ailée portant un casque de moto, avec au-dessus « Hell's Angels » et plus bas les lettres MC et le nom de la branche locale, par exemple San Bernardino. Ces vestes étaient en plus décorées de chaînes, svatiskas et autres signes, slogans, emblèmes, comme le nombre 13 (indiquant l'usage de marijuana) et les fameuses ailes rouges, ou encore la devise des Angels : Born to loose (Né pour perdre).

Ce monde de voitures et de grosses bécanes est bien reflété par l'œuvre d'un des deux artistes pop majeurs de Los Angeles, Billy Al Bengston. À partir de 1960 celui-ci exécuta une série de tableaux de chevrons, de badges et de pièces de motos, éléments traités comme des emblèmes héraldiques, l'image étant placée centralement sur la toile et peinte de couleurs brillantes, avec une précision infaillible et un haut degré de finition. Vers 1962, sa peinture atteint une somptuosité et un éclat plus grands encore par l'utilisation de peinture cellulosique bombée sur du contreplaqué. Il utilisera plus tard des feuilles de métal, se rapprochant par là encore plus de la technique d'expression de ses modèles. Certains de ces tableaux métalliques sont habilement désagrégés, ce qui ajoute une idée d'accident et de mort à la perfection fascinante de l'emblème peint.

Le second peintre majeur de Los Angeles est Ed Ruscha. Il commença à utiliser l'imagerie pop (emballages) en 1960, dans des œuvres comme *Box Smashed Flat*, où la représentation de l'image publicitaire et de ce qui semble une typographie de publicité de la Belle Époque est encore combinée à un style pictural. Mais sa peinture atteint rapidement à un aspect d'élégance, à une précision et à une perfection du fini quasi inhumains, dans *Noise, pencil, broken pencil, cheap western* de 1963.

Comme Indiana, Ruscha est fasciné par les mots, et ceux-ci ont toujours constitué le thème principal de ses tableaux et de ses dessins. Dans certaines

Edward Ruscha
Standard station, Amarillo, Texas, 1963

œuvres, le mot apparaît, isolé, flottant sur un fond de couleur admirablement dégradé, qui donne la sensation d'un espace coloré infini. D'autres fois, des images sont associées au mot, comme l'olive (d'apéritif) dans *Sin ;* et quelquefois aussi le mot est placé dans un contexte particulier : les noms de compagnies sont mis en scène dans un décor architectural dans ses tableaux de garages *(Standard Station, Amarillo, Texas).* Une de ses lithographies, dans laquelle le mot « Hollywood » jaillit inoubliablement du soleil couchant, dans une profonde perspective zoomée, en lettres géantes de séquence-titre, est un exemple de la manière dont Ruscha dépeint ses mots et leurs significations picturalement et verbalement.

Edward Rusha
Noise, pencil, broken pencil, cheap western, 1963

Les garages en eux-mêmes constituent le thème principal de Ruscha, après les mots. Ils apparaissent dans un travail de 1962, qui n'est ni un tableau ni un dessin, mais un livre : *Twenty-six Gasoline Stations,* composé de ving-six photographies inexpressives, factuelles et sans retouche, de garages de l'Ouest américain. L'attitude qui préside à ces photos est très proche de celle d'artistes new-yorkais du pop art, en particulier de celle d'Andy Warhol : c'est l'acceptation d'aspects du monde que personne auparavant n'avait considérés en terme d'art. *Twenty-six Gasoline Stations* fut suivi de *Various Small Fires* (1964), de *Some Los Angeles Apartments* (1965), *On the Sunset Strip* (1966 : une photographie continue de neuf mètres de long et pliée de tous les immeubles du Strip), *Thirty-four Parking Lots* (1967) et d'autres encore. Comme pour l'œuvre de Warhol, la nature du motif dirige en fin de compte l'attention du spectateur sur la manière dont il est représenté. Les livres de Ruscha sont de magnifiques objets visuels, des modèles d'une froide élégance, d'une typographie irréprochable, et admirablement imprimés en éditions limitées. Il est certain que ses livres seront sa plus importante contribution au pop art.

En Californie du Nord, deux artistes dominaient également le pop art, et comme Bengston et Ruscha ils ont eux aussi certaines choses en commun, dans leur technique et leurs images.

Wayne Thiebaud emploie des couleurs épaisses, succulentes et nuancées avec éclat pour représenter, comme il le dit lui-même, « les choses qui ont été dédaignées. Peut-être qu'un arbre à sucettes n'a jamais semblé assez intéressant pour être peint, à cause de ses allusions banales ». Les thèmes de Thiebaud consistent surtout, mais pas exclusivement, en gâteaux, bonbons, tartes, glaces et autres friandises qu'il peint dans le style figé, frontal ou répétitif usité dans le pop art. Mais la manière dont il représente ces objets lui est en fait très particulière : il utilise la peinture non pas pour produire l'illusion des gâteaux, etc., mais pour recréer leur texture et leurs couleurs. *Refrigerator Pies* (1962) est caractéristique de l'œuvre de Thiebaud ; et si finalement ses tableaux ont, comme celui-ci, l'air artificiel, c'est parce que ses sources d'inspiration matérielles sont largement synthétiques elles aussi.

Mel Ramos utilise une peinture aussi délicieuse, mais à des fins plutôt différentes : il n'imite pas les structures comme le fait Thiebaud, et ne s'intéresse pas non plus aux mêmes thèmes. Après une première période, vers 1962-63, où il peignit des héros de bandes dessinées, il trouva rapidement sa propre iconographie de pin-up nues. Il dépeint souvent ces jeunes femmes dans des situations explicitement sexuelles, soit avec des emballages d'articles de consommation ou des aliments divers aux formes phalliques appropriées, comme des bouteilles de Coca-Cola, des cigarettes (dans *Philip Morris*), un épi de maïs (dans *Miss Corn Flakes*), soit en compagnie d'animaux variés, en particulier dans ses dernières œuvres. Ceux-ci sont symboliquement phalliques, comme la belette ou le pélican, ou considérés comme ayant une forte libido comme les singes, ou encore comme simplement représentatifs d'une virilité bestiale, comme les gorilles par exemple. *Ode to Ang* reprend un des jeux favoris du pop art avec la grande peinture (l'origine en est Ingres) ; et dans les représentations de femmes avec des pumas et autres gros chats, il élargit le champ des sensations érotiques en y ajoutant un élément de perversion

Wayne Thiebaud
Refrigerator Pies, 1962

raffinée, presque décadente. L'art de Ramos est sans doute à comprendre comme une parodie légère du freudisme simplet de Madison Avenue, mais il peut certainement aussi être apprécié pour ce qu'il est : de la pornographie de belle qualité, enjouée, pleine d'esprit et séduisante.

Grande-Bretagne

À l'époque où aux États-Unis les artistes commençaient à prendre la culture urbaine moderne et son iconographie comme source d'inspiration de leurs œuvres, le popart s'était déjà établi en Grande-Bretagne où il s'engageait dans une évolution complètement différente et séparée, influencée certes par la vie américaine comme la transmettaient les médias, mais non par l'art américain. À la fin des années 40, deux artistes

Mel Ramos
Ode to Ang, 1972

Mel Ramos
Philip Morris, 1965

apparurent, qui furent des précurseurs importants pour le développement du pop art anglais : Francis Bacon et Eduardo Paolozzi.

Bacon utilisa à partir de 1949 des photographies, dont certaines de source médiatique, comme point de départ de ses tableaux. Il les transformait considérablement, il est vrai, mais le critique Lawrence Alloway, qui se trouvait dans les parages quand ces peintures virent le jour, a écrit à propos des premières d'entre elles, la série des têtes hurlantes de 1949, que « la référence photographique était manifeste et fut très discutée alors ». L'image qui servit de source à ce tableau (comme à plusieurs autres travaux plus récents) était une vue fixe du film d'Eisenstein « Le Cuirassé Potemkine » (1925), un gros plan du visage de la nurse blessée dans la scène du massacre sur les escaliers d'Odessa. Bacon utilisa ensuite des photographies d'êtres humains et d'animaux en mouvement prises par Edweard Muybridge dans les années 1880, ainsi qu'un livre médical, « Positioning in Radiography », traitant de clichés radiographiques.

En même temps qu'il utilisait des photographies, Bacon établit aussi une pratique consistant à exécuter ses tableaux à partir d'œuvres du passé.

Une de ses sources fondamentales a alors été une reproduction du fameux portrait du pape Innocent X par Vélasquez qui se trouve au Palazzo Doria à Rome. Fait significatif, il n'a jamais vu l'original, et une fois même, alors qu'il était à Rome, il ne prit pas la peine d'y aller.

Par-dessus tout, Bacon combine dans ses tableaux des images puissamment évocatrices avec des énoncés formels tout aussi forts. Peindre, écrit-il en 1953, cela devrait être « s'appliquer à rendre l'idée et la technique inséparables. En ce sens, peindre tend à une totale imbrication de l'image et de la peinture, de telle sorte que l'image soit la peinture et vice versa. Alors la touche ne remplit pas seulement la forme mais la crée. Par conséquent, chaque mouvement du pinceau sur la toile modifie la forme et le sens de l'image ». Malgré la précision de ces opinions publiées, beaucoup de critiques de la première heure discutèrent de l'œuvre de Bacon uniquement en termes d'iconographie, ignorant ses aspects formels comme ils le firent plus tard pour le pop art.

Enfin, comme Alloway l'a remarqué, Bacon est le seul peintre de la génération précédente à avoir été considéré avec respect par les artistes plus jeunes, qui estimaient que Moore, Nicholson, Pasmore, Sutherland... n'avaient rien à voir avec l'art neuf des années 50. Les principales raisons de cette considération viennent du caractère absolu et tenace de l'art de Bacon, et bien sûr de la réelle résistance qu'il opposa à tous les courants esthétiques de l'époque. En 1962 encore, un critique important de Londres pouvait écrire sur Bacon : « De la cruauté, une sexualité ambiguë, un penchant pervers, tout cela se rencontre dans son art. [...] Il jubile devant l'inhabituel et il jouit en même temps de la décadence qu'il peint. » Tout artiste plus âgé capable de susciter ce genre de réaction ne pouvait que fasciner infiniment les artistes plus jeunes qui se révoltaient.

Si Francis Bacon est le père du pop art anglais, Eduardo Paolozzi joua un rôle direct et crucial dans son développement. Paolozzi est né en 1924 à Édimbourg de parents immigrants italiens ; dès ses débuts dans le domaine de l'art, à l'Institut d'art d'Édimbourg où il entre en 1941, il montre un fort intérêt pour la culture populaire, et s'attire la désapprobation de ses professeurs parce qu'il copie des images d'avions, de footballeurs et de vedettes de cinéma. À cette époque il commence aussi à exécuter des collages à partir des photos de magazines et autres, dont des images de science-fiction, d'aéronautique, des publicités pour aliments, électroménager ou voitures, des bandes dessinées, des vues de films, des pin-up, des journaux et des schémas de médecine. Certains de ces collages sont directement et étonnamment avant-coureurs du pop art : *I was a Rich Man's Plaything,* de 1947, par exemple, contient non seulement le mot « pop », mais reprend aussi une pin-up, un détail d'une publicité alimentaire et mieux encore une bouteille de Coca-Cola et l'insigne de Coca-Cola simplement représenté de manière emblématique, comme il le sera si souvent dix ans plus tard dans le pop art.

La désapprobation des professeurs de Paolozzi pour son goût de la culture populaire est significatif. Comme le dit John Russel : « Le pop était un mouvement de résistance : un commando sans hiérarchie de classes, qui était dirigé contre le pouvoir en général et contre l'establishment de l'art en particulier. C'était contre les conservateurs vieux jeu, les critiques vieux jeu, les marchands et les collectionneurs vieux jeu. »

Le pop art britannique vient donc du rejet par toute une génération de la culture aristocratique, et d'une révolte dans le système éducatif de l'art lui-même contre l'esprit de clocher des écoles d'art anglaises : à cette époque, Sickert et John étaient des noms prestigieux, alors que Picasso et Matisse étaient considérés comme de dangereux étrangers.

Paolozzi fut un de ces jeunes artistes qui se révoltèrent et, dès la fin de ses études à la Slade School en 1947 (il ne se soucia pas de passer son diplôme), il partit pour Paris.

Au début des années 50, l'Institut d'art contemporain de Londres était pour les artistes, les architectes, les écrivains, un lieu de rencontres, où ils pouvaient prendre un verre, discuter et monter leurs œuvres dans la minuscule galerie. En 1952, la direction sentit qu'elle avait perdu contact avec la jeune génération et créa ce qui devint en fin de compte un sous-comité de l'Institut, connu sous le nom de Independents'Group ou IG. Ce groupe qui se réunit une première fois durant l'hiver 1952-53, puis deux ans après à la même saison en 1954-55, fut responsable de la formulation, de la discussion et de la propagation de la plupart des idées clefs non seulement du pop art mais aussi de nombreux autres courants de l'art britannique de la fin des années 50 et du début des années 60.

Le programme de la première session tourna principalement autour de la technologie, un sujet d'intérêt inédit pour les artistes à ce moment-là en Angleterre, et qui allait jouer un rôle important dans le pop art de ce pays ; la toute première séance fut dominée par une conférence de Paolozzi intitulée *Bunk* (Pacotille), au cours de laquelle il projeta un grand nombre de ses collages ainsi que des illustrations à sensation présentées telles quelles, sans modification autre que le fait de les isoler de leur contexte. Cela comprenait des couvertures de *Amazing Science Fiction*, des publicités pour des Cadillac et des Chevrolet, une page de dessins du film de Walt Disney *Mother Goose Goes to Hollywood* et des feuilles d'insignes de l'armée de l'air américaine. C'était la première fois qu'on parlait sérieusement en public de cette iconographie de journaux à sensation et même au sein du IG, semble-t-il, l'idée qu'une telle imagerie puisse non seulement être une inspiration pour l'art, mais puisse aussi être en elle-même de l'art, prit un certain temps avant de faire son chemin.

En 1953 cependant, le IG organisa une exposition au titre éloquent : « Parallel of Art and Life ». Elle consistait en agrandissements photographiques accrochés aux murs et au plafond et même simplement posés contre les cloisons. L'exposition était organisée par Paolozzi et quatre autres artistes (Nigel Henderson, Peter et Alison Smithson, et Ronald Jenkins) ; elle représentait, par le rassemblement de nombreuses images sans autre commentaire ni texte, le monde tel que le voyaient les organisateurs ; un monde dans lequel la vie et l'art prennent une égale importance. Y figuraient entre autres des photographies d'œuvres de Picasso, Kandinsky, Klee et Dubuffet, des macrophotos, des vues aériennes, des photos d'accidents, des victimes de Pompéi, de villages primitifs et de procédés technologiques.

Quand le IG fut reconvoqué en 1954 par Lawrence Alloway et John McHale, le thème était cette fois-ci assez explicitement la culture populaire. Alloway écrivit : « Nous sommes arrivés à ce thème à la suite d'une conversation fructueuse à Londres entre Paolozzi, les Smithson,

Eduardo Paolozzi
I was a Rich Man's Plaything, 1947

Henderson, Reyner Banham, Richard Hamilton, John McHale et moi-même. Nous avons découvert alors que nous avions en commun une culture vernaculaire, qui persistait sous les intérêts et les talents divers que chacun possédait en art, architecture, design ou critique. La zone de contact était cette culture urbaine de masse : le cinéma, la science-fiction, la publicité, la pop music. Nous n'avions pas pour les standards de la culture commerciale le mépris qu'affichent la plupart des intellectuels, mais au contraire nous acceptions ceux-ci tels quels ; nous en discutions en détail et les consommions avec enthousiasme. »

Richard Hamilton fit partie dès le début du groupe des indépendants et en 1954-55, il commença à jouer un rôle de plus en plus important dans l'évolution du pop art, à l'intérieur comme en dehors du IG. En 1955, il exposa à la Hanover Gallery son travail des trois dernières années. Ces tableaux furent controversés par le IG, en particulier les quatre de *Trainsition* (sic) et *Carapace* qui, comme Alloway, le fit remarquer, « traitent une situation classique du cinéma hollywoodien : une voiture filant à toute vitesse vue d'un train en marche et (dans *Carapace*) ce qu'on voit à travers le pare-brise d'une voiture qui roule ». En 1955 également, Hamilton conçut et organisa l'exposition « Man, Machine and Motion » qui fut montrée à Newcastle-upon-Tyne et au ICA à Londres. Elle reprenait, essentiellement par des photos, l'idée du potentiel esthétique des machines qui avait été discutée lors de la première réunion du IG en 1952. Puis en 1956 le IG organisa à la Whitechapel Gallery à Londres une exposition intitulée « This is tomorrow », comprise comme une exploration des possibilités d'association des différents arts visuels : douze équipes composées en principe d'un peintre, d'un sculpteur et d'un architecte exécutèrent autant d'environnements.

Avec John McHale et l'architecte John Voelcker, Hamilton installa un environnement constitué d'une profusion d'illustrations de magazines populaires, de bandes dessinées et de publicités pour des films, entre autres le robot de 5 m de haut qui avait annoncé un film de science-fiction au London Pavilion et une photo grandeur nature de Marilyn dans *The Seventh Year Itch*. Un juke-box jouait en permanence.

Pour l'affiche de l'exposition, reproduite aussi dans le catalogue, Hamilton fit un collage spécial, *Just What Is It That Makes Today's Homes So Different, So Appealing ?* Une anthologie détaillée de l'iconographie pop et de ses sources, comprenant des bandes dessinées accrochées aux murs comme des tableaux, une conserve de jambon exposée comme une sculpture, des images de pin-up et d'articles de consommation séduisants... et qui est étrangement prophétique des futurs développements du pop art. Le mot « pop » y figurait bien en vue, comme une abréviation pour culture ou art populaire. Mais les artistes n'utilisaient pas encore ce mot pour désigner ce qu'eux-mêmes créaient : quand les membres du IG parlaient de « pop art », c'était la culture de masse commerciale.

En janvier 1957 Hamilton produisit une liste, maintenant fameuse, des caractéristiques du pop art :
« Populaire (destiné à un public de masse). Éphémère (solution à court terme). Sacrifiable (facilement oublié). Peu cher. Fabriqué en série. Jeune (destiné à la jeunesse). Drôle. Sexy. Gadjet. Séducteur. Big Business. »

Il écrivit ces propositions dans une lettre à Peter et Alison Smithson qui avaient participé à l'exposition « This is tomorrow ». Dans la même lettre il propose une autre exposition, organisée également en équipes, dans laquelle « les œuvres exposées devraient être conformes à sa définition du pop ». En d'autres termes, ce doit être une exposition de pop art au sens que ce mot prendra plus tard : du « bel » ou « grand » art prenant ses sources d'inspiration dans l'art commercial.

À partir de là, Hamilton s'efforça lui-même de suivre cette définition dans son œuvre, à la fois en lui donnant effectivement les qualités qu'il avait énumérées et en traitant ces caractéristiques comme faisant partie de son thème même. Dès 1956, les biens de consommation et leur rôle dans la société, en particulier vu à travers la publicité, sont un de ses thèmes majeurs. L'automobile est bien sûr le symbole de la société de consommation et les deux premiers tableaux qu'il fit après « This is tomorrow », *Hommage à Chrysler Corp* (1957) et *Hers is a Lush Situation* (1958), prennent tous deux leur point de départ dans des publicités séduisantes pour faire vendre. Tous les deux attestent déjà des transformations élaborées et pleines d'humour qu'Hamilton impose à son image originale, ainsi que de son profond intérêt pour l'acte de peindre lui-même.

Un peu plus tard, en 1958, Hamilton exécuta un autre tableau sur la consommation, *$he* qui, peut-être plus que toute autre de ses premières œuvres, englobe ses préoccupations formelles, iconographiques et sociologiques. Ce fut l'un des premiers chefs-d'œuvre du pop art anglais. Le thème de ce tableau est, pour simplifier, l'utilisation par les publicitaires du sexe pour vendre de l'électroménager, thème suggéré par l'humour du titre, dans lequel la première lettre est écrite comme un signe du dollar. Ou comme l'exprime Hamilton : « *$he* est un reflet, passé au crible, de la paraphrase que les publicitaires font du rêve du consommateur. » Il révèle aussi que « Woman in the Home » était un autre titre possible. Ces deux remarques sont extraites d'un article plus long « An Exposition of *$he* » (Une interprétation de *$he*) d'Hamilton, paru dans « Architectural Design » en octobre 1962. Il commence par comparer l'image de la femme donnée par l'artiste vers 1950 et l'image qu'en donne le publicitaire à la même époque : « Dans les années 50, la femme dans l'art était anachronique, aussi désirable pour nous qu'une odeur d'égout : bouffie, munie d'un entrejambe rose, d'une tête à claques, et lubrique ; très éloignée de l'image distante de la femme qu'on trouve ailleurs que dans les beaux-arts. » Dans les publicités « elle est vraiment sensuelle, mais elle joue sa sensualité et son interprétation est pleine d'esprit. Bien qu'étant l'ornement le plus précieux, elle est souvent traitée comme un simple accessoire de style. D'après les pubs, la pire chose qui puisse arriver à une femme c'est de ne pas réussir à se trouver formidablement bien dans son décor d'appareils ménagers — décor qui maintenant compte autant dans notre attitude envers une femme que les vêtements auparavant. Le sexe est partout, symbolisé dans l'élégance du luxe de fabrication industrielle — interaction du plastique charnel et du métal lisse et plus charnel encore ». Hamilton rejeta l'image de la femme créée par les beaux-arts en faveur de son image publicitaire, beaucoup mieux adaptée aux réalités de la vie contemporaine. Et avec *$he* il introduisit cette image dans l'art, renouvelant ainsi la vision du plus ancien thème de l'art.

Richard Hamilton
Just What Is It That Makes Today's Homes So Different, So Appealing ?

Les sources directes du tableau étaient les suivantes : pour la femme, une photographie tirée de la revue « Esquire » d'un mannequin connu sous le nom de Vikky (the Back) Dougan et spécialisée dans la présentation de robes dos nu et de maillots de bain ; dans cette photo, elle est vue de dos, avec une robe tellement décolletée qu'on lui aperçoit la raie des fesses ; Hamilton note : « La seule autre pin-up dont je me souvienne qui ait eu un plus grand impact dans les milieux artistiques, c'est Brigitte Bardot montrée par bribes dans le *Réveil* d'octobre 1957 » ; puis pour les appareils, d'abord ce qu'Hamilton décrit comme « un pan en plongée du réfrigérateur mirifique d'abondance », publicité pour le réfrigérateur-freezer RCA Whirlpool qui lui donna la mise en page générale du tableau ; et deuxièmement, deux publicités, l'une pour un aspirateur Westinghouse et l'autre pour du petit électroménager GEC.

Les images de départ sont soigneusement transformées par Hamilton, et ces modifications donnent peut-être une clef à la compréhension de son art, car elles aboutissent à un tableau abstrait dans lequel il est évident que l'artiste s'intéresse en premier lieu à l'extension du langage pictural, à l'exploration des moyens d'expression. Ceci est illustré de façon éblouissante dans *$he* par la virtuosité des traitements appliqués à chaque élément de la composition : la porte du réfrigérateur est d'un rose lisse et carné ; dans la porte, la bouteille de Coca-Cola est traitée selon la

Richard Hamilton
$he, 1958-1961

manière traditionnelle des natures mortes européennes, bien que son ancêtre le plus direct soit sans doute à chercher dans les bouteilles du *Bar aux Folies-Bergère.* Le combiné grille-pain/aspirateur du premier plan (appelé le « Toastuum » par Hamilton, de « toaster » et « vacuum ») est méticuleusement bombé à la peinture aluminium, alors que le passage de transition du Toastuum à la porte du réfrigérateur est traité de façon complètement picturale, au point que la peinture coule librement sur la surface du tableau, une référence consciente sans doute à l'expressionnisme abstrait. Les épaules et les seins de la femme sont, suivant l'expression d'Hamilton, « amoureusement peints à l'aérographe » cette fois jusqu'à prendre le ton et la texture exacts de la peau des femmes sur le papier glacé des revues ; son œil est un collage, un œil en plastique pour rire, qui cligne, offert par un ami d'Allemagne alors qu'Hamilton travaillait sur *$he* depuis deux ans et demi. Il l'intégra immédiatement à son tableau (l'élément de hasard joue un rôle essentiel dans l'art d'Hamilton par ailleurs parfaitement maîtrisé). Cet œil est un trait humoristique caractéristique, comme la ligne de points qui saute du Toastuum pour indiquer la trajectoire de vol du toast quand il est automatiquement éjecté. La jupe de la femme est un collage, et aussi un relief car elle est en contreplaqué de 3 mm et Hamilton lui a apporté une qualité sculpturale plus grande encore en travaillant délicatement sa surface ; c'est, dit-il, à explorer avec des doigts sensibles plutôt qu'avec les yeux. Le freezer est aussi un collage, le détail d'une publicité pour un système de dégivrage automatique, agrandi et collé dans le tableau.

En définitive, les mécanismes de sélection de fragments spécifiques dans les images originales et de manipulation effectuée ensuite, qui paraissent tous deux arbitraires, peuvent être mieux compris en se référant à la silhouette de la femme dans *$he :* la zone de ses épaules et de ses seins vient en partie du désir d'Hamilton d'associer le dos de Vikky Dougan (« trop bon pour être raté », dit-il) à des seins — éléments essentiels de l'iconographie publicitaire de la femme (mais les seins appartiennent en fait à une autre pin-up !) — et en partie de son envie de commettre une légère blague érotique en donnant deux lectures possibles des seins ; l'une d'elles introduit un large mamelon, pointu, à l'aréole sombre dans la cuisine immaculée. De la même façon, la partie évidée du relief représente la zone de chair révélée par le décolleté plongeant de la robe que Vikky portait.

Hamilton est le moins productif de tous les artistes majeurs de l'art contemporain, quantitativement parlant, mais tout ce qu'il fait est mûri, réfléchi et bourré d'idées. Chacune de ses œuvres est une déclaration exceptionnelle, le résultat d'un processus conceptuel complexe. Et il n'y a donc rien de surprenant à ce que ces œuvres semblent plus venir d'une planche à dessin d'ingénieur que d'un chevalet d'artiste.

À l'époque où Hamilton concevait son art inspiré de la technologie et de la grande consommation, Peter Blake, un artiste plus jeune de dix ans, développait un pop art d'une tout autre sorte, bien différent du froid intellectualisme d'Hamilton. Blake n'est pas attiré par la technologie, ni par les biens de consommation, comme il l'explique dans une interview en 1963 : « Pour moi le pop art s'ancre souvent dans la nostalgie : la nostalgie des vieilles choses populaires. J'essaye pourtant d'établir un nouveau pop art, un qui naisse directement de notre époque, mais je reviens toujours aux sources de l'idiome, et j'essaye de trouver les formules techniques qui pourront le mieux rendre le sentiment du pop folk. » Les sources d'inspiration de Blake sont en fin de compte victoriennes et de la Belle Époque, et son art plonge directement ses racines dans son enfance et sa jeunesse à lui (boutique de jouets, bandes dessinées, badges), dans le monde de la pop music (Elvis Presley, Cliff Richard), des spectacles populaires, des stars de cinéma (Sammy Davis Jr.) et enfin dans le monde des fêtes foraines, dont il retient les types de lettres et les décorations traditionnelles et héraldiques carnavalesques, autant que les personnages (les femmes tatouées, etc.) et le bric-à-brac des lots. Il a aussi une affection particulière pour deux divertissements chers aux Anglais : la lutte libre et le strip-tease. Comme d'autres artistes majeurs du pop art, il incorpore à son corpus personnel d'autres œuvres d'art contemporaines ou du passé.

On the Balcony, que Blake exécuta entre 1955 et 1957 est, comme *$he* d'Hamilton, une des premières pièces importantes du pop art britannique. Dans ce tableau, Blake a peint vingt-sept variations sur le thème du balcon. La plus importante est le groupe de quatre jeunes gens au centre de l'œuvre. Trois d'entre eux exhibent une collection de badges, parmi lesquels « I love Elvis », « I love the Hi-Los », et des insignes de clubs d'enfants comme ABC Minors et I-Spy. Deux des personnages portent l'Union Jack, indiquant ainsi leur allégeance à la reine et à la patrie ; cette forme de patriotisme pop, très en vogue dans les années 50 à la suite du Festival de Grande-Bretagne et du Couronnement (on parlait d'un nouvel âge élisabéthain), est un thème dominant du tableau, repris dans pas moins de trois représentations de la famille royale. Cette « britannité » emphatique reste un aspect important dans l'art de Blake.

Le quatrième personnage ressemble beaucoup à un autoportrait, et cette interprétation semble confirmée par le fait que ce personnage ne porte pas de badge, mais seulement un portrait de John Minton ; cet artiste eut une influence considérable dans les écoles d'art en Angleterre durant les années 50, et fut le professeur de Blake au Royal College ; Blake a dit de lui : « Quand il regardait votre tableau, vous sentiez que ça valait le coup de continuer » ; il se suicida en 1957. Son portrait de lui dans le tableau de Blake porte l'inscription « In sincere memory », ajouté comme un hommage personnel. Ce quatrième personnage tient aussi un tableau, ce qui l'identifie peut-être comme artiste. Voici quelques-unes des nombreuses références à l'art contenues dans *On the Balcony.* La plus évidente est la reproduction du fameux tableau de Manet *Le Balcon,* de 1869. Mais Blake a aussi introduit, de façon fort intéressante, son idée de ce que trois de ses contemporains (dont deux sont devenus depuis des peintres abstraits célèbres) auraient fait avec le même sujet : au centre derrière la famille royale, il y a un Robyn Denny, immédiatement au-dessous un Richard Smith et plus bas encore, un Leon Kossof empâté.

Des éléments de l'art publicitaire sont présents dans les diverses interprétations d'emballages, et, en particulier dans la nature morte sur la table, est représenté un paquet de corn-flakes Kellog's.

Un des aspects les plus significatifs de la peinture de Blake est la manière dont il joue sur la différence entre l'illusion et la réalité. Le paquet de corn-flakes est un objet à trois dimensions représenté sur la toile plate dans un style de trompe-l'œil, mais par contre les couvertures de revues, plates, donnent l'impression d'êtres collées sur le tableau (technique dont Blake a largement usé), et le Leon Kossof est un véritable tableau abstrait en miniature qu'on pourrait presque découper et encadrer.

En 1960, Blake eut une importante exposition personnelle au ICA, dans laquelle il montra un grand nombre de ses récents travaux combinant peinture et collage. Il réalisait ses œuvres non pas sur toile mais sur des panneaux de bois, qu'il aborde soit en une seule surface, soit le plus souvent en les compartimentant avec des baguettes ou des bandes de bois, ou en imitant des structures de portes et des murs. Dans les compartiments il y avait des images de pop stars, de pin-up et d'artistes de variétés. Contrastant avec ces éléments collés, et formant leur décor, les planches sont ornées de motifs abstraits, d'emblèmes et de lettres peints aux émaux selon une manière rappelant fortement les décorations typiques des baraques foraines. L'exposition comprenait *Elvis and Cliff, Girlie Door, Kim Novak Wall, Sinatra Door* et *Every Wall.*

En 1961, Blake exécuta son plus grand tableau jusqu'à ce jour, *Love Wall,* une remarquable compilation d'images d'amour allant des pin-up contemporaines, des bandes dessinées sentimentales, photos de films et cartes postales des bords de mer à des photographies de mariages de la Belle-Époque, cartes d'anniversaire et de la Saint-Valentin. Le mot LOVE peint sur l'un des panneaux forme à lui seul une petite peinture remarquable par son dessin ferme et précis et l'usage abstrait de la couleur.

La contribution de Peter Blake à la première phase du pop art britannique a souvent été sous-estimée ; en 1961 il avait déjà produit tout un groupe d'œuvres, dont celles montrées en 1960 au ICA, dans le plus pur style pop, en cela qu'elles associaient la vigoureuse iconographie pop et des éléments figuratifs de collage à des formes abstraites non moins vigoureuses, dérivées elles aussi de sources pop.

La deuxième phase du pop art britannique débute en 1961 : les œuvres

Peter Blake
On the Balcony, 1955-1957

de David Hockney, Allen Jones, Derek Boshier, Peter Philips, Patrick Caulfield et d'autres, tous étudiants au Royal College of Art, alors exposées à l'exposition « Young Contemporaries », firent une forte impression. Ce jeune groupe, qui héritait de la situation créée par Bacon, Paolozzi, Hamilton et Blake, était également influencé par deux autres artistes du même âge que Blake : Richard Smith et l'Américain R.-B. Kitaj, bien qu'aucun des deux ne fût à strictement parler un artiste pop.

Kitaj fut étudiant au Royal College de 1957 à 1961, en même temps qu'Hockney et les autres. Il était plus âgé qu'eux, avait plus d'expérience et surtout s'impliquait plus sérieusement dans son art et explorait de plus près les problèmes de la représentation. Allan Jones exprima peut-être le sentiment de tout le groupe quand en 1965 il raconta : « J'ai plus appris je crois sur la disposition d'esprit à acquérir dans la peinture simplement en l'observant. Je ne lui parlais pas souvent, mais soudain j'ai réalisé que

R.B. Kitaj
Synchromy with F.B., 1968-1969

c'était quelque chose de vital par rapport à tout ce qui se passait d'autre au Royal College ; en d'autres termes, il influençait non par son imagerie, mais par son professionnalisme consciencieux et son réel acharnement à peindre. » La façon de peindre de Kitaj, dans laquelle de fortes images figuratives sont intégrées par des moyens picturaux puissants (facture relâchée, etc.) à une composition souvent complexe, produisit sans aucun doute une forte impression sur Hockney, Jones et Boshier en particulier.

Richard Smith faisait partie du petit groupe de peintres anglais (avec Robyn Denny et Bernard Cohen) qui à la fin des années 50 et au début des années 60, utilisaient les sources du pop art mais pour construire un art complètement abstrait. Smith quitta le Royal College en 1957 et partit pour l'Amérique, où il resta jusqu'en 1961. Il développa alors un art très pictural, de grande dimension, inspiré des mass media mais dans lequel cette source d'inspiration ne formait pas d'image figurative (ce qui est toujours le cas dans le pop art proprement dit). Il isolait plutôt dans le modèle certains traits de couleur ou de forme qui servaient de base à sa composition. Dans sa série de tableaux de paquets de cigarettes par exemple (début des années 60), la forme et la couleur sont dérivées du paquet lui-même et sa représentation en fondu et à grande échelle ressemble aux publicités sur grand écran, où un paquet peut faire 2 m de haut, et se fondre en un lavis de couleurs brouillé et changeant.

Smith a expliqué qu'il voulait élargir le champ expressif de la peinture et créer une nouvelle forme d'expérience artistique en utilisant pour cela l'art publicitaire : « Cela serait possible, pensais-je, par des tableaux qui auraient avec un aspect des mass media une échelle, une couleur, une texture communes, presque une *matière* commune. » Cette position en elle-même a déjà dû avoir une certaine influence, mais les tableaux de Smith montraient de plus aux jeunes artistes pop un nouveau sens de

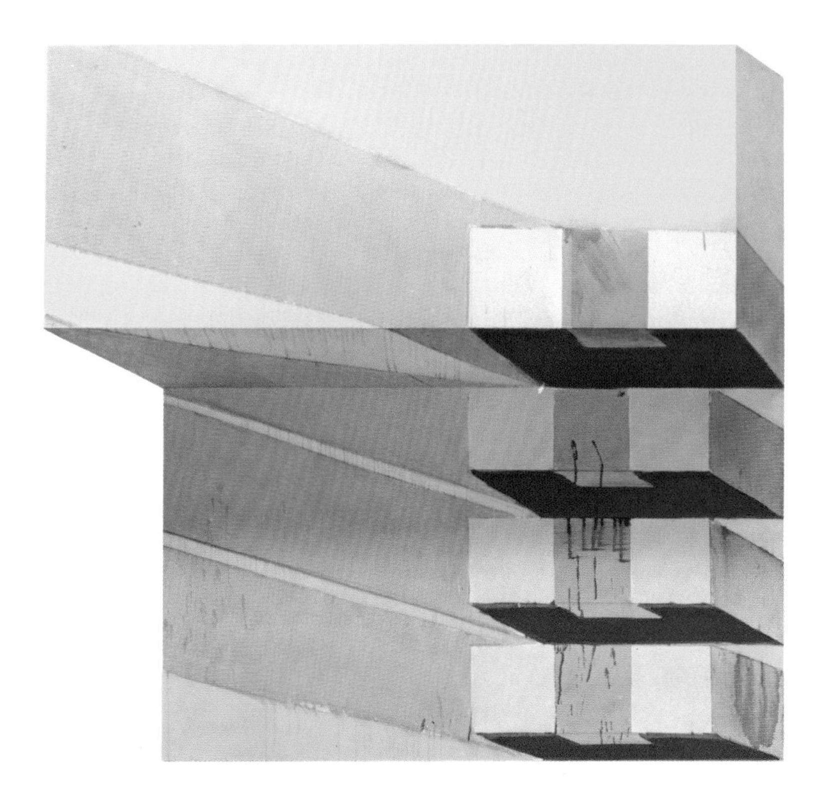

Richard Smith
Quartet, 1964

l'échelle, différent de celui d'Hamilton ou de Blake, et surtout la possibilité d'un traitement pictural plus large du matériau pop.

David Hockney, comme Allen Jones, a noté l'impression laissée par R. B. Kitaj qui, dit-il, l'a influencé plus que quiconque « pas seulement comme artiste mais en tant que personne ». Les autres influences d'Hockney furent Francis Bacon et le peintre français Jean Dubuffet qui a peut-être attiré son attention vers ce qui deviendra une de ses premières sources d'inspiration stylistiques, le graffiti — aspect de la ville que les autres artistes pop ont rarement remarqué. En effet, bien que ce qu'il doit à Bacon soit visible dans ses œuvres du début des années 60, sa principale qualité plastique vient des extraordinaires dessins de personnages ressemblant à des graffitis, des messages gribouillés et des mots isolés, bribes de mots et chiffres qui dans certains cas en arrivent à dominer le tableau. (Hockney a expliqué qu'il écrivait dans beaucoup de ses tableaux pour rendre son intention aussi claire que possible.) Ses œuvres possèdent aussi la caractéristique pop courante de combiner des éléments fortement abstraits avec une imagerie figurative vigoureuse. Dans *The Cha Cha Cha tha was Danced in the Early Hours of the 24th March* (1961), l'un des meilleurs tableaux du début, la silhouette qui danse, les mots et les messages sont placés devant des rectangles unis décoratifs rouges et bleus en haut du tableau, une large surface de toile vierge au milieu et une bande de mauve uni au bord inférieur.

Les thèmes d'Hockney sont largement autobiographiques, et vers 1960 alors qu'il était encore au Royal College, ses principales préoccupations étaient l'art, faire de l'art et le sexe. Ces sujets sont fortement manifestes dans ses toiles, même quand, comme dans une autre de ses œuvres majeures du début, sa toile en forme de paquet de thé Ty-Phoo fait ostensiblement référence à cet autre sujet majeur du pop art que sont l'imagerie de la publicité et les emballages. En particulier, le titre de cette œuvre, *Tea Painting in an Illusionistic Style,* attire l'attention sur l'énoncé formel, alors que les intérêts érotiques de l'artiste s'expriment dans la figure grandeur nature d'un garçon nu qui semble en fait être assis à l'intérieur du paquet. Une autre preuve du fait que Hockney traitait le langage de la peinture comme un thème nous est donné par le fait qu'il exposa en 1962 ce tableau Ty-Phoo sous le titre *Demonstration of Versatility — Tea Painting in an Illusionistic Style.* C'est une des quatre *Demonstrations ;* une des autres, *A Grand Procession of Dignitaries in the Semi-Egyptian Style* montre sa première utilisation d'une œuvre d'art ancienne comme source d'inspiration.

David Hockney était sans aucun doute la personnalité dominante du groupe du Royal College et il a eu plus de succès que tous les autres. En fait sa brillante réussite et son style personnel firent de lui, comme Andy Warhol aux États-Unis, une star du pop art ; et plusieurs de ses tableaux plus récents représentent les personnalités célèbres du pop, et leur cadre de vie, *California Seascape,* et la série des piscines par exemple.

Allan Jones eut, comme David Hockney, un rapide succès après l'exposition « Young Contemporaries » de 1961. Ses premiers thèmes concernaient, avec un bizarre contraste, le sexe d'une part et les autobus, les avions et les parachutistes de l'autre. Son style était pictural et abstrait, en apparence plus proche de celui de Robert Smith que de celui de

David Hockney
Tea Painting in an Illusionistic Style, 1962

David Hockney
California Seascape, 1968

n'importe qui du Royal College. En plus de son approche picturale, Jones adopta aussi la recette formelle de la toile découpée selon une forme. Dans sa série bien connue des tableaux d'autobus (1962-63), la plupart des toiles sont des rectangles titubants, détachés du mur, ce qui donne l'impression physique de mouvement ; et de plus pour certains d'entre eux les roues étaient peintes sur des morceaux de toile à part et bel et bien attachées au bas du tableau. L'intention de tout cela étant de donner à l'image une impression de réalité plus grande que si elle avait simplement été reproduite comme une forme sur un fond.

Son imagerie érotique apparut dans deux tableaux *Bikini* en 1962. Mais elle restait encore, comme les tableaux d'autobus, très abstraite. L'érotisme devint implicite dans les représentations de couples ou d'hermaphrodites, comme *Man-Woman* (1963) et les figures seules de pin-up comme *Curious Woman* (1964) dont les seins sont vraiment modelés en trois dimensions. Plus tard l'obsession de Jones se fit plus intense, et il l'exprima dans un style plus net et plus luxueux. Il prenait ses sources dans des revues de sexe qui fournissent les fétichistes des sous-vêtements, du latex et du cuir, et en 1969 il exécuta quelques meubles érotiques : des filles séduisantes, modelées de façon très réaliste, avec des bottes et des harnais de cuir et s'offrant comme sièges, portemanteaux et *Girl Tables.*

Derek Boshier est le troisième membre du groupe du Royal College à avoir adopté une approche picturale semi-abstraite de l'imagerie pop. Dans *Identi-Kit Man* (1962), un de ses meilleurs tableaux de jeunesse, la toile vierge est merveilleusement traversée de longues touches légères comme des plumes, de blanc, bleu et mauve, créant un effet de pâle couleur ambiante qui contraste avec la brosse à dents verte, géante, aux contours nets, et les rayures rouge vif et blanches du dentifrice. Il est clair que la qualité décorative du dentifrice rayé a charmé Boshier, et dans les années suivantes il évolua vers une sorte de peinture lumineuse et bariolée fondée sur ces mêmes sources, mais dont toute référence figurative est éliminée. Il est depuis 1964 un peintre uniquement abstrait.

Anthony Donaldson étudia à la Slade School, et ne développa une iconographie et un traitement pleinement pop qu'un an environ après le groupe du Royal College. Mais à partir de 1962, il réalisa des tableaux aux couleurs vives, fondés le plus souvent sur des images répétées de strip-teaseurs, et dans lesquels les tons sont manipulés de façon telle qu'ils produisent une forte interversion image/fond qui rend le tableau

Dereck Boshier
Identi-Kit Man, 1962

Allen Jones
Girl Table, 1969

Antony Donaldson
Girl Sculpture (Gold and Orange), 1970

extrêmement abstrait dans ses effets. En 1963, il produisit des œuvres bariolées, à effets optiques, et dans lesquelles l'image n'était plus déchiffrable, bien qu'elle gardât de fortes références à l'original. Plus récemment son œuvre est devenue plus figurative et plus spécifiquement érotique, et *Girl Sculpture* (1970) combine de manière frappante la sensualité de la fille nue avec l'extrême volupté du très beau travail à l'acrylique pailleté d'or.

À première vue, Patrick Caulfield est l'artiste anglais qui semble le plus proche de Roy Lichtenstein ; il représente des images figuratives vigoureusement soulignées, qui font en fait partie d'une structure formelle rigoureusement abstraite. Cependant, son iconographie ne possède pas l'assurance habituelle dans le pop art et elle ne provient pas des publicités, ni d'aucune autre source pop. Au lieu de cela, il utilise des images qui, tout en étant immédiatement familières et reconnaissables, sont si anodines qu'elles montrent, plus fortement que chez n'importe quel autre artiste du pop art, le message purement formel de l'œuvre.

Ayant joué un rôle majeur dans la fondation du pop art en Grande-Bretagne dans les années 50, Paolozzi ne veut absolument pas être considéré comme un artiste pop et préfère être un surréaliste. Cependant il est presque impossible de considérer le pop art britannique des années 50 sans tenir compte de son œuvre et de ses étonnantes sculptures inspirées des machines et des lourds aspects industriels du paysage urbain, comme des relais de distribution d'électricité. *The Last of the Idols* (1963) combine de solides formes architecturales avec une roue, couronnée avec quelque chose qui pourrait être un isolateur électrique, dont la finition est une peinture rude comme celle des machineries lourdes.

Fait révélateur, ces œuvres (à partir de 1962) ont été fabriquées pour Paolozzi dans un atelier de constructions mécaniques et sont assemblées soit à partir de pièces disponibles sur catalogue, soit à partir de pièces fabriquées suivant les indications de Paolozzi. Plus que tout autre artiste

Patrick Caulfield
Pottery, 1969

lié au pop art, Paolozzi a poursuivi la logique jusqu'à utiliser des procédés industriels pour créer un art dont la source vient du monde industriel.

Joe Tilson est un artiste qui trouve aussi son inspiration dans le décor urbain, industriel et commercial, mais dont les buts esthétiques, dans presque tout son travail des années 60, sont très différents de ceux des artistes du pop art. Cependant, il réalisa un certain nombre d'œuvres purement pop, en particulier la série des *Transparencies* commencée en 1967 et comprenant des images de Iouri Gagarine, Che Guevara et des

Eduardo Paolozzi
The Last Idols, 1963

Joe Tilson
Transparency Clip O-Matic Lips, 1968

cinq sens ; l'une d'elles, *Transparency Clip-O-Matic Lips,* avec ses énormes lèvres luisantes et ses dents étincelantes, est une représentation étonnante, sans doute tirée d'une publicité pour un dentifrice.

L'Europe continentale

On a souvent montré que le pop art véritable, pour des raisons à la fois intellectuelles et sociologiques, était un phénomène anglo-saxon. Cependant, la révolte contre l'expressionnisme abstrait qui, en Amérique, donna lieu au pop art trouva à la même époque sa contrepartie en Europe continentale, où elle produisit un art clairement apparenté au pop. Cet art se comprend mieux dans le contexte du *nouveau réalisme,* mouvement fondé en 1960 par le critique Pierre Restany et un petit groupe d'artistes (dont Yves Klein et Arman). Le terme s'appliqua bientôt à tout artiste qui suivait cette tendance, qu'il ait fait ou non à l'origine partie du groupe.

Restany publia le premier manifeste du nouveau réalisme en avril 1960 à Milan (le nouveau réalisme devait opérer sur un axe France-Italie, les Allemands restant quelque peu à part). Il affirmait son rejet de la situation existante en art : « Nous assistons aujourd'hui à l'épuisement et à la sclérose de tous les vocabulaires établis, de tous les langages, de tous les styles »,

et continuait ensuite en proposant une solution : « Que nous propose-t-on par ailleurs ? La passionnante aventure du réel perçu en soi et non à travers le prisme de la transcription conceptuelle ou imaginative. » En dépit de la fermeté avec laquelle Restany déclare qu'il n'y aura pas de transformation intellectuelle ou imaginative de la source, il ne fait pas de doute que l'attitude des nouveaux réalistes devant la réalité urbaine était à la fois intellectuelle et romantique, alors que celle des artistes non anglo-saxons était intellectuelle et *froide* c'est-à-dire classique. Cela est rendu clair par Restany lui-même dans le second manifeste publié à Paris en 1961 : « Les nouveaux réalistes considèrent le monde comme un Tableau, le Grand Œuvre fondamental dont ils s'approprient des fragments dotés d'universelle signifiance. » Cette signifiance pour Restany était sociologique : « Et par le truchement de ces images spécifiques, c'est la réalité sociologique tout entière, le bien commun de l'activité des hommes, la plus grande république de nos échanges sociaux, de notre commerce en société qui est assignée à apparaître. »

Ce second manifeste du nouveau réalisme portait le titre « À 40° au-dessus de Dada », un clair aveu de la dette de Restany envers ce mouvement, et spécialement envers Duchamp. Comme les artistes américains et anglais du pop art, il prend les ready-made comme point de départ. « Dans le contexte actuel, écrit-il, les ready-made de Marcel Duchamp [...] prennent un sens nouveau. Ils traduisent le droit à l'expression directe de tout un secteur organique de l'activité moderne, celui de la ville, de la rue, de l'usine, de la production en série [...], le geste anti-art de Marcel Duchamp se charge de positivité [...]. Le ready-made n'est plus le comble de la négativité ou de la polémique, mais l'élément de base d'un nouveau répertoire expressif. »

Yves Klein est sans aucun doute de tous les nouveaux réalistes le plus original et le plus important ; il mourut prématurément en 1962. Ses objectifs différaient en fin de compte de ceux du groupe. Les œuvres de Klein qui sont le plus en rapport avec le nouveau réalisme sont ses *Anthropométries,* nus féminins réalisés par l'application de peinture à même le corps d'une femme dont il faisait l'empreinte sur une toile. Le réel intérêt de Klein n'était pas le monde extérieur, mais la réalité de l'art, et plus particulièrement la réalité de la couleur qui incarnait, estimait-il, l'essence de l'art. À partir de 1949, il exécuta un grand nombre de tableaux monochromes, en rose, bleu et or, et finalement en 1957, opta pour le bleu qui pour lui représentait l'essence de la couleur. Dans les dernières années de sa vie, il réalisa une série de cent quatre-vingt-quatorze tableaux, d'un bleu outremer pur, surnaturel, qui fut connu dans le monde de l'art sous le sigle IKB — International Klein Blue. Étant l'essence de la couleur, ce bleu pouvait être appliqué à n'importe quel support, et *Lecteur IKB Elégant* est l'une des nombreuses œuvres que Klein réalisa à partir d'éponges imprégnées de peinture bleue. Son portrait d'Arman, le buste en moulage de l'artiste peint en IKB et placé devant un fond doré à la feuille, est considéré par beaucoup comme son chef-d'œuvre.

Klein mis à part, les nouveaux réalistes peuvent être répartis en groupes suivant leurs approches et techniques. Premièrement les peintres : Alain Jacquet, Martial Raysse, Valerio Adami, Gerd Richter, Konrad Lueg et Winfred Gaul ; deuxièmement ceux qui usent de techniques d'assemblages

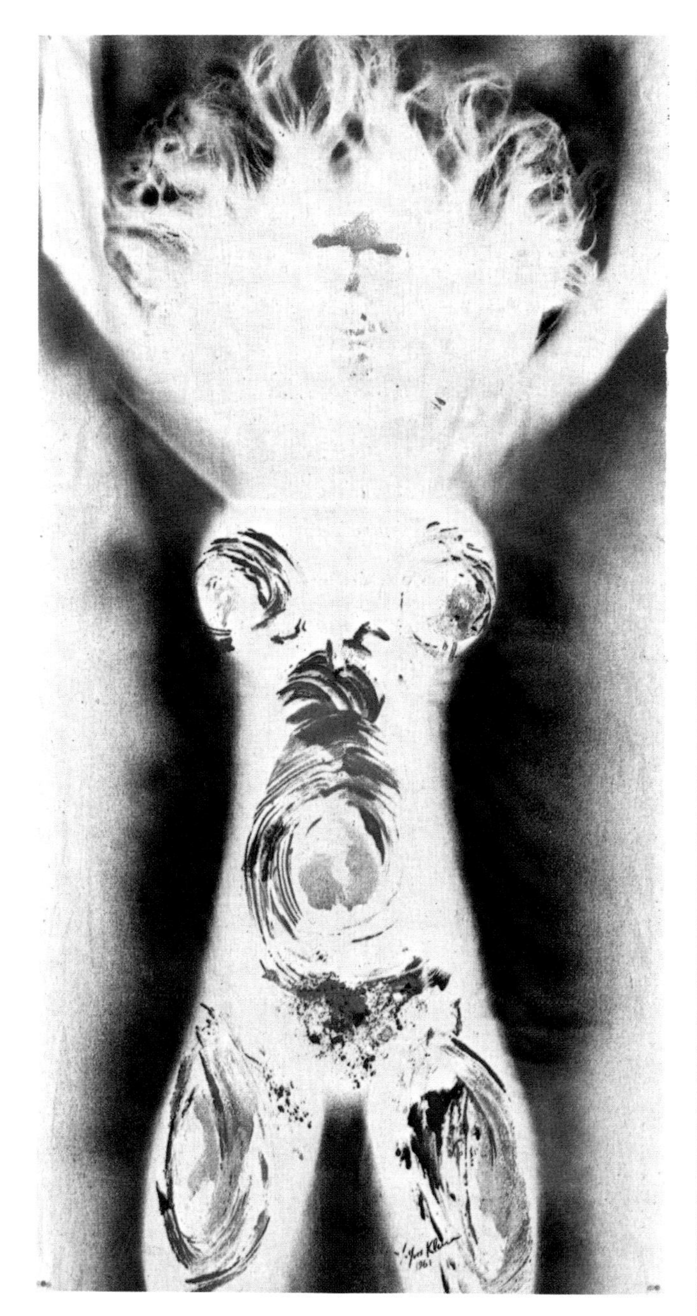

Yves Klein
Suaire ANT-SU 2 (Anthropométrie),
1962

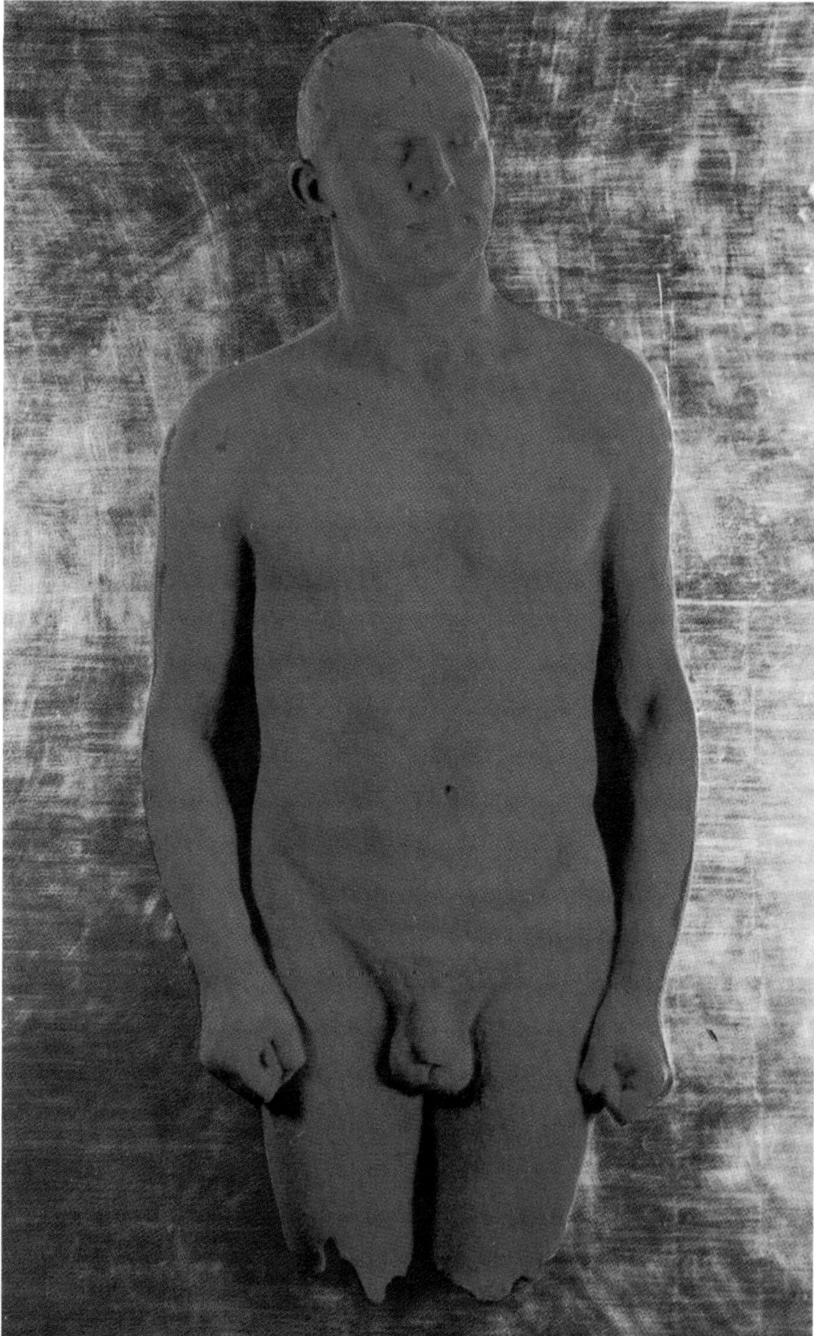

Yves Klein
Arman (PRI), 1962

mais pour des œuvres pratiquement bidimensionnelles restant proches de la peinture : Arman et Daniel Spoerri ; troisièmement, ceux qui utilisent des techniques d'assemblage dans des œuvres vraiment sculpturales, en trois dimensions : César et Christo ; quatrièmement, ceux qui utilisent le collage : Michelangelo Pistoletto et Oyvind Fahlström ; enfin, cinquièmement ceux qui pratiquent le décollage, c'est-à-dire la technique des affiches lacérées : Raymond Hains, Mimmo Rotella et Wolf Vostell.

Alain Jacquet travaille en sérigraphie, faisant ainsi passer ses images par des transformations successives qui les rendent de plus en plus abstraites. Le *Déjeuner sur l'herbe* fait partie de ses tableaux les plus connus, de la série qu'il appelle *Camouflages,* fondée sur des œuvres d'art très connues. Pour celui-ci, Jacquet a reconstitué la scène du fameux *Déjeuner* de Manet — Manet s'était lui-même inspiré, comme on sait, d'une fameuse gravure de Marcantonio Raimondi d'après Raphaël. Il a donc photographié des modèles vivants au bord d'une piscine. La photographie du groupe a été alors agrandie à un point tel qu'une fois sérigraphiée sur la toile, elle fonctionne autant comme un motif de couleurs abstrait, que comme une image figurative faisant référence à la fois à la vie et à l'art.

Valerio Adami dépeint le paysage urbain et de la banlieue, comme dans *Vitrine,* dans un style où les objets sont simplifiés, déformés, rendus abstraits au point d'être le plus souvent difficilement déchiffables ; ils sont peints en plages unies, avec de brillantes couleurs pop, et ernés de noir.

Martial Raysse est l'un des nouveaux réalistes les plus connus, en grande partie parce que de toutes les œuvres européennes, la sienne est la plus proche du pop art. Raysse a fait un grand usage des assemblages et des techniques mixtes, créant des tableaux intégraux comme son *Raysse Beach* qui utilise une piscine d'enfant gonflable, des équipements de plage en plastique de couleurs criardes et des photos de filles en maillot de bain ; mais ses travaux les plus intéressants, en ce qui concerne le pop art, sont ses peintures plus ou moins réalistes (bien qu'il y mette quelquefois des accessoires en néon) dans lesquelles des couleurs criardes et très synthétiques sont placées en surimpression sur des images de filles. Il a également exécuté une série de *tableaux affreux* sous le titre générique *Made in Japan* (cette expression étant dans les années 60 synonyme de pacotille, imitation...) : des œuvres de maîtres, l'*Odalisque* d'Ingres par exemple, étaient reproduites, comme les filles, en couleurs voyantes.

Valerio Adami
Vitrine, 1969

Les artistes allemands Gerd Richter et Conrad Lueg furent les organisateurs à Düsseldorf de la « Manifestation du réalisme capitaliste » de 1963, et tous deux prennent des photographies pour source de leurs tableaux, bien que les utilisant de manière différente. Richter peint le plus souvent des paysages ou des personnages en mouvement, mais il les rend flous pour transmettre une impression d'instabilité et d'échelle cinématographiques. Les tableaux de Lueg, au contraire, présentent des images fortes, aux contours précis, dans lesquelles les détails sont brouillés pour créer de larges zones abstraites de couleurs.

Winfred Gaul commença sa carrière comme peintre de paysages imaginaires, mais en 1961 découvrit à Rome l'environnement urbain et en particulier les feux et les panneaux de circulation. Après cela il ne peignit plus rien d'autre et il dit de ses tableaux que « leur esthétique est fondée sur les couleurs criardes et les formes gigantesques qui sont les nouvelles dimensions de la vie urbaine ; elles constituent un moyen d'expression qui a sa place parmi les gratte-ciel et les nouveaux bâtiments industriels, parmi les embouteillages et aux carrefours des autoroutes ».

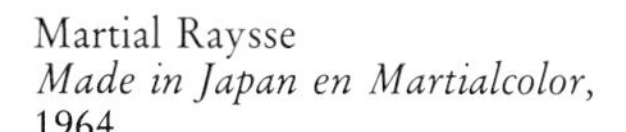

Martial Raysse
Made in Japan en Martialcolor,
1964

Arman (Arman Fernandez) est l'un des représentants les plus connus et les plus caractéristiques du nouveau réalisme. Déjà en 1959, avant la création du groupe, il réalisait ce qu'il appelle des *Allures,* consistant à laisser sur la toile des empreintes et des traces d'objets trempés dans la peinture. Et la même année, il commença à faire des assemblages, ce qui est resté sa principale technique d'expression. *Colère — Table cassée* (1961) est l'un de ses premiers assemblages d'objets quotidiens « cassés ou violemment endommagés » tous appelés *Colère.* À cette même époque, il explore l'esthétique de l'accumulation, empilant des objets sans valeur comme des capsules de bouteille, par exemple, qu'il présente dans des boîtes vitrées ou, plus tard, qu'il inclut dans des blocs de plastique transparent pour en faire de précieuses œuvres d'art. Une de ses accumulations les plus étonnantes est une sculpture pleinement tridimensionnelle, le fameux *Torse aux gants* de 1967 : des douzaines de gants de caoutchouc sont inclus dans un buste de femme en plastique transparent, créant l'impression troublante que la femme est tripotée de l'intérieur par des mains d'hommes désincarnées.

La technique d'assemblage de Daniel Spoerri implique une participation importante du hasard. Ces *tableaux-pièges* sont des dispositions fortuites

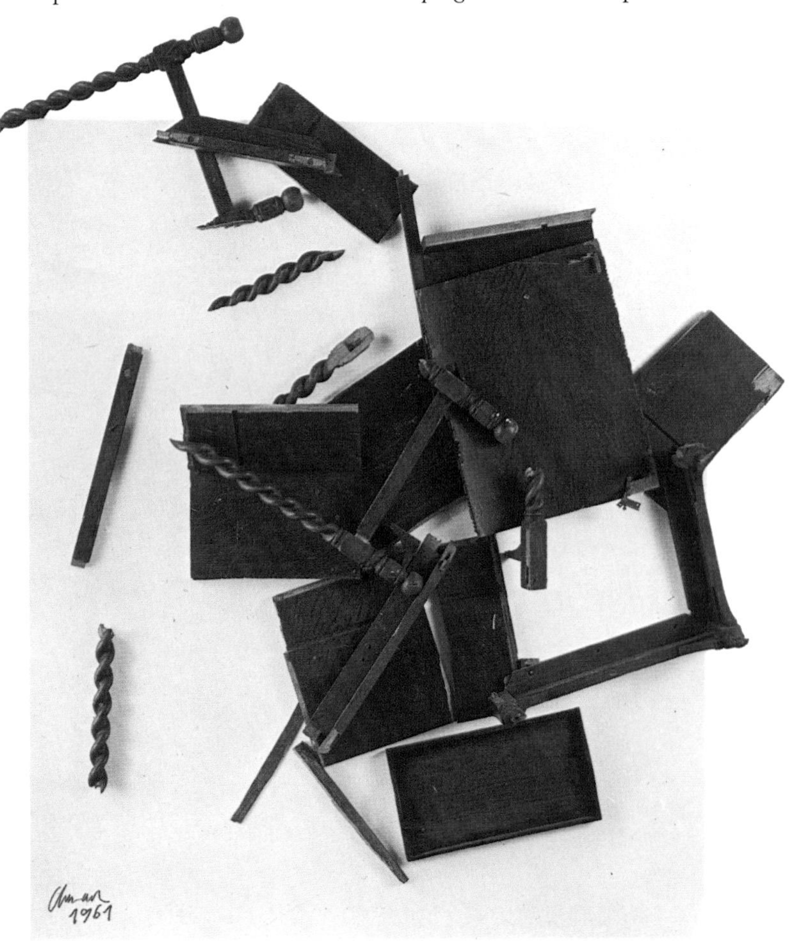

Arman
Colère - Table cassée

d'objets quotidiens, comme par exemple une table après un repas avec les verres sales, les miettes, les cendres dans le cendrier, littéralement piégés, fixés à une base puis accrochés au mur.

César (César Baldaccini), le plus éminent des sculpteurs nouveaux réalistes, a toujours été fasciné par les machines. De 1955 à 1960, il réalisa des sculptures faites de pièces mécaniques et de ferraille soudées ; et en 1960 il commence ses *Compressions,* des sculptures constituées de voitures ou de pièces automobiles compressées. Le matériau des sculptures est sélectionné par César lui-même ; il détermine aussi leur disposition dans le concasseur qui exécute la dernière partie du procédé.

Christo (Christo Javacheff) est un sculpteur qui travaille directement avec les objets existants, les emballant en paquets, plusieurs fois (la couche

César
Compression, 1960

finale étant quelquefois du polyéthylène transparent). La sculpture qui en résulte, comme sa merveilleuse œuvre du début, *Wrapped Bottle* (1958), prend une mystérieuse qualité poétique et invite le spectateur à s'interroger sans fin sur ce qu'il y a dedans, alors que l'objet banal d'origine reste intact à l'intérieur. Christo délaissa ensuite les objets pour se battre directement avec la ville elle-même et la nature. Il empaqueta son premier bâtiment en 1968 (le Kunsthalle de Berne) et, en 1969, emballa un mile de côte australienne près de Sydney.

Michelangelo Pistoletto utilise le collage d'une façon très personnelle. Il emploie des photographies grandeur nature de gens, le plus souvent dans des poses familières, quotidiennes, et — dans ses œuvres les plus

Christo
Wrapped Bottle, 1958

frappantes, comme *Homme qui lit* — qui ne seraient pas déplacées dans une galerie d'art. Ces images sont reportées sur du papier de soie et appliquées sur de grands miroirs d'acier poli. Le miroir reflète l'environnement dans lequel l'œuvre est exposée, donnant ainsi l'impression que le personnage de Pistoletto est réellement dans le même lieu que le spectacteur qui, à son tour reflété dans le miroir, fait alors partie de l'œuvre. Pistoletto dit que la première expérience réellement figurative de l'être humain est de se reconnaître dans un miroir.

L'utilisation du collage que fait Fahlström est unique, en cela que les éléments de ses tableaux sont mobiles, ce qui permet au spectacteur de manipuler et de réordonner cette iconographie complexe, relative entre autres choses à la politique, la science, le sport, les événements quotidiens ; et de donner au tableau un aspect et un sens nouveaux.

Le décollage, ou technique de l'affiche lacérée, de Hains, Rotella et Vostell a été un développement fructueux du nouveau réalisme. Leurs publicités lacérées sont une façon forte et directe de présenter l'imagerie publicitaire et d'évoquer en même temps vigoureusement les plus minables aspects de l'environnement urbain.

Wolf Vostell
Coca-Cola, 1961

P.G.

Pluralisme depuis 1960

Tout au long du XXe siècle, et plus particulièrement après la dictature de l'expressionnisme abstrait, on a vu s'élaborer des formes d'art puissantes et personnelles en réaction, le plus souvent, contre la morale prévalente et pour répondre, non à la théorie, mais à un désir d'expérience directe et authentique. Toutefois la prolifération, sur un rythme accéléré, de mouvements nouveaux constitue la caractéristique essentielle de l'art produit depuis le début des années 60. La tendance des artistes à réagir consciemment contre les dogmes de leurs prédécesseurs immédiats, conjuguée avec leur besoin de lutter contre l'isolement du travail d'atelier en se regroupant par affinités avec certains de leurs collègues, a souvent conduit à la naissance de nouveaux groupes, eux-mêmes fortement encouragés par les critiques, les marchands et les responsables des musées toujours à l'affût du dernier développement sur la scène de l'art. Une inquiétude très répandue leur faisait craindre d'être distancés, comme le furent les tenants du conservatisme qui, au tournant du siècle, avaient refusé l'avènement de la modernité. Ceci engendra une atmosphère propice aux expériences éloignées des goûts du grand public. La pression d'un marché plus puissant et en constante progression dans le domaine de l'art contemporain durant cette même période a également exercé une forte influence, spécialement aux États-Unis, lesquels ont fini par dominer le monde de l'art, désormais vraiment international, à la fois dans le domaine de la critique et dans celui, commercial, des galeries d'art pour la plupart installées à New York. Les effets de ces données économiques ont été manifestes non seulement dans la parodie, parfois grotesque, de l'inévitable obsolescence induite par la société de consommation — laquelle requiert de nouveaux produits-vedettes chaque saison —, mais surtout dans la réaction de certains artistes qui ont cherché à entièrement subvertir le système en abandonnant la fabrication de biens vendables au profit de formes artistiques qui ne se prêtaient pas, par nature, à de telles manipulations : il en est ainsi de l'art conceptuel, de l'art vidéo, des « performances » et du « land art ».

Étant donné l'emphase existentielle qui caractérise l'expressionnisme abstrait, sous l'empire duquel chaque trait de pinceau était considéré comme un signe authentique de la personnalité de l'artiste et un geste prouvant son libre arbitre, il était inévitable que les générations suivantes cherchent à démystifier à la fois procédé et contenu pour se débarrasser de cette signification romantique. De telles réactions furent déterminantes pour la naissance du pop art dans les années 50, et pour l'évolution et l'influence de ce mouvement au cours de la décennie qui suivit. On trouve

Philip Guston
The Studio, 1969

Kenneth Noland
First, 1958

Ellsworth Kelly
Red Blue, 1964

des signes de ce changement de mentalité à la fin des années 50 dans l'œuvre d'artistes américains tels qu'Helen Frankenthaler (née en 1928) et Morris Louis (1912-1962), dont les variations sur le thème du « dripping » pollockien firent perdre à ce dernier son caractère d'écriture véhicule de l'émotion ; Louis, en particulier, mit l'accent sur des actions simples telles que l'imprégnation de la toile au moyen de coulures ou de flaques appliquées en versant de la peinture acrylique diluée, ceci afin d'attirer l'attention sur les seules propriétés matérielles de l'œuvre, simple surface plane saturée de couleur.

Kenneth Noland (né en 1924), l'un des proches associés de Louis, tout en continuant à utiliser l'acrylique pour imprégner ses toiles plutôt que pour les peindre, introduisit dans son œuvre un dessin plus formel destiné à structurer couleur et surface. Dans un certain nombre d'œuvres, datant de la fin des années 50 ou du début des années 60, il utilisa un motif en forme de cible fait de cercles concentriques colorés — non pour traduire une sorte d'équivalence entre la peinture et l'objet réel, comme cela avait été le cas pour Jasper Johns quelques années plus tôt —, mais pour délimiter et permettre de juger avec précision les relations des couleurs entre elles ; parmi les prédécesseurs de cet art utilisant couleur et géométrie, on peut citer l'orphisme de Robert Delaunay et la série des *Hommage au Carré,* peintures presque scientifiquement rigoureuses de Josef Albers.

Louis, Noland et Frankenthaler, ainsi que d'autres artistes, tels que Frank Stella (né en 1936), Ellsworth Kelly (né en 1923), Al Held (né en 1928) et Jules Olitski (né en 1922) furent regroupés sous la bannière de la « Post-Painterly Abstraction » par le critique Clement Greenberg lors d'une exposition qui eut lieu en 1964. Ainsi que l'étiquette le suggère, Greenberg voyait chez ces artistes une réaction partagée contre l'importance accordée au geste du peintre dans un certain type d'expressionnisme abstrait, et défendit leur position comme étant une recherche sur l'essence même de la peinture prise en tant que simple surface plane et colorée. Kelly, qui était le plus âgé des artistes du groupe, avait travaillé en solitaire depuis la fin des années 40 et mis au point un vocabulaire concis à base de formes géométriques utilisant, au début, des éléments de bois peints inspirés de l'architecture moderne, pour en arriver, au commencement des années 60, à des formes aux couleurs vives très clairement délimitées, ce qui lui valut d'être identifié comme l'un des fondateurs de la « Hard-Edge Painting ». Comme la plupart des étiquettes, celle-ci est trompeuse car elle met l'accent sur un aspect technique mineur de l'œuvre, alors que l'intérêt de Kelly ne résidait pas tellement dans la définition linéaire du travail, mais plutôt dans la relation existant entre forme et couleur, et entre forme prise en tant que telle et nature. Un autre qualificatif celui de « Color Field Painting », est parfois appliqué à ce type de travail et à celui d'artistes américains plus âgés, tels que Barnett Newman et Mark Rothko ; il a l'avantage d'attirer davantage l'attention sur l'intérêt que portaient ces artistes aux effets produits sur de larges surfaces par des couleurs saturées. La prolifération, depuis les années 60, d'appellations nouvelles et de mouvements doit être appréciée avec un brin de scepticisme : ce qui commence comme un sigle utile pour identifier un dessein commun dégénère souvent en un label restrictif. Bien que le vocable « Post Painterly Abstraction » ait été destiné à rester plus une étiquette pratique qu'un mouvement cohérent et durable, il a permis de définir les paramètres applicables à une grande partie de l'art produit durant les années 60 : avec son rejet de la touche personnelle comme marque distinctive de la personnalité de l'artiste, il annonçait les surfaces anonymes de mouvements aussi différents que le pop art, l'op art ou l'art minimal ; en mettant l'accent sur la logique, il a ouvert la voie à l'art

Frank Stella
Sans titre, 1962 (?)

conceptuel, et en se concentrant sur les attributs les plus simples mais essentiels de la peinture, il préfigurait l'art minimal ; enfin, dans son désir de mettre à nu les propriétés physiques des objets en étudiant chaque geste nécessaire, il a créé un terrain favorable à l'intérêt que portèrent certains artistes à l'élaboration même de leur travail.

L'énorme influence de Greenberg et sa loyauté en tant que critique, tout en faisant beaucoup pour établir la réputation des artistes américains qu'il soutenait, eut finalement pour conséquence d'affaiblir la position de ceux qui se trouvèrent trop sous sa coupe, surtout à partir du moment où son autorité et ses partis pris formalistes passèrent de mode. Les artistes dont l'œuvre continua de se développer et d'influencer le monde de l'art, au moins aux États-Unis, furent ceux qui — comme Stella et Kelly — avaient dès le début su garder leurs distances. À la fin des années 50 et au début des années 60, Stella produisit quelques-unes des plus austères

David Smith
Cubi XXIV (Gate 1), 1964

Anthony Caro
Midday, 1960

et des plus exigeantes peintures de cette époque, au départ n'utilisant qu'une seule couleur — noir, aluminium ou cuivre —, et très vite ensuite les primaires en d'audacieuses combinaisons. Rejetant avec provocation les condescendantes intentions philosophiques des expressionnistes abstraits, il fit sien l'adage « Vous ne voyez que ce que vous voyez » (« What you see is what you see »), et s'attacha à créer des dessins simples à base de bandes uniformes reprenant directement la forme de la toile devenue objet : chaque raie, peinte dans une couleur pure et sans modulation aucune, correspondait en largeur à celle du montant de bois du châssis sur lequel était tendue sa toile. De grande taille et obéissant à de strictes règles de logique, les œuvres de Stella semblèrent faire place nette pour un réexamen des propriétés de la peinture. Commençant avec une grande économie de moyens durant les années 60, Stella peu à peu ajouta à son répertoire des éléments de plus en plus complexes : il explora les contrastes de couleurs, abandonna le rectangle traditionnel de la toile pour une série de formes différentes mais laissant toujours deviner la structure sous-jacente du châssis, introduisit des enlacements de demi-cercles reproduisant les formes classiques des outils du dessinateur. À la fin des années 70, il avait abandonné tout vestige de retenue et produisait de très grands panneaux faits d'enchevêtrements de reliefs métalliques aux formes vigoureuses et luxuriantes, couvertes de signes et de motifs exubérants, et apparemment arbitraires, comme s'il voulait témérairement parodier les gestes frénétiques des tenants de l'expressionnisme abstrait, ses prédécesseurs ; bien que, dans de telles œuvres, il semble en contradiction avec la logique et certainement l'austérité qui contribuèrent au renom de son art, Stella a continué, au travers de tous ces changements,

Henry Moore
Figure allongée, 1959-1964

à insister sur la justesse de l'une des définitions premières de la peinture moderniste : la décoration d'une surface (plane).

Le côté pratique qui domine dans l'œuvre de Stella est devenu l'un des traits marquants de l'art produit au cours des années 60. Ainsi, dans le domaine de la sculpture, l'Américain David Smith (1906-1965) a commencé, dès 1933, à allier création artistique et techniques de soudure métallique, atteignant une sorte de perfection dans sa série des *Cubi* (1961-1965) dont les surfaces brunies et les reflets métalliques sont d'une grande richesse picturale. De fait, Smith a redéfini les principes mêmes de la sculpture, qu'il s'agisse des matériaux et des méthodes, ou des relations entre l'œuvre sculptée et son piédestal ou son environnement, sans pour autant laisser ces points de vue formels occulter le contenu émotionnel de l'œuvre. Son influence sur le développement de la sculpture fut comparable à celle des peintres expressionnistes abstraits, ses contemporains. Ses idées furent reprises et développées par l'Anglais Anthony Caro (né en 1924), l'un des plus éloquents et influents sculpteurs de la jeune génération. Ce dernier, après sa rencontre avec David Smith et Clement Greenberg lors d'un voyage aux États-Unis en 1959, commença à sculpter des œuvres aux couleurs vives réalisées à partir d'éléments d'acier soudés qu'il laissait bruts pour ne pas avoir à travestir le matériau industriel initial et clairement montrer son intérêt essentiel pour les formes elles-mêmes ; une telle attitude était en totale contradiction avec les méthodes traditionnelles d'Henry Moore (1898-1986) — pour lequel Caro avait travaillé comme assistant au début des années 50 — qui accordait, lui, la primauté à l'imagerie et au processus de transformation du matériau, et restait aux yeux du grand public un artiste de stature internationale travaillant selon la grande tradition. Caro, de par son enseignement à la St. Martin's School of Art de Londres, donna une nouvelle direction à la sculpture anglaise ; au nombre de ses élèves, remarqués lors de l'exposition « New Generation » à la Whitechapel Gallery en 1965, il faut compter Philip King (né en 1934), auteur d'amusantes variations géométriques à base de matériaux industriels tels que le plastique et la fibre de verre, Tim Scott (né en 1937) et William Tucker (né en 1935).

L'une des caractéristiques les plus frappantes de l'œuvre de Caro est son élimination du socle conventionnel qui, jusque-là, servait à couper les sculptures de leur environnement direct. Les éléments supportant les constructions de Caro faisaient partie intégrante de l'œuvre, un moyen direct pour le sculpteur non seulement d'affirmer, comme cela était depuis longtemps le cas dans le domaine de l'architecture moderne, que la forme suit la fonction, mais aussi de chercher une confrontation plus directement démocratique entre l'œuvre et le spectateur en admettant leur interaction à un niveau littéralement terre à terre. Durant cette période, un désir similaire d'inclure le spectateur dans le système anima d'autres tendances artistiques, notamment l'op art et l'art cinétique. Pour les artistes tels que l'Anglaise Bridget Riley (née en 1931), et les Français Victor Vasarely (né en 1908) et François Morellet (né en 1926), le souci le plus important résidait dans l'acte de perception lui-même, souligné par les effets aveuglants, parfois même désorientants, produits sur la rétine par des assemblages sophistiqués de lignes, de formes et de couleurs. Par définition, de telles images requièrent, pour produire tous leurs effets, la

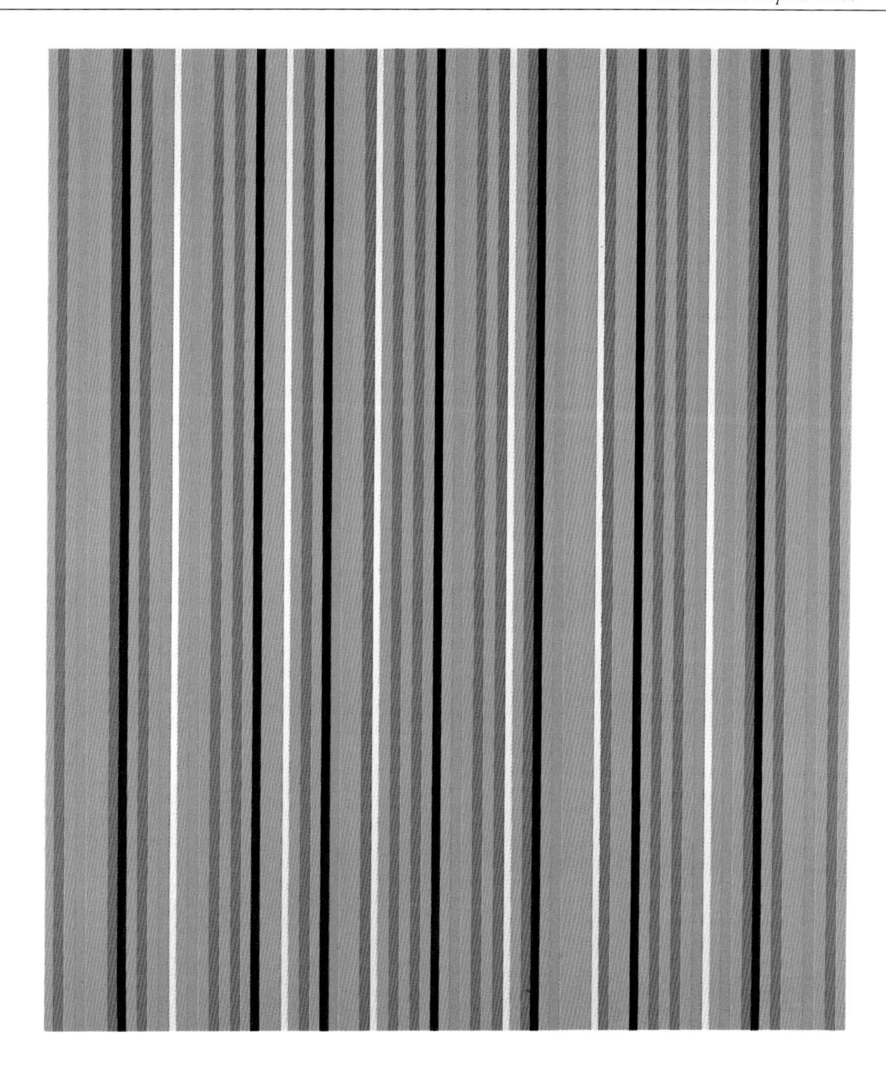

Bridget Riley
Sea Cloud 1981

participation active du spectateur. En dépit de la rapidité avec laquelle il fut accepté par la culture populaire, et imité dans le sillage d'expositions telles que *The Responsive Eye* l'essentiel de l'op art — qui dépendait, pour ses effets, de phénomènes largement connus des scientifiques — se révéla dans les mains de ses plus habiles praticiens beaucoup plus qu'une mode saisonnière ou qu'un « truc ». Riley, par exemple, fit suivre ses peintures de 1963, uniquement blanc et noir, de toiles dont les rayures colorées se déployaient, soit en lignes parallèles, soit en vagues d'épaisseurs différentes, et pouvaient être lues de plusieurs manières. Dans certains cas, trois couleurs seulement, juxtaposées de multiples façons, pouvaient réussir à créer l'illusion d'une infinité de couleurs par le simple artifice d'impressions optiques complexes. Tout en restant dans les limites strictes de son vocabulaire formel, Riley continue actuellement ses investigations en jouant sur d'infinies permutations.

L'op art est parfois traité comme une branche de l'art cinétique, car tous deux font intervenir la notion du mouvement : le mouvement réel, comme dans l'art cinétique, ou le mouvement implicite ou imaginaire, comme dans l'op art. La ligne de partage entre ces deux formes artistiques est parfois ambiguë ; il en va ainsi pour l'œuvre de l'artiste vénézuélien Jesùs-Rafael Soto (né en 1923), surtout connu pour ses constructions cinétiques en relief dans lesquelles des motifs constamment changeants sont générés par l'interaction optique de formes suspendues devant une surface plane couverte de lignes parallèles. La seule appellation du « Groupe de recherche d'art visuel », prise par le groupe français qui, durant son existence (de 1960 à 1968), rassembla entre autres Ivaral, le

Dan Flavin
Sans titre, 1976

Carl Andre
Aluminium-Copper Alloy Square,
1969

fils de Vasarely (né en 1934), et l'Argentin Julio Le Parc (né en 1928), souligne le ton quasi scientifique de cet art dans son ensemble. Contrastant cependant avec cette tendance, d'autres artistes cinétiques introduisirent dans leur art du mouvement des approches mystiques ou absurdes : le Grec Takis (né en 1925) imagina des environnements musicaux faits d'objets métalliques actionnés par électromagnétisme, tandis que le Suisse Jean Tinguely (né en 1925) s'amusait à créer des machines gauches et bruyantes, interminablement animées du même mouvement inutile.

Au milieu des années 60, le désir d'une confrontation directe avec le spectateur fut aussi l'une des forces de motivation de l'art minimal, un mouvement qui insistait sur la simplicité des formes et la clarté des idées, indispensables, selon ses tenants, à la création de peintures et de sculptures qui puissent être appréhendées dans leur totalité dès le premier coup d'œil. De façon paradoxale, leur économie de moyens, surtout lorsque l'œuvre était abstraite du contexte plus explicite d'une installation de groupe, entraîna la presque totale incompréhension du grand public ; il en fut ainsi, par exemple, pour une œuvre telle que *Equivalent VIII* de Carl Andre, un volume rectangulaire (formé de 120 briques ordinaires banalement empilées) défiant toutes les notions traditionnelles de prouesse technique et de composition. L'art minimal fut mené à sa plus extrême conclusion logique par certains sculpteurs américains, notamment Carl Andre (né en 1935), Donald Judd (né en 1928) et Dan Flavin (né en 1933), qui, utilisant des matériaux industriels, parfois dans leur forme préfabriquée du commerce, conçurent un art sophistiqué fait d'arrangements précis et d'intervalles. Dan Flavin, par exemple, utilisait comme constituants de base des tubes de lumière fluorescente de tailles et de

couleurs standard et les arrangeait en configurations simples, ou les alignait en une seule ligne lumineuse, transformant ainsi et rendant perceptible l'espace de la pièce dans laquelle ils étaient installés. Une conscience renforcée de l'endroit jouait également un rôle essentiel pour les « floor pieces » (sculptures au sol) de Carl Andre ; ses suites de plaques

Robert Ryman
Courrier, 1982

Agnes Martin
Sans titre XXI, 1980

Peter Joseph
Dark Ochre Colour with Red Border, 1977

métalliques posées bord à bord comme des échiquiers géants non seulement incitaient le spectateur à marcher sur l'œuvre même pour en tester la matérialité et l'encombrement au sol, mais souvent étaient conçues pour l'espace particulier d'une galerie ou installées de façon à attirer l'attention sur les caractéristiques mêmes d'une pièce.

Aussi bien Frank Stella qu'Ad Reinhardt, avec leur dicton « Less is more » (moins est encore trop), préfigurèrent et influencèrent l'accent mis sur la simplicité, qui est l'une des caractéristiques de l'art minimal ; « les peintures noires » d'Ad Reinhardt des années 1960-1966, consistant toutes en un presque invisible motif en forme de croix imposé sur le fond sombre d'une toile carrée, étaient conçues pour se confondre entre elles et obliger le spectateur à scruter la surface de l'œuvre pour y découvrir d'infimes variations de nuances et de tons. En face de telles œuvres, l'impression initiale de rapidité, d'évidence et de vide, encouragée de surcroît par leur présentation en séries de formats identiques, se transformait souvent en admiration pour les variations extrêmement subtiles décelables au sein d'une même œuvre, et d'une œuvre à l'autre. Dans le cas par exemple de Robert Ryman (né en 1930), chaque œuvre réalisée depuis la fin des années 1950 peut être décrite de façon ironique comme une toile blanche

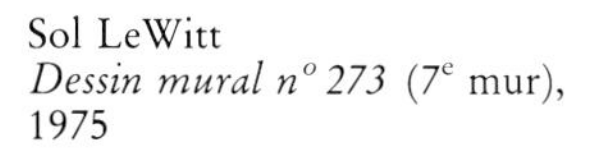

Sol LeWitt
Dessin mural n° 273 (7e mur),
1975

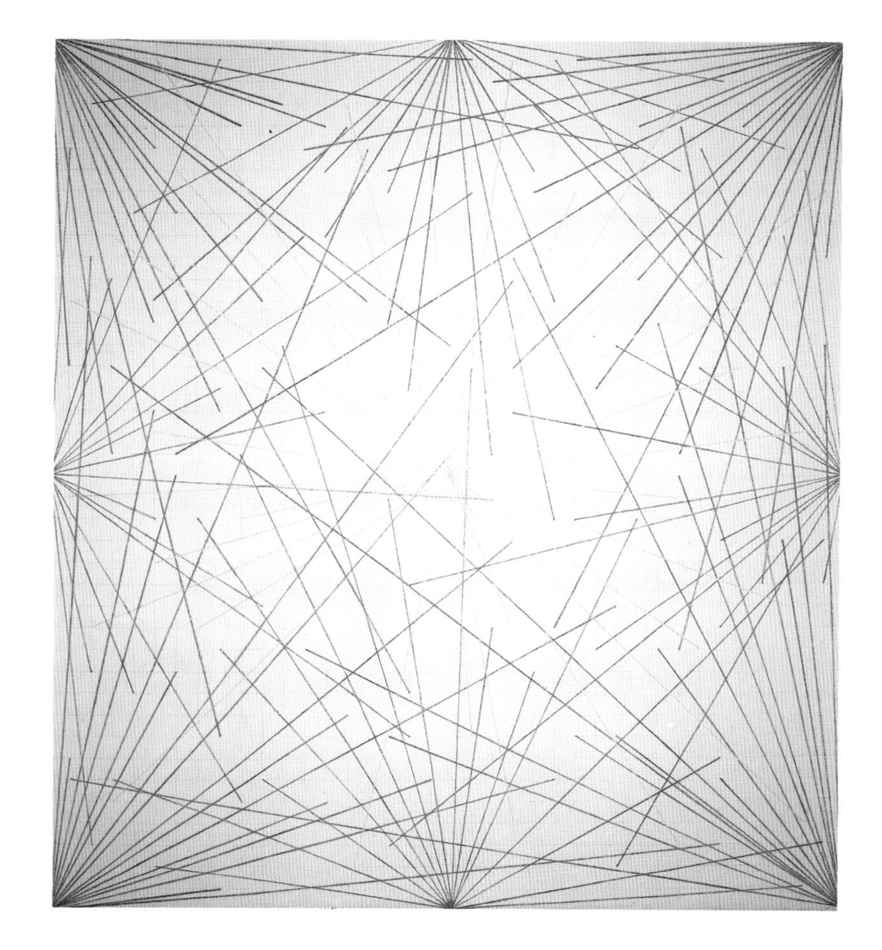

Donald Judd
Sans titre, 1981

de format carré, mais, à l'intérieur de cette définition restreinte, l'artiste a exploré presque toutes les possibilités de son médium : il a utilisé différents types de peinture, d'encre et de crayon (huile, acrylique, gouache, caséine, émail, plâtre, émulsion, pastel) sur des supports aussi variés que la toile tendue sur un châssis, le bois, le papier, le cuivre, l'acier et le Plexiglas ; il a également étudié les modifications entraînées par un changement dans l'échelle de l'œuvre et dans le travail du pinceau, et les variations possibles entre zone peinte et bordure de la toile ; enfin, il a attiré l'attention sur les différentes façons dont l'œuvre peut être fixée au mur. Bien que remarquable pour la clarté et la ténacité avec lesquelles il a systématiquement décortiqué son médium, Ryman n'est pas le seul des minimalistes qui soit parvenu à un tel niveau de sensibilité. Au cours d'une période sensiblement aussi longue, un autre peintre américain, Agnes Martin (née en 1912), s'est spécialisé dans des œuvres faites de lavis de couleur ou de quadrillages de crayon d'une telle délicatesse qu'elles sont pratiquement impossibles à reproduire, chacune d'entre elles traduisant néanmoins des impressions de lumière ou de paysages très spécifiques. De même, le peintre anglais Peter Joseph (né en 1929) a concentré son attention, depuis le début des années 70, sur toutes les variations possibles d'un même format — un rectangle de couleur uniforme entouré d'une bordure d'une tonalité différente — pour traduire des attitudes introspectives.

Bien que le minimalisme se soit révélé suffisamment souple pour accueillir de tels raffinements de sensibilité et d'émotion, c'est pour sa

Richard Artschwager
Table à la nappe rose, 1964

rigueur souvent mathématique et sa logique que ce mouvement reste le plus connu. Les sculptures de Carl Andre, aussi bien que celles de Sol LeWitt (né en 1929), ont exploré les permutations numériques ; l'œuvre parfaitement mal comprise d'Andre (son entassement de briques, mentionné plus haut), par exemple, était l'une des quatre sculptures conçues en 1966 pour une exposition intitulée *Équivalents,* pour laquelle il empila le même nombre de briques en quatre configurations différentes,

Peter Kinley
Battleship, 1985

Robert Morris
Sans titre, 1970

afin de montrer les transformations possibles d'un même volume de matière obtenu à partir d'un nombre identique d'éléments semblables. LeWitt, de son côté, créait dans les années 60 des installations, grandes comme la pièce elle-même et fondées sur un schéma en forme de grille, qui lui permirent d'explorer toutes les modifications qu'il était possible d'infliger à une forme aussi simple que le cube ; par la suite, il fit des dessins muraux conçus à partir de principes si stricts qu'il pouvait, grâce à ses instructions, en laisser l'exécution à d'autres. Une telle confiance mise dans les assistants et même dans le processus industriel — qui caractérise également les œuvres de Donald Judd — détourna l'attention de l'exécution, que l'on supposait être aussi impersonnellement parfaite que celle d'un objet industriel produit en série, vers la forme, qui devenait la matérialisation visible d'une idée. Judd, quant à lui, s'est intéressé aux propriétés des différents matériaux — parmi eux, le contreplaqué, le fer galvanisé, l'acier inoxydable, l'aluminium anodisé et le Plexiglas — et aux problèmes de proportions qu'il a manipulés de façon aussi rigoureuse que les architectes ou les tenants de l'art classique.

Pour un mouvement fondé sur des notions aussi simples, l'art minimal a duré beaucoup plus longtemps qu'on ne pouvait le prédire, à la fois chez ses initiateurs et chez ceux qui travaillèrent dans le sillage des premiers. Dès 1964, un an avant que le mouvement ne reçoive son nom, un autre artiste américain, Richard Artschwager (né en 1924), créait des sculptures faites de formica sur bois dans lesquelles le cube minimaliste était remplacé par l'image d'un objet courant, un meuble par exemple ; à la fois illusion et traduction littérale de son identité d'objet réalisée à

Barry Flanagan
Heap II, 1968

partir de matériaux synthétiques modernes, l'œuvre d'Artschwager soulevait des questions dérangeantes sur des sujets aussi essentiels que l'interprétation et la fonction de l'art. Parmi les autres artistes qui entretinrent une relation personnelle avec le minimalisme, il faut citer le peintre autrichien devenu anglais Peter Kinley (1926-1988), qui, depuis le milieu des années soixante, utilisait un mode de représentation d'une simplicité emblématique pour traduire ses réponses tout à fait personnelles à la nature, aux animaux, et à la vie domestique. Dans une œuvre récente,

Jannis Kounellis
Sans titre, Athènes, 1985

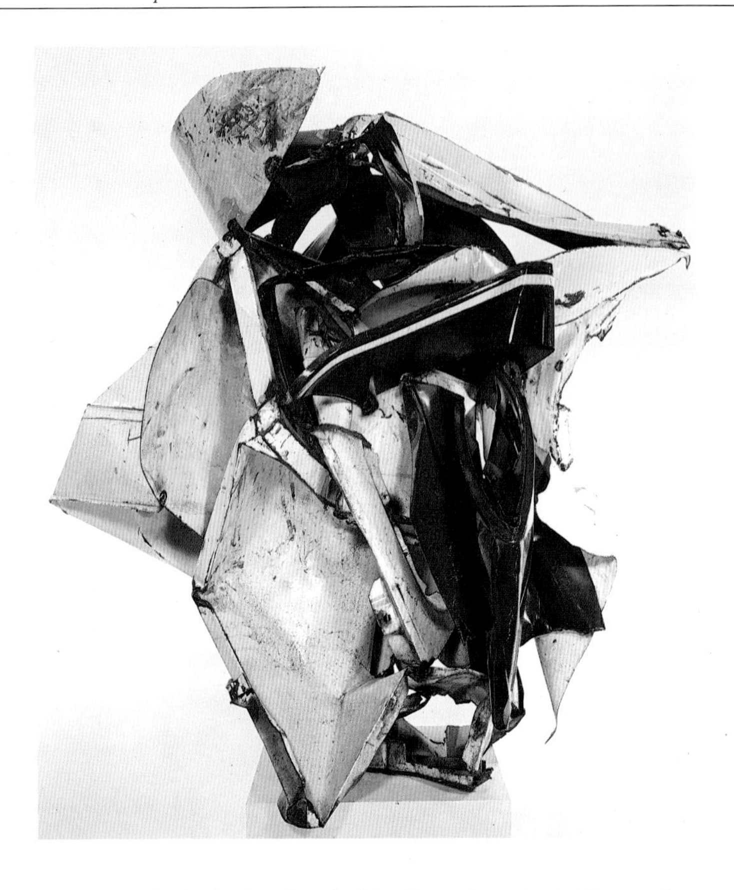

John Chamberlain
Captain O'Hay, 1961

par exemple, intitulée *Battleship* (Le cuirassé, 1985), une image généralement considérée comme sinistre se matérialise par l'entremise de traits de pinceau d'une grande tendresse ; l'artiste a reconnu que, loin d'être une image d'agression militariste, il s'agissait pour lui d'une métaphore ou

Stephen Buckley
Many Angles, 1972

Joseph Beuys
Terremoto, 1981

Eva Hesse
Sans II, 1968

d'un véhicule traduisant sa vision personnelle du courage et de sa capacité à réagir devant l'adversité. Bien qu'ils n'aient jamais été considérés comme minimalistes, Kinley et les autres artistes qui, à l'instar de Susan Rothenberg (née en 1945), utilisent un langage d'une aussi extrême

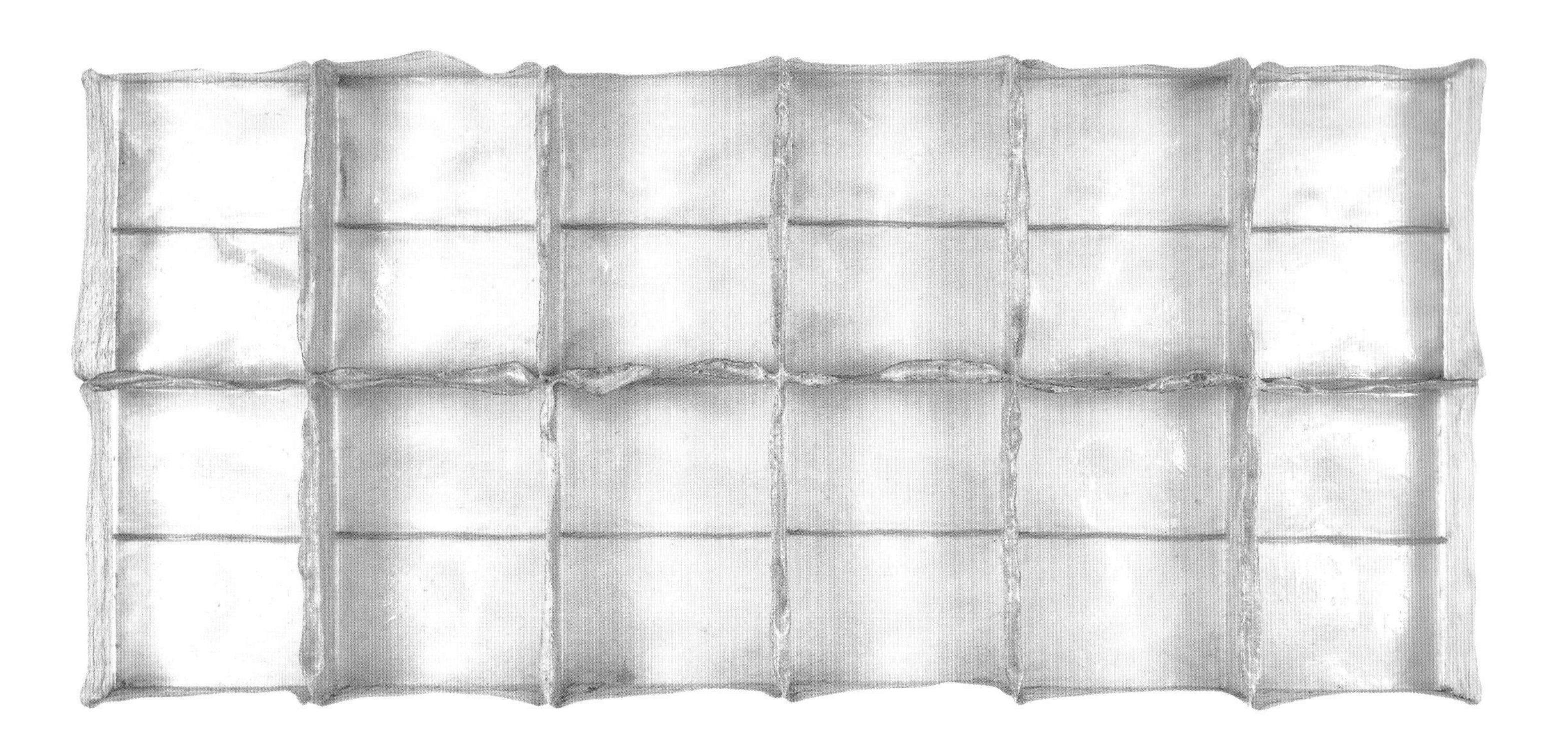

économie, ont continué à démontrer les possibilités qu'offrent ces formes de représentations pour l'expression, non seulement d'une logique rigoureuse, mais aussi d'émotions très personnelles.

Robert Morris (né en 1931), un des artistes américains associés aux origines du minimalisme, joua également un rôle capital dans le développement, à partir du minimalisme, de nouvelles formes d'art qui insistaient plus particulièrement sur le procédé de création. Dans un article remarqué intitulé « Antiform », paru dans *Artforum* en avril 1968, Morris rejetait la forme comme une fin en soi, au profit du hasard, de méthodes vagues et de matériaux indéterminés dans le but de créer des objets éphémères ou modifiables. Parmi les méthodes qu'il citait, notons « l'empilage de fortune, l'entassement en vrac et l'accrochage flottant ». Les matériaux dont il préconisait l'emploi pouvaient être aussi évanescents que la vapeur ou aussi malléables que le feutre. À partir de ce dernier médium, il réalisa à la fin des années 60 et au début des années 70 un certain nombre de grandes tapisseries ; certaines d'entre elles faisaient montre d'une ressemblance plus que passagère avec les peintures de Pollock et de Louis, lesquelles avaient préfiguré cette prééminence accordée aux méthodes de hasard et aux formes découlant du procédé.

L'art né du procédé (« Process Art »), bien qu'il ne fût jamais identifié en tant que tel ou promu comme un mouvement cohérent, constitua une importante force aussi bien en Amérique qu'en Europe à la fin des années soixante. Dès le début de la décennie, l'artiste pop Claes Oldenburg avait conçu des sculptures représentant des objets ordinaires, élargies jusqu'à leur donner des dimensions héroïques et créées à la fois dans une version « dure » et dans une version « molle ». À partir de telles expériences, réalisées sur des configurations malléables, émergea un nouveau type de sculpture qui devint connu sous le vocable « d'art mou » (Soft art). En Europe, une grande partie de ce type d'art, favorisant des matériaux considérés autrefois comme non artistiques, se présenta sous la bannière de « l'arte povera », ou art pauvre ; parmi les artistes associés à ce mouvement figurent l'Allemand Joseph Beuys (1921-1986), ainsi que les Italiens Mario Merz (né en 1925), Giulio Paolini (né en 1940), et l'artiste Jannis Kounellis, grec de naissance (né en 1936). La diversité des méthodes

Ed Kienholz
Portable War Memorial, 1968

Richard Long
England, 1968

et des associations pouvait englober des procédés industriels et techniques, comme on le vit, spécialement aux États-Unis, avec les sculptures de John Chamberlain (né en 1927), faites de fragments de carrosseries de voiture compressées, ou avec les lignes de plomb fondu que Richard Serra (né en 1939) obtenait en jetant violemment le métal contre murs et sols, à l'endroit même de leur jonction. Ces méthodes pouvaient, cependant, prendre des formes beaucoup plus domestiques ou prosaïques, comme par exemple dans *Heap,* amas de tissus colorés présenté comme une sculpture par le Britannique Barry Flannagan en 1968, ou dans les peintures des artistes anglais Richard Smith et Stephen Buckley (né en 1944) qui mettaient l'accent sur les méthodes ordinaires de construction telles que pliage, ficelage, agrafage, piqûre ou vissage. Pour l'artiste américaine d'origine allemande Eva Hesse (1936-1970), la relation établie avec le spectateur au travers de la révélation consentie de ses méthodes de travail pouvait comporter l'utilisation de matériaux transparents — tels que la fibre de verre — qui très clairement laissaient voir leur structure, et une équivalence métaphorique entre des formes organiques pendulaires et le corps humain. Pour Joseph Beuys, des matériaux très particuliers, comme le feutre ou la graisse, véhiculaient une mythologie d'ordre essentiellement intime, enracinée dans des expériences remontant à l'époque de la guerre où le fait survivre et de se protéger fut, pour lui, capital ; sa tendance à un certain ésotérisme fut néanmoins tenue en échec par son sens inné pour les qualités intrinsèques des matériaux, et par les réactions émotives et les sensations physiques engendrées par la sculpture qu'il concevait comme un environnement. Une de ses dernières œuvres importantes, une installation intitulée *Plight* (Condition, 1985) à la galerie

Robert Smithson
Spiral Hill, Emmen, 1971

Anthony d'Offay, à Londres, nécessita l'obturation totale de l'endroit au moyen de ballots de feutre, ceci pour créer un abri — ou une espèce d'espace semblable au sein maternel — clos, immobile, silencieux, chaud et engendrant presque la claustrophobie. Au travers de telles œuvres et de quelques performances ou conférences, Beuys, se présentant comme un shaman, réussit à établir la transcendance de l'esprit et des forces élémentaires sur la matière. Sans avoir jamais été peut-être totalement compris, il est demeuré, surtout en Allemagne, une personnalité éminemment influente en raison de ses théories sur l'art pris comme instrument capable de guérir les maux de la société.

Pour Beuys et quelques autres artistes des années 60, l'espace de la galerie n'était pas simplement un réceptacle neutre ou passif pour leur art, mais une composante essentielle de l'œuvre. Le rôle accordé, par exemple par les artistes minimalistes, à la présentation de leurs travaux ne relevait pas de la seule astuce professionnelle ou commerciale, mais constituait un moyen d'expliciter leurs œuvres, prises individuellement ou en groupe dans un contexte spécifique ; ainsi que Barnett Newman l'avait affirmé quelque temps auparavant en inventant le mot « hereness » (approximativement traduisible par « l'immédiateté de la présence »), les artistes minimalistes aussi bien que certains compositeurs de musique, tels que Steve Reich et Philip Glass, recherchaient une convergence de la perception et de la présence physique entraînant une conscience instantanée des particularités d'un endroit donné. Résultant de cette insistance à faire de l'exposition elle-même une œuvre d'art, des artistes d'allégances stylistiques différentes mirent l'accent sur l'installation entendue comme un tout et non plus à travers ses diverses composantes. L'art de l'environnement, pris dans ce sens spécifique, a des précédents historiques — par exemple des œuvres de Claes Oldenburg, qui

Christo
Wrapped Coast - Little Bay, Australia, 1969

précédèrent l'époque pop telles que *The Street* (1960) et *The Store* (1961)—, mais ce qui n'était au début qu'étalage temporaire à la manière d'un décor de théâtre, est devenu monnaie courante pour des artistes qui, par ailleurs, ont peu de chose en commun, qu'il s'agisse du style ou du sujet. Les installations, souvent mystérieuses, de Jannis Kounellis essayent de conserver des traces de leur propre élaboration, comme par exemple des taches de suie sur les murs de la galerie. Il est cependant difficile de rapprocher ces dernières œuvres des environnements très particuliers mis en scène par l'Américain Edward Kienholz (né en 1927), ou des manifestations relevant du rêve conçues par le jeune artiste américain Jonathan Borofsky (né en 1942). Pour tous, cependant, les relations qui s'établissent avec l'œuvre globale ont plus d'importance que celles établies avec ses différentes composantes.

À la fin de la décennie 60, cet intérêt pour l'œuvre d'art entendue

Stuart Brisley
And for today - Nothing, 1972

Robert Wilson
Plan fixe extrait d'*Einstein on the Beach*, 1976

globalement, combiné avec le désir d'échapper aux manipulations commerciales et au cadre étouffant des galeries et des musées, conduisit à la naissance de nouvelles formes d'art connues maintenant sous le nom de « land art » ou « earth art ». Les travaux des plus importants tenants de cet art, spécialement aux États-Unis, avaient pour objet de vastes étendues de territoire dans des endroits reculés et supposaient l'interaction de l'homme et de la nature, la terre devenant alors le matériau brut à sculpter. Étant donné l'immensité du continent américain et l'existence sur celui-ci de grandes zones désertiques ou inhabitées, il était sans doute inévitable que la plupart des artistes associés à cette tendance fussent américains et que leurs œuvres fassent preuve de gigantisme ; tel est le cas avec Michael Heizer (né en 1944), Dennis Oppenheim (né en 1938) et Walter de Maria (né en 1935). D'autres artistes, comme les Anglais Richard Long (né en 1945), Hamish Fulton (né en 1946) et David Tremlett (né en 1945), partirent à la recherche de lieux où ils pourraient entrer en communion avec la nature et se rendirent dans des endroits aussi inhospitaliers que le Groenland, ou aussi lointains que le Tibet. Les actions implicites entreprises sur le terrain étaient, pour la plupart, directes et immédiates : terrassement, enlèvement de terre, déplacement de pierres ou de rochers, et restructuration totale d'un site pour lui conférer une forme élémentaire et symbolique, telles furent les actions de Robert Smithson (1938-1973) lorsqu'il réalisa sa *Spiral Jetty* (une digue de 457 mètres de long en forme de spirale, faite de boue, de cristaux de sel et de blocs de rocher, installée en 1970 à Rozel Point, près du grand lac salé, en Utah) ou sa *Spiral Hill* (une colline dont la base atteignait presque 23 mètres, réalisée en 1971 à Emmen, en Hollande, en utilisant du terreau noir et du sable blanc). Les manifestations relevant du land art pouvaient aussi ne faire intervenir que de subtiles modifications apportées au paysage, modifications indiquant le passage de l'homme au travers d'un environnement jusque-là intouché, comme par exemple dans *England* de Richard

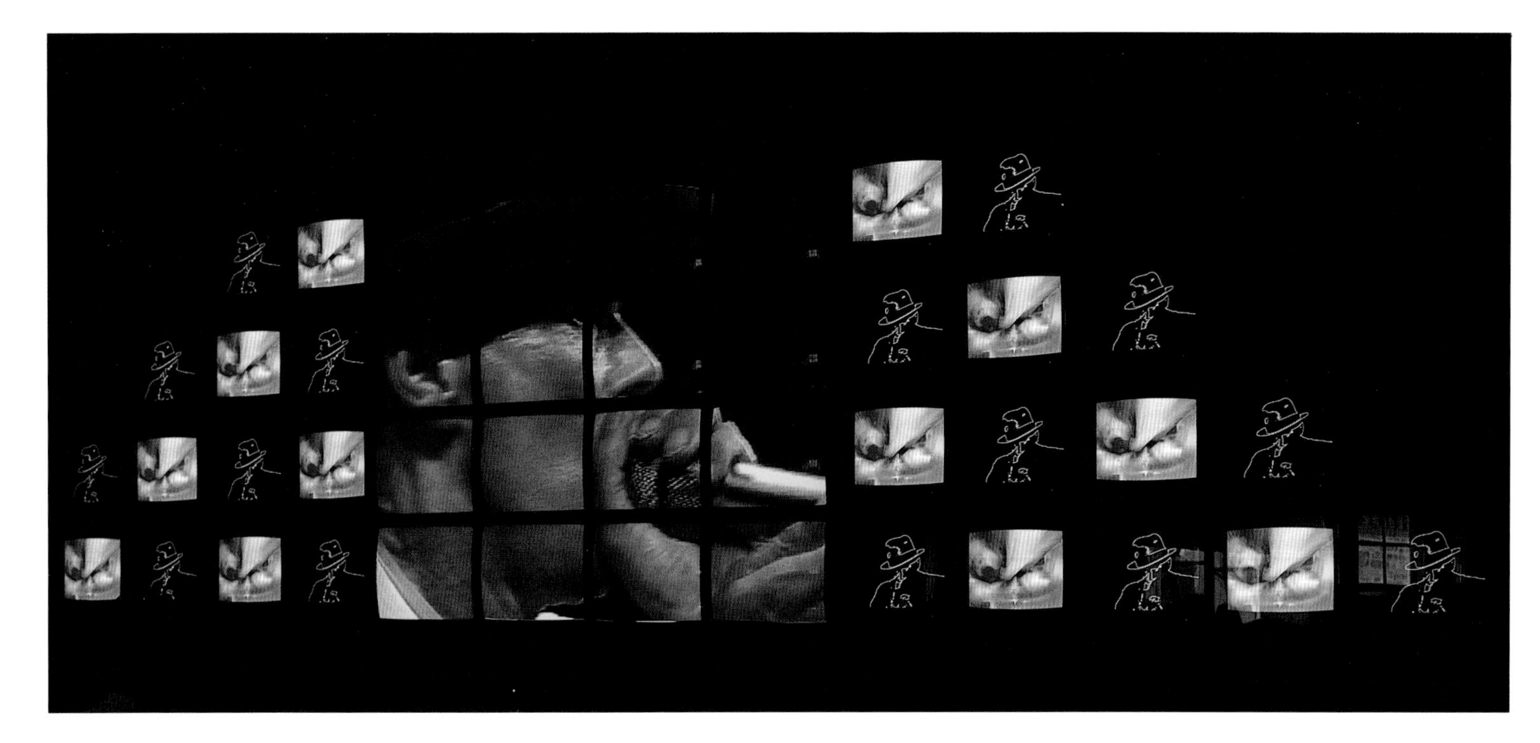

Nam June Paik
Beuys-Voice, 1987

Long, où une grande lettre X avait été dessinée dans un pré en coupant simplement les têtes des marguerites ; ces œuvres, connues seulement au moyen de la photographie, étaient par définition temporaires, puisque le cycle de destruction naturelle fait partie intégrante du système. Dans ce type d'art, il est souvent arrivé que l'expérience directe n'ait été le fait que de l'artiste lui-même ; le spectateur doit, quant à lui, reconstruire l'œuvre en imagination au moyen de photographies, de cartes et de notes

Joseph Kosuth
One and three chairs, 1965

Marcel Broodthaers
La Salle Blanche, 1975

manuscrites à l'accent parfois ouvertement poétique ; il en est ainsi pour l'œuvre de Hamish Fulton, par exemple. Long conçut également des travaux destinés à être montrés dans des galeries, notamment des installations au sol qui n'étaient pas sans ressembler parfois aux œuvres minimalistes d'Andre, mais qui conservaient un lien voulu au travers de leurs matériaux — amas de pierres ou de bois flottés — avec certains lieux et devaient permettre de relier entre eux les deux environnements et les deux expériences. D'autres tenants du land art gardaient, en particulier aux États-Unis, un intérêt pour la sculpture au sens traditionnel du terme ; ainsi Christo conçut-il des œuvres où la forme et la masse de grandes étendues de terre se trouvaient redéfinies par d'énormes métrages de tissu, comme par exemple à Sydney en Australie *(Wrapped Coast,* 1969), ou dans le Colorado *(Valley Curtain,* 1971).

Si une grande partie du land art traduisait un désir nostalgique d'échapper à la civilisation aussi bien qu'à la corruption de l'art par son exploitation commerciale, des motivations similaires encouragèrent le développement d'une autre forme d'art durant les années 60 : le « performance art » (ou « actions » artistiques). Bien que l'on puisse faire remonter ses origines jusqu'aux provocations théâtrales du début du siècle mises en scène par les futuristes, les constructivistes russes, les dadaïstes, les surréalistes et autres artistes modernistes, ce n'est qu'à la fin des années 50 qu'il commença à prendre forme de façon plus explicite comme une authentique expression artistique, au travers par exemple des happenings organisés par certains artistes proches du mouvement pop, tels qu'Allan Kaprow (né en 1927), Claes Oldenburg, Jim Dine (né en 1935), Red Grooms (né en 1937), Robert Whitman (né en 1935) et Robert Rauschenberg. Aussi bien pour l'artiste que pour l'assistance ces « actions » se révélèrent parfois des expériences épuisantes à la fois physiquement et

Victor Burgin
A Promise of Tradition, 1976

intellectuellement ; par exemple *How to Explain Pictures to a Dead Hare* et *Twenty-four Hours* (deux « actions » de Joseph Beuys datant de 1965), de par leur nature conflictuelle et leur aspect introspectif, demandèrent à la fois un haut niveau de concentration et une grande résistance physique. Les prouesses d'endurance et la douleur physique auxquelles certains Européens, tels que Hermann Nitsch (né en 1938), Günter Brus (né en 1938), Arnulf Rainer (né en 1929), Gina Pane (née en 1939) et Stuart Brisley (né en 1933), soumirent leur corps, avaient souvent les accents

Barbara Kruger
Sans titre (I shop therefore I am), 1987

Daniel Buren
Les deux plateaux, 1986

Malcom Morley
SS Amsterdam in front of Rotterdam, 1966

expressionnistes et rituels d'un acte de pénitence d'ordre social ou religieux. Les artistes associés au mouvement du « body art », comme par exemple les Américains Scott Burton et Lucinda Childs, utilisèrent le corps humain comme un élément sculptural permettant de prendre conscience de la notion de l'espace et du temps ; d'autres, comme le groupe canadien « General Idea » (formé en 1968 par A.A. Bronson, Felix Partz et Jorge Zontal), le duo britannique de Gilbert et George (nés respectivement en 1943 et 1942) et l'artiste écossais Bruce McLean (né en 1944), démasquèrent, par l'humour et le vaudeville, les comportements humains et les prétentions du monde de l'art. Ces « actions » pouvaient être soit improvisées et spontanées, soit aussi complexement prévues et visuellement exigeantes que les ambitieux événements théâtraux mis en scène par l'Américain Robert Wilson (né en 1941), par exemple lorsqu'il collabora avec le compositeur Philip Glass à la création, en 1976, de l'opéra *Einstein on the Beach.* Autrement dit, les « actions », bien qu'elles n'aient jamais touché un très vaste public, se sont révélées être dans leur domaine aussi flexibles et variées que toute autre forme d'art. Le côté éphémère et l'absence de l'aspect marchand qui avaient, au départ, attiré de nombreux artistes contribuèrent néanmoins à la marginalisation de ce

Richard Estes
Paris street-scene, 1973

type d'art ; nombre de ses adeptes, peintres ou sculpteurs, revinrent en fin de compte à une production plus conventionnelle.

Le performance art, bien que particulièrement lucide lorsqu'il mettait davantage l'accent sur le développement d'une action dans le temps que sur la création d'un objet défini, ne fut que l'une des formes d'expression qui, durant cette période, défièrent les priorités artistiques traditionnelles. L'art vidéo – inauguré au début des années 60 par le Coréen Nam June Paik (né en 1932) et quelques autres – dépendait, lui, des sensations

Duane Hanson
Tourists, 1970

physiques que rendaient possibles les derniers développements technologiques : des récepteurs de télévision, utilisés non en tant que tels mais comme intermédiaires, permettaient de transmettre une expérience moderne spécifiquement contemporaine ou de conserver pour la postérité une « action » qui, en d'autres circonstances, aurait été fugitive. Ce système offrait, notamment à Paik, des moyens adéquats pour exprimer et, à la fois, remettre en question le harcèlement des sens par les mass media. Tous ces mouvements hors des sentiers battus — process art, land art et performance art — laissaient présager l'accent mis, à la fin des années 60, sur l'idée génératrice au détriment de l'objet. Dans sa forme la plus extrême — l'art conceptuel —, cette tendance en arriva à présenter l'idée comme étant l'œuvre d'art même. Dans un essai intitulé « Art after Philosophy » (L'art d'après la philosophie), publié dans « Studio International » en octobre 1969, le chef de file américain de l'art conceptuel, Joseph Kosuth (né en 1945), citait l'invention par Marcel Duchamp du « ready made non assisté » comme l'événement capital ayant fait passer l'essence de l'art, de

Gilbert and George
Sleepy, 1985

Cindy Sherman
Sans titre n° 98, 1982

l'« apparence » à la « conception », « du langage formel au dit du langage ». L'œuvre de Kosuth consistait souvent en agrandissements photographiques de définitions tirées du dictionnaire, présentées comme équivalents de l'objet véritable ou de leur représentation photographique. L'essentiel de l'art conceptuel fut basé sur le texte, le mot écrit se substituant au signe visuel, comme par exemple ces phrases peintes à la main sur les murs des galeries par l'Américain Lawrence Wiener (né en 1940) ; bien qu'une grande partie de cet art relève d'un intellectualisme quelque peu pédant et ampoulé, Weiner a continué dans son travail récent à utiliser les mots pour leur pouvoir de suggestion visuel — comme par exemple dans *BILLOWING CLOUDS OF FERROUS OXYDE SETTING APART A CORNER ON THE BOTTOM OF THE SEA*, de 1986 (que l'on peut traduire approximativement par « nuages ondoyants d'oxyde de fer délimitant un coin au fond de la mer ») —, démontrant ainsi le pouvoir que conservent le langage et la mémoire pour transmettre une expérience personnelle. Le Belge Marcel Broodthaers (1924-1976) est un autre exemple d'artiste savourant les échanges paradoxaux entre mots, objets et images ; son conceptualisme se rattachait, au moins en partie, aux paradoxes du surréaliste René Magritte ; par exemple, dans une installation intitulée *La Salle blanche* (1975), il reconstitua en bois les surfaces de deux pièces de sa maison sur lesquelles il porta des références à la fois à des images traditionnelles de la peinture (ombre, lumière du jour, nuages) et à des objets utilisés dans le procédé de création ou de promotion de l'art (toile, chevalet, galerie, pourcentage, musée).

Duane Michals
The Unfortunate Man, 1976

L'art conceptuel, en dépit de l'apparent affront qu'il faisait au marché de l'art, restait étroitement dépendant de celui-ci pour pouvoir s'exprimer ; sorti des galeries ou des musées, il courait le risque de n'être plus reconnu comme art. Le plus important artiste conceptuel français, Daniel Buren (né en 1938), en fondant son œuvre sur les changements infligés par différents environnements à un unique détail visuel — un motif simple de rayures alternées —, tourna cette difficulté en un avantage ; par l'usage constant qu'il fit des rayures, celles-ci se transformèrent d'image anonyme en marque distinctive. Mais c'est surtout au moyen des mots que la plupart des artistes conceptuels firent passer leurs idées ; l'un des groupes les plus actifs, « Art and Language », alla même jusqu'à publier son propre magazine. En Angleterre, une variante de l'art conceptuel, s'appuyant sur les relations qui pouvaient s'établir entre textes écrits et images photographiques, fut le point de départ d'une démarche philosophique, sociale et politique ; au nombre des adeptes de cette tendance, on trouve Victor Burgin (né en 1941), John Stezaker (né en 1949) et Stephen Willats (né en 1943). Dans les années 1980, deux Américaines, Barbara Kruger (née en 1945) et Jenny Holzer (née en 1950), figuraient parmi ceux qui, plus explicitement encore, cherchaient à décoder les méthodes publicitaires

Frank Auerbach
Looking towards Mornington Crescent Station, night, 1972-1973

Lucian Freud
Esther, 1980

et médiatiques de façon à inverser la dépersonnalisation et les manipulations auxquelles elles soumettaient d'ordinaire les spectateurs, considérés comme des consommateurs passifs.

Sans doute trop rare dans ses formes les plus extrêmes, l'art conceptuel ne devint pas un antidote efficace contre l'art-objet, mais, en pratique, il faut reconnaître que toute forme d'art digne de ce nom proposée depuis 1960 s'est affirmée à partir d'une idée centrale déterminée. À première vue, rien ne peut sembler plus éloigné de l'aspect intellectuel de l'art conceptuel que les imitations, apparemment sans prétention, de certaines représentations photographiques réalisées par des peintres et des sculpteurs associés à un autre mouvement de la période, l'hyperréalisme. Cependant des peintres tels que Malcolm Morley (né en Angleterre en 1931) et les Américains Richard Estes (né en 1936), Robert Cottingham (né en 1935) et Robert Bechtle (né en 1932) ne se contentaient pas de la seule prouesse technique qui les amenait à reproduire dans leurs œuvres l'apparence d'un instantané photographique ; leur façon de présenter leurs toiles comme un objet trouvé (« found object ») relevait d'une démarche philosophique qui aurait été impensable sans l'exemple de Duchamp, et

Avigdor Arikha
Août, 1982

leur désir obsessionnel d'égaler la vision de l'œil et celle de l'objectif photographique était un moyen de soulever des problèmes de mimesis et de perception, auxquels depuis des siècles s'étaient trouvés confrontés les artistes. L'hyperréalisme fut en grande partie un mouvement américain et, comme le pop art dont il s'inspira, on l'interpréta souvent en raison des sujets traités, soit comme la critique, soit comme la célébration d'une

R.B. Kitaj
The Autumn of Central Paris (After Walter Benjamin), 1972-1973

Georg Baselitz
Waldarbeiter, 1968

culture bourgeoise et étriquée. L'état de totale dépendance dans lequel il se trouvait à l'égard d'une imagerie toute faite permit, néanmoins, de faire admettre son détachement et son objectivité vis-à-vis de la réalité. Même dans les personnages grandeur nature sculptés par John De Andra (né en 1941), et plus particulièrement dans ceux de Duane Hanson (né en 1925), les connotations de narration sociale — qui parfois menaçaient d'engloutir l'image dans le mauvais goût — restaient subordonnées à la présence physique et au choc de la reconnaissance.

Bien que l'hyperréalisme ait été populaire auprès des collectionneurs et du grand public en raison de la clarté et de la virtuosité des images, les autres artistes et les critiques ne lui reconnurent qu'une durée de vie très courte en tant que mouvement. Promu au départ comme un retour à la figuration, il n'avait pas, par définition, de réelles possibilités de développement hormis celle de la technique pour la technique, puisque l'artiste ne pouvait aspirer à rien d'autre qu'à la duplication d'évidences plus facilement rassemblées par l'appareil de photographie. Dès 1971, Morley avait adopté un travail du pinceau frénétiquement expressionniste et des gestes violents de fragmentation qui, délibérément, subvertissaient la froide neutralité de son œuvre antérieure. Étant donné l'apparent manque d'implication subjective dans l'acte de peindre des artistes hyperréalistes, toute distinction faite entre abstraction et figuration devenait de toute façon sans signification. Si l'on avait besoin d'une source d'image immédiate, pourquoi ne pas tout simplement utiliser des photographies ? Telle est, semble-t-il, la conclusion à laquelle sont parvenus Gilbert et George — ceux qui se font appeler « Living Sculptures » (sculptures vivantes) et qui se firent connaître comme auteurs d'« actions » artistiques — lorsque au milieu des années 70, ils se mirent à réaliser des images photographiques composites dans lesquelles ils se représentaient entourés d'emblèmes traduisant leurs émotions, perceptions et expériences. Pour l'Américaine Cindy Sherman (née en 1954), dont la source unique d'inspiration restait sa propre image, la photographie aussi fournissait une mesure directe des notions opposées d'identité, de moi et de sexe ; l'appropriation explicite qu'elle fit des méthodes de présentation des photographies publicitaires dans ses premières photographies en noir et blanc et en couleurs de la fin des années 70 et du début des années 80, fit bientôt place à une plus grande confiance en sa propre habileté à se métamorphoser en différents personnages par le biais de postures et de changements d'apparence. Ce fut néanmoins un autre photographe américain, Duane Michals (né en 1932), qui depuis la fin des années 60 utilisa le mieux ce médium pour traduire les idées de mort, désir, solitude et vulnérabilité. Bien que ses innovations formelles, telles que l'usage d'une imagerie sérielle dans un but narratif ou l'appariement d'images et de textes écrits, aient eu un très grand retentissement, c'est

A.R. Penck
Der Beginn des Löwenjagd, 1982

en introduisant une certaine intimité de ton qu'il fit ses incursions les plus courageuses et les mieux accueillies dans la large sphère du public amateur d'art contemporain.

Au début des années 70, un certain nombre de peintres firent également grand cas non seulement de la valeur intrinsèque de leur médium, mais aussi de la relation subjective qui les liait tant à leur sujet qu'au spectateur. L'un des plus réticents tenants de l'expressionnisme abstrait des années 50, Philip Guston (1913-1980), choqua beaucoup de ses anciens supporters quand, à la fin des années 60, il revint à un style ouvertement figuratif et d'une vulgarité proche de la bande dessinée ; ce fut pour lui un moyen d'affronter stoïquement les circonstances dans lesquelles il travaillait et de venir à bout de ses pensées fugitives, de ses anxiétés, souvenirs et sensations. La verve généreuse de son œuvre, l'accent mis sur l'art comme reflet de la plénitude de ses attitudes à l'égard de la vie, laissaient présager ce qui allait advenir de la peinture à la fin des années 70 et émerger des ateliers des artistes beaucoup plus jeunes. Il ne fut pas le seul, cependant, à résister à ces notions purement formalistes et matérialistes si vigoureusement défendues dans les années 60 par des critiques tels que Clement Greenberg. En Angleterre, depuis la fin des années 40, Francis Bacon avait fermement poursuivi son ambition de créer des personnages imaginaires d'une telle présence physique et d'une telle énergie qu'ils semblaient émaner, comme lui-même l'expliquait, de son système nerveux. Son œuvre inspira tout particulièrement d'autres peintres travaillant en Grande-Bretagne, au nombre desquels Leon Kossoff (né en 1926) et deux artistes d'origine allemande, Frank Auerbach (né en 1931) et Lucian Freud (né en 1922), pour lesquels la substance même de la peinture était une matérialisation directe du sujet, souvent un autre être humain peint d'après nature. Pour Auerbach chaque œuvre était un exemple constant du procédé de formation des images ; il grattait celle-ci totalement pour la

Michael Sandle
A Twentieth Century Memorial,
1971-1978

Anselm Kiefer
Die Meistersinger, 1982

reconstituer ensuite jusqu'à ce qu'elle corresponde en forme, texture, poids, tonalité et couleur au point de vue qu'il avait du sujet représenté ; les boursouflures de pigment, parfois d'une telle densité et d'une telle épaisseur qu'elles approchaient l'incohérence, devenaient elles-mêmes un témoignage du travail et du temps qui avaient été nécessaires à la gestation de cette image. En ce qui concerne Freud, c'est l'apposition calculée de chaque trait de pinceau qui, en voulant faire oublier le travail du peintre, fonctionnait à la fois comme une preuve de sa concentration dans l'observation du sujet et comme une contrepartie matérielle à la souplesse de la peau humaine représentée. Un souci semblable, pour ce que l'historien d'art américain Irving Sandler baptisait « réalisme de la perception », motivait dans d'autres pays des peintres de la figure humaine, notamment l'Américain Philip Pearlstein (né en 1924) ; sa clarté des lignes et son souci du détail furent parfois associés à tort avec l'hyperréalisme.

Les objectifs ouvertement traditionnels de ces peintres de la figure humaine donnèrent peu à peu du poids, dans les années 70, à ceux qui s'interrogeaient sur la prééminence encore accordée à l'avant-garde en tant que telle. Ainsi pour Avigdor Arikha (né en 1929), artiste d'origine israélienne travaillant à Paris, l'authenticité de l'expression ne pouvait résider — comme cela avait toujours été le cas de Vélasquez à Degas et Vuillard — que dans le travail spécifique effectué sur le motif ou d'après le modèle vivant. Devait-on, en effet, juger une telle loyauté envers la nature comme périmée uniquement parce qu'elle ne respectait pas le sacro-saint canon de la modernité selon lequel il fallait inventer de

Francesco Clemente
Interior landscape, 1980

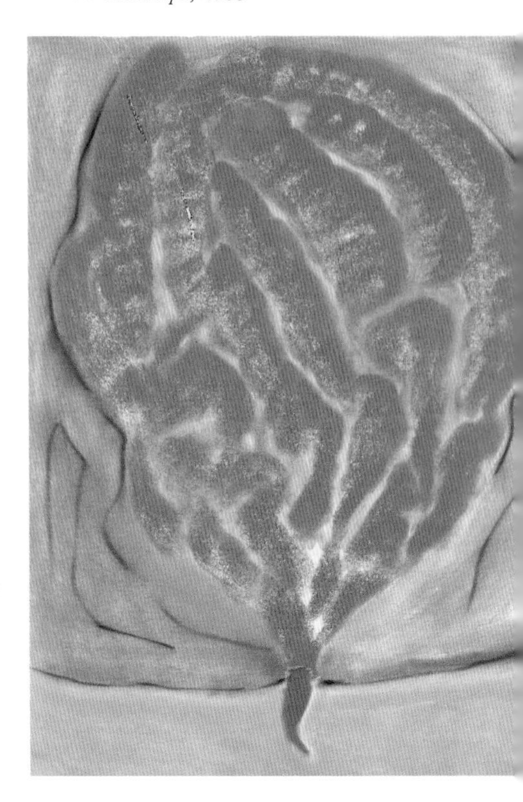

Enzo Cucchi
Une Peinture de feux précieux,
1983

nouvelles formes ? Même dans ses représentations d'intérieurs vides, Arikha était tout entier absorbé à traduire, par le frémissement de chaque coup de pinceau, une sensation de calme physiquement palpable et la réconfortante chaleur de la lumière. Pour l'artiste américain installé à

Peter Phillips
Anvil of the Heart, 1986

Londres R.B. Kitaj (né en 1932), qui dans les années 60 avait sans le vouloir influencé le cours du pop art, cette tradition prémoderniste du dessin d'après le modèle vivant représentait désormais le plus rigoureux critère d'excellence. Accusé souvent à tort d'éclectisme, Kitaj en fait prouvait de manière incontestable la possibilité, pour l'artiste moderne, de puiser dans l'immense réservoir des images et des styles historiques. L'œuvre de Kitaj — pas seulement par son engagement dans la voie figurative, mais par la synthèse qu'elle réalisait d'éléments disparates, rattachés à un sujet cohérent et filtrés au travers d'une sensibilité d'artiste, et par ses convictions à propos de certains thèmes — annonçait les chemins qu'allaient emprunter de nombreux jeunes artistes.

Sigmar Polke
Le Copiste, 1982

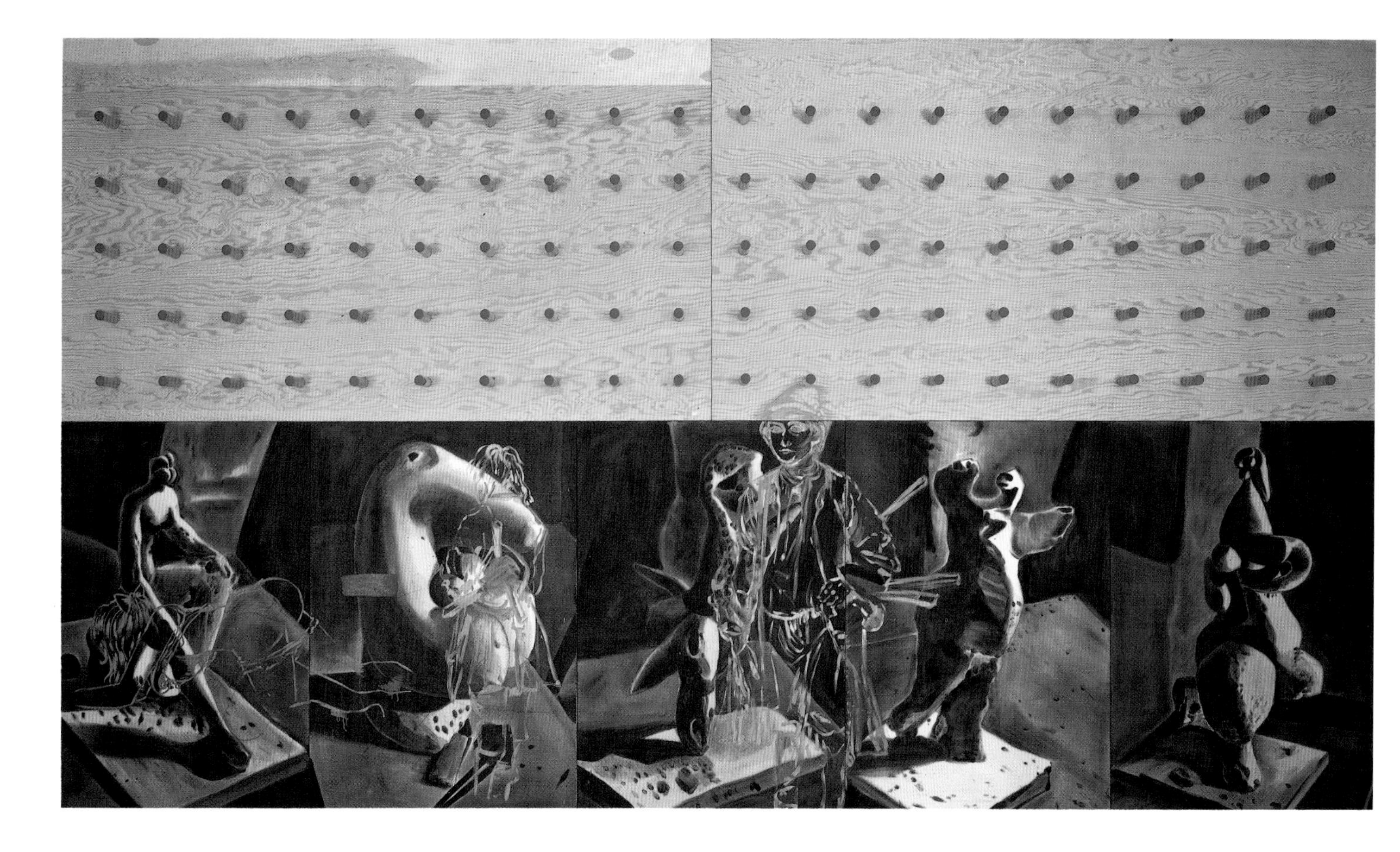

David Salle
My Head, 1984

En Allemagne, dès les années 60, un certain nombre d'artistes parmi lesquels Georg Baselitz (né en 1938) et A. R. Penck (né en 1939), tous deux originaires d'Allemagne de l'Est, avaient cherché à fragmenter et à renverser les conventions picturales à la recherche d'une vitalité et d'une violence qui trouvaient leur origine dans l'expressionnisme du tournant du siècle. Dans ses premières œuvres, Baselitz affectionnait des images sexuelles ouvertement provocantes ou ayant trait à l'animalité, à la mutilation, à la folie ; il exprimait un sentiment de fragmentation et d'aliénation en utilisant des interpénétrations de tronçons, démembrés et apparemment hâtivement rassemblés, qui disloquaient à la fois l'image et l'espace dans lequel celle-ci était représentée. À la fin des années 60, il rendit effective une réclamation qu'il avait lui-même formulée de la façon suivante dès 1963 : « Faire tenir debout sur sa tête le monde sens dessus dessous » ; tout en continuant à favoriser les sujets traditionnels, tels que figure humaine, animaux et formes issues de la nature, il peignit ceux-ci à l'envers et accrochait ses toiles de même, insistant ainsi sur la réalité même du tableau comme seule justification de celui-ci. Penck prit une direction différente, notamment en s'appuyant sur un langage fait d'éléments d'une simplicité hiéroglyphique, mais insistait — grâce à l'impétuosité de sa technique et aux formes symboliques volontairement crues qu'il utilisait — sur les instincts primitifs qui se cachaient, dans notre société contemporaine, sous le vernis de la civilisation. Pour de nombreux artistes allemands trop jeunes pour avoir connu la Seconde Guerre mondiale, tels que Jörg Immendorff (né en 1944), Rainer Fetting (né en 1949) et Helmut Middendorf (né en 1953), la crise d'identité

Shinro Ohtake
Arbre généalogique, 1968-1988

Jeff Koons
Rabbit, 1986

nationale faisant suite au traumatisme du nazisme engendra un retour immédiat aux traditions, spécifiquement allemandes, de l'expressionnisme subversif. Pour Anselm Kiefer (né en 1945), le moyen d'évacuer son passé récent passait par une confrontation directe avec le fascisme, par exemple dans une série de peintures montrant des champs roussis ou brûlés qu'il présentait comme des métaphores de l'extermination des juifs au nom de l'idéal aryen ; dans plusieurs de ses toiles il fit référence à Richard Wagner, compositeur favori d'Hitler, et tout particulièrement à l'opéra *Les Maîtres chanteurs de Nuremberg,* porteur des souvenirs des grands rassemblements nazis d'avant-guerre et des procès des criminels de l'après-guerre. Les peintures de Kiefer sont souvent physiquement agressives, avec leurs images peintes sur des photos en noir et blanc ou agrémentées d'une incorporation de paille véritable pour faciliter l'identification littérale d'un champ desséché ; il ne s'agissait pas seulement d'une astuce pour rendre palpable le sujet, mais d'un moyen de suggérer les cycles organiques de la vie et de la mort, et la possibilité d'une régénération.

Les développements de l'avant-garde pendant les années 60 furent caractérisés par des restrictions presque puritaines envers les soi-disant

Jean-Michel Basquiat/Andy Warhol
Collaboration, 1984

Sherrie Levine
Sans titre (Lead Cheks 6), 1987

Julian Schnabel
The Death of Fashion, 1978

sujets non admis et les formes traditionnelles, et c'est par conséquent avec une attitude de défi affirmée que de nombreux artistes, durant la décennie qui suivit, embrassèrent tous ces tabous. La notion d'une avant-garde se perpétuant automatiquement en vint même à être mise en question. En 1964, Michael Sandle — un sculpteur britannique né en 1936, installé au Canada de 1970 à 1973, puis en Allemagne — décrivait son travail comme « une tentative pour retrouver les symboles de ses craintes, ou de ses terreurs... "fantômes", mort, guerre, dissolution... afin d'insuffler à son œuvre un peu de "magie"... ». À cette fin, il tourna délibérément le dos aux innovations faites par les autres sculpteurs et s'intéressa au formes prémodernistes de la sculpture monumentale ; particulièrement dans son premier grand bronze, *A Twentieth Century Memorial* (1971-1978), qui représente un squelettique Mickey maniant une mitraillette, il dénonçait la futilité de l'institutionnalisation moderne de la violence et ce qu'il jugeait être la légèreté de la culture contemporaine. Les œuvres de Sandle, et celles de quelques autres artistes baptisés postmodernistes, en cherchant à contrecarrer la progression linéaire du modernisme et sa quête de formes nouvelles par une approche éclectique et synthétique de l'histoire des styles, réussirent à prouver le pouvoir toujours réel détenu par les formes héritées de la tradition et les thèmes éternels.

Colin Self
Let's have it here and charge admission..., 1988

Un sens solidement enraciné de la tradition, énoncé sur un ton personnel et parfois intime, caractérise le travail d'un certain nombre de peintres italiens qui s'affirmèrent au début des années quatre-vingt, tels que

Eric Fischl
*The Old's Man Boat
and the Old Man's Dog*, 1982

Francesco Clemente (né en 1952), Sandro Chia (né en 1946), Enzo Cucchi (né en 1950) et Mimmo Paladino (né en 1948). Promus sous différentes étiquettes, notamment celles de la transavant-garde et de la new image painting, ils firent de fréquentes références à leur place dans la tradition moderniste — par exemple, dans le cas de Chia, en faisant allusion à un

Paula Rego
The Maids, 1987

autre mouvement italien, le futuriste —, tout en insistant sur leur subjectivité et sur la prépondérance de l'imagination sur l'intelligence. Parmi les œuvres les plus frappantes de Clemente figurent des dessins au pastel de petit format, aux couleurs appétissantes et sensuelles, conçus comme des représentations emblématiques du corps humain. Cependant, comme beaucoup d'artistes du groupe new image, il s'est fait un devoir de travailler dans un très large éventail de styles et de matériaux, comme s'il lui fallait exprimer la fièvre incessante animant sa vision et tenter de définir ses relations complexes aux traditions contradictoires nées en différents endroits et à diverses époques. C'est dans un tel contexte d'idées qu'ont été réalisées une série d'huiles ouvertement expressionnistes, *Les Quatorze Stations* (1982), dans laquelle il réinterprétait un thème chrétien chargé de symbolisme en utilisant de façon répétée sa propre image, et de grandes gouaches sur papier où il transformait d'une façon poignante son admiration pour les miniatures indiennes en un style maladroitement archaïque, comme s'il lui avait fallu réinventer les conventions du dessin. Pour d'autres artistes italiens tels que Cucchi — comme ce fut le cas pour Beuys en Allemagne —, il s'agissait de définir le rôle de l'artiste entendu comme un visionnaire ; dans le cas de Cucchi, des images aux accents de rituel étaient transposées au moyen de couleurs sombres et chargées d'émotion et par l'intermédiaire d'un pinceau passionné et animé d'une énergie autodestructrice. Comme il l'expliquait dans un court texte datant

David Hockney
Large Interior, Los Angeles, 1988

Howard Hodgkin
Dinner at Smith Square, v. 1978-1979

Gerhard Richter
Sulphur, 1985

Bill Woodrow
Twin-tub with Beaver, 1981

de 1979, « on peut établir de profondes choses à partir des composants matériels de l'œuvre. Ceux-ci affirment qu'il est inutile de raisonner avec la tête. Alors il nous faut raisonner avec la main (de nouveau), mais seulement lorsque l'on force son propre rythme ». La logique et les faits matériels ne constituaient plus pour les artistes des desseins attrayants, peut-être justement en raison du biais pris par ceux-ci au cours des années 60 et 70. Peter Phillips (né en 1939), par exemple, qui en 1960 semblait être l'un des artistes pop les plus rigoureux et les plus foncièrement matérialistes d'Angleterre, se tourna vers une imagerie remplie de mystères et de rêves et se mit à produire, à la fin des années 70, des peintures d'une délicatesse et d'un raffinement extrêmes. Il continuait à fonder ses œuvres sur des collages photographiques provenant de magazines, mais les présentait maintenant comme des fragments d'obscure origine, plutôt que comme des images immédiatement reconnaissables. Familiers par leur texture, mais difficilement identifiables dans leur forme, de tels motifs faisaient appel à la mémoire du spectateur et à son sens du toucher.

Compte tenu du fardeau véritable que — sous le couvert des multiples facettes prises par la modernité durant près d'un siècle — représentait l'innovation, un certain nombre d'artistes dans les années quatre-vingt se sont heurtés à l'impossibilité de fait de trouver des voies originales. Plutôt que de s'engager dans une bataille apparemment perdue d'avance, des artistes tels que les Allemands Sigmar Polke (né en 1941) et Jiri Dokoupil (né en Tchécoslovaquie en 1954), l'Américain David Salle (né en 1952) et le Japonais Shinro Ohtake (né en 1955), ont choisi d'embrasser le plus grand nombre de styles et de méthodes de travail possibles, que ce soit d'une œuvre à l'autre, ou sur une même toile en mêlant sur celle-ci une profusion d'idiomes apparemment contradictoires. Motivés dans une large mesure par le détachement vis-à-vis du style dont avait fait montre le pop art des années 60 et même, en remontant dans le temps, par des assertions de dadaïste Francis Picabia qui avait affirmé que l'on devait changer de style aussi souvent que l'on changeait de chemise, de tels comportements artistiques devaient être compris comme des actes essentiellement intellectuels. Les intentions à l'origine des œuvres relevant de ce courant

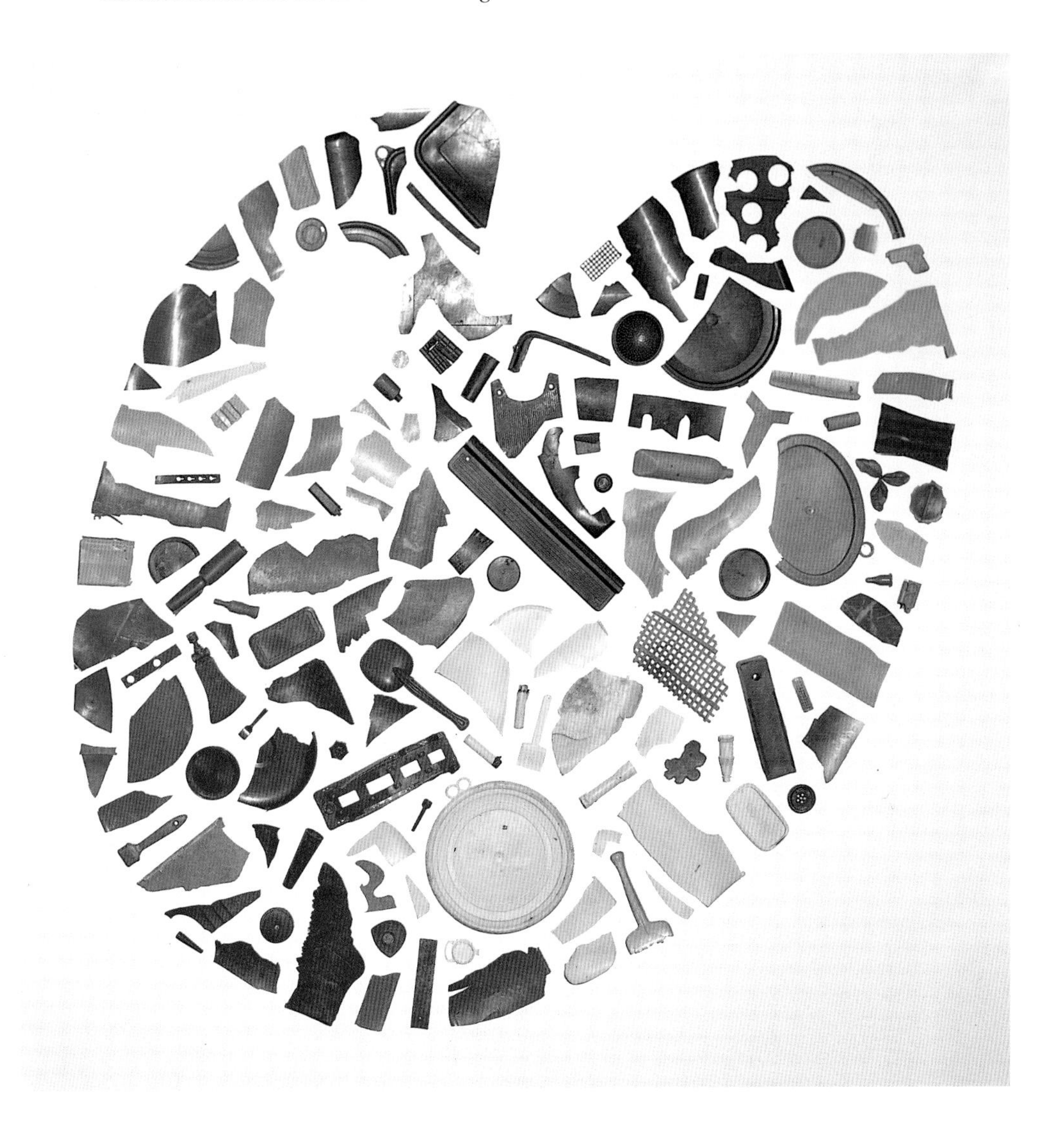

Tony Cragg
Plastic Palette II, 1985

restaient souvent délibérément ambiguës. L'autoportrait présumé de Polke où il apparaît comme un copiste est-il, par exemple, l'emblème du désespoir et du cynisme, ou au contraire celui de la joie à l'idée de phagocyter et de faire sien ce qui existe déjà ? Devons-nous déduire de l'œuvre de Salle, *My Head,* qu'il se moque de son manque d'intelligence ou de la confusion de son esprit, ou au contraire qu'il célèbre la richesse des images qui s'y bousculent ? Pour un jeune artiste japonais comme Ohtake, il s'agit d'assimiler et de paraphraser toutes les catégories concevables de l'art contemporain occidental et de les reformuler dans ses propres termes.

L'un des mots le plus souvent utilisés par les jeunes artistes des années quatre-vingt est : *appropriation.* Ceci peut entraîner des peintres new-yorkais, tels que Jean-Michel Basquiat (1960-1988) et Keith Harring (né en 1958), à rivaliser avec le caractère « urgent » de la culture urbaine représenté par des graffitis qui recouvrent murs ou rames de métro, ou à des actes d'une simplicité « duchampienne » comme, par exemple, la présentation par l'Américain Jeffs Koons (né en 1955) d'une sculpture en acier inoxydable représentant le traditionnel « Easter rabbit » (petit lapin pascal) trouvée dans une boutique de soldes. Quelque temps auparavant et dans le même esprit, une autre Américaine, Sherrie Levine (née en 1947), avait exposé comme étant ses œuvres des cadres contenant des reproductions photographiques de célèbres peintures modernes. En 1981 elle écrivait : « Le monde est rempli jusqu'à la suffocation. L'homme a mis son empreinte sur chaque caillou. Chaque mot, chaque image, est loué ou hypothéqué... Succédant au peintre, le plagiaire désormais ne porte plus en lui humour, passions, sentiments, ou impressions, mais simplement une immense encyclopédie dont il s'inspire. » Pour un autre Américain, Julian Schnabel (né en 1951), la réponse résidait non dans l'acceptation, mais dans un assaut violent mené aussi bien contre les images qu'il avait choisies que contre les matériaux de sa peinture ; dans ses œuvres les plus connues, peintes sur une surface déchiquetée faite de tessons de vaisselle assemblés, il semblait avoir délibérément voulu détruire toutes les conventions. Comme ce fut le cas pour les premiers tenants de la modernité, on a le sentiment que pour Schnabel tout est possible et que l'art peut se faire à partir de n'importe quelle image, matériau ou sujet lui tombant sous la main, mais l'optimisme qui gouvernait autrefois le système a désormais fait place à des revendications de carrière, de concurrence et d'ego. D'autres artistes, cependant, ont suggéré des voies par lesquelles une appropriation spontanée peut servir à initier un dialogue entre société et niveaux d'expérience différents. Par exemple, le peintre britannique Colin Self (né en 1941), plus connu pour ses rapides et déroutants dessins pop des années 60, a fait montre dans ses peintures-collages d'un empressement certain à faire siens, non seulement les styles mais l'humanité elle-même. Dans *Let's have it here and charge admission...* (1988), il a juxtaposé des jouets produits en série à une maladroite peinture tachiste du style de celle qu'aurait pu réaliser un peintre amateur suivant des cours du soir ; le côté désinvolte, presque indifférent, de cet acte dément cependant les ardentes convictions de Self à propos de ce qu'il appelle « art populaire » et qui, selon lui, constitue une expression artistique digne de notre respect.

S'inscrivant contre ces courants de manipulation stylistique, d'autres peintres ont cherché, au cours de la présente décennie, à utiliser leur travail comme un moyen de véhiculer la psychologie humaine. L'Américain Eric Fisch (né en 1948) s'est spécialisé dans la narration des aspects les plus sombres de la vie de banlieue ; ses toiles, sur lesquelles des personnages plus grands que nature et souvent déshabillés sont représentés dans des situations où les connotations intimes et sexuelles sont évidentes, transforment les spectateurs en voyeurs embarrassés. Bien que ces images soient clairement inspirées de photographies, notre attention est détournée de leur source probable, tout d'abord vers leur appétissante matérialisation peinte, puis vers la signification des gestes et des relations possibles entre les acteurs figés dans un moment qui resterait autrement inexpliqué. Malgré le fait que des sujets similaires aient été explorés — dès les années trente, par le peintre français Balthus (né en 1908) dans ses représentations de jeunes femmes recluses dans un univers chargé d'érotisme et de claustrophobie, ou, à la fin des années 60, par le peintre anglais David Hockney (né en 1937) dans ses grands doubles portraits qui suggéraient subtilement un sentiment d'isolement et de dépendance mutuelle —, pour d'autres peintres, ces voies étaient loin d'être épuisées. Paula Rego (née en 1935), une artiste portugaise résidant en Grande-Bretagne, commença au milieu des années quatre-vingt à faire référence à des souvenirs d'enfance spécifiques, ressuscités un peu à la manière de tableaux théâtraux par sa très persuasive traduction du relief et de la profondeur ; aussi innocentes que les actions des personnages puissent de prime abord paraître, il persiste un sentiment dérangeant de pouvoir sado-masochiste et de dépendance. Dans de nombreuses peintures d'Hockney datant des années quatre-vingt, les personnages ne sont plus directement représentés ; mais, au moyen d'astuces picturales telles que points de vue multiples et perspective inversée, la notion d'espace est organisée de telle manière que le spectateur semble occuper le centre de la scène, comme si le peintre lui reconnaissait une présence et un rôle dans l'élaboration de l'image.

Abstraction et figuration, termes qui semblaient définir des positions irréconciliables au début des années 60, n'ont plus maintenant vraiment de signification. Le peintre britannique Howard Hodgkin (né en 1932), par exemple, fonde son œuvre sur un austère vocabulaire de traits de pinceau élémentaires et de formes géométriques simples, mais ses superpositions de motifs colorés ont, dans chaque cas, pour fonction déterminée de reconstituer le souvenir d'une personne ou d'un groupe de personnes dans un endroit donné, souvent un intérieur. Ainsi son travail, tout en faisant usage d'un langage proche de l'abstraction, reste un art intime empreint d'humanité et d'émotion. Pour le peintre allemand Gerhard Richter (né en 1932), depuis son époque pop des années 60, la photographie est au contraire un indispensable médiateur lui servant à attirer l'attention sur chaque image, appréhendée à la fois comme une abstraction et comme une figuration. Ses paysages sont moins proches de la réalité que leur source photographique, et en ce sens restent des actes conceptuels ; réciproquement, ses peintures « abstraites » se lisent davantage comme des interprétations au pinceau que comme de simples études formelles.

De tels effets réciproques entre réalité et illusion, entre l'œuvre d'art prise comme un objet en soi et appréhendée comme le signe d'un autre niveau d'expérience, furent au centre des préoccupations artistiques des années quatre-vingt. On en arriva à un tel point qu'un certain nombre de sculpteurs anglais, parmi lesquels Tony Cragg (né en 1949) et Bill Woodrow (né en 1948), utilisèrent comme matériau de base des objets trouvés, parfois altérés mais jamais travestis. Un ouvrage de Cragg tel que *Plastic Palette II* (1985), composé comme son nom l'indique non pas d'un échantillonnage de pigments mais de tessons de plastique bon marché, peut à première vue apparaître comme un commentaire caustique sur le concept maintenant dépassé du rôle de l'artiste. Comprise comme un emblème de la créativité, selon Tony Cragg, cette œuvre est aussi lucide qu'elle est sincère : car ce qu'il nous présente ici, sur un ton festif, ce sont ces matériaux bruts transformés en art, qu'il nous faut chérir justement parce que d'autres, les trouvant inutiles, les ont abandonnés. De la même manière, les images-métaphores ingénieusement fabriquées par Woodrow à partir d'objets de consommation mis au rebus — leur identité originelle restant encore clairement visible — présentent le devoir de l'artiste comme une activité de récupération et de mise à neuf ; une œuvre comme *Twin-tub with Beaver* (1981) illustre parfaitement cette démarche.

Alors que nous entamons bientôt la dernière décennie du siècle, pratiquement tous les mouvements et expressions artistiques qui ont pris naissance depuis le début des années 60 continuent d'exister en tant que tels. Des styles — avec leurs impulsions divergentes et leurs traditions autres — ont paru se succéder, telles des modes changeantes, défendues cependant avec une égale conviction et une égale véhémence. Aucune école ne peut être présentée comme dominante, contrairement à ce qui fut le cas plus tôt dans le siècle. Aussi effrayant que cela puisse paraître de sentir le sol constamment se dérober sous nos pieds, on peut sans grand risque affirmer que jamais, depuis l'avènement du modernisme à la fin du XIXᵉ siècle, les artistes n'ont eu à faire face à une telle liberté.

Bibliographie Sélective

Impressionnisme : A. Boime, *The Academy of French Painting in the Nineteeth Century* (Londres, 1971) ; T.-J. Clark, *The Painting of Modern Life* (New York et Londres, 1985) ; Raymond Cogniat, *Au temps des impressionnistes* (Paris, 1950) ; Bernard Denvir, *The Impressionists at First Hand* (Londres et New York, 1987) ; M. Easton, *Artists and Writers in Paris*, 1803-1867 (Londres, 1964) ; U. Finke (éd), *French Nineteenth-Century Painting and Literature* (Manchester, 1972) ; William Gaunt, *The Impressionists* (Londres et New York, 1972) ; René Huyghe, *La Peinture française au XIXe siècle*, t. 2, *La Relève du réel : impressionnisme, symbolisme* (Paris, 1974-76) ; Robert L. Herbert, *L'Impressionnisme. Les plaisirs et les jours* (Paris, 1988) ; Jean Leymarie, *L'Impressionnisme* (Genève, 1955) ; *Centenaire de l'impressionnisme* (Paris, 1974) ; *L'Impressionnisme et le paysage français* (Los Angeles, Chicago et Paris, 1984/1985) ; Melissa McQuillan, *Impressionist Portraits* (Londres et Boston, 1986) ; Linda Nochlin, *Realism* (Londres et New York, 1971) ; Phoebe Pool, *Impressionism* (Londres et New York, 1967) ; John Rewald, *Histoire de l'impressionnisme* (Paris, 1965 ; dernière éd. américaine, 1980) ; John Rewald, *Le Post-impressionnisme de Van Gogh à Gauguin* (Paris, 1961 ; dernière éd. américaine, 1978) ; Robert Rosenblum and H.W Janson, *Art of the Nineteenth-Century* (New York et Londres, 1984).

Symbolisme : *Le Symbolisme en Europe* (Rotterdam, Bruxelles, Paris, 1975/1976) ; Françoise Cachin, *Gauguin* (Paris, rééd. 1988) ; Robert Delevoy, *Journal du symbolisme* (Genève, 1977) ; *French Symbolist Painters* (Art Council of Great Britain, Londres, 1972) ; J. K. Huysmans, *A rebours* (Paris, 1884 ; dernière éd. poche, 1978) ; Wladyslawa Jaworska, *Paul Gauguin et l'école de Pont-Aven* (Neuchâtel, 1971) ; Philippe Jullian, *Dreamers of Decadence* (Londres et New York, 1971) ; Philippe Jullian, *Les Symbolistes* (Paris, 1973) ; Edward Lucie-Smith, *Symbolist Art* (Londres et New York, 1972) ; H. R. Rookmaaker, *Synthetist Art Theories* (Amsterdam, 1959) ; Belinda Thomson, *Gauguin* (Londres et New York, 1987).

Art nouveau : Renato Barilli, *Art nouveau* (Londres et New York, 1969) ; J.-P. Crespelle, *Les Maîtres de la Belle Époque* (Paris, 1966) ; Jean-Louis Daval, *Journal de l'art nouveau, 1870-1914* (Genève, 1985) ; Gillian Naylor, *The Arts and Crafts Movement* (Londres, 1971) ; Maurice Rheims, *L'Art 1900* (Londres, New York, Paris, 1966) ; Robert Schmutzler, *Art nouveau* (Londres et New York, 1962).

Fauvisme : Georges Duthuit, *The Fauvist Painters* (New York, 1950) ; John Elderfield, *The Wild Beast* (New York, 1976) ; *Le Fauvisme français et les débuts de l'expressionnisme allemand* (Musée national d'Art moderne, Paris, 1966) ; M. Giry, *Le Fauvisme, ses origines, son évolution* (Neuchâtel, 1981) ; Jean Leymarie, *Le Fauvisme* (Genève, 1959) ; Ellen C. Oppler, *Fauvism Reexamined* (New York, 1976) ; John Rewald (introduction), *Les Fauves* (New York, 1952) ; Sarah Whitfield, *Fauvism* (Londres et New York, 1989).

Expressionnisme : Lothar Günther Buchheim, *The Graphic Art of German Expressionism* (New York, 1960) ; Centre Georges Pompidou, *Paris-Berlin 1900-1930,* chapitre intitulé « Expressionnisme/Die Brücke/Der Blaue Reiter » (Paris, 1978) ; Wolf-Dieter Dube, *The Expressionists* (Londres et New York, 1972) ; L. D. Ettlinger, « German Expressionism and Primitive Art », *Burlington Magazine* (Londres, avril 1968) ; Barry Herbert, *German Expressionism* (Londres, 1983) ; Charles Kessler, « Sun-worship and Anxiety ; Nature-nakedness and Nihilism in German Expressionist Painting », *Magazine of Art* (Paris et New York, nov. 1952) ; Émile Langui, *L'Expressionnisme en Belgique* (Bruxelles, 1971) ; Bernard S. Myers, *The German Expressionists* (New York, 1955), et sous le titre *Expressionism* (Londres, 1955) ; Michel Ragon, *L'Expressionnisme* (Lausanne, 1966) ; Robert Rosenblum, *Modern Painting and the Northern Romantic Tradition* (Londres et New York, 1975) ; Wieland Schmied, *Neue Sachlichkeit and German Realism of the Twenties* (Londres, 1979) ; Peter Selz, *German Expressionist Painting* (Berkeley, 1957) ; Denis Sharp, *Modern Architecture and Expressionism* (Londres, 1966) ; Frank Whitford, *Expressionist Portraits* (Londres, 1987) ; John Willett, *Expressionism* (Londres et New York, 1970) ; John Willett *The New Sobriety* (Londres, 1979) ; John Willett, *The Weimar Years* (Londres et New York, 1987).

Cubisme : *Apollinaire on Art ; Essays and Reviews 1902-1918* (Londres et New York, 1972) ; Lilianne Brion-Guerry, *L'Année 1913* (Paris, 1971) ; Pierre Cabanne, *Le Cubisme* (Paris, 1982) ; Douglas Cooper, *The Cubist Epoch* (Londres, 1970), Pierre Daix, *Cubists and Cubism* (Londres, 1983) ; Edward F. Fry, *Cubism* (Londres et New York, 1966) ; John Golding, *Cubism : A History and an Analysis 1907-1914* (Londres, édition mise à jour, 1988 ; *Le Cubisme*, trad. française, Paris, 1968) ; Robert L. Herbert (éd.), *Modern Artists on Art*, comprend des extraits en anglais de *Du cubisme*, par Gleizes et Metzinger (New York, 1964) ; Robert Rosenblum, *Cubism and Twentieth-Century Art* (New York, 1961) ; Gertrude Stein *Autobiographie d'Alice B. Toklas* (New York, 1933, et Paris, 1980) ; Université de Saint-Étienne, *Le Cubisme* (Saint-Étienne, 1973).

Futurisme : Umbro Apollonio (éd.), *Futurist Manifestos* (Londres et New York, 1973) ; Pontus Hulten (éd.), *Futurismo i Futurismi* (Venise, 1987) ; Joshua C. Taylor, *Futurism* (New York, 1961) ; Caroline Tisdall et Angelo Bozzolla, *Futurism* (Londres et New York, 1978).

Constructivisme : John E. Bowlt (éd.), *Russian Art of the Avant-Garde* (Londres et New York, édition mise à jour, 1989) ; Centre Georges Pompidou, *Paris-Moscou* (Paris, 1978) ; David Elliott, *New Worlds* (Londres et New York, 1986) ; Camilla Gray, *The Russian Experiment in Art 1863-1922* (Londres et New York, édition révisée par Marian Burleigh-Motley, 1986) ; Sophie Lissitzky-Küppers, *El Lissitzky* (Londres et New York, 1968) ; Christina Lodder, *Russian Constructivism* (New Haven et Londres, 1983) ; Angelica Rudenstine (éd.), *Russian Avant-Garde Art : The George Costakis Collection* (New York et Londres, 1981).

De Stijl : H.L.C. Jaffé, *De Stijl*, (New York, 1982).

Dada : Dawn Ades, *Dada and Surrealism Reviewed* (Londres, 1978) ; William Rubin, *Dada and Surrealist Art* (Londres et New York, 1969) ; Dada : Hans Arp, *On my way* (New York, 1948) ; Marià Luisa Borras, *Picabia* (Londres, 1985 et Paris, 1986) ; Marcel Duchamp, *Marchand du sel*, écrits de Marcel Duchamp réunis et présentés par Michel Sanouillet (Paris 1958) ; John Golding, *Duchamp : The Bride...* (Londres, 1972 et New York, 1973 ; Anne d'Harnoncourt et Kynaston McShine, éd., *Marcel Duchamp* (New York, 1973 et Londres, 1974) ; Robert Motherwell, *Dada Painters and Poets* (New York, 1951) ; Hans Richter, *Dada : Art and Anti-Art* (Londres et New York, 1965) ; Michel Sanouillet, *Dada à Paris* (Paris, 1965) ; Michel Sanouillet (éd.), *391* (Paris, 1965).

Surréalisme : Dawn Ades, *Salvador Dali* (Londres et New York, 1982) ; Sarane Alexandrian, *Surrealist Art* (Londres et New York, 1978) ; André Breton, *Le Surréalisme et la peinture* (nouvelle édition, Paris, 1979) ; André Breton, *Les Manifestes du surréalisme suivis de prolégomènes à un troisième Manifeste du surréalisme ou non* (Paris, 1945) ; André Breton, *What is Surrealism ?* (Londres, 1936) ; Maurice Nadeau, *Histoire du surréalisme* (Paris, 1970). *Les Sources du XXe siècle*, cat. exposit. Musée national d'Art moderne (Paris, 1960-61).

Expressionnisme abstrait : *Abstract Art since 1945* (Bruxelles, 1970 et New York, 1971) ; *Les Années 50* (Centre Georges Pompidou, Paris. 1988) ; Dore Ashton, *The Life and Times of the New York School* (New York et Bath, 1972) ; Michael Auping, *Abstract Expressionism* (New York et Londres, 1987) ; Madeleine Deschamps, *La Peinture américaine* (Paris, 1981) ; *Catalogue des travaux de Jean Dubuffet* (Lausanne, 1966) ; Jean Dubuffet, *Écrits de Jean Dubuffet* (Paris, 1967) ; John Elderfield, *Morris Louis* (New York, 1986) ; *Jackson Pollock* (Musée national d'Art moderne, Paris 1982) ; E. Frank, *Jackson Pollock* (New York, 1983) ; Clement Greenberg, *Art et culture* (Boston, 1961 et Paris, 1988) ; Georges Mathieu, *Au-delà du tachisme* (Paris, 1963) ; *The New York School. The First Generation* (Los Angeles, 1965) ; Bernice Rose, *Jackson Pollock* (New York, 1980) ; Irving Sandler, *Abstract Expressionism. The Triumph of American Painting* (New York et Londres, 1970) ; Wolfgang Schulze, *Wols* (Paris, 1958) ; Diane Waldman, *Mark Rothko 1903-1970* (New York et Londres, 1979).

Pop art : Lawrence Alloway, *American Pop Art* (New York, 1974) ; Lawrence Alloway, *Roy Lichtenstein* (New York, 1983) ; Mario Amaya, *Pop as Art* (Londres et New York, 1965) ; Michael Compton, *Pop Art* (Londres et New York, 1970) ; Michael Crichton, *Jasper Johns* (Londres, 1977) ; *Figurative Art since 1945*, essais de Lawrence Alloway (Londres et New York, 1971) ; Christopher Finch, *Pop Art* (New York, 1968) ; R. H. Francis, *Jasper Johns* (New York, 1984) ; *Yves Klein, une rétrospective* (Houston, Chicago, New York, Paris, 1982-1983) ; Henry Geldzahler, *Pop Art 1955-1970* (Sydney, 1985) ; Lucy R. Lippard (éd.), *Pop Art* (Londres et New York, 1967) ; Kynaston McShine (éd.), *Andy Warhol, a Retrospective* (Londres et New York, 1989) ; Pierre Restany, *Les Nouveaux Réalistes* (Paris, 1968) ; Norman Rosenthal, *Robert Rauschenberg* (New York, 1984) ; John Russell et Suzi Gablik, *Pop Art Redefined* (Londres et New York, 1969).

L'art depuis 1960 : *Art of our Time :* The Saatchi Collection (4 vol., Londres, 1984 et New York, 1985) ; Gregory Battcock (éd.), *The New Art* (New York, 1966) ; Gregory Battcock (éd.), *Minimal Art* (New York, 1968) ; Gregory Battcock (éd.), *Idea Art* (New York, 1973) ; Gregory Battcock (éd.), *Super Realism* (New York, 1975) ; Guy Brett, *Kinetic Art* (Londres, 1968) ; Germano Celant, *Arte Povera* (Londres et New York, 1969) ; Henry Geldzahler, *American Painting in the Twentieth Century* (New York, 1965) ; Henry Geldzahler, *New York Painting and Sculpture :* 1940-1970 (New York et Londres, 1969) ; Tom Godfrey, *The New Image in Painting* (Oxford, 1986) ; Roselee Goldberg, *Performance Art* (Londres et New York, édition revue et augmentée, 1988) ; Clement Greenberg, *Art et Culture* (Boston, 1961, et Paris, 1988) ; Klaus Honnef, *Contemporary Art* (Cologne, 1988) ; Hellen H. Johnson, *Modern Art and the Object* (New York, 1976) ; Max Kozloff, *Renderings* (New York et Londres, 1970) ; Rosalind E. Krauss, *The Originality of the Avant-Garde and other Modernist Myths* (Cambridge, Mass., 1985) ; Udo Kultermann, *The New Painting*, éd. révisée, Boulder, CO., 1976) ; Lucy Lippard, *Changing : Essays in Art Criticism* (New York, 1971) ; Edward Lucie-Smith, *Movements in Art since 1945* (Londres et New York, seconde édition revue, 1984) ; Ursula Meyer (éd.), *Conceptual Art* (New York, 1972) ; Catherine Millet, *L'Art contemporain en France* (Paris, 1987) ; Achille Bonito Oliva, *La Transavant-garde italienne* (Milan, 1980) ; Frank Popper, *The Origins and Development of Kinetic Art* (Greenwich, Conn., et Londres, 1968) ; Frank Popper, *Art : Action and Participation* (Londres et New York, 1975) ; Irving Sandler, *American Art of the 1960s* (New York, 1989).

Liste des illustrations

Index